JĘZYK ANGIELSKI
DLA
ZAAWANSOWANYCH

IRENA DOBRZYCKA
BRONISŁAW KOPCZYŃSKI

Język
angielski
dla
zaawansowanych

WIEDZA POWSZECHNA
WARSZAWA

Recenzenci
dr JANINA SMÓLSKA
JOYCE WIECZORKOWSKA

Okładka
JÓZEF CZESŁAW BIENIEK

Ilustracje
JERZY FLISAK

Redaktor
JERZY LASS
ANNA MORACZEWSKA

Redaktor techniczny
JANINA HAMMER
ANDRZEJ MIREK

Korektorzy
ZDZISŁAW BOCHEŃSKI
CZESŁAWA TOMASZEWSKA

PW „Wiedza Powszechna" — Warszawa 1991. Wydanie VI.
Objętość 28,5 ark. wyd., 33,5 ark. druk. Druk z diapozytywów i oprawę
wykonała Łódzka Drukarnia Dziełowa, ul. Rewolucji 1905 r. nr 45.
90-215 Łódź. Zam. 204/1100/91.

ISBN 83-214-0292-5

SPIS TREŚCI

WSTĘP

Niniejsza praca jako druga część podręcznika I. Dobrzyckiej i B. Kopczyńskiego pt.: „Język angielski dla początkujących" (Warszawa, Wiedza Powszechna) opiera się na jego materiale leksykalnym i gramatycznym, który rozwija i rozszerza.

Przeznaczona ona jest w zasadzie dla czytelników, którzy opanowali pierwszą część podręcznika. Z pożytkiem korzystać mogą z niej również i czytelnicy, którzy uczyli się z innych podręczników i są na różnych stopniach zaawansowania w nauce języka angielskiego, czytują książki, czasopisma w języku angielskim.

Przewidziany przez autorów szeroki zasięg odbiorców wymaga szczególnego ujęcia materiału i jego opracowania. Podręcznik zawiera celowo zarówno teksty łatwiejsze, których zadaniem jest rekapitulacja i utrwalenie podstawowego słownictwa, struktur zdaniowych i zagadnień gramatycznych, jak i teksty trudniejsze, pogłębiające i rozszerzające zakres znajomości języka angielskiego.

Gramatyka została ujęta z punktu widzenia praktycznego. Wyjaśnienia gramatyczne powiązane są z najbardziej typowymi potrzebami języka mówionego z jednej strony oraz z treścią czytanek — z drugiej. Ma ona być pomocą roboczą, a nie systematycznym, teoretycznym przeglądem zagadnień gramatycznych. Dlatego też szczególny nacisk położono na specyficznie angielskie struktury zdaniowe, odmienne od polskich, które są tak często pomijane w krótszych podręcznikach gramatyki angielskiej. Niektóre problemy tego typu, sprawiające w praktyce szczególne trudności polskim uczniom, choć omówione w pierwszym podręczniku, zostały tu powtórzone, usystematyzowane i pogłębione. Terminologia gramatyczna oparta jest na szeregu najnowszych gramatyk angielskich.

Ćwiczenia są również celowo zróżnicowane pod względem stopnia trudności. Ułożone są one metodycznie w każdej lekcji. Pierwsze, łatwiejsze, mają za zadanie mechaniczne utrwalenie w pamięci, w „bezbolesny" sposób, zarówno struktur zdaniowych, jak i słownictwa nowej lekcji. Następne ćwiczenia dotyczą zagadnień językowych i gramatycznych omówionych w poprzednich lekcjach, stanowią powtórkę, uzupełniają luki łatwo powstające u mniej cierpliwych i spieszących się uczniów. Wreszcie ostatnie ćwiczenia w każdej lekcji, które obejmują tworzenie zdań ściśle według podanych wzorów oraz tłumaczenia, wymagają więcej samodzielności i ćwiczą w czynnym opanowaniu języka.

Uczący się powinien przerabiać je wszystkie, gdyż zastępują one rozmowę z nauczycielem. W miarę możności powinno się głośno czytać teksty i ćwiczenia, uczyć się na pamięć tekstów podanych w transkrypcji fonetycznej na początku ćwiczeń oraz dowolnie wybranych zdań. Tłumaczenie tekstów i klucz do ćwiczeń mają służyć jako instrument kontrolny do zbadania, czy uczeń starannie przestudiował objaśnienia i gramatykę, a w konsekwencji zrozumiał dobrze czytanki i wreszcie, czy właściwie wykonał ćwiczenia.

Słownictwo obu części podręcznika oparte jest na naukowych opracowaniach podstawowego zasobu wyrazów, używanych przez Anglików i Amerykanów (*A General Service List of English Words by Michael West*, prace *Thorndike'a* i inne), z uwzględnieniem specyfiki wymogów polskiego ucznia. W tekstach i ćwiczeniach występuje przede wszystkim w formie dialogu żywy, współczesny język potoczny. Sporadycznie, części niektórych lekcji, ujęte w innych formach, wprowadzają bogatszy leksykalnie i składniowo nowoczesny język narracji.

Transkrypcja fonetyczna jest ta sama co w pierwszej części.* Jest to odmiana międzynarodowej transkrypcji uproszczonej (*Simplified IPA*), dostosowanej do warunków nauki ucznia polskiego. Ze względu na ogromną różnorodność systemów transkrypcji podano w l. 36 krótki przegląd podstawowych systemów transkrypcji, które polski czytelnik napotkać może w słownikach i wydawnictwach wydanych w kraju i za granicą.

Zrozumiałe jest, że uczący się bez pomocy nauczyciela powinien dążyć do słuchania języka angielskiego, np. w kinie, z płyt, w radiu itp.

Teksty podane w książce są oryginalne z wyjątkiem sześciu tekstów użytych za uprzejmą zgodą wydawców angielskich i amerykańskich.

We are indebted to the following for permission to use or adapt copyright material:

Longmans, Green and Co Ltd, London for:
"Over the Coffee Cups" David Hicks's Foundation of English, Book 3,
"The New School" G. C. Thornley's More Plays and Stories.
"The Linguist", London for:
"On Strike"
"Moonshine"
"The Choice of Career",
and Thomas Y. Crowell, New York, publishers for:
"You look very nice tonight" from People in Livingston, Copyright, 1953, by the author, Virginia French Allen.

---

* Tabela znaków fonetycznych jest w l. 36.

The Present Perfect Tense
The Split Infinitive
The Future Perfect Tense
The Passive Voice
The Present Participle
Użycie *would* i *would rather*

INSTEAD OF AN INTRODUCTION

A Classroom.
The Teacher — Students.

The lesson is taking place in October 197...

Teacher: Ladies and Gentlemen.
We have just ended the first book of English for Beginners published by "Wiedza Powszechna" in Warsaw, Poland, under the title of "Język angielski dla początkujących". Now, after having mastered the vocabulary and grammar of that book, we've made up our minds to make hay while the sun shines and go on learning more words, idioms and grammar. For that purpose the publishers have issued another book which is a kind of sequel to the first manual, here it is.

introduction [yntrə'dakszn] *wstęp*
take place [tejk plejs] *odbywać się, nastąpić*
beginner [by'gynə] *początkujący*
manual ['mænjuəl] *podręcznik*
publish ['pablysz] *wydać, opublikować*
master ['ma:stə] *opanować*
hay [hej] *siano*
purpose ['pə:pəs] *cel*
publishers *wydawca, wydawnictwo*
issue ['ysju:] *wydać*
sequel ['si:kʷəl] *dalszy ciąg*
most of us ['moust əw as] *większość z nas*

First Student: May I ask a question, please?

Teacher: What is it?

First Student: Is the new book illustrated, and has it a lot of exercises? Most of us do our learning at home without a teacher.

Teacher: Oh yes, it is. It has been built on the same lines as the first book. I think that it has a greater number of illustrations and exercises. The purpose of the book is to give a broader knowledge of various sides of English life with a richer vocabulary to help the student to use and understand more difficult words.

on the same lines *na tych samych zasadach*
illustration [yləs'trejszn] *ilustracja*

Second Student: Is the vocabulary in the new book very difficult? I mean, are there many new idioms to remember?

Teacher: I don't think it would make your hair stand on end. You are already getting on well after having been hard at it for a long time and I am sure you will cope successfully with the new situation. You have already got the hang of essential grammar. So you must not allow yourself to get depressed but you must put a bold face on it.

to get on *dać sobie radę*
cope with [koup] *dać sobie radę z*
successfully [sək'sesfəly] *z powodzeniem*
essential [y'senszəl] *podstawowy*
get [get] tu: *stać się, zostać*
bold [bould] *śmiały*

Third Student: This is a fairly difficult

fairly difficult ['feəly] *dość trudny*

To make one's hair
stand on end

language you are speaking to us. Shall we also have a dictionary in the book, and will there be any slang? I want very much to use it, as I think the English use slang in everyday talk, don't they?

Teacher: Oh yes. You will find lists of new words in the lesson on the same page and explanations below the text. A separate dictionary will be attached at the end of the book. Before reading the text you ought to read the new words and immediately after reading the text you should do all the exercises.

As to the use of slang, I should not advise you to do so as it changes very quickly.

Fourth Student: Will you give us a short definition of slang, please, and some examples?

Teacher: Well, it is not easy to give a clear definition of what slang is. According to some linguistic authorities it's a language of a common popular type, below the level of educated speech. It is used to give a special sense of things, some of it sounds fantastic and funny and expresses extravagant humour or thoughts. It stands rather below popular conversational language... but let's have some examples as they best illustrate its use: a *man* in conversational language is *chap* and in slang is *bloke* or *guy*, to *drink too much* is to *booze*, a *face* becomes *phiz*, a *policeman* is *bobby* or *copper*, *excellent* is *first rate* or *smashing*, to *talk* is to *blether*, *be off* or *depart* becomes *buzz off*.

slang [slæŋ] *gwara*
explanation [ˌeksplə'nejszən] *wyjaśnienie*
below [by'lou] *poniżej*
text [tekst] *tekst*
separate ['sepryt] *oddzielny*
attach [ə'tæcz] *dołączyć*
advise [əd'wajz] *radzić*
according to [ə'ko:dyŋ tu] *zgodnie z*
linguistic [lyn'g"ystyk] *językoznawczy*
authority [o:'θoryty] *autorytet*
educate ['edjukejt] *kształcić, wychowywać*
speech [spi:cz] *mowa*
sound [saund] *brzmieć, dźwięczeć*
extravagant [yks'træwəgənt] *przesadny*
conversational [ˌkənwə'sejszənl] *potoczny*
chap [czæp] *pot.* *człek, chłop*
bloke [blouk], **guy** [gaj] sl. *chłop, człek, facet*
booze [buz] *wóda, pijatyka; chlać*
phiz [fyz] *fizjonomia, gęba*
bobby ['boby], **copper** ['kopə] sl. *policjant, glina*
first rate [fə:st rejt] *cudo, wspaniały*
smashing ['smæszyŋ] *cudo, morowy*

You see, ladies and gentlemen, what it is. I would rather you didn't use it, some English people think slang is a disgrace to their language.

Fourth Student: Thank you, sir.

Fifth Student: I have very much enjoyed the humour in the first book. I should like you to give us your comments on the humour in your second book.

Teacher: Well, as a matter of fact the humour in the book is typically English, very often of the kind we call pure nonsense. It is sometimes a mixture of laughter and feeling. Let's have some examples:

blether ['bleðə] *ględzić*
to be off *odejść*
depart [dy'pa:t] *odjechać*
buzz off [baz of] *zmykać, odstawić się*
disgrace [dys'grejs] *wstyd, hańba*
I have enjoyed the humour *podobał mi się humor*
comment ['koment] *komentarz*
pure [pjuə] *czysty*
nonsense ['nonsəns] *nonsens*
mixture ['myksczə] *mieszanina*

No Chance

Good friend: And what were your poor father's last words, my dear?

Girl: I don't think he had any last words, you see, my mother was with him when he died.

chance [cza:ns] *szansa*

* * *

And one more funny story:

Two friends were out cycling. Suddenly one of them stopped, jumped off, and let all the air out of his back tyre.

"Why do that?"* asked the other.

"The saddle is too high," said his companion.

"Lend me a spanner," asked the second cyclist. He turned his handlebars back to front.

"What's going on?" asked the other.

jump off [dżamp of] *zeskoczyć*
let out [let'aut] *wypuścić*
tyre ['tajə] *opona*
saddle [sædl] *siodło*

spanner ['spænə] *płaski klucz*
cyclist ['sajklyst] *rowerzysta*
handlebars ['hændlba:z] *kierownica roweru*

---

* Zwrot potoczny. Poprawnie: Why do you do it?

"I'm going back. I'm not cycling with a fool like you."

Sixth Student: Is grammar very difficult? Is there anything new or is it only the revision of grammar items from the first book?

revision [ry'wyżən] *powtórka*

item ['ajtəm] tu: *szczegół*

What's going on?

Teacher: Now, when you already know the important items of English grammar I should like you to look upon it more favourably and from a slightly different point than before. I once heard an English teacher say that grammar is not a code of rules but it is like manners. It records what is done by cultured people and like manners it is in a state of constant change. I like this definition very much and it seems to me that it correctly expresses what grammar really is.

In this book you will find grammar which will be a little more difficult. You will find all these items explained and supplied with as many examples as you

favourably ['fejwərəbly] *przychylnie*

slightly different ['slajtly 'dyfrənt] *nieco odmienny*

code [koud] *kodeks*

manners ['mænəz] *obyczaje*

record [ry'ko:d] *rejestrować*

cultured ['kalczəd] *kulturalny*

state ['stejt] *stan*

constant ['konstənt] *stały*

correctly [kə'rektly] *prawidłowo*

supply [sə'plaj] *zaopatrzyć*

would like and revision exercises of grammatical usage.

Well, that is almost all I wanted to say. I think that by the end of May we shall have finished our course.

Are there any more questions...? If not, I think I am going to end this talk with my best wishes to all of you to successfully deal with all difficulties on your way to good English!

grammatical [grə′mæty-kəl] *gramatyczny*
usage [′ju:zydż] *użycie, stosowanie*

deal, dealt, dealt [di:l delt delt] **(with)** *mieć do czynienia (z)*

Good, better, best,
Never rest,
Till good be better,
And better best!

OBJAŚNIENIA

to make up one's mind	*zdecydować się*
to make hay while the sun shines	*(dosł.) zbierać siano póki słońce świeci = kuć żelazo póki gorące*
to make one's hair stand on end	*przerazić (sprawić, że komuś włosy staną dęba na głowie)*
to go on learning	*uczyć się dalej*
go on reading!	*czytać dalej!*
what is going on?	*co się dzieje?*
on the same lines	*na tych samych zasadach*
to put a bold face on	*stawić czemuś dzielnie czoła, podejść śmiało do czegoś*

to mean	*znaczyć, mieć na myśli, zamierzać*
What does it mean?	*Co to znaczy?*
Is the new book difficult?	*Czy nowa książka jest trudna?*
I mean, are there many new idioms?	*Mam na myśli (to znaczy), czy jest w niej dużo nowych zwrotów?*
I know what you mean.	*Wiem, co masz na myśli.*
He means well.	*Ma dobre intencje.*

to be hard at
successfully

pilnie pracować nad
z powodzeniem

Przypominamy, że większość przysłówków tworzymy przez dodanie końcówki **-ly** do przymiotnika, np. **quickly, successfully, immediately.**

to get the hang of something	*zapoznać się z czymś*
to get depressed	*stać się przygnębionym*
rather unusual	*dość niezwykły, raczej niezwykły*
Slang is rather below conversational language.	*Gwara jest raczej poniżej poziomu języka potocznego.*
I would rather you didn't use slang.	*Wolałbym, żebyście nie używali gwary.*

Thank you, sir.	*Dziękuję panu.*
Yes, sir. Yes, madam. No, sir etc.	*Tak, proszę pana. Tak, proszę pani. Nie, proszę pana itp.*

Sir, Madam bez nazwiska — to formuła grzecznościowa używana w stosunku do osób, którym chcemy okazać szacunek, uprzejmość.

Dear Sir, Dear Madam, w listach — ma charakter oficjalny: *Szanowny Panie! Szanowna Pani!*

Sir Walter Scott — **Sir** (zawsze dużą literą) z imieniem i nazwiskiem oznacza tytuł szlachecki *baronet* i inne. Można używać go z samym imieniem (poufale), ale nigdy z samym nazwiskiem, np. **Sir Walter.** Żonę baroneta tytułuje się **Lady,** z samym nazwiskiem: **Lady Scott.**

---

as a matter of fact

w istocie, w gruncie rzeczy

like	*podobny do, podobnie do, tak jak*
Grammar is like manners.	*Gramatyka jest podobna do obyczajów.*
My husband is like yours.	*Mój mąż jest taki jak twój.*
What is he like?	*Jak on wygląda? Jaki to człowiek?*
like	*lubić, upodobać sobie coś*
I like this definition.	*Podoba mi się ta definicja.*
I should like to learn French.	*Chciałbym uczyć się francuskiego.*

to record [ry'ko:d]
Grammar records what is spoken
by cultured people.
record ['reko:d]
He broke last year's record.
gramophone records

rejestrować, zapisywać
Gramatyka rejestruje mowę ludzi
kulturalnych.
rekord, płyta gramofonowa
Pobił rekord zeszłoroczny.
płyty gramofonowe

---

more
It will be a little more difficult.
Any more questions?
Two more cakes, please.
I shall tell you one more story.

więcej, bardziej, jeszcze
To będzie trochę trudniejsze.
Jakie jeszcze pytania?
Proszę jeszcze o dwa ciastka.
Opowiem wam jeszcze jedną
historyjkę.

Most of us do our learning ...   *Większość z nas uczy się ...*

GRAMATYKA *

1. The Present Perfect Tense **

Czasu Present Perfect używa się dla wyrażenia czynności przeszłej, nie zakończonej i jeszcze trwającej, lub dopiero co zakończonej, albo też czynności zakończonej, której czas dokonania nie jest bliżej określony i której skutki jeszcze trwają. W ten sposób Present Perfect wiąże czynność przeszłą z teraźniejszością wskazując na to, że czynność przeszła jeszcze teraz trwa lub jej skutki obecnie trwają. Można zatem powiedzieć, że Present Perfect wskazuje na stosunek jakiejś czynności do danego momentu w teraźniejszości.

---

* Zagadnienia gramatyczne są omawiane w związku z występującymi w czytankach zjawiskami językowymi. Omawianie tych zagadnień służy celowi czysto praktycznemu, tj. przyswojeniu umiejętności tworzenia prawidłowych konstrukcji frazeologicznych bez potrzeby pamięciowego gromadzenia obfitego materiału gramatycznego. Z tego powodu część gramatyczna niniejszego podręcznika nie stanowi systematycznego kursu gramatyki, który wyczerpująco według określonego systemu wyjaśnia każde poszczególne zagadnienie. Powoływanie się na lekcje z pierwszej części podręcznika zaznacza się: patrz I, 1..., a na lekcje z niniejszej drugiej części: patrz 1...
** patrz I, l. 26

W czytance naszej mamy zdania:

We have just ended the first book. *Dopiero co skończyliśmy pierwszą książkę.*

(a więc czynność związana z jej poznawaniem jest skończona i wniosek logiczny wypływający z tego zdania brzmi: „...i obecnie znamy jej treść").

The publishers have issued another new book. *Wydawcy wydali nową książkę.*

W zdaniu tym wskazuje się na fakt, że książka w tej chwili jest wydana i obecnie możemy z niej korzystać.

You have already got the hang of essential grammar. *Opanowaliście już podstawy gramatyki.*

(tj. w przeszłości (bliżej nie określonej) opanowaliście już **(already)** podstawy gramatyki i w tej chwili są one dobrze wam znane.)

I have very much enjoyed the humour in the first book. *Bardzo mi się podobał humor zawarty w pierwszej książce.*

(tj. zaznajomiłem się z humorem w pierwszej książce i w tej chwili pamiętam o tym.)

2. The Split Infinitive (bezokolicznik rozszczepiony)

W ostatnim ustępie czytanki mamy zdanie:

"...**my best wishes to all of you to successfully deal with difficulties.**"

To successfully deal with jest rozszczepionym bezokolicznikiem. Zwykły szyk wyrazów, który brzmiałby **successfully to deal with** lub **to deal successfully with** został tu zmieniony, ażeby szczególnie podkreślić wyraz **successfully**. Przysłówek (tu: **successfully**) „rozszczepia" bezokolicznik, znajduje się między **to a deal.** Jest to zupełnie prawidłowa, coraz częściej stosowana forma, choć ma przeciwników wśród purystów.

3. The Future Perfect Tense *

W zdaniu:

I think that by the end of next May we shall have finished our course

mamy przykład użycia czasu przyszłego dokonanego, The Future Perfect Tense. Składa się on z czasownika posiłkowego **shall** (lub **will**) oraz z czasownika głównego w formie bezokolicznika czasu przeszłego **(to have finished)** bez **to**.

We wszystkich osobach brzmi, jak następuje:

I shall have finished	we shall have finished
you ⎫ he ⎪ she ⎬ will have finished it ⎭	you ⎫ they ⎬ will have finished

A oto kilka innych przykładów:

By 1985 I shall have learned English for ten years.	*W 1985 r. będę się już 10 lat uczył (będę miał za sobą) języka angielskiego.*
He will have finished his writing by five o'clock.	*On ukończy pisanie na godzinę piątą (lub: do piątej).*
I shall have come home before you leave.	*Przyjdę do domu, zanim wyjdziesz.*

He will have finished his writing by 5 o'clock

---

* patrz I, l. 44

We wszystkich tych przykładach widzimy, że czynność w nich wyrażona będzie zakończona przed określonym momentem w przyszłości. A zatem czasu Future Perfect używamy do wskazania stosunku jakiejś przyszłej czynności do określonego momentu lub innej przyszłej czynności.

4. The Passive Voice (strona bierna czasowników) *

Is the new book illustrated? *Czy nowa książka jest ilustrowana?*
It has been built... *Została zbudowana...*

W przykładach tych występuje strona bierna, która jest częściej używana w języku angielskim aniżeli w polskim. Tworzymy ją za pomocą czasownika **to be** (tu: **is, has been**), w formie zależnej od osoby, liczby i czasu użytych w zdaniu, oraz imiesłowu czasu przeszłego czasownika głównego (tu: **illustrated, built**).

5. The Present Participle (imiesłów czasu teraźniejszego) **

Now, after having mastered the vocabulary... *Teraz po opanowaniu słownictwa...*
...after having been hard at it for a long time... *...napracowawszy się przy nim przez długi czas...*

Formy imiesłowów czasownika to take:

The Present Participle (imiesłów czasu teraźniejszego)

Strona czynna	Strona bierna
Forma zwykła: **taking** *biorący*	**being taken** *brany*
Forma dokonana: **having taken** *zabrawszy, wziąwszy*	**having been taken** *zabrany*

The Past Participle (imiesłów czasu przeszłego)

taken *zabrany*

---

* patrz l. 17
** patrz l. 32 i 33

6. Użycie *would* i *would rather*

I don't think it would make your   *Nie sądzę, aby wam od tego włosy*
hair stand on end.   *na głowie stanęły.*

Would wyraża tutaj prawdopodobieństwo, tzn. nauczycielowi nie wydaje się prawdopodobne, aby studentom włosy stanęły na głowie.

I would rather you didn't use it.   *Wolałbym, abyście go nie używali.*

Zwrot **I would rather** (*wolałbym aby*) pociąga za sobą konieczność użycia czasu przeszłego (Past Tense) w zdaniu dopełnieniowym **(you didn't use)**. Spójnik **that** *żeby* zwykle się opuszcza.

I would rather (that) you didn't use it.

ĆWICZENIA

Read aloud: *
['mej aj 'a:sk ə 'kᵘesczn, pli:z?
'ᵘot yz yt?
'yz ðə nju: buk 'yləstrejtyd, ənd hæz yt ə lot əw 'eksəsajzyz
'moust əw as du auə 'lə:nyŋ ət 'houm ᵘy'ðaut ə 'ti:czə.
'ou 'jes, yt 'yz. yt həz byn 'bylt on ðə 'sejm lajnz æz ðə 'fə:st buk]

LEARN BY WRITING AND READING

I. Odpowiedz na pytania pełnymi zdaniami:

1. Who published the first book of English for Beginners? 2. Is the second book illustrated? 3. Have you already read the second book? 4. Will it teach you a richer vocabulary? 5. Are there many idioms on page 14? 6. How long have you learned English? 7. Do you know much slang? 8. What is the most difficult thing in English grammar? 9. What is the present perfect of to lie?

---

* aloud [ə'laud] głośno

II. Uzupełnij zdania czasownikiem w czasie Present Perfect wg przykładu:

1. The publishers — another English book (to issue).

P r z y k ł a d : *The publishers* **have issued** *another English book.*

2. I — many illustrations in the new book (to find).
3. I think I — the most important things in English grammar (to master).
4. The pupil — all the explanations attached to lesson one (to write down).
5. The teacher — us a short definition of slang (to give).
6. She — all the words and idioms she could not understand (to leave out).
7. The introduction — us how to use the book (to tell).
8. Our school — on the same lines as yours (to be built)
9. You — the match according to the rules (to play).

III. Użyj w zdaniu 4 dowolnie wybrane idiomy ze strony 14:

IV. Dokończ następujące zdania wg przykładu:

1. Having mastered the vocabulary of the first book, we...

P r z y k ł a d : *Having mastered the vocabulary of the first book,* **we made up our minds to learn more words.**

2. Having found that the sea was not deep in that place, he...
3. Having noticed that she had left her umbrella at home, she...
4. Having asked his father fifteen questions about cycling, the boy...
5. Having forgotten the meaning of the idioms, John...
6. Having given the students an easy definition of slang, the teacher...

V. Uzupełnij z pamięci brakujące wyrazy wg przykładu:

Two — were out cycling.

P r z y k ł a d: *Two* **friends** *were out cycling.*

Suddenly one of — stopped, jumped off and let all the — out of his back tyre. "Why do that?" — the other. "The saddle is — high," said his companion. "Lend — a spanner," asked the — cyclist. He turned his handlebars back to —. "What's — on?" asked the other. "I'm going —. I'm not cycling with a — like you."

VI. Wyszukaj w lekcji 1 wyrazy z końcówką -ed wymawianą:

[d]	[t]	[yd]
np. mastered	depressed	ended

VII. Przepisz całe zdania i podkreśl określenia momentu, do którego czynność wyrażona w Future Perfect musi być dokonana:

1. By the end of the year you will have learned how to dance.
Przykład: **By the end of the year** *you will have learned how to dance.*
2. At eight o'clock I shall have dressed and then I shall ring you up. 3. Don't worry about your quarrel with Peter; tomorrow both of you will have forgotten all about it. 4. Monday is washing day in England; Joan will have finished hers by 4 p. m. 5. On Tuesday Freddie will have bought new tyres for his bicycle and he will join our cycling group. 6. By the end of April my children will have stopped wearing thick stockings.

VIII. Przetłumacz na język angielski:

Serwus Jerzy! Co ty tu masz (have you got)? Książkę? Czy interesujesz się (to be interested in) językami (languages)? Tak, trochę. Nie chcę być nauczycielem, ale studiuję (jestem w trakcie) angielski. Widzisz, w moim zawodzie powinienem (ought to) czytać angielskie książki techniczne. Czy chcesz również mówić po angielsku? O, tak, chcę. Chciałbym (I should like) opanować żywą (żyjącą) angielską mowę tak dobrze, jak to tylko jest możliwe. Jak zdołasz (can) dać sobie radę z trudnościami wymowy angielskiej? No (well), zasadniczą rzeczą jest robić wszystko, co (what) ta książka radzi mi robić. Na (for) przykład: uczę się na pamięć prostych (simple) zdań i pytań. Szukam wymowy trudnych wyrazów w słowniku. Gdy mam czas, przysłuchuję się angielskim lekcjom radiowym (on the radio). Widzę, że jesteś bardzo pilny. Pracuję dużo, ponieważ chcę władać w piśmie i mowie (pisać i mówić) prawidłową angielszczyzną (English).

LESSON TWO   **THE SECOND LESSON**

> Użycie zaimka przymiotnego *the other*
> Użycie czasownika *ought*
> Rzeczownik *advice* a liczba mnoga
> Użycie przysłówka *ever*
> The Past Perfect Tense
> Użycie i znaczenie *any*
> *Best* najlepiej, najbardziej

YOU LOOK VERY NICE TONIGHT *

Mrs. Moore and the other women in Livingston are very fond of their husbands, but they often complain that their husbands never pay them any compliments.

Mrs. Moore said to Mrs. Blodgett one day, "Frank is a good husband, and I ought not to complain. He buys everything that the children and I need. He never drinks too much. He has never even looked at another woman. He always helps me with the dishes when the children aren't here. He has always been very good to me, and I really ought not to complain. But he hasn't paid me a compliment for seventeen years."

"I know exactly what you mean," Mrs. Blodgett agreed. "Ben is exactly like that, too. When I wear a new dress or a new hat, I ask him how he likes it, and he just says, 'Oh, is it new?' He never even notices it. Then I ask him again if he likes

Moore [muə] — nazwisko
Livingston ['lywyŋstən] — nazwa miasta w USA
to be fond of *lubić coś, być rozmiłowanym w czymś*
to pay compliments [to pej 'komplymənts] *prawić komplementy*
Blodgett ['blodżyt] — nazwisko
Frank [fræŋk] *Franek*
dish [dysz] *naczynie*

Ben [ben] *Benek*

---

* From **People in Livingston**. Copyright, 1953, by the author, Virginia French Allen, Thomas Y. Crowell, New York, publishers.

*He always helps
me with the dishes*

it and he just says, 'It looks all right to me."

"I know what you mean, Margaret," Mrs. Moore said. "I work hard to cook a good dinner for Frank, with everything that he likes best. And does he ever notice it? I always have to ask him if he likes it, and he just says, 'If I didn't like it, I'd tell you I didn't like it.' If Frank Moore ever paid me a compliment, I don't know what I would do."

A few days after this conversation, Mr. Moore and Mr. Blodgett were eating lunch together in a restaurant downtown. Professor Kendall was eating with them. Mr. Moore had taken Professor Kendall to lunch so he could ask his advice about a college for his daughter, Shirley.

The three men were eating beefsteak at the restaurant, and they weren't enjoying their meal.

"This beefsteak is terrible," Mr. Blodgett said. "I can hardly cut it."

"There is hardly a restaurant in town that serves a decent beefsteak," Mr. Moore said. "You can't get a decent meal in any restaurant in Livingston."

downtown ['dauntaun] *w śródmieściu* (amer.)
Kendall ['kendl] — nazwisko
advice [əd'wajs] *rada* (tylko w liczbie poj.)
college ['kolydż] *uniwersytet* (amer.), *część uniwersytetu* (ang.)
Shirley ['szə:ly] — imię żeńskie
beefsteak ['bi:f'stejk] *befsztyk*
to enjoy a meal [tə en-'dżoj ə mi:l] *jeść z apetytem*
terrible ['terəbl] *okropny*
serve [sə:w] *podawać, usługiwać*

"I know what you mean," Professor Kendall said.

"I'd never eat in a restaurant if I didn't have to," Mr. Blodgett said. "You ought to eat one of my wife's beefsteaks. It doesn't even have to be a beefsteak. She can cook anything so that you'd think it was a five-dollar meal."

"Edna can, **too**," Mr. Moore said. "She could teach these restaurant people a lot that they need to know."

to have to *musieć*

a fivedollar meal *posiłek o wartości 5 dolarów*

dollar ['dolə] *dolar*

Edna ['ednə] — imię żeńskie

And does he ever notice it?

"Well, you fellows are lucky," Professor Kendall said. "If you weren't married, you'd have to eat this terrible food three times a day. I do. You don't know how lucky you are."

When Professor Kendall had left them, Mr. Blodgett said to Mr. Moore, "I guess we are lucky, Frank, when you think about it. Do you ever say anything to Edna about her meals?"

Mr. Moore said, "No, I guess I never do. But she knows I'd tell her if I didn't like the food."

"Well, I guess we ought to tell them when the food is good," Mr. Blodgett said. "I guess a few compliments are good for women. Anyway, that's what the newspapers say."

That night the Moores had chicken for dinner. When Mr. Moore had eaten some of his chicken, he put his knife and fork on his plate and said in a loud voice, "Edna, this chicken is the best chicken I've ever eaten."

Mrs. Moore looked surprised, but she didn't look especially pleased. "I was just thinking it wasn't so good as usual," she said.

"The potatoes are good, too," Mr. Moore said. "George, don't you think these potatoes are especially good?"

His wife looked more surprised than before.

"Frank," she said, "they're just ordinary potatoes, and you know it."

Mr. Moore thought, "I'm going to try once more." He looked at his wife and said, "Well, anyway, you look very nice tonight, Edna. That's a new dress, isn't it? I always like blue dresses best."

Mrs. Moore put her knife and fork on her plate and looked at her husband. She certainly didn't look pleased.

"Frank Moore," she said, "this dress is three years old. And it isn't even blue, it's green!"

guess [ges] *sądzić* (a-mer.), *zgadywać* (ang.)
no, I guess I never do *chyba nigdy*

that night *tego wieczoru*
chicken [ˈczykyn] *kurczę, mięso z drobiu*
fork [foːk] *widelec*

ordinary [ˈoːdnry] *zwykły*

tonight *dziś wieczór*

Quotations, proverbs and jokes

Useless grammar is a devastating plague.

(G. B. Shaw)

quotation [kuo'tejszn] cytat
proverb ['prowɔb] przysłowie
joke [dżouk] żart
useless ['ju:slys] zbyteczny
devastating ['dewɔstej-tyŋ] tu: rozpaczliwy
plague [plejg] plaga

OBJAŚNIENIA

Mr., Mrs., Miss	Pan, Pani, Panna
Yes, Mr. Moore. No, Mr. Blodgett.	Tak, proszę pana. Nie, proszę pana.
What did you say, Mrs. Moore?	Co pani powiedziała?
How do you do, Miss Moore?	Jak się pani ma?

W języku potocznym Anglicy i Amerykanie bardzo często powtarzają nazwisko osoby, z którą rozmawiają.

Mr. ['mystə] — skrót od **mister** ['mystə] — występuje przed nazwiskiem mężczyzny. Pisze się go z kropką lub bez.

Mrs. ['mysyz] — skrót od **mistress** ['mystrys] — występuje przed nazwiskiem kobiety zamężnej.

Miss [mys] — przed nazwiskiem kobiety niezamężnej.

Prof. Kendall, Dr. Brown, Capt. Smith, tj. **Captain** ['kæptyn] **Smith**
Gdy używamy tytułów, opuszczamy **Mr., Mrs. i Miss.**
O żonie profesora Kendalla mówimy **Mrs. Kendall,** kapitana Smitha — **Mrs. Smith.**

Look here, Moore.	Słuchaj no, Moore.
Where have you been, my dear Blodgett?	Gdzie byłeś, drogi Blodgett?
How do you do, Shirley?	Jak się masz, Shirley?
Hello, Bob.	Jak się masz, Bob?
Yes, Margaret.	Tak, Małgorzato.

W stosunkach bardziej zażyłych używa się samego nazwiska (szczególnie wśród mężczyzn — w miejscu pracy, wojsku, szkole itp.) albo, tak jak u nas, samego imienia. Nie ma natomiast w języku angielskim formy pośredniej między stosunkiem formalnym a zażyłym, formy odpowiadającej naszemu pan, pani, panna z samym imieniem: Dzień dobry, panie Janie. Co słychać, panno Kasiu?

He always helps me with the dishes.   Zawsze pomaga mi zmywać naczynia.

I know what you mean.   Wiem, co masz na myśli.

It looks all right to me.   Moim zdaniem wygląda to bardzo dobrze.

---

hard   trudno, ciężko; uporczywie, usilnie; pilnie

     I work hard to cook a good dinner.   Ciężko pracuję, żeby ugotować dobry obiad.

     He tries hard to win the match.   Usilnie stara się wygrać mecz.

hardly   zaledwie, ledwo, prawie nie

     I can hardly cut this piece of meat.   Ledwo mogę ukroić ten kawałek mięsa.

     There is hardly a restaurant that serves a decent meal.   Nie ma prawie restauracji, która by podawała przyzwoity posiłek.

He has taken the professor to lunch.   Zaprosił profesora na lunch.

Will you take me to the show?   Czy weźmiesz mnie ze sobą (lub: zabierzesz) na przedstawienie?

to enjoy a meal   jeść z apetytem, rozkoszować się jedzeniem

to enjoy a show   cieszyć się (rozkoszować się) przedstawieniem

---

once, twice, three times   raz, dwa razy, trzy razy

     He had to eat bad meals three times a day.   Musiał jadać kiepskie posiłki trzy razy dziennie.

     I go to see him once a week.   Odwiedzam go raz na tydzień.

     They show new films twice a month.   Pokazują nowe filmy dwa razy na miesiąc.

     I wash the dishes four times a week.   Zmywam naczynia 4 razy tygodniowo.

thrice-blessed ['θrajs 'blesyd]   po trzykroć błogosławiony

thrice ['θrajs] *trzy razy* — forma mało używana w mowie potocznej. Począwszy od liczby 3 stosuje się times: **five times, ten times.**

No, I guess I never do.   Chyba nigdy (dosł. Nie, sądzę, że nigdy tego nie czynię).

that night	tego wieczoru
to-night lub tonight [tə'najt]	dziś wieczorem
during the night, by night	w nocy
night-gown	koszula nocna

GRAMATYKA

1. Użycie zaimka przymiotnego the other *

Mrs. Moore and the other women in Livingston... — *Pani Moore oraz inne (pozostałe) panie w Livingston...*

Zaimek przymiotny **the other** *ten drugi, pozostały* kwalifikuje następujący po nim rzeczownik **women**. W przeciwieństwie do zaimka rzeczownego **the other** (występującego samodzielnie — bez rzeczownika czy zaimka) zaimek przymiotny **the other**, podobnie jak przymiotniki, nie zmienia swej formy w liczbie mnogiej. Inne przykłady:

the other boy	ten drugi (pozostały) chłopiec
the other houses	te inne (pozostałe) domy
the other book	ta druga (pozostała) książka

Zaimek rzeczowny:

You can have five chairs, if you like: first take two and then the others (lub: the other ones). — *Możesz wziąć 5 krzeseł, jeśli chcesz: najpierw weź dwa, a potem pozostałe.*

2. Użycie czasownika ought **

Frank is a good husband, and I ought not to complain. — *Frank jest dobrym mężem i nie powinnam się skarżyć.*
You ought to eat one of my wife's beefsteaks. — *Powinien pan zjeść befsztyk zrobiony przez moją żonę.*

a. **Ought** jest czasownikiem ułomnym, nadającym następującemu po nim czasownikowi (w bezokoliczniku z to) zabarwienie obowiązku: *nie powinnam się skarżyć*; rady, życzenia: *powinien pan*

---

* patrz I, l. 24
** patrz I, l. 14 i I, l. 34

zjeść; zupełnie tak jak polski czasownik *powinienem*. **Ought** wyraża silniejszy przymus aniżeli **should** (patrz I, l. 55) w znaczeniu *powinienem*.

Formę pytającą tworzymy przez inwersję, tj. przestawienie kolejności wyrazów:

Ought you to eat?   *Czy powinieneś jeść?*
Ought you to be there?   *Czy powinieneś tam być?*
Ought she to help him?   *Czy powinna mu pomóc?*

Formę przeczącą tworzymy za pomocą wyrazu **not** po czasowniku:

You ought not to do it (skrót: *Nie powinieneś tego robić.*
oughtn't).

Użycie czasownika posiłkowego **do** w formie pytającej i przeczącej byłoby poważnym błędem.

b. W odniesieniu do przeszłości używamy **ought** z bezokolicznikiem czasu przeszłego danego czasownika. W konstrukcji tej **ought** wyraża obowiązek, życzenie, które nie zostały spełnione w przeszłości (patrz I, l. 41).

I ought to have gone.   *Miałem obowiązek pójść, powinienem był pójść* (ale nie poszedłem).

You ought to have told that to her *Powinieneś był jej to powiedzieć*
before.   *przedtem* (ale nie powiedziałeś).

3. Rzeczownik *advice* a liczba mnoga

Advice *rada* jest rzeczownikiem niepoliczalnym, zatem nie ma liczby mnogiej. Możemy jednakże wyrazić ją w następujący sposób:

I shall give you a few pieces of   *Dam ci kilka rad.*
advice.
He gave her some advice.   *Dał jej kilka rad.*

4. Użycie przysłówka *ever*

And does he ever notice it?   *Czy on to kiedykolwiek widzi (zauważa)?*

This chicken is the best chicken I've *To jest najlepszy kurczak, jakiego*
ever eaten.   *kiedykolwiek jadłem.*

If Frank Moore ever paid me a compliment...	*Gdyby Franek Moore kiedykolwiek powiedział mi komplement...*
Nothing ever happens here.	*Nic tu się nigdy nie dzieje.*

Przysłówek czasu **ever** (*kiedy, kiedykolwiek, kiedyś, w jakimkolwiek czasie*) używany jest w zdaniach pytających, przeczących oraz w zdaniach zawierających warunek lub wątpliwość, najczęściej wyrażonych w czasach Present Tense i Present Perfect Tense.

5. The Past Perfect Tense *

Mr. Moore had taken prof. Kendall to lunch so he could ask his advice.	*Pan Moore zabrał prof. Kendalla na lunch, aby się go poradzić.*
When prof. Kendall had left them Mr. Blodgett said...	*Kiedy prof. Kendall opuścił ich, pan Blodgett powiedział...*
When Mr. Moore had eaten some of his chicken, he put...	*Kiedy pan Moore zjadł kawałek kurczaka, położył...*

Past Perfect Tense tworzy się z Simple Past czasownika posiłkowego **have** oraz **Past Participle** (imiesłów czasu przeszłego) czasownika głównego. Używa się tego czasu do wyrażenia czynności dokonanej przed jakąś inną czynnością, odbywającą się również w przeszłości.

W sprawie użycia Past Perfect Tense w mowie zależnej zob. zasady następstwa czasów I, l. 35., w zdaniach warunkowych zob. I, l. 45, oraz lekcja 8.

6. Użycie i znaczenie *any* **

a. Zaimka **any** w znaczeniu: *jakiś, jakieś, żaden, żadne, kilka, trochę* używa się w zdaniach przeczących i pytających. Jest on odpowiednikiem zaimka **some** (*jakiś, kilka, trochę, nieco*) występującego w zdaniach twierdzących.

Their husbands never pay them any compliments.	*Ich mężowie nigdy im nie prawią żadnych komplementów.*

b. **any** w znaczeniu: *jakiś, jakieś, kilka* używa się w zdaniach po-

---

* patrz I, l. 35
** patrz I, l. 30

3 Język ang. dla zaawansowanych

Nothing ever happens here

zornie twierdzących, sugerujących przeczenie, wątpliwość, oraz w zdaniach warunkowych, np.:

It is impossible to find any good restaurant.   *Niemożliwe jest (nie można) znaleźć jakąś dobrą restaurację.*

Wyraz **impossible** zawiera przeczenie.

If you found any mistakes, show them to me.   *Jeżeli znalazłeś jakieś błędy, pokaż mi je.*

c. **any** w znaczeniu: *jakikolwiek, jakiekolwiek, każdy* używa się w zdaniach twierdzących, np.:

Give me one of these magazines, any one will do.   *Daj mi jedno z tych czasopism, każde (jakiekolwiek) będzie dobre.*

7. *Best* najlepiej, najbardziej

I work hard to cook a good dinner for Frank, with everything that he likes best.
I always like blue dresses best.   *Ciężko się napracuję, aby ugotować dobry obiad dla Franka tak, jak on to najbardziej lubi.*
Najbardziej podobają mi się niebieskie sukienki.

Best jest najwyższym stopniem przysłówka **well** (patrz I, 1. 43). Przed **best** jako przysłówkiem nie stosuje się przedimka określonego **the. Best** stawia się na końcu zdania.

ĆWICZENIA

Read aloud:

[ajd 'newə i:t yn ə 'restəraŋ yf aj dydnt 'hæw tu mystə 'blodżyt sed.
ju: 'o:t tu i:t "an əw maj '"ajfs 'bi:fstejks yt 'daznt i:wn həw tə bi: ə
'bi:fstejk.
'szi: kən kuk 'enyθyŋ sou ðət ju:d 'θynk yt "əz ə 'fajw'dolə 'mi:l]

LEARN BY WRITING AND READING

I. Wstaw *never* **(w zdaniach przeczących) lub** *ever* **(w zdaniach pytających i warunkowych):**

1. Mr. Moore is a good husband, he — drinks too much; he has — even looked at another woman.

P r z y k ł a d : *Mr. Moore is a good husband, he* **never** *drinks too much; he has* **never** *even looked at another woman.*

2. But he — pays her any compliments.
3. And does he — tell her that she is an excellent cook?
4. No, he — notices it.
5. Mrs. Moore says that if her husband — paid her a compliment, she wouldn't know what to do.
6. Mr. Blodgett would — eat in a restaurant if he didn't have to.
7. He asked his friend, Mr. Moore: Do you — say anything to your wife about her meals?
8. No, said his friend, I — do.

II. Napisz po 2 zdania podobne do następujących (powtarzając wyrazy podane tłustym drukiem):

P r z y k ł a d : *Prof. Kendall* **always has to** *take meals in a restaurant.*

1. I **always have to** ask him if he likes it.
2. He **can hardly** cut his beefsteak.
3. My wife **ought to be** pleased.

III. Zadaj pytania zaczynające się od *why*, **odpowiednie do następujących odpowiedzi:**

1. They had asked Prof. Kendall as they wanted his advice.

P r z y k ł a d : *Why had they asked Prof. Kendall?*

2. The professor was not married and took his meals in a restaurant. 3. Mrs. Moore was not pleased when her husband didn't even notice her new clothes. 4. Their lunch was terrible for the beefsteak was very tough [taf] (twardy).

5. Mr. Moore decided to pay his wife a compliment for he was sorry he had never done it before. 6. She was surprised for the chicken was not especially good that night. 7. He spoke about the potatoes as he had not been lucky in his compliment about the chicken. 8. He said that his wife's dress was blue because he had never noticed her dresses before.

IV. Sporządź listę przedmiotów, które można zobaczyć w restauracji:

P r z y k ł a d : *table, beefsteak, lamp* itp.

V. Dokończ następujące zdania stawiając czasownik w Simple Past:

1. When he had left the restaurant . . .

P r z y k ł a d : *When he had left the restaurant,* **he looked** *at his watch.*

2. When Mrs. Moore had heard what her husband said . . .
3. When their guest had tasted the beefsteak . . .
4. When Shirley had grown older . . .
5. When Mrs. Blodgett had shown her husband her new dress . . .

VI. What do you know about the Moores? (napisz, co wiesz o rodzinie Moore'ów).

VII. Wyszukaj z obu pierwszych lekcji 10 wyrazów, w których litera "c" wymawiana jest [k] i 10 z wymową [s]:

[k]	[s]
np. **vocabulary**	**exercise**

VIII. Przetłumacz na język angielski:

Angielskie posiłki

Anglicy jedzą cztery razy dziennie (a day). Ich posiłki to są zwykle: śniadanie, lunch (tj. lekki obiad), podwieczorek i obiad. Niektórzy ludzie piją (have) filiżankę herbaty lub kawy o jedenastej. Ten posiłek ma zabawną nazwę "the elevenses" (drugie śniadanie). Obiad jest większym posiłkiem aniżeli lunch i jest jadany (taken) wieczorem. Teraz coraz więcej (more and more) ludzi rezygnuje (zrezygnować) z obiadu i zamiast niego jada (have) kolację lub "high tea". "High tea" jest podobny do podwieczorku, ale obfitszy (bogatszy) — dostaje się (dostajesz) często mięso lub rybę czy jaja. W angielskich fabrykach, biurach i szkołach zwykle przerywają (stop) pracę na lunch. Wiele ludzi załatwia swoje sprawunki (do their shopping) podczas godziny na lunch (lunchowej godziny), ponieważ angielskie sklepy zamyka się dosyć (raczej) wcześnie. Lunch jest podawany (to serve) w większości (most) szkół — jest oczywiście opłacany przez rodziców. Angielskie obyczaje przy stole (table manners) są różne od naszych. Każdy naród ma swój własny sposób trzymania noża, widelca, używania łyżki czy picia herbaty.

LESSON THREE   **THE THIRD LESSON**

The Present Tense, Continuous and Simple Forms
Nieregularne stopniowanie przymiotników
i przysłówków
Użycie przysłówka *else*
Użycie czasownika *must*
Użycie *have to* musieć

THE NEW SCHOOL *

Mrs. Poot and Mrs. Dill met each other in a street in the town of Amberside. They and all the women who come on later are of middle age, are carrying bags, and are on their way to the shops. It is Saturday morning.

Mrs. Poot: Oh, good morning, Mrs. Dill. I was just thinking of you.

Mrs. Dill: And what were you just thinking of me, Mrs. Poot?

Mrs. Poot: It doesn't matter. Have you seen the Relf building lately? What are those men doing inside it?

Mrs. Dill: Do you mean that big old place full of offices?

Mrs. Poot: That's right. I've just passed it. I saw a lot of workmen there and I heard noises inside. Are they going to pull it down, do you think?

Mrs. Dill: Pull it down? I don't know.

Mrs. Poot: But it's a very old building, isn't it? Well, well! I can't believe it. How many workmen did you see there?

Poot [puːt] — nazwisko
Dill [dyl] — nazwisko
Amberside [ˈæmbəsajd] — nazwa miasteczka
of middle age *w średnim wieku*

It doesn't matter *to nieważne*
matter [ˈmætə] *mieć znaczenie*
Relf [relf] — nazwa
lately [ˈlejtly] *ostatnio*
workman [ˈəːkmən] *robotnik*

pull down [pulˈdaun] *burzyć*

---

* By permission of Longmans, Green and Co. Limited, London.

Is anything the matter?

Mrs. Poot: Five or six. Oh, here's Mrs. Crabb. She's always talking about her arm. I don't want to meet her just now. I'll see you later. (As she goes off, Mrs. Crabb comes on).

Mrs. Dill: You don't look very pleased with life this morning, Mrs. Crabb. Is anything the matter?

Mrs. Crabb: How can I be pleased when my arm hurts me all the time? It keeps me awake at night. And my boy has to go to school next month. He's getting older now. But the school's two miles from our house. How will he go there and back every day? Can you tell me that, Mrs. Dill?

Mrs. Dill: I don't know at all. But have you heard the news? They're pulling the Relf building down.

Mrs. Crabb: Pulling it down? Why?

Mrs. Dill: I don't know. But Mrs. Poot

Crabb [kræb] nazwisko
see you later *do zobaczenia*
go off *odejść*
come on *nadejść*
look pleased *wyglądać na zadowolonego*
pleased with life *zadowolona z życia*
is anything the matter? *czy stało się coś?*
hurt [hə:t] *boleć*
awake [ə'ᵘejk] *obudzony, będący na jawie*
get older *stawać się starszym*
the school's = the school is
go back *wracać*

saw some workmen there. Lots of them. Thirty or forty men, I believe. So they're going to build something else there, I suppose. Perhaps they'll build a new school. Then your son can go there. It will be much nearer for him, won't it?

Mrs. Crabb: A new school! That's good news. Oh, are you going?

Mrs. Dill: Yes, I must go to the shops now. (She goes off).

Mrs. Crabb (alone): A new school! (Mrs. Trout comes on).

Mrs. Trout: Good morning! Good morning! How are you? How are you? I mustn't stop. I'm very busy this morning. What's the news to-day?

Mrs. Crabb: Haven't you heard? They're building a new school in the town. About a hundred men are at work. It must be a big school. For boys and girls, I suppose. What a noise they'll all make! I'm going to send my boy to it.

Mrs. Trout: How many boys and girls will there be? How many?

Mrs. Crabb: I don't know. But if it's a big school there will be hundreds and hundreds. A thousand, perhaps. Oh, here's Mrs. Blunt. (Mrs. Blunt comes on). Have you heard the news? Just near your house too! Well, I must go to the doctor about this arm. (She goes off).

Mrs. Blunt: What's she talking about? What's near my house?

Mrs. Trout: Oh, they're building a new school for a thousand boys and a thousand girls near your house. You won't be able

lots of [ˈlots əw] *dużo*

Trout [traut] — nazwisko

at work *przy pracy*

Blunt [blant] — nazwisko

to live there in all that noise. Now where's that pound note? (She opens her bag) Where is it? I put it in this bag this morning before I came out. Where is it? It's not here! What shall I do? I can't find it. It must be on my sitting-room table still. I must go back home and look for it. (She runs off).

come out *wyjść*

Mrs. Blunt: (alone and beginning to cry) We'll have to move to another house! Another house! We've only been in our house a month. (Mrs. Fripp comes on).

we'll have to move *będziemy musieli się przeprowadzić*
move [mu:w] *przeprowadzić się*
Fripp [fryp] — *nazwisko*

Mrs. Fripp: Why are you crying, Mrs. Blunt? What's the matter?

Mrs. Blunt: Everything's the matter. We must sell our house at once and move to another. I'm always carrying beds about and putting pictures up, and I'm so very, very tired.

Mrs. Fripp: Why must you move to another house?

Mrs. Blunt: They're building a big new school near our house. All the boys and girls will come into the garden and jump on the flowers. And one of the workmen has hurt his arm. (Miss Tosh comes on) Oh, here's Miss Tosh.

Tosh [tosz] — *nazwisko*

Mrs. Fripp: Your brother sells houses, doesn't he, Miss Tosh?

Miss Tosh: Yes. Why? What's the matter?

Mrs. Fripp: Mrs. Blunt wants to buy a new house.

Mrs. Blunt: Yes. As soon as possible. They're building a new school for two thousand boys and girls near our house.

Let us go to see your brother together now. (Miss Rigg comes on).

Miss Rigg: Good morning, all. What's the news?

Miss Tosh: They're building a new school for four thousand boys and girls.

Miss Rigg: Four thousand? And who's going to pay for it? How much will it cost? Half a million pounds, I suppose, if it's as big as that.

Mrs. Blunt: Half a million! How many families are there in the town?

Miss Tosh: My brother knows that. There are about a thousand families. And some of them are thieves.

Mrs. Fripp: Thieves? Why?

Miss Tosh: I met Mrs. Trout in the street just now, and she has lost a five-pound note out of her handbag this morning.

Miss Rigg: If there are a thousand families and the cost of the school is half a million pounds, each family will have to pay five hundred pounds for it. I'm going to Canada. I'm not staying here to pay five hundred pounds. I have no children. And the thieves will take all the money that I have too. I'm going to buy a ticket now.

Mrs. Blunt: I'll come with you to Canada. I don't want another house in this place. (They go off together).

Mrs. Fripp: Where will the new school be?

Miss Tosh: They're building it instead of the Relf building.

Rigg [ryg] — nazwisko

million ['myljən] *milion*

cost [kost] *koszt*

Canada ['kænədə] *Kanada*
stay [stej] *pozostać, przebywać*

Mrs. Fripp: Mr. Fripp was working there this morning.

Miss Tosh: Was he? Canada's a nice place, isn't it? I'll just go and ask the price of a ticket. (She goes off, and two workmen come along the street. One of them is Tom Fripp).

come along tu: *idą*

Mrs. Fripp: Tom, what were you doing in the Relf building this morning?

Fripp: Herbert and I put a new lamp in one of the rooms.

Herbert [ˈhəːbət] *Herbert*

Mrs. Fripp: Have they started to pull the building down?

Fripp: Pull it down?! Certainly not! Herbert and I were the only two men there, and we put up the lamp. That's all.

OBJAŚNIENIA

in — odpowiada często polskiemu *na*

It was in a street in Amberside. — To było *na* ulicy w Amberside (w USA mówi się: **on the street**).

What do you see in this picture? — Co widzisz *na* tym obrazku?

I don't see any clouds in the sky. — Nie widzę żadnych chmur na niebie.

I like to work in the open air. — Lubię pracować na otwartym powietrzu.

All the women were of middle age. — Wszystkie te kobiety były w średnim wieku.

a middle-aged man [ˈmydlˈejdżd] — mężczyzna w średnim wieku

That bridge was built in the Middle Ages. — Ten most został zbudowany w wiekach średnich.

it doesn't matter	*nic nie szkodzi, nieważne*
as a matter of fact	*w gruncie rzeczy, jako rzecz*
	oczywista
In this matter you should ask	*W tej sprawie powinien pan za-*
at the post-office.	*pytać na poczcie.*
What is the matter?	*Co się dzieje? O co chodzi?*
Is anything the matter?	*Czy się coś stało?*

I'll see you later.	*Do widzenia, do zobaczenia.*
Better late than never.	*Lepiej późno niż wcale.*
Have you seen the Relf building	*Czy widziała pani ostatnio budynek*
lately?	*Relfa?*
pleased with life	*zadowolony z życia*
to get older	*starzeć się, stawać się starszym*
to get tired	*męczyć się*
to get hungry	*stawać się głodnym*

She looked pleased.	*Wyglądała na zadowoloną.*
She looked for the pound note.	*Poszukiwała banknotu funtowe-*
	go.
Look after the baby!	*Zajmij się dzieckiem!*
Look at the ceiling!	*Popatrz na sufit!*

news — zawsze liczba pojedyncza, mimo końcowego s.

Have you heard the news?	*Czy słyszała pani nowinę?*
That is good news.	*To dobra nowina.*
What is the news today?	*Jakie są wiadomości dzisiaj?*
And here are some items of Home	*A teraz kilka wiadomości z kraju . . .*
news . . .	
a hundred men are at work	*stu ludzi pracuje*
five hundred pounds	*500 funtów*
hundreds of boys	*setki chłopców*
We shall have to move.	*Będziemy musieli się przeprowadzić.*
I would never eat in a restaurant if	*Nie jadałbym nigdy w restauracji,*
I didn't have to.	*gdybym nie musiał.*
I'm always carrying beds about and	*Ciągle się przenoszę (dosł. ciągle no-*
putting pictures up.	*szę łóżka i wieszam obrazy).*
Two workmen come along the street.	*Dwaj robotnicy idą ulicą.*
to go along the road	*iść drogą*
Come along!	*Chodź no! (Chodź ze mną).*

GRAMATYKA

1. The Present Tense, Continuous and Simple Forms

W czytance trzeciej mamy wiele przykładów użycia czasu teraźniejszego w formie ciągłej (tj. trwającej) i zwykłej.

Continuous Form (formy trwającej) używa się dla wyrażenia:

a. Czynności odbywającej się w chwili mówienia:

Oh, are you going?	*O, idzie pani?*
What's she talking about?	*O czym ona mówi?*
Why are you crying?	*Dlaczego pani płacze?*

b. Czynności odbywającej się w bieżącym okresie, choć niekoniecznie w tej chwili. Podkreślona jest ciągłość czynności:

What are these men doing inside it?	*Co ci ludzie robią (wyrabiają, porabiają) tam w środku?*
They are pulling the Relf building down.	*Rozbierają budynek Relfa (są w trakcie rozbierania budynku).*

c. Czynności powtarzanej z wyrazem **always** lub innymi przysłówkami o podobnym znaczeniu, jak **continually, constantly, perpetually, for ever,** aby podkreślić nie ciągłość, ale powtarzanie się czynności. Forma ta nadaje zdaniu zabarwienie emocjonalne, wyraża uczucie zniecierpliwienia, niechęci lub irytacji, np.:

She's always talking about her arm.	*Ona zawsze mówi o swym ramieniu.*
I'm always carrying beds about.	*Ja ustawicznie noszę się z łóżkami.*

d. Czynności przyszłej, uprzednio planowanej, postanowionej, np.:

They are leaving to-morrow.	*Wyjeżdżają jutro* (tak już postanowiono uprzednio).
I'm coming home on Monday.	*Wracam do domu w poniedziałek.*

e. Za pomocą czasownika **go (going to)** zarówno:

ea. Czynności przyszłej, co do której decyzja zapadła już uprzednio (tak jak w punkcie d), np.:

So, they are going to build something else there.	*A więc mają zamiar budować tam coś innego.*
I'm going to send my boy to it.	*Mam zamiar posyłać do niej mego chłopca.*

eb. Jak i czynności, która ma się odbyć w najbliższej przyszłości, np.:

I'm going to buy a ticket.	*Zaraz kupię bilet.*

Simple Form (formy zwykłej) używa się dla wyrażenia:

a. Czynności odbywającej się stale lub wielokrotnie; czynności, która stała się zwyczajem:

How can I be pleased when my arm hurts me all the time?	*Jak mogę być zadowolona, kiedy cały czas boli mnie ramię?*
It keeps me awake at night.	*Nie daje mi w nocy spać (co noc).*
I get up at seven.	*Wstaję o siódmej (zazwyczaj).*

I get up at seven

b. Czynności odbywającej się w chwili mówienia, z czasownikami **believe, feel, forget, forgive, have, hope, hate** itp. wyrażającymi myśli i uczucia, których czas trwania nie jest ściśle ograniczony (jest niezależny od woli człowieka). Czasowników tych sporadycznie tylko używa się w formie continuous (por. punkt a, Continuous Form) dla szczególnego podkreślenia samej czynności (patrz I, 1. 48).

c. Krótkiego komentarza, wyjaśnienia czynności odbywającej się w chwili obecnej. Czas ten zwie się m.in. czasem teraźniejszym dramatycznym:

She goes off.	*Ona odchodzi.*
Mrs. Trout comes on.	*Pani Trout nadchodzi.*
She opens her bag.	*Otwiera torebkę.*
She goes off and two workmen come	*Ona odchodzi, a dwóch robotników*
along the street.	*przechodzi ulicą.*

Powyższe objaśnienia i przykłady obejmują najważniejsze przypadki stosowania czasu teraźniejszego. Dawne podręczniki gramatyki ograniczały się do podawania funkcji Continuous Form, wy-
jaśnionych pod pkt a) i pkt e), oraz funkcji Simple Form, wyjaś-
nionych pod pkt a) i b). Nowsze podręczniki dostrzegają coraz
więcej funkcji obu form, często zresztą zazębiających się, np.
Continuous a) i Simple c).

2. Nieregularne stopniowanie przymiotników i przysłówków *

All the women who came on later ...	*Wszystkie kobiety, które przyszły*
	później ...
I'll see you later.	*Do zobaczenia (później).*
He is getting older.	*Starzeje się (robi się starszy).*
It will be much nearer for him.	*Będzie miał o wiele bliżej.*

Podobnie jak przymiotniki i przysłówki **late, old, far** (patrz I,
l. 43), przymiotnik i przysłówek **near** ma przy stopniowaniu dwie
formy w stopniu najwyższym, jedną regularną, drugą nieregu-
larną:

near — nearer — nearest	} *bliski, bliższy, najbliższy*
	blisko, bliżej, najbliżej
— next	*— następny, następnie*

3. Użycie przysłówka *else* **

So they are going to build something	*A więc mają zamiar wybudować je-*
else, I suppose.	*szcze coś innego, jak sądzę.*
Hurry up or else you won't get there	*Spiesz się, bo w przeciwnym razie*
on time.	*nie będziesz tam na czas.*

Przysłówek **else** występuje zawsze w połączeniach. Użyty po
zaimkach nieokreślonych, jak **something, anything** itp. znaczy:

---

* patrz I, l. 43
** patrz l. 27

poza tym (dodatkowy), jeszcze, inny; użyty po spójniku **or** znaczy: *w przeciwnym razie, inaczej.*

4. Użycie czasownika *must* *

Must jest czasownikiem ułomnym, nie przyjmuje końcówki -s w 3. osobie l. poj. w czasie teraźniejszym; pytania i przeczenia tworzy za pomocą inwersji (a nie za pomocą czasownika posiłkowego **do**), odmienia się jedynie w czasie teraźniejszym; pozostałe czasy i formy wyraża się za pomocą ekwiwalentu **to have to** (patrz następny punkt objaśnień gramatycznych). Czasownik następujący po **must** występuje w bezokoliczniku bez **to**.
Użyty z bezokolicznikiem czasu teraźniejszego wyraża:

a. Przymus:

I must go to the shops now.	*Teraz muszę obejść parę sklepów.*
I must go to the doctor about my arm.	*Muszę pójść do doktora w sprawie ręki.*
Must you go home?	*Czy musisz iść do domu?*

b. W formie przeczącej — zakaz:

You must not read in bed.	*Nie wolno ci czytać w łóżku.*
He mustn't come here.	*Nie wolno mu tu przyjść (nie powinien tu przychodzić).*

c. Przypuszczenie:

It must be on my sitting room table still.	*Musi (chyba) być jeszcze na stole w pokoju bawialnym.*

Następujące pytania z odpowiedziami twierdzącymi i przeczącymi ilustrują idiomatyczne użycie **must** i **need**:

Must it be so?	*Czy to tak musi być?*
Yes, it must.	*Tak, musi.*
No, it need not.	*Nie, nie musi.*
Need I do it?	*Czy muszę to zrobić?*
No, you need not.	*Nie, nie musisz.*
Yes, you must.	*Tak, musisz.*

* patrz l. 10 i I, l. 34

Dalsze użycie **need** — patrz l. 36. Natomiast w sprawie użycia **must** z bezokolicznikiem czasu przeszłego w zdaniach przypusz-czających patrz l. 10.

5. Użycie *have to* musieć

We'll have to move to another house.	*Będziemy musieli się przeprowadzić do innego domu.*
We didn't have to move.	*Nie musieliśmy się przeprowadzać.*

*We'll have to move
to another house*

Have to *musieć* zastępuje **must** we wszystkich czasach i for-mach, których ten czasownik ułomny jest pozbawiony, np.:

to have to move	*być zmuszonym przeprowadzić się*
I had to move	*musiałem się przeprowadzić*
I shall have to move	*będę musiał się przeprowadzić.*

ĆWICZENIA

Read aloud:

[gud'mo:nyŋ o:l. "ots ðə 'nju:z?
ðejə 'byldyŋ ə 'nju: 'sku:l fə 'fo: θauznd 'bojz ənd 'gə:lz.
'fo: 'θauznd? ənd 'hu:z gouyŋ tə 'pej 'foryt? hau 'macz "yl yt 'kost?
'ha:f ə 'myljən 'paundz, aj sə'pouz, yf yts 'æz byg əz 'ðæt].

LEARN BY WRITING AND READING

I. Odpowiedz na pytania:

1. What language does Mrs. Dill speak? 2. Does she live in the country? 3. Where is she going? 4. Why is she carrying a bag? 5. Which lady has lost a pound note? 6. Where has she left it? 7. Why is Mrs. Blunt so unhappy when she hears about the new school? 8. Are they really going to build a new school? 9. Who was the first lady to speak about the school? 10. Which lady is ill? 11. What is the job of Miss Tosh's brother? 12. What were the two workmen doing in the office?

II. Napisz Past Participle (imiesłów bierny) **nieregularnych czasowników zawartych w lekcji 3:**

P r z y k ł a d : *met, seen* itd.

III. Zestaw odpowiednie wyrazy z a) ze zdaniami z b):

P r z y k ł a d : *Miss Tosh's brother sells houses.*

a.

A dressmaker, Miss Tosh's brother, the new building, a sailor, Miss Rigg, a grocer, Mr. Fripp, Mrs. Trout.

b.

1. — spends much time on board ships. 2 — makes dresses, coats and skirts. 3. — may cost half a million pounds. 4. — always loses things. 5. — sells houses. 6. — worked a few hours in the Relf building. 7. — does not want a new school. 8. — works in a grocer's shop.

IV. Przepisz 7 długich wyrazów z lekcji 1, podkreślając zgłoskę akcentowaną:

P r z y k ł a d : *extravagant, favourable.*

V. Dokończ następujące zdania określeniami czasu, miejsca, sposobu itp.:

1. The two ladies met each other ...

P r z y k ł a d : *The two ladies met each other* **after lunch.**

2. My friend and his fiancée saw each other ...
3. The two travellers found each other ...
4. The teacher and his pupil understood each other ...
5. The two cyclists helped each other ...
6. We supplied each other with the information we asked for ...
7. The silly women told each other extravagant stories ...
8. The two workmen gave each other good advice ...

VI. Napisz pełnymi wyrazami następujące sumy i daty:

P r z y k ł a d : *nine pounds.*

£ 9, 14 zł., 13 s., $ 68.

10.3.1952, 2.5.1888, 4.7.1776, 1.5.1960.

VII. Zastąp czas przyszły czasowników czasem teraźniejszym w formie trwającej.

1. Next month I shall sell both the house and the garden.

P r z y k ł a d : *I shall sell* — **I am selling**

2. Who will come tomorrow?
3. Perhaps they will build a new school and not a new office.
4. Next week we shall all go to Canada.
5. The physician will leave this town in two days' time.
6. The football players will return to Warsaw on Sunday.

VIII. Przetłumacz na język angielski:

Cudowna ryba

„Nowa szkoła" (czytanka) jest o kobietach, a oto opowiadanie (here is a story) o mężczyznach: Pan Black i pan Brown są w trakcie picia (to have) szklanki piwa w (at) barze blisko biura. P. Black: Serwus Brown. Jak ci się udał (jak cieszyłeś się) weekend na wsi? P. Brown: Świetnie (to było piękne). Złapałem ogromną rybę w niedzielę. P. Black: Jak dużą? P. Brown: O, około 4 funtów. No (well), muszę iść. Zobaczę cię w biurze. P. Grey zbliża się (przychodzi blisko) do p. Blacka. P. Grey: Nigdy nie widziałem Browna tak wesołego. Gdzie był podczas weekendu? P. Black: Wiesz, że on spędza cały swój wolny czas nad (on) rzeką. Złowił (złapał) ogromną rybę, około siedmiu funtów. P. Green przyłącza się (przystępuje) do nich. P. Green: Co Brown złowił? P. Grey: Wspaniałą rybę. P. Green: To także moje hobby. W zeszłą sobotę złowiłem rybę o wadze ponad (jedną więcej niż) dziesięć funtów. P. Grey: Zdaje się, że ryba Browna miała (była) około dwunastu funtów. P. White, który przysłuchiwał się rozmowie: Zdawało mi się (myślałem), że powiedział czternaście funtów. Barman (the barman): Wybaczcie mi panowie, ale jestem zupełnie pewny, że p. Brown powiedział czterdzieści funtów, nie czternaście. To była rzeczywiście cudowna ryba.

LESSON FOUR

THE FOURTH LESSON

> The Perfect Infinitive
> Czasownik *shall* w pytaniach
> R — wymowa
> Interjection (wykrzyknik)
> Rzeczownik jako przymiotnik

A PICNIC

Mary: Shall we go for an all-day picnic with the Abercrombies on Sunday morning? I've asked them already.

William: Oh, have you darling? Of course, we will. They are such interesting people and very good company.

Mary: You seem to have always liked picnics and especially now when we have our new car in which you can take so many things that make a few hours' stay out of doors very pleasant, you will like them still better.

William: Not only that, but thanks to modern picnic equipment we can take our meal and make it as comfortable as one taken in our dining-room.

Mary: Agreed then, darling, next Sunday morning I shall prepare a hot meal for four to take in the containers for lunch, and tea, and sandwiches in the light-weight bag with flask, sandwich-box, and milk bottle, and...

William (smiling): All right Mary, that's your business, isn't it? Mr. Abercrombie once said that you could prepare a good meal. I can then be free to think about my

picnic ['pyknyk] *piknik, majówka*

the Abercrombies [ði: 'æbəkrambyz] *Abercrombie'owie* (mąż i żona lub cała rodzina)

things that make a few hours' stay out of doors very pleasant *rzeczy, które uprzyjemniają kilkugodzinny pobyt na wolnym powietrzu*

equipment [y'kʷypmənt] *wyposażenie*

agreed *zgoda*; **to agree** [ə'gri:] *zgadzać się*

next Sunday morning *w przyszłą niedzielę rano*

prepare [pry'peə] *przygotować*

container [kən'tejnə] *pojemnik*

light-weight ['lajt'ʷejt] *lekkiej wagi*

flask [fla:sk] *butelka*

sandwich-box ['sænʷydż boks] *pudełko do kanapek*

birds, and I shall not forget to take canvas chairs and a folding sun-umbrella in case we have our lunch on the beach.

Mary: Good. It is very clever of you Willy to think about everything we shall need on Sunday.

On Sunday morning William and Mary Molyneux got up rather early. He went out to the garage to get his car ready. He put the folding canvas chairs in the back of the car, where he also put the folding table, so that if they preferred they could have their meals on them. In the meantime Mrs. Molyneux was putting a hot meal into containers.

William: Are you ready, Mary? It's ten o'clock already.

Mary: Oh, good gracious! I've forgotten to put sandwiches, bread, salad and all the other cold food into plastic bags.

William: Bless my soul! Where is my pipe? I must take my pipe and tobacco to smoke after lunch.

Mary: I always thought you preferred cigarettes.

William: Oh, yes, but I have two or three pipes during the day as well.

They left home at eleven and stopped in front of the Abercrombies' home a quarter of an hour later. Mr. Molyneux drove. Mrs. Molyneux could also drive well but she usually gave the wheel over to her husband on such occasions.

Mr. Brian Abercrombie was a Scotsman by birth, big, kind and hearty. He rolled his 'r's wherever he could, even where

I can then be free to think *wtedy mogę swobodnie myśleć*

canvas ['kænwəs] *płótno żaglowe*

fold [fould] *składać (się)*

sun-umbrella *duża parasolka od słońca*

in case we have our lunch *na wypadek, gdy będziemy jeść lunch*

it is very clever of you *to bardzo sprytnie z twojej strony*

Willy ['uyly] *zdrobnienie od* **William**

Molyneux ['molynju:ks] — *nazwisko*

to get ready *przygotować*

prefer [pry'fə:] *woleć*

in the meantime [yn ðə 'mi:n'tajm] *tymczasem*

good gracious! [gud 'grejszəs] *mój Boże!* (wykrzyknik)

food [fu:d] *żywność*

plastic ['plæstyk] *plastykowy*

Bless my soul! ['bles maj 'soul] *patrzcie państwo!* (wykrzyknik) dosł. *błogosławcie moją duszę*

tobacco [tə'bækou] *tytoń*

as well *również*

give over *oddawać*

occasion [ə'kejżn] *sposobność*

Brian ['brajən] — *imię męskie*

birth [bə:θ] *narodziny*

there was no 'r' at all. Mrs. Irene Abercrombie, his wife, was of Polish origin. She was an excellent cook, and thought her husband a wonderful man. They were ready waiting for their friends to come. They enjoyed the idea of a picnic very much as they both were hard working people and liked the company of the Molyneuxes.

Mr. Abercrombie: Lovely day, isn't it?

Mary: Grand day, last night I saw the sky was red, so according to our proverb 'A red sky at night is a shepherd's delight' we should have a very fine day.

William: Where shall we drive?

Mr. Abercrombie: Couldn't we go somewhere south of London, say, in the direction of Brighton? I have never been there before.

They agreed and drove for about two hours south of London to Ashdon Forest. The weather was unusually warm and fine with the sun shining brightly. Both couples enjoyed their ride very much, indeed.

William: Oh, there is the Forest.

Mr. Abercrombie: That's a very nice place to stop.

Mary: Willy, put the car in the shadow of that big tree.

Mrs. Abercrombie: What about a little walk?

Mary: An excellent idea!

They went for a walk. Mr. Molyneux had field-glasses on a strap round his neck and a book about birds under his arm.

a Scotsman by birth *Szkot z urodzenia*
hearty [′haːty] *serdeczny*
roll [roul] *rolować przy wymowie litery „r"*
he rolled his "r"s [hiː ′rould hyz ′aːz] *zaznaczał swoje litery „r"*
wherever [ʷeər′ewə] *gdziekolwiek*
there was no "r" at all *nie było w ogóle „r"*
Irene [aj′riːny] *Irena*
origin [′orydżyn] *pochodzenie*
cook [kuk] *kucharz, kucharka*
they were waiting for their friends to come *czekali na przyjazd swych przyjaciół*
hard working *pracowity* (patrz 1. 1)
grand [grænd] *wspaniały*
last night *wczoraj wieczorem*
shepherd [′szepəd] *pasterz*
a red sky at night is a shepherd's delight *czerwone niebo wieczorem jest radością pasterza (czerwony zachód słońca wróży piękną pogodę)*
we should have *powinniśmy mieć*
south of London *na południe od Londynu*
say *powiedzmy*
Brighton [brajtn] — *nazwa miejscowości*

Now and then he stopped, put the glasses to his eyes and observed a bird.

William: Look, look! That is a wheatear. (He reads in his book). It is always recognized by its white tail end. It is a beautiful bird with blue back and black cheek patches and wings.

Mary: Really, Willy! Show it to us, please.

Unfortunately at this moment the little bird flew away.

William: Do you see that little robin?

Mary: Where?

William: Oh, look, look! On that branch!

Mrs. Abercrombie: Oh, I see, what a nice little bird!

William: And there is a blackbird.

Mary: Please, give me the glasses, I can't see it.

Mr. Abercrombie: What is it on the top of this tree?

William: Wait a moment. (He looks into the book). I'm sure it is a bluejay. Oh, bless my soul, it flew away.

After almost one hour's walk they came back to the car, and the ladies busily started to lay everything for lunch which they ate ravenously.

William: How beautiful a day it is. There is no cloud in the sky.

Mrs. Abercrombie: What are we going to do now?

William: I propose an hour's rest in the shadow of this maple tree after such a substantial and excellent lunch.

Mr. Abercrombie: Well, sure enough

Ashdon ['æszdən] — nazwa
unusual(-ly) [an'ju:ž"əl--ly] *niezwykły(-le)*
ride ['rajd] *przejażdżka (autem, na rowerze, konno)*
forest ['foryst] *las*
shadow ['szædou] *cień*
walk ["o:k] *spacer*
field-glasses ['fi:ldglasys] *lornetka*
strap [stræp] *pasek, rzemień*
put the glasses to his eyes *przykładał lornetkę do oczu*
wheatear ['"i:tiə] *białorzytka (ptak pokrewny pliszkom)*
recognize ['rekəgnajz] *rozpoznać*
cheek [czi:k] *policzek*
patch [pæcz] *łata*
wing ["yŋ] *skrzydło*
fly away *odlecieć*
robin ['robyn] *czerwonogardł (ptak), rudzik*
branch [bra:ncz] *gałąź*
blackbird ['blækbɔ:d] *kos*
bluejay ['blu:dżej] *sójka*
lay, laid, laid [lej, lejd] *kłaść, nakrywać*
ravenous(-ly) ['ræwynəsly] *zgłodniały(-le)*
what are we going to do? *co teraz będziemy robili?*
maple [mejpl] *klon*
substantial [səb'stænszəl] *pożywny*
sure enough *oczywiście*

To make oneself comfortable

that's a very good idea, I'm in favour of it.

Mary: I don't mind if I do (stretching herself comfortably on the green grass).

Mrs. Abercrombie: It is very good to lie like this and breathe the fragrant air of the forest into one's lungs.

Mary (in a low voice to Mrs. Abercrombie): Oh, Willy has already made himself comfortable in the canvas chair.

Mrs. Abercrombie: And he is enjoying his pipe.

William does not forget his birds either. From time to time he points to some small bird giving its name and characteristics.

Mary: That's fine but the sun being so bright I suggest driving to Brighton and having a bathe.

Mr. Abercrombie: Excellent! But... after a short nap!

William: Oh, a short nap is just the thing I want!

in favour of ['fejwɔ] *przychylny*
I don't mind if I do *nie mam nic przeciwko temu*
stretch [strecz] *rozciągać*
breathe [bri:ð] *oddychać*
fragrant ['frejgrənt] *pachnący*
lungs [laŋz] *płuca*
has already made himself comfortable *już się usadowił wygodnie*
not ... either *nie... również*
point to *wskazywać na*
characteristic [ˌkæryktə'rystyk] *cecha*
the sun being so bright *wobec tego, że słońce tak świeci*
nap [næp] *drzemka*

So the men had a short nap and the women talked a lot about dresses, friends, new books etc.

Mary (looking at her watch): Now! Now! Get up everybody! It's already three o'clock, if we are to go to Brighton we must start.

Both the ladies urged their men to activity and shortly afterwards they drove merrily to the seashore.

They spent all the afternoon there and came back to London in the evening.

Mr. Abercrombie: We have had a fine trip and picnic.

William: And I am glad to have seen so many species of birds. On the seashore I saw a special kind of seagull much bigger than you normally see.

Mary (sweetly): Wasn't it an eagle fishing, darling?

William looks at her and tries to say something but gives it up and finally they all laugh at his earnestness.

get up, everybody! *wstawajcie wszyscy!*
if we are to go *jeżeli mamy jechać*
activity [æk'tywyty] *działalność, czyn*
afterwards ['a:ftəⁿədz] *potem*
merry (-ily) ['mery ly] *wesoły(-ło)*
seashore ['si:'szo:] *brzeg morza*
I'm glad to have seen *cieszę się, że widziałem*
species ['spi:szi:s] *gatunek*
seagull ['si:gal] *mewa*
normally ['no:məly] *zwykle, zazwyczaj*
eagle [i:gl] *orzeł*
fish [fysz] *łowić ryby*
earnestness ['ə:nystnys] *powaga*

Quotations, proverbs and jokes

"I was the only woman in your grandfather's life," boasts the old lady, "wasn't I, darling?"

"You were the last," admits grandfather with a smile.

grandfather ['grændfa:-ðə] *dziadek*
boast [boust] *chełpić się*
admit [əd'myt] *przyznać*

OBJAŚNIENIA

on Sunday morning	*w niedzielę rano*
on Sunday night	*w niedzielę wieczorem*
this Sunday	*w tę niedzielę*
next Sunday	*w następną niedzielę*

things that make a few hours' stay very pleasant	*rzeczy, które uprzyjemniają kilkugodzinny pobyt*
making himself comfortable	*urządzając się wygodnie*
to make happy	*uszczęśliwić*
to make angry	*rozgniewać*

south of London	*na południe od Londynu*
north of London	*na północ od Londynu*

Brighton — znana miejscowość kąpielowa nad Kanałem La Manche

for two hours	*przez dwie godziny*
I have been waiting for three hours	*czekam od trzech godzin*
He hasn't been here for five months.	*On tu nie był od 5 miesięcy.*

W języku angielskim używamy wyrazu **from** w znaczeniu *od*, jedynie gdy mówimy o określonym momencie w przeszłości, np. *from 5 o'clock, I have been waiting* **from** *Monday*, a nie o ilości minut, godzin itd.

an hour's walk	*spacer jednogodzinny*
an hour's rest	*odpoczynek jednogodzinny*
a few hours' stay	*pobyt kilkugodzinny*
there wasn't a cloud	*nie było ani jednej chmurki*
there is no cloud	*nie ma chmury*
sure enough	*zapewne, jestem dość pewien*
long enough	*dosyć długi*
favour	*łaska, uprzejmość, grzeczność (wyrządzona)*
I want to ask you a favour	*mam prośbę do ciebie*
in favour of	*przychylający się do, zgadzający się na*

to lie, lay, lain	*leżeć*
to lie down	*położyć się*
lying	*leżący*
to lay, laid, laid	*położyć (coś); nakrywać (do stołu)*
laying	*kładący (coś)*

a bathe [bejð] **bathing-suit** ['bejðyŋsju:t] **a bath** [ba:θ] **a bathroom** ['ba:θrum]	*kąpiel w morzu, rzece, jeziorze* (dla przyjemności) *kostium kąpielowy* *kąpiel* (w wannie, dla czystości) *łazienka*

I was the only woman
the only daughter
there was only Mrs. Brown

byłam jedyną kobietą
jedyna córka
była tylko pani Brown

GRAMATYKA

1. The Perfect Infinitive

The Perfect Infinitive (bezokolicznik czasu przeszłego) tworzy się z bezokolicznika czasownika **have** i imiesłowu biernego (czasu przeszłego) danego czasownika. Wyraża on bezosobowo czynność, która odbyła się lub miała się odbyć przed czynnością wskazaną przez osobową formę czasownika głównego w czasie teraźniejszym lub przeszłym. Forma ta nie istnieje w języku polskim.

Przykłady:

You seem to have always liked picnics.
Wydaje się, że zawsze lubiłeś pikniki.

I am glad to have seen so many birds.
Zadowolony jestem, że zobaczyłem tyle ptaków.

He seems to have felt very happy among them.
Wydaje się, że czuł się bardzo dobrze wśród nich.

'Tis better to have loved and lost,
Then never to have loved at all.

(A. Tennyson 1809—1892)

Lepiej jest ('tis — it is) kochać (dosł.: że się kochało) i stracić, aniżeli w ogóle nigdy nie kochać (dosł.: że się nie kochało).

Perfect Infinitive, jak **to have liked, to have seen, to have loved** itd. (że się *lubiło, widziało, kochało*) występuje najczęściej po czasownikach: **to seem** [si:m] *wydawać się*, **to happen** [hæpn] *zdarzyć się*, **to appear** [ə'piə] *zjawić się, okazywać*, oraz po imiesłowach biernych: **said, supposed, known, believed**, np.:

He is said to have drunk five bottles of beer one evening.   *Mówi się o nim, że wypił 5 butelek piwa pewnego wieczoru (dosł.: że się wypiło).*

Perfect Infinitive, w połączeniu z czasownikami ułomnymi, stosuje się w zdaniach wyrażających obowiązek, życzenie, przypuszczenie (z **ought** patrz l. 2, pkt 2, z **can** — l. 5, pkt 3 z **many** i **must** — l. 10 pkt 1).

He is said to have drunk 5 bottles of beer one evening

2. Czasownik *shall* w pytaniach *

Shall we go for an all-day picnic?   *Czy pojedziemy na całodzienny piknik?*

W pytaniach, w których coś się proponuje, ofiarowuje **shall** używa się w 1. i 3. osobie l. poj. i mn., a w 2. osobie — **will**.
Inne przykłady:

Shall I do that for you?   *Czy mam to zrobić dla ciebie?*
Shall I pour you out another cup of tea?   *Czy mam ci nalać jeszcze jedną filiżankę herbaty?*
Shall my daughter buy that medicine for you?   *Czy moja córka ma kupić pani to lekarstwo?*

---

* patrz l. 16

Użycie czasownika **will** w przytoczonych zdaniach byłoby błędem.

3. *R* — wymowa

He rolled his 'r'-s wherever he could, even where there was no 'r' at all.   *Rolował literę „r" gdzie mógł, a nawet gdzie jej wcale nie było.*

Wymowa angielskiego **r** polega na gładko płynącym dźwięku (jak w dźwiękach **j** lub **u**). W wymowie przyjętej — tzw. Received Pronunciation (Płd. Anglia) zawsze po dźwięku **r** występuje samogłoska.

Położenie języka: koniec języka jest lekko zwrócony ku podniebieniu twardemu, ale nie dotyka go i następnie z nadejściem następującego po nim dźwięku samogłoskowego język szybko wraca do swej normalnej pozycji.

Gdy **r** jest na początku wyrazu lub pomiędzy samogłoskami, koniec języka nie powinien drgać. Po spółgłoskach **t** i **d** nieco drga. Litery **r** nie wymawia się przed spółgłoskami i na końcu wyrazu. Literę **r** wymawia się na końcu wyrazu tylko wtedy, gdy następny wyraz zaczyna się od samogłoski, a to dla połączenia tych dwóch wyrazów, np. **far up, there is** itp.

W wielu jednakże odmianach wymowy języka angielskiego **r** wymawia się we wszystkich pozycjach, jak na zachodzie Anglii, w Szkocji, Irlandii i Stanach Zjednoczonych.

4. Interjection (wykrzyknik)

Oh, Good Gracious! Bless my soul! Good Heavens!

Zwrot lub nieodmienna część mowy wyrażające jakieś uczucie.

5. Rzeczownik jako przymiotnik

Picnic equipment   *wyposażenie piknikowe* (potrzebne na piknik)

sandwich-box   *pudełko na kanapki*
field-glasses   *lornetka polowa*
canvas chair   *krzesło płócienne*

W języku angielskim rzeczowniki użyte jako przydawki bardzo często zastępują przymiotniki: **canvas** znaczy zarówno *płótno*, jak i *płócienny*. Inne przykłady:

milk soup	*zupa mleczna*
glass door	*szklane drzwi*

Przymiotniki odpowiadające rzeczownikom **milk** i **glass** mają nieco inne znaczenie:

milky — *koloru i konsystencji mleka*
glassy — *szklisty, bez koloru i wyrazu* (np. oczy)

ĆWICZENIA

Read aloud:
['szæl ᵘi: gou for ən 'o:l 'dej 'pyknyk ᵘyð ðə 'æbəkrambyz on 'sandy 'mo:nyŋ?
ajw 'a:skt ðəm o:l'redy.
'hæw ju 'da:lyŋ?
ɔf 'ko:s ᵘi /ᵘyl. ðej a: sacz 'yntrystyŋ pi:pl ənd 'wery gud 'kampəny]

LEARN BY WRITING AND READING

I. Odpowiedz na pytania:

1. When is it best to have a picnic? 2. Who suggested having a picnic? 3. What was Mrs. Molyneux's equipment for the picnic meal? 4. Why did Mr. Molyneux take his field-glasses? 5. What birds did he see? 6. What is a blackbird like? 7. Have you ever seen a bluejay? 8. What shows that the Molyneuxes are not very young people? 9. What English proverb do you know?

II. Zgadnij co to jest:

1. You can keep something in it.

Przykład: *a container.*

2. He looks after sheep.
3. You can see very far with them.
4. Aeroplanes and birds have got them.
5. We need them for breathing.
6. This is our national bird, the symbol of Poland.
7. You use it to carry a camera, a bag, field-glasses.

8. The maple tree is the symbol of a large country north of the United States, the country is . . .

III. Napisz 7 propozycji w rodzaju *"Shall we go for a picnic?"*:

Przykład: *Shall we dance? Shall we drive to Brighton?*

IV. Dobierz odpowiednie rzeczowniki do następujących przymiotników:

Przykłady: *a pleasant* **picnic**, *a comfortable* **chair**

a bold —	a tired —	an easy —
correct —	a hot —	a constant —
:n essential —	a terrible —	a great —
an ordinary —	a free —	a fantastic —

V. Ułóż jak najwięcej wyrazów za pomocą liter w wyrazie I m m e d i a t e - l y :

Przykłady: *eat, tea, at* itp.

VI. Opisz, jak wyglądałby twój piknik, używając czasu Conditional I:

Przykład początku: **I would go** *on a bicycle,* **I would take** *with me* . . .

VII. Utwórz pytania z następujących zdań:

1. On Sunday morning the Molyneuxes got up early.

Przykład: *Who got up early?* lub: *When did the Molyneuxes get up early?*

2. All children like picnics. 3. We shall put the folding chairs in the back of the car. 4. Mrs. Abercrombie has a Scottish family name, because her husband is a Scotsman. 5. Mr. Abercrombie has never been in Brighton. 6. He put the glasses to his eyes to observe a bird. 7. The lunch was excellent. 8. They had a short nap after lunch.

VIII. Ułóż po 2 zdania według wzorów:

1. They must have taken a lot of food.
2. She was glad to have seen so many new birds.

Przykłady: *Mrs. Molyneux* **must have prepared** *a good meal. I am glad* **to have been** *in Brighton.*

IX. Przetłumacz na język angielski

pamiętam, otworzyłem, nie wiem, byliście, nie myślisz, czy wiesz? spotkałem, nie zapomnij! przygotuję, zamknij na klucz, błyszczeć, pracujący, jechałbym, zaproponowany, rozmawiać, popatrz, spędzić, będę miał.

LESSON FIVE   THE FIFTH LESSON

**Zdania warunkowe nierzeczywiste
Zaimki zwrotne:** *myself* **itd.**
Can **plus Perfect Infinitive**

ON STRIKE *

I say, you look worn out. It's time you had a holiday. My wife and I have just had three weeks abroad.

You don't know how lucky you've been. Three weeks ago all the wives in our neighbourhood came out on strike.

Impossible! They can't have called an authorized strike. They've no trade union.

They formed one, had a meeting followed by a ballot, and the result was a decision to come out on strike.

How awful! But it wouldn't have affected me. My wife hates strikes.

So does mine. So do they all. That was partly why they called the strike. I can tell you it was no joke when it began, and they downed tools. I had to wake myself up in the mornings, get my own meals, and even wave to myself when I left home in the mornings.

Very weak-minded of you! If my wife had gone on strike I should simply have gone to my mother's for meals.

You wouldn't! They had pickets outside the houses of all husbands' mothers, aunts

strike [strajk] *strajk*
I say *słuchaj!*
worn out [/ᵘo:/naut] *wyczerpany, zmęczony*
neighbourhood [/nejbə-hud] *sąsiedztwo*
authorized [/o:θərajzd] *oficjalny*
trade union [/trejd/ju:-njɔn] *związek zawodowy*
ballot [/bælət] *tajne głosowanie*
result [ry/zalt] *rezultat*
affect [ə/fekt] *dotknąć, obchodzić*
so does mine tu: *moja też*
partly [/pa:tly] *po części, częściowo*
down (tools) [daun] *złożyć (narzędzia)*
wave [ᵘejw] *machać ręką*
weak-minded *słabego charakteru, niemądry*
of you *z twojej strony*
picket [/pykyt] *pikieta, ustawić pikietę*
outside the houses *przed domami*

---

* Adapted by permission of the Linguist, London (patrz wstęp).

and even sisters; and what's more, they picketed all the local restaurants.

But you could have stayed in a hotel until it was over.

One or two husbands did, and it cost them a pretty penny. The wives refused to hand back a penny of the housekeeping money — they said they needed it for strike pay.

But what were they striking for?

The usual things — they demanded higher wages, shorter hours, overtime pay for guests invited in without notice, a fortnight's annual holiday...

Don't go on! What an amazing escape I've had! Or have I? Has it been settled?

Well, finally we called a meeting of all the husbands concerned and chose a delegate to meet their representative and try to find a basis for settlement. They failed, of course. Negotiations broke down and the strike went on. But later both sides agreed to submit the dispute to arbitration.

It was the only thing to do. But who could arbitrate?

After a week of quarrelling an arbitration board was chosen consisting of three unmarried men and three unmarried women.

And what did they decide?

The three unmarried women decided to marry the three unmarried men.

---

what's more *co więcej*
local ['loukəl] *miejscowy*
until [ən'tyl] *aż do*
to be over *skończyć się*
hand back *zwrócić*
housekeeping ['hauski:- pyŋ] *utrzymanie domu*
pay [pej] *zapłata*
demand [dy'ma:nd] *żądać*
wages ['ᵘejdżyz] *płace (tygodniowe)*
overtime ['ouwətajm] *godziny nadliczbowe*
notice ['noutys] *wiadomość; tu: uprzednie zawiadomienie; uprzedzenie*
annual ['ænjuəl] *roczny, raz na rok*
escape [ys'kejp] *wymknięcie się, ucieczka*
settle [setl] *załatwić*
concerned [kən'sə:nd] *zainteresowany*
delegate ['delygyt] *delegat*
representative [‚repry- 'zentətyw] *przedstawiciel*
basis ['bejsys] l. mn.
bases ['bejsi:z] *podstawa*
settlement ['setlmənt] *ugoda, porozumienie*
fail [fejl] *nie powieść się, nie udać się, zawieść*
negotiations [ny‚gouszy- 'ejszənz] *pertraktacje*
break down *załamać się*

submit [səb'myt] *przedłożyć*
dispute [dys'pju:t] *sprzeczka, zatarg*
arbitrate   ['a:bytrejt]
*rozstrzygać przez ar-
bitraż*; **arbitration** [a:-
by'trejszən] *arbitraż,
postępowanie polu-
bowne*
board [bo:d] *rada*
consist of [kən'syst əw]
składać się z
unmarried   ['an'mæryd]
niezamężna, nieżonaty

The negotiations broke down

OBJAŚNIENIA

I say	*słuchaj, słuchajcie!*
you look worn out	*wyglądasz na zmęczonego, wyczerpa-
nego*
to come out on strike	*zastrajkować*

trade union	*związek zawodowy*
trade	*handel; rzemiosło: zawód*
trade mark ['trejdma:k]	*znak fabryczny*
trade unionism ['trejd'ju:njə-
nyzm]	*ruch związkowy*
trade unionist ['trejd'ju:njə-
nyst]	*działacz związkowy*

they downed tools	*złożyły narzędzia, porzuciły pracę*
I should have gone to my mother's	*poszedłbym do mojej matki* (my mother's = my mother's home)
at the butcher's (shop)	*u rzeźnika*
at my uncle's (house)	*u mojego wuja*
it cost them a pretty penny	dosł.: *kosztowało to ich ładny pieniądz* (tj. *dużo*)

---

invited without notice	*zaproszeni bez uprzedzenia*
a notice in the paper	*uwaga, wzmianka w gazecie*
the notice-board [ˈnoutysˈboːd]	*tablica ogłoszeniowa*
to give notice	*wypowiedzieć* (pracę)
to notice	*zauważyć*

---

pay	*zapłata; płaca*
strike pay	*zasiłek dla strajkujących*
overtime pay	*płaca za godziny nadliczbowe*
wages	*zarobek, płaca, tygodniówka*
salary [ˈsæləry]	*pensja, pobory* (za pracę umysłową)
What an amazing escape I've had!	*A to mi się udało wyjść cało!*
to have a narrow escape	*cudem wyjść cało*

---

to fail	*nie udać się, nie powieść się, zawieść*
the delegates failed to agree	*delegatom nie udało się dojść do porozumienia*
I'm sure he won't fail you and come in time	*pewien jestem, że on was nie zawiedzie i przyjdzie na czas*
he failed in his exams	*przepadł przy egzaminach*

---

to break down	*załamać się, przerwać*
the negotiations broke down	*pertraktacje załamały się, zostały przerwane*
the car broke down and stopped	*samochód zawiódł (zepsuł się) i stanął*
she broke down and started crying	*załamała się i zaczęła płakać*

board	*deska; wyżywienie; zarząd; rada; pokład*
an arbitration board was chosen	*wybrano radę polubowną*
Board of Trade	*Ministerstwo Handlu*
he pays £4 a week for full board	*płaci 4 funty tygodniowo za pełne utrzymanie (wyżywienie)*
a boarding-house	*pensjonat*
a boarding-school	*szkoła z internatem*
a blackboard	*tablica* (do pisania)
it happened on board a Dutch ship	*to się zdarzyło na pokładzie holenderskiego statku*
on board a plane	*na pokładzie samolotu*

GRAMATYKA

1. Zdania warunkowe *if* — gdyby *

If my wife had gone on strike, I should simply have gone to my mother's for meals.	*Gdyby moja żona (była) zastrajkowała, poszedłbym po prostu jadać do mojej matki.*

Zdanie to stanowi przykład zdania dotyczącego warunku niespełnionego, odnoszącego się do przeszłości. W zdaniu głównym stosujemy Past Conditional Tense, utworzony z czasownika **should** lub **would** (zależnie od osoby) i z bezokolicznika czasu przeszłego. W zdaniu pobocznym stosujemy Past Perfect Tense, np. **I should have gone — if she had gone.**

Inne przykłady:

If I had had your address, I should have written to you.	*Gdybym miał twój adres* (w przeszłości), *byłbym (wtedy) napisał do ciebie.*
She could have done it better if she had learned it before.	*Ona mogła była zrobić to lepiej, gdyby się była nauczyła tego przedtem.*

---

* patrz I, l. 45

She could have done it better

W ostatnim zdaniu **could** zastępuje **would** (patrz pkt 3 gramatyki).

2. Zaimki zwrotne: *myself* itd.*

I had to wake myself up in the morning	*Musiałem się (siebie) budzić rano*
...and even wave to myself...	*...a nawet pomachać do siebie ręką...*

Myself jest tu zaimkiem zwrotnym, który tłumaczymy na polski jako *się, siebie*. Tak samo brzmią zaimki emfatyczne, patrz l. 16.

I had to wave to myself...

---

* patrz I, l. 24

3. Can plus Perfect Infinitive *

They can't have called an authorized strike.   *Chyba nie mogły legalnie ogłosić strajku.*

Czasownik ułomny **can** w formie przeczącej plus Perfect Infinitive służy do wyrażenia przypuszczenia, że jakaś czynność nie mogła się odbyć w przeszłości. Inny przykład:

The man you spoke about can't have been an Englishman.   *Człowiek, o którym mówiłeś, nie mógł być Anglikiem.*

Zupełnie to samo znaczenie ma **couldn't** plus Perfect Infinitive, np.:

He couldn't have stolen the money.   *On chyba nie ukradł tych pieniędzy.*

Can lub **could** w formie twierdzącej plus Perfect Infinitive służy do wyrażenia prawdopodobieństwa jakiejś czynności w przeszłości, np.:

They can have called a strike.   *Oni mogli byli ogłosić strajk.*
He could have stolen the money.   *On mógł był ukraść pieniądze.*

ĆWICZENIA

Read aloud:
[ˈaj sej juː luk ˈˮoːn aut.
yts ˈtajm juː həd ə ˈholədy.
maj ˈˮajf ənd ˈaj həw ˈdżast həd ˈθriː ˌˮiːks əˈbroːd.
juː ˈdount nou ˈhau ˈlaky juːw biːn.
θriː ˮiːks əˈgou ˈoːl ðə ˮajwz yn auə ˈnejbəhud ˌkejm ˈaut on ˈstrajk]

LEARN BY WRITING AND READING

I. Wstaw brakujące wyrazy:

1. You don't know — lucky you've been. 2. All the wives in our neighbourhood — out on strike. 3. I had to — myself up in the morning. 4. If my wife — on strike I should have gone to my mother's for meals. 5. You

* patrz l. 4, oraz I, l. 14

could have stayed in a — until it was over. 6. The wives refused to — the housekeeping money. 7. What were they striking —? 8. We chose a — to meet their representative. 9. Both sides — to submit dispute to arbitration. 10. The three unmarried women — to marry the three unmarried men.

II. Uzupełnij zdania warunkowe:

P r z y k ł a d : **If** *my wife* **had refused** *to hand back the housekeeping money,* **I should have gone** *to my mother.*

If my wife had refused to go abroad, I ...
If he had invited guests without notice, his wife ...
If the workers had gone on strike earlier, they ...
If we had had overtime pay last year, we ...
If our trade union had been stronger, we ...

III. Wyjaśnij w kilku słowach znaczenie następujących wyrazów:

P r z y k ł a d : *the neighbourhood — people and houses near our home.*
neighbourhood, strike, dispute, fortnight, unmarried, negotiations

IV. Podaj w pierwszej osobie wszystkie czynności, które mąż musiał wykonywać zamiast żony:

P r z y k ł a d : *I had to wake myself up.*

V. Opisz obrazek na stronie 59.

VI. Dokończ zdania według podanego przykładu:

1. Your wife is away ...

P r z y k ł a d : Your wife is away, **isn't she?**

2. You could have stayed in a hotel ... 3. She must wait a little longer ... 4. Her husband has a lot of time ... 5. The weather is very fine today ... 6. You can get higher wages ... 7. You must fight for shorter hours of work ...

VII. Przetłumacz na język angielski:

Strajki

Czy widziałeś kiedy strajk? Nie, nie widziałem. Jestem za młody, żeby pamiętać, jak to było przed wojną. Co to jest naprawdę „strajkować"? Odmówić (to refuse) pracy (pracować), żeby zdobyć jakieś zmiany w warunkach pracy. Co to jest „strajk powszechny" (general)? To jest strajk wszystkich albo prawie wszystkich robotników (w) kraju. O (for) co strajkują robotnicy? Zazwyczaj strajkują o wyższą płacę, niekiedy o krótszy czas (dosł.

krótsze godziny) pracy. Co to jest „pikieta"? Strajkujący robotnik, pilnujący wejścia (do) fabryki, w której jest (gdzie jest) strajk. Co to jest zasiłek strajkowy? Pieniądze wydawane (dawane) strajkującym robotnikom przez związki zawodowe. Teraz już wiesz wszystko o strajkach. Nie, chciałbym wiedzieć, jak się nazywa (nazywacie) człowiek, który pracuje podczas strajku? Masz na myśli (to mean) robotnika, przyjętego (sprowadzonego — to bring) na (in) miejsce robotników strajkujących (on strike)? Nazywamy go łamistrajkiem (blackleg).

LESSON SIX   **THE SIXTH LESSON**

> **Użycie** *should* **z bezokolicznikami**
> **Użycie czasownika** *to get*
> **Gerund** — rzeczownik odsłowny
> **Weak forms**

STRAWBERRIES AND LEARNING LANGUAGES

In Ronald's room there is quite a gathering. Betty, Freddie, Angela (their new Italian friend) are already there and they are expecting more people.

Angela: Who else is coming, Freddie?

Freddie: Jim Collins, an American, and Stanley with a Polish friend.

Angela: Do you mean Andrew?

Freddie: Yes, I forgot you had met them at the camp.

Angela: I wasn't with them. They were at a strawberry picking camp. With us, unfortunately, it was gooseberries. But every Saturday people from all the camps around met together to dance, sing, and

strawberry [ˈstroːbəry] *truskawka*
quite a gathering *dość liczne zebranie*
gathering [ˈgæðəryŋ] *zebranie*
Angela [ˈændżələ] *Aniela*
expect [yksˈpekt] *spodziewać się*
Jim Collins [ˈdżymˈkolynz] — *imię i nazwisko*
Andrew [ˈændruː] *Andrzej*
camp [kæmp] *obóz*
gooseberry [ˈguzbəry] *agrest*
around [əˈraund] *wokoło*

play games. Where did you meet Stanley?

Ronald: He was in London two years ago. We were all together at the Commercial School. Oh, here they are.

here they are oto oni

Two young Poles and an American student enter the room.

Stanley: Hello, everybody.

Frieddie: How are you, old man?

Stanley: Fine, thanks, and you?

They all say how do you do to one another.

Betty (to Andrew): Have you come to England on a scholarship? Or have you joined a students' camp to pick strawberries, like Stanley?

scholarship ['skoləszyp] stypendium
to join a camp zapisać się na obóz

Andrew: I've joined the camp to earn some money and improve my English.

earn [ə:n] zarobić

Angela: And you found that most of the campers were French, Swedish, Spanish etc.

camper ['kæmpə] uczestnik obozu

Jim: There were a few English people, too.

Ronald: Oh, you were there too, weren't you?

Angela: You see, Betty. You come to a camp expecting to be among English people all the time and you find an international crowd in which each national group speaks its own language. You expect soft strawberries and you get sent to a gooseberry picking camp. You should have seen my working clothes at the end of the fortnight — all in pieces.

international [yntə'næsznl] międzynarodowy
national ['næsznl] narodowy

working clothes ubranie robocze
scratch [skræcz] podrapać
to get scratched podrapać się, zadrapać

Betty: And did you get your hands scratched?

Angela: No. I brought thick gloves with me.

Andrew: But you know, I don't agree with you about the language problem. I found I was obliged to speak English all the time at the camp as I don't speak French, or Italian, or Spanish, or Swedish, and Stanley refused to say a word of Polish.

problem ['probl.m] *zagadnienie*

Stanley: I should think so! I didn't spend money on my fare from Poland, on my passport and visas in order to speak Polish in England. And I made English friends in the village near the camp. Jim and I used to go to the local pub in the evenings to drink cider or beer, play darts and meet farmers and farmlabourers.

passport ['pa:spo:t] *paszport*
visa ['wi:zə] *wiza*
village ['wylydż] *wioska*
pub [pab] *szynk, bar*
dart [da:t] *grot (do gry)*
farmlabourer [ˌfa:m'lejbərə] *robotnik rolny*
save [sejw] *oszczędzać*

Jim: Stanley has saved some money on which he can stay in England for a few more weeks. He is an expert picker, he filled more baskets with strawberries than they required. I wasn't so good, I could just earn enough for my board and lodging.

lodging ['lodżyŋ] *mieszkanie*

Ronald: So you're disappointed in the whole thing, aren't you?

disappoint [ˌdysə'pojnt] *rozczarować*

Jim: Certainly not. I didn't join the camp to make money. I'm extremely interested in all these experiments in international living. Last year I took part in an international youth camp in Kazimierz in Poland. It was fascinating.

experiment [yks'perymənt] *doświadczenie*

Frieddie: Any special reason?

Jim: I'm a student of sociology and meeting people of all nations is my hobby. You have no idea how each little group at

reason [ri:zn] *przyczyna*
sociology [sousy'olədży] *socjologia*

the camp showed its national character in everyday life.

Angela: And what about the food? I like the cooking you find in English homes but at my camp it was simply awful.

Jim: Personally I don't mind what I eat, as long as there is plenty of it.

Ronald: What was the accommodation like?

character ['kærɪktə] *charakter*

I don't mind tu: *wszystko mi jedno*

I don't mind what I eat

Stanley: We slept in tents. One for three of us. It was all right when the weather was fine.

Angela: Last year it rained most of the time and we often had to walk through mud to reach the fields of strawberries.

Betty: What made you leave Italy and come to England again if you can't stand our climate?

Angela: I want to be an airline stewardess and they require a good knowledge of English. On my typist's salary this is the cheapest way to come to England. Now the camp is over I'd like to get a job for a month as a waitress or a baby sitter.

Jim: Angela will make a lovely stewardess. One day, when I'm rich enough, I'll

tent [tent] *namiot*

mud [mad] *błoto*
stewardess ['stjuədys] *stewardesa*
airline ['eəlajn] *linia lotnicza*
typist ['tajpyst] *maszynistka*
salary ['sæləry] *pensja, pobory*
cheap [czi:p] *tani*
baby sitter ['bejbysytə] *osoba doglądająca dzieci podczas chwilowej nieobecności rodziców*

A baby sitter

fly in the plane with Angela on board and pretend to be afraid. She will have to stand by me and hold my hand.

Ronald: I think I'd like to go to one of those camps and join the French group to improve my French.

Stanley: I don't think you will like the work. Sometimes 10 hours a day. And, mind, no **extra** money for overtime.

Angela: And long queues for lunch, for washing. But on Saturdays and Sundays you'll be free to flirt in French as much as you like.

Frieddie: If French girls can understand your way of speaking French!

Angela: **Goodness**, it's half past seven! I'm sorry to leave you all but I must be off. Robert's sister has been **kind enough** to promise to **put** me **up** for a few days and I can't keep her waiting.

Stanley: I'll see you home and help you with your bag. I'll be back soon, Ronald.

Angela: Good night everybody.

extra ['ekstrə] *dodatko-wy*

goodness ['gudnys] *Bo-że!*

kind enough tu: *tak do-bra*

put (somebody) up [put 'ap] *przenocować (ko-goś), udzielić gościny*

OBJAŚNIENIA

you had met at the camp   poznaliście się na (w) obozie
Have you met my wife?   Czy Pan (Pani) zna moją żonę?
a strawberry picking camp   obóz zamieszkały przez ludzi zatrud-
                                       nionych przy zbiorze truskawek
to join a students' camp   zapisać się na obóz studencki
   to join an association, a club   zapisać się do stowarzyszenia, klu-
                                       bu
to join the army   wstąpić do wojska lądowego
to join together   połączyć (się) razem
I'd like to join the French group.   Chciałbym przyłączyć się do gru-
                                       py francuskiej.

Most people were French.   Większość była Francuzami.
   He is French. He is a French-   On jest Francuzem.
      man.
   She is Swedish. She is a Swede.   Ona jest Szwedką.
   Poles, Russians, Germans,   Polacy, Rosjanie, Niemcy, Duń-
   Danes, Englishmen etc.   czycy, Anglicy itp.

Ale kilka narodowości zgrupowanych nad kanałem La Manche i Morzem Irlandzkim ma również i dodatkową formę na określenie całego
narodu: **The English, the French, the Irish, the Scots, the Welsh, the
Dutch** — Anglicy, Francuzi, Irlandczycy, Szkoci, Walijczycy, Holen-
drzy.

---

national ['næsznl]   narodowy
   nation ['nejszn]   ód (odmienna wymowa)
pub [pab] skrót od **public house**   gospoda, szynk (w USA: hotelik, o-
                                       berża)

public building   gmach rządowy

---

darts   gra, w której rzuca się małymi
                                       grotami do tarczy
   to play darts   grać w tę grę
   to play games   grać w gry sportowe
   (to play tennis, ping-pong,
      football, rugby, hockey)
   game   gra sportowa, w której walczą
                                       ze sobą 2 grupy (drużyny)

U w a g a : Rzeczownik **play** igraszka; sztuka teatralna.

to save	*oszczędzać, ratować*
Stanley has saved some money.	*Stanley zaoszczędził trochę pienię-*
	dzy.
A Savings Bank	*Kasa Oszczędności*
He saved the boy's life.	*Uratował chłopcu życie.*

S.O.S. — Międzynarodowy sygnał wezwania o pomoc: **Save Our Souls** [soulz] *ratujcie nasze dusze*

board and lodging	*mieszkanie z utrzymaniem*
What about the food?	*A jak jest (było) z wyżywieniem?*

What was the accommodation like?	*A jakie było pomieszczenie (mie-szkanie)?*
What is he like?	*Jaki on jest (jak on wygląda)?*
What does he look like?	*Jak on wygląda?*
He looks happy.	*Wygląda na szczęśliwego; wy-daje się być szczęśliwym.*

What made you leave Italy?	*Co sprawiło, że opuściłaś Włochy (wyjechałaś z Włoch)?*

Jest to konstrukcja biernika **(you)** z bezokolicznikiem **(leave)** bez **to**, stosowana po czasowniku **make** (patrz I, l. 42).

you can't stand the climate	*nie możesz znieść klimatu*
there are long queues for lunch	*są długie kolejki (ogonki) na lunch.*
to stand in a queue	*stać w ogonku* (ang.)
to stand in a line	*stać w ogonku* (amer.)
tail	*ogon (zwierzęcia)*
I must be off	*muszę odejść; czas na mnie*
I shall see you home	*odprowadzę cię do domu*
I shall be back soon	*wkrótce wrócę*

GRAMATYKA

1. Użycie *should* z bezokolicznikami

W zdaniu:

You should have seen my working clothes...	*Powinieneś był zobaczyć moje ubra-nie robocze* (ale nie zobaczyłeś) — *szkoda, że nie zobaczyłeś*

mamy przykład użycia **should** z bezokolicznikiem przeszłym czasownika **to see (have seen)** dla wyrażenia czynności zaleconej
w przeszłości, która jednakże nie nastąpiła.

Inny przykład:

He should have called on her again. *Powinien był odwiedzić ją znowu —*
było pożądane, aby ją odwiedził
(ale tego nie zrobił, szkoda).

Podobna konstrukcja, ale z bezokolicznikiem czasu teraźniejszego będzie miała inne znaczenie.
Zdania:

You should see my working clothes. *Powinieneś zobaczyć moje ubranie*
robocze.

He should call on her again. *Powinien ją znów odwiedzić.*

odnoszą się nie do przeszłości, lecz do teraźniejszości lub przyszłości i wyrażają obowiązek, zalecenie dokonania danej czynności.
    W wyżej podanych zdaniach **should** używa się we wszystkich
osobach (**I should, you should, he should** itd.), jako synonim słowa **ought** (*powinienem, powinieneś, powinien, powinna* itd.) patrz
ought 1. 2.

2. Użycie czasownika *to get*

a.
You expect soft strawberries and *Spodziewasz się miękkich (delikat-*
you get sent to a gooseberry pick- *nych) truskawek, a posyłają cię do*
ing camp. *obozu, gdzie zbierają agrest.*

b.
And did you get your hands scratch- *A czy miałaś podrapane ręce?*
ed? *Czy podrapałaś sobie ręce?*

c.
Now the camp is over I'd like to get *Teraz, kiedy obóz się skończył,*
a job ... *chciałabym otrzymać pracę ...*

    Czasownik **get** jest bardzo pożytecznym czasownikiem. W wie-
lu wypadkach można go użyć zamiast innego czasownika, zwłasz-

I must get my hair cut

cza w połączeniach z przyimkami i przysłówkami (adverbial particles — patrz I, l. 25).

ad a. W mowie potocznej **get** zastępuje często czasownik posiłkowy **be** w stronie biernej czasowników, np.: **you get sent** *jesteś
wysłany, wysyłają cię.*

ad b. Konstrukcja **to get** z biernikiem i Past Participle (imiesłów bierny) znaczy: *spowodować, sprawić, kazać, przyczynić się
do czegoś,* np.:

You got your hands scratched.   *Sprawiłaś to, że miałaś (dostałaś) po-
                                        drapane ręce.*
I must get my hair cut.   *Muszę kazać obciąć sobie włosy.*

ad c. Jedno z podstawowych znaczeń czasownika **get**: *dostać,
zdobyć, zyskać.*

3. Gerund — rzeczownik odsłowny

**Meeting people of all nations is my   *Poznawanie (spotykanie) ludzi wszel-
hobby.**   kich narodowości to mój konik.*
my working clothes   *moje robocze ubranie (do roboty)*
cooking   *gotowanie*
strawberry picking   *zbieranie truskawek*

Meeting, working, cooking, picking są rzeczownikami odsłownymi, tj. gerund (sposób tworzenia i stosowanie patrz I, l. 35).
Gerund ma tę samą formę, co imiesłów czasu teraźniejszego, ale nie spełnia tej samej funkcji, natomiast wyraża czynność w postaci bezosobowej, podobnej do bezokolicznika. Może on być w zdaniu podmiotem, orzeczeniem i okolicznikiem, np.:

Thinking is good in the morning. (podmiot)

Dobrze jest myśleć rano (dosł. *myślenie jest dobre rano*).

Quite a lot of people, however, like thinking in the evening. (orzeczenie)

Wielu ludzi jednak woli myśleć (myślenie) *wieczorem.*

The proof of the pudding is in the eating. (okolicznik)

Dowód, że pudding jest dobry, znajdziemy w smaku (w jedzeniu).

4. Weak forms (formy słabe)

I wasn't with them [aj "ɔznt /"yðɔm]
Do you mean Andrew? [dju:mi:n'ændru:]
from all [frɔm'ol]
how do you do [haudju'du]
weren't you ['"ɔntju]
some money [sɔ'many]
you should have seen [ju szudɔw 'si:n]
my fare from Poland [maj'feɔfrm 'poulɔnd]
he is an expert picker [hyzɔn'ekspɔt 'pykɔ]

Podane wyżej przykłady wymowy, wzięte z tekstu, oraz ich transkrypcja fonetyczna wykazują, że zgłoski nieakcentowane w wyrazach, wyrażeniach czy zdaniach ulegają „osłabieniu”, np. samogłoska [e] w wyrazie **them** jest nieco słabiej wymawiana i brzmi jak [ə], albo samogłoska [u] w wyrazie **do (Do you mean Andrew?)** jest tak słaba, że jej w ogóle nie oznaczamy w transkrypcji; wymowa mocna będzie: ['du ju: mi:n 'ændru:].
Mocną wymowę mają zazwyczaj zgłoski akcentowane, lub słowa, na które chcemy położyć nacisk, ale nie zawsze. Osłabione samogłoski w transkrypcji fonetycznej oznaczamy zwykle znakiem [ə]. Samogłoska czasem wypada. Tak samo opuszczane są spółgłoski (patrz przykłady poniżej).
Wyrazy strukturalne tego typu co **the, a, an, and, have, them,**

to, am, has itp. zazwyczaj nie wymagają nacisku (akcentu), dlatego też w mowie używane są zwykle w formie słabej. Powyższe wyrazy podane są niżej w obu formach, tj. mocnej i słabej:

	m o c n a	s ł a b a
the	[ði:]	[ðy] (przed samogłoskami)
		[ðə] (przed spółgłoskami)
a	[ej]	[ə]
an	[æn]	[ən]
and	[ænd]	[ən, n]
have	[hæw]	[həw, əw, w]
them	[ðem]	[ðəm, əm]
to	[tu:]	[tu, tə]
am	[æm]	[əm, m]
has	[hæz]	[həz, z, s]

Słabe formy są stale używane w mowie. Uczący się języka angielskiego mają tendencję do używania stale formy mocnej, co nie brzmi naturalnie. Anglik nadaje formę mocną słowom i wyrażeniom, które mają najważniejsze znaczenie. Wszystkie inne wymawia w formie słabej. Opanowanie słabych form wymowy dla nie-Anglika jest rzeczą trudną, ale jest ona kluczem do naturalnej, dobrej wymowy angielskiej i rozumienia potocznego języka.

ĆWICZENIA

Read aloud:
[ənd ⁿot əbaut ðə ˈfu:d?
aj ˈlajk ðə ˌkukyŋ ju: fajnd yn ˌyŋglysz ˈhoumz bat ət maj ˈkæmp yt ⁿəz ˌsymply ˈo:ful.
ˈpə:snəly aj ˈdount majnd /ⁿot aj i:t, æz loŋ æz ðeər yz ˈplenty əw yt. /ⁿot ⁿəz ðə ˌəkomə'dejszn lajk? ⁿi: slept yn ˈtents]

LEARN BY WRITING AND READING

I. Wstaw brakujące rzeczowniki odsłowne:

1. — a foreign language is extremely interesting.
2. — in bed can be very dangerous.
3. I don't like — games after meals.

4. — money isn't the only reason for joining a students' camp.
5. — strawberries can be very tiring.
6. Do you think that — with French people will teach you English?
7. I'm very keen on those experiments in international —.
8. He earned enough for his board and —.
9. Have I told you that — people of all nations is Jim's hobby?

II. Odpowiedz na pytania:

1. Where has Angela met Andrew?
2. How many girls are there in Ronald's room?
3. Have you ever been to a summer camp?
4. Why has Andrew joined the camp?
5. What nationality were the campers?
6. Did Angela pick strawberries?
7. Why did Stanley refuse to say a word of Polish at the camp?
8. What did Stanley do at the pub in the evening?
9. Was Jim good at picking fruit?
10. Why did he join the camp?

III. Podaj nazwę kraju odpowiadającego przymiotnikowi:

P r z y k ł a d : *Polish Poland*

French	English
Swedish	Italian
Spanish	Russian

IV. Wyszukaj i przepisz z lekcji 6 wyrazy o brzmieniu podobnym do polskiego:

P r z y k ł a d : *Idea*

V. Napisz po 1 zdaniu na temat następujących wyrazów:

P r z y k ł a d : *A picker picks fruit*

picker	writer	dancer
camper	farmer	baby sitter
waitress	typist	

VI. Napisz 5 zdań typu:

You should have seen my working clothes.

P r z y k ł a d : *Angela* **should have come** *to Poland.*

VII. Przetłumacz na język angielski:

Stewardesa

Czym chcesz być, gdy skończysz (opuścisz) szkołę, Janko? Chciałabym być stewardesą lotniczą. Czy łatwo dostać tam posadę? Sądzę, że tak. Trzeba być (musisz być) przystojną — wiem, że jestem — i mówić obcymi językami. No, to nie wszystko. Czy chcą jeszcze czegoś więcej? Oczywiście. Musisz być zdrowa, nie powinnaś (must not) nigdy tracić głowy, powinnaś uśmiechać się... O, ja potrafię uśmiechać się. Musisz dużo wiedzieć o samolotach, rozkładach jazdy, geografii, zajmować się (dbać o) pasażerami. Być uprzejma (miła) i wyjaśniać wszystko mężczyznom, którzy podróżują samolotem po raz pierwszy. I kobietom także. Nie zapominaj o dzieciach. Musisz być miła, ale stanowcza (firm), gdy są niegrzeczne. Ach tak? (czy muszę)? Dzieci nie powinny podróżować samolotem. Musisz wiedzieć coś o medycynie, jak gotować posiłki... Co, gotować? Tak sądzę. W każdym razie będziesz zdawać egzamin. Egzamin? Geografia, medycyna, gotowanie, doglądanie (dbanie o) dzieci! Nie, nie będę stewardesą. Po prostu wyjdę za mąż za lotnika albo będę latać jako pasażerka.

VIII. Napisz wypracowanie na temat: What have you learned about students' camps?

LESSON SEVEN   **THE SEVENTH LESSON**

Prepositions and Adverbial Particles
Przyrostek -*wards*
Użycie *may* **i** *might* **z Present Infinitive**
Zdania warunkowe rzeczywiste
Zaimek nieokreślony *one*

MIND THE NOTICES!

Mr. Algernon Goodman is going to London. Generally he does not like travelling, but he understands that his personal presence in the capital is required. So, grum-

mind the notices *uważaj na napisy*
Algernon [ˈældżənən] — imię męskie
Goodman [ˈgudmən] — nazwisko

bling, he got up early that day and went to the bus stop on the main road not far from his house.

He did not wait long, and when he saw the bus approaching he lifted his hand to stop it, as it was a request stop.

It was a fast travelling Green Line coach which ran along this road to London. The coach was very comfortable.

"A single to London," he said to the conductor. "What time shall we be there?"

"10 o'clock, we're not late, take your seat," answered the conductor.

Mr. Goodman took it by the window, and put his bag on the rack above his head. He immediately read a warning just in front of him: "Please lower your head when leaving your seat."

Mr. Goodman grunted:

"Don't trouble yourself about my head. I know what I must do" and he sat down.

He wanted to open the window. To do that he had to slide the glass along the window. He caught the lever and tried to pull it backwards. He ignored the notice which read: "Before operating window ensure lever is in released position."

He tried the lever once more and at last

presence ['prezns] *obecność*
grumble [grambl] *narzekać*
stop *przystanek*
approach [ə'proucz] *zbliżyć się do*
lift [lyft] *podnieść*
request [ry'k^uest] *żądanie, prośba*
request stop *przystanek na żądanie*
take your seat *niech pan siada*
rack [ræk] *bagażnik w autobusie*
above [ə'baw] *ponad*
warn [^uo:n] *ostrzec*
warning *ostrzeżenie*
lower ['louə] *obniżyć*
when leaving *przy opuszczaniu*
grunt [grant] *burknąć*
trouble [trabl] *kłopotać się*
to slide along *przesunąć wzdłuż*
lever ['li:wə] *dźwignia*
backwards ['bæk^uə:dz] *do tyłu*
ignore [yg'no:] *zlekceważyć*
the notice which read *napis, który głosił*
operate ['opərejt] *uruchomić*
ensure [yn'szuə] *upewnić się, sprawdzić*
release [ry'li:s] *zwolnić, rozluźnić*
position [pə'zyszn] *położenie*
once more *jeszcze raz*

read the notice, as he had sense enough not to want to look silly in the eyes of the other passengers. He however expressed his disgust to himself: "Must they always do everything to annoy quiet people? What is that lever needed for? It would be much simpler to open the window without it!"

Mr. Goodman was in a hurry. He did not like the bus stopping often. He was looking at people who got on or off as if they stopped the coach purposely to make him angry.

At last the bus came to its last stop. Mr. Goodman got up quickly and bumped his head against the iron rack, and saw a thousand stars before his eyes. He swore under his breath and then remembered the warning. Now slowly and cautiously he got off the bus and looked for another, this time a red, city double decker. He did not like going by tube.

There were quite a lot of people going on this bus. Mr. Goodman read all the notices which came his way. One of them informed him that there were seats for 56 passengers, 26 inside and 30 on the top deck. No one was allowed to stand.

The bus stopped very often, it also slowed on all zebra crossings where, according to traffic regulations, people who walk cross first. When all the seats were occupied the conductor informed the people standing in a queue that the bus was 'full up'.

at last *w końcu*
he had sense enough *miał dosyć rozsądku*
disgust [dys'gast] *wstręt*
what... for? *po co?*
to be in a hurry *spieszyć się*
he did not like the bus stopping *nie podobało mu się, że autobus zatrzymywał się*
get on, get off *wsiadać, wysiadać*
purposely ['pə:pəsly] *umyślnie*
to make angry *rozgniewać*
bump [bamp] **against** *uderzyć o*
swear, swore, sworn [sᵘeə, sᵘo:, sᵘo:n] *kląć*
breath [breθ] *oddech*
under his breath *pod nosem*
double-decker ['dabl-'dekə] *piętrowy (wóz)*
tube [tju:b] *kolej podziemna*
which came his way *na które natknął się*
inform [yn'fo:m] *informować*
top deck *górny pokład (autobusu piętrowego)*
slow [slou] *zwalniać*
regulation [regju'lejszn] *przepis*
full up *nie ma miejsca (pełny wóz)*
happen ['hæpn] *zdarzyć się*
wink [ᵘyŋk] *mrugać*

Now Mr. Goodman became more interested in all the things happening round him. He saw that on all zebra crossings there were lamps with big yellow balls on the top, which winked all the time. He had always criticized them before, but now he admitted that, at night, they might present a good warning to drivers.

Having already experienced some unpleasant moments in the first bus, Mr. Goodman obeyed all rules for passengers.

He gave exactly the required number of pence to the conductor and named the street where he was going according to the notice: "Passengers will greatly assist the conductor by clearly stating their destination and tendering the exact fare."

As it was already late, he was rather angry with a young mother, who got into the bus with her baby in a push-chair, and kept the bus standing for a time. But he did not say anything as there was another notice: "Push-chairs are carried at owners' risk and at discretion of the conductor" — and the conductor himself helped the woman to get on.

In London, as a matter of fact, there are so many notices and warnings everywhere which it is necessary to read not to get into trouble that sometimes one's head whirls.

For instance if you enter an underground station you find such notices as: *Way out, No smoking, No entry, This side*

criticize ['krytysajz] *krytykować*

driver ['drajwə] *kierowca*

experience [yks'piəriəns] *doświadczyć*

unpleasant [an'pleznt] *nieprzyjemny*

obey [o'bej] *słuchać, być posłusznym*

pence [pens] *pensy*

name *nazwać*

assist [ə'syst] *pomagać*

destination [desty'nejszn] *miejsce przeznaczenia*

tender ['tendə] *przedłożyć*

exact fare *odliczona opłata za przejazd*

push-chair *wózek* (dla dziecka, chorych)

kept the bus standing *spowodowała, że autobus stał dłużej*

for a time *przez pewien czas*

risk [rysk] *ryzyko*

at discretion [æt dys-'kreszn] *do uznania*

as a matter of fact *rzecz oczywista*

not to get into trouble *żeby nie przysporzyć sobie kłopotu*

whirl ['ə:l] *wirować*

for instance [fə'rynstəns] *na przykład*

way out *wyjście*

no smoking *nie wolno palić*

no entry *nie ma wejścia*

... kept the bus standing

out, Keep clear of the door, Do not alight from moving train, Stand clear of the gate, No exit this side, Spitting prohibited, and so many, many others that, it is true, help people very much. Generally speaking, people pay attention to them, dogs obey them too.

Do you remember the clever dog in "The Pickwick Papers"?

It was at a hunt when a huntsman following his dog Ponto entered an enclosure and saw his dog stop dead looking up at the warning:

"...dog stopped — whistled again — Ponto — wouldn't move — dog transfixed — staring at a board — looked up — saw an inscription — 'Gamekeeper has orders

this side out *tędy wyjście*

alight [ə'lajt] *wysiadać*

stand clear, keep clear *trzymać się z dala od*

prohibit [prə'hybyt] *zabraniać*

The Pickwick Papers ['pyk"yk' pejpəz] *Papiery (Klubu) Pickwicka (tytuł dzieła)*

hunt [hant] *polowanie*

huntsman ['hantsmn] *myśliwy*

Ponto ['pontou] *nazwa psa*

enclosure [yn'kloużə] *ogrodzenie*

to stop dead *stanąć nagle (jak wryty)*

wouldn't move *nie chciał poruszyć się*

transfixed [træns'fykst] *przykuty do miejsca*

stare [steə] *utkwić wzrok*

inscription [yn'skrypszn] *napis*

gamekeeper ['gejmki:-pə] *gajowy*

order ['o:dɔ] *polecenie, rozkaz*

to shóot all dogs found in this enclosure'
— wouldn't pass it — wonderful dog —
valuable dog that — very."

wouldn't pass *nie chciał przejść*
valuable   ['wæljuəbl]
wartościowy, cenny

OBJAŚNIENIA

a single to London	*zwykły bilet do Londynu*
a return ticket	*bilet powrotny*
a single man, woman	*mężczyzna nieżonaty, kobieta niezamężna*
a single bedroom	*pokój z jednym łóżkiem (w hotelu itp.)*
take a seat	*zająć miejsce siedzące*
take a bath	*wziąć kąpiel*
take a holiday	*wziąć urlop*
along the window	*wzdłuż okna*
along the river	*wzdłuż rzeki*
along the street	*na ulicy, po ulicy*
come along, run along	*chodź no, pobiegnijże!*

sense enough	*dosyć rozsądku*
common sense	*zdrowy rozsądek*
nonsense	*nonsens*
sense of humour	*poczucie humoru*

He swore under his breath.	*Zaklął pod nosem.*
to swear	*kląć, przeklinać,* ale również: *przysięgać*
Mr. Goodman became more interested in all the things.	*Pan Goodman zainteresował się bardziej (stał się bardziej zainteresowany) wszystkimi sprawami (rzeczami).* Patrz stopniowanie przymiotników I, l. 12.
to experience	*doświadczyć, przeżyć*
experience	*przeżycie, doświadczenie (życiowe)*
penny	*pens (moneta lub wartość)*
two, five pennies	*2, 5 pensów (poszczególne monety, pensówki)*
twopence, five pence	*2, 5 pensów (wartość, cena)*

true	*prawdziwy*
truth	*prawda*
it is true	*to prawda*
tell the truth	*mówić prawdę*
true born	*czystej krwi*
Yours truly	*Z poważaniem* (formułka stosowana przy zakończeniu listów oficjalnych).

hunt	*polowanie*; w samej Wielkiej Brytanii wyraz ten oznacza polowanie na grubszą zwierzynę lub na lisa
huntsman	*myśliwy, polujący*
hunter	*koń do polowania na lisa* (polowanie polega raczej na wyścigu grupy jeźdźców za psami tropiącymi zwierzę); *myśliwy* (polujący poza granicami W. Brytanii)
to hunt	*polować na lisa lub grubszą zwierzynę*
to shoot	*strzelać; polować na drobniejszą zwierzynę*
The Pickwick Papers	*Klub Pickwicka* — powieść Karola Dickensa (1812—1870), autora wielu znanych powieści jak *Oliwer Twist, Dawid Copperfield, Mała Dorrit*, opisujących Anglię XIX w.

GRAMATYKA

1. Prepositions and Adverbial Particles

Nauka prawidłowego użycia przyimków sprawia wiele kłopotu we wszystkich językach. W niektórych wypadkach wystarczy znać podstawowe znaczenie przyimka, np.: **on** znaczy *na*, **at** — *przy*, **with** — *z* itp. i wtedy można go dosłownie przetłumaczyć z polskiego. Tak na przykład:

na stole — **on the table**   *z masłem* — **with butter**
przy oknie — **at the window**   *z nim* — **with him** itp.

To get *into trouble*

Ale w znacznej liczbie przypadków stosujemy w języku angielskim inny przyimek aniżeli w polskim, np.: *zły na kogoś* tłumaczymy **angry with somebody** (a nie: **on somebody**). Nie ma reguł, którymi należałoby się kierować. Anglik używa ich instynktownie, słyszał je bowiem od dzieciństwa, ale Polak musi przyswoić je sobie przez intensywne czytanie i uczenie się na pamięć krótkich zdań zawierających przyimki, w razie wątpliwości sprawdzając w słownikach i w podręcznikach (patrz I, l. 38, 46—51 oraz l. 12, 31, 34 i 35).

Podobną trudność sprawia nauka użycia partykuł przysłówkowych (które mają tę samą postać, co przyimki) razem z czasownikami. I tak np.: **up** znaczy *w górę*, **put up** znaczy *podnieść w górę*, **put up a flag** — *podnieść flagę*, ale jednocześnie **put up** może znaczyć: *odłożyć, ulokować kogoś, wybudować* itd., **put up with** znaczy: *tolerować, znieść cierpliwie* itp. Czasowniki wraz z partykułami nabierają nowego sensu, nie zawsze logicznie wynikającego z ich znaczenia.

Oto najważniejsze przyimki i partykuły przysłówkowe występujące w tej lekcji, przedstawione razem ze względów praktycznych, wyraźne rozgraniczenie ich jest bowiem jeszcze kwestią sporną w najnowszych podręcznikach gramatyki angielskiej.

in the capital	*w stolicy*	**to the bus stop**	*do przystanku*
on the main road	*na głównej drodze*		*autobusowego*
		from his home	*z domu*
to stop it	*aby zatrzymać go*	**on the rack**	*na półce*
	(w polskim używamy spójnika: aby)		

above his head	ponad głową	about my head	o moją głowę
along the window	wzdłuż okna	before his eyes	przed oczami
going to London	jadąc do Londynu	he sat down	usiadł
look at	popatrzeć na	to open the win-	otworzyć okno
		dow without it	bez niego
bump against	uderzyć o	got off	wysiadł
get into trouble	nabawić się kło-	angry with	zły na
	potu	full up	przepełniony

2. Przyrostek -wards

He caught the lever and tried to pull it backwards.

Chwycił za dźwignię i próbował ciągnąć ją do tyłu.

Przyrostek -wards jest tu końcówką przysłówkową, nadającą znaczenie: w kierunku, np.: **backwards** do tyłu, **homewards** do domu, **sidewards** na bok, na boki. Tworzy on również przyimek **towards** w kierunku do.

Przyrostek -ward o tym samym znaczeniu używany jest raczej do tworzenia przymiotników, np.: a **backward country** zacofany kraj, a **backward child** dziecko opóźnione w rozwoju.

3. Użycie may i might z Present Infinitive

Czasownik **may** jest czasownikiem ułomnym, który wskazuje, że czynność wyrażona przez następujący po nim czasownik (w bezokoliczniku bez **to**) jest dozwolona, prawdopodobna, zalecana. Podobne znaczenie ma polski czasownik móc. Formę pytającą i przeczącą tworzy bez czasownika posiłkowego **to do**, w 3. osobie liczby pojedynczej nie przybiera końcówki -s. Ma jedynie czas teraźniejszy i przeszły **may, might**. Pozostałe czasy tworzy się za pomocą ekwiwalentu **to be allowed** (patrz I, 1. 34).

May z Present Infinitive (np. **I may come**) dotyczy teraźniejszości lub przyszłości i służy do wyrażenia:

a. Zezwolenia:

You may smoke.
You may take my umbrella.

Możesz palić.
Możesz wziąć mój parasol.

b. Prawdopodobieństwa:

It may be true.	*To może być prawdą.*
It may snow.	*Może będzie padać śnieg.*
It may present a good warning to drivers.	*To może być dobrym ostrzeżeniem dla kierowców.*

Might z Present Infinitive (np. **I might come**) dotyczy również teraźniejszości lub przyszłości i służy do wyrażenia:

a. Mniejszego prawdopodobieństwa:

It might be a good warning.	*To mogłoby być dobrym ostrzeżeniem.*

b. Przyjacielskiej rady lub prośby:

I want a beefsteak for breakfast, you might see to it.	*Proszę o befsztyk na śniadanie, może byś tego dopilnowała.*
You might buy me that beautiful ring at the jeweller's round the corner!	*Mógłbyś mi kupić ten piękny pierścionek u jubilera, tuż za rogiem!*

U w a g a: **may** tłumaczy się w tych wypadkach zwykle jako: *mogę, możliwe że*, a **might** jako: *mógłbym, mógłbyś* itd.

4. Zdania warunkowe (if — *jeżeli, jeśli*) *

If you enter an underground station, you find a great number of notices.	*Jeżeli wchodzisz do metra, zobaczysz (widzisz) dużo napisów.*

Zdania warunkowe z *jeśli*, tj. kiedy warunek jest realny i możliwy do spełnienia, odnoszą się do teraźniejszości, przyszłości i przeszłości. Układ czasów w zdaniach tego typu jest następujący:

a. Jeśli w zdaniu głównym mamy Simple Present, to w zdaniu pobocznym, zaczynającym się od **if**, stosujemy Simple Present lub Simple Past Tense, np.:

If you enter an underground station, you find a great number of notices.	
If you entered ..., you find ...	*Jeśli wszedłeś ..., widzisz ...*

---

* patrz I, l. 32

b. Jeżeli w zdaniu głównym mamy Future Tense, to w zdaniu pobocznym stosujemy Present Tense (w znaczeniu przyszłym) lub Past Tense, np.:

If you enter..., you will find...   *Jeśli wejdziesz..., znajdziesz...*
If you entered..., you will find.   *Jeśli wszedłeś..., znajdziesz.*

c. Jeżeli w zdaniu głównym mamy Past Tense, to w zdaniu pobocznym stosujemy również Past Tense, np.:

If you entered..., you found...   *Jeśli wszedłeś..., znalazłeś...*

Zdania poboczne warunkowe, dotyczące warunku realnego zaczynają się od spójników **if** *jeżeli*; **on condition that,** *pod warunkiem, że*; **supposing that** *jeśli*; **as long as** *o ile tylko* itp., a w formie przeczącej od spójnika **unless** *jeśli nie, o ile nie.* *

5. Zaimek nieokreślony *one*

One's head whirls.   *Kręci się człowiekowi w głowie.*

a. **One's** jest przypadkiem dzierżawczym, Genitive, zaimka nieokreślonego **one. One, one's** służą do tworzenia formy bezosobowej, którą w języku polskim oddajemy przez zaimki *się, swój, swoje* itd., np.:

One mustn't lose one's head.   *Nie powinno się tracić (swojej) głowy.*

One must use a sharp knife to open that tin.   *Trzeba użyć ostrego noża do otwierania tej puszki.*

Formę bezosobową można również wyrazić za pomocą strony biernej lub 2. osoby 1. poj.:

A sharp knife must be used in order to open that tin.
You must use a sharp knife to open that tin. (patrz I, 1. 37)

W odróżnieniu od obu tych form użycie zaimka **one** wskazuje, że podmiotem są „wszyscy" włącznie z osobą mówiącą.
One must use a sharp knife znaczy: *trzeba użyć ostrego noża* (ja też muszę tak zrobić, jeżeli chcę otworzyć puszkę).

---

* Inne zdania warunkowe patrz 1. 5

b. **One's** służy jako nieokreślony zaimek dzierżawczy przy bezokoliczniku, np.:

Zdania:

I made up my mind.	*Zdecydowałem się.*
He did his best.	*Zrobił co mógł* (dosł.: *swoje najlepsze*).
You must look after your garden.	*Musisz dbać o swój ogród.*
They take care of their health.	*Oni dbają o swoje zdrowie.*

w formie bezosobowej, w bezokoliczniku, będą brzmiały:

To make up one's mind.	*Decydować się.*
To do one's best.	*Starać się jak najbardziej, czynić największe wysiłki.*
To be obliged to look after one's garden.	*Być zmuszonym dbać o swój ogród.*
To take care of one's health.	*Dbać o swoje zdrowie.*

U w a g a : Wymowy **one's** ["anz] nie mylić z **once** ["ans] *raz, pewnego razu*. Zaimek zwrotny **oneself** patrz I, l. 24:

ĆWICZENIA

Read aloud:
[ðə 'koucz "əz 'wery 'kamftbl.
ə 'syngl tə 'landən, hi: sed tə ðə kən'daktə.
'"ot 'tajm szel "i: bi: ðeə?
'ten ə'klok "i:ə 'not lejt, 'tejk jo: 'si:t, ˌa:nsəd ðə kən'daktə.
'mystə 'gudmn tuk yt baj ðə '"yndou ənd 'put hyz 'bæg on ðe 'ræk ə'baw hyz 'hed]

LEARN BY WRITING AND READING

I. **Naucz się na pamięć wiersza o zazdrośniku:**

> Had I a girl, with figure fine,
> I'd paint her face with iodine,
> And on her back I'd pin a sign:
> Keep off the grass,
> This girl is mine.

> (*Anonymous*)

Had I = If I had;
iodine ['ajodajn] lub ['ajodyn] *jody-*
na
to pin [pyn] *przypiąć*

a figure ['fygə] *figura*

I'd = I would

II. Zestaw odpowiednie ogłoszenia, stosując napisy z a. z odpowiednimi wyrazami i zdaniami z b.:

P r z y k ł a d : *Way out — which way to get out*

a.

Way out
No Smoking
No Entry
Stand Clear of the Gate
No Exit this Side
Spitting Prohibited
Please Lower Your Head when
   Leaving Your Seat
Seats for 56 Passengers
No Standing Room (room — miejsce)
Push-chairs Are Carried at Owner's
   Risk

b.

1. The lift in the tube station has two gates.
2. A closed door.
3. Above the seat there is a rack.
4. Tobacco, pipes, cigarettes...
5. All the people must sit in the bus.
6. The number of passengers.
7. Which way to get out.
8. Baby passengers.
9. Keep the bus clean.
10. A closed entrance.

III. Uzupełnij brakujące czasowniki w formie Infinitive lub Perfect Infinitive (patrz 1. 4):

P r z y k ł a d : a. *You* **may smoke** *in this room.*
              b. *He* **may have found** *your fountain-pen.*

a. **may+Infinitive** — *mogę, możesz, może itp.*
1. I'm sure you may — us with the right answer (to supply).
2. We may — his manners (to criticize).
3. I'm afraid your uncle may — the whole truth (to find out).
4. May I — you in anything? (to assist)
5. The policeman may — you that you must not cross the street in this place (to warn).
6. You may — in this room (to smoke).

b. **may+Perfect Infinitive** — *możliwe, że*
1. He may — much experience but he is not a good manager (to have).
2. Don't worry, he may — your fountain-pen (to find).
3. It may — a fortnight ago (to happen).
4. The driver may — but he was not angry (to grumble).
5. You may — his advice but I haven't (to forget).
6. The beefsteak may — hard but the chicken was excellent (to be).

IV. Napisz w transkrypcji fonetycznej następujące wyrazy:
early, immediately, quickly, slowly, cautiously, exactly, greatly, clearly, generally.

V. Zestaw odpowiednie wyjaśnienie z odpowiednim wyrazem:

1. a capital	a. a human head b. the seat of the government of a country c. money you pay for a ticket
2. downtown	a. an American word for the business centre of a town b. a kind of cake c. an accident
3. a zebra crossing	a. a dress b. a street crossing painted black and white c. a strange animal
4. a driver	a. the tube b. a conductor c. a person driving a car or engine
5. to prohibit	a. opposite of *to allow, to let* b. to drink c. to assist

VI. Przepisz z czytanki *"Mind the Notices"* **wyrażenia zawierające przyimek** *in* **i przyimek** *to* (wyłączając przykłady z bezokolicznikiem jak *to stand*):

P r z y k ł a d y :

in	**to**
in the capital	to the bus stop
in The Pickwick Papers	according to traffic regulations

VII. Przetłumacz na język angielski:

Stoi pan przed nim (to face)!

Napisy i szyldy (signs) nie powinny być ani za małe ani za duże. Pamiętam, raz rozmawiałem o tym z pewną Holenderką na dworcu w Crewe [kru:]. Ona rzekła: Czy nie sądzisz, że bardzo trudno jest znaleźć nazwy angielskich stacji kolejowych, kiedy zbliżamy się do nich (to approach) pociągiem (by . . .)? Crewe jest tak ważną stacją, a jednak popatrz, jakich małych liter użyto (jakie małe litery zostały użyte) do napisu nazwy stacji. Popatrzyłem w górę (up) i zobaczyłem rzeczywiście bardzo mały napis "Crewe" nad drzwiami. Ale nagle zauważyliśmy ogromne "R" wiszące nad peronem. To była część bardzo dużego znaku (sign) Crewe. Jeden był za mały, ten drugi (pozostały) za duży, żeby go zauważyć (użyć bezokolicznika w formie biernej). Na (in) ulicach dużych miast jest (there are) tak bardzo wiele ogłoszeń (napisów), szyldów i reklam, że często nie znajduje się (nie znajdujesz — you miss) tego (jednego), którego poszukujesz. Niejeden raz (many a time) po próżnym poszukiwaniu (szukawszy na próżno) jakiegoś specjalnego (particular) sklepu, poczty, banku itd. prosiłem (to ask) policjanta lub jakiegoś nieznajomego (stranger), żeby pomógł (pomóc) mi znaleźć ów budynek. Odpowiedź brzmiała (była) zwykle: Stoi pan przed nim (to face).

LESSON EIGHT   THE EIGHTH LESSON

> The Past Perfect Tense
> Użycie czasownika *dare*
> Przedrostek *a-*
> Tryb rozkazujący
> *Should rather, would*
> Biernik z imiesłowem czasu teraźniejszego

DANIEL DEFOE IN THE PILLORY

"Peter! Let's go to-day to see a man of letters being put in the pillory."

"I don't have a mind for going there, I should rather go afishing."

"Oh, would you? But this is a rare occasion! It is the same bloke who wrote that famous thing about those people who

Daniel Defoe ['dænjəl də'fou] — imię i nazwisko
pillory ['pyləry] *pręgierz; stawiać pod pręgierzem*
in the pillory *pod pręgierzem*
a man of letters *pisarz*
I don't have a mind *nie mam zamiaru*
afishing [ə'fyszyŋ] *na ryby*
would you? tu: *wolisz?*
rare [reə] *nieczęsty, rzadki*
bloke [blouk] *facet*

A man of letters

quarrel with the Church of England high priests!"

"Dissenters you mean. Don't say so? Dare they put him in the pillory like a common pedlar or rogue? I remember when King William was still living, he wrote that poem about the Englishman's family tree, 'The True-born Englishman'. Ha, ha, ha, I was laughing so much. Me, a grandchild of a French soldier! That's a good joke. That's something! Those aristocrats were so angry with him!"

"Then you will go, won't you Peter."

"All right, chum!"

The conversation took place on 29th of July, 1703 in Cornhill Street between two London apprentices. Peter was working for a baker and the other boy Tom for a

Church of England *kościół anglikański*
priest [pri:st] *ksiądz*
dissenter [dy'sentə] *dysydent*
don't say so *no wiesz!*
dare [deə] *ośmielić się*
pedlar ['pedlə] *handlarz domokrążca*
rogue [roug] *łotr*
William ['ᵘyljəm] *Wilhelm*
poem ['pouym] *poemat*
family tree *drzewo genealogiczne*
grandchild ['grænczajld] *wnuk(-czka)*
aristocrat ['ærystəkræt] *arystokrata*
chum [czam] *kolega*
on 29th — on the 29th
Cornhill ['ko:nhyl] — nazwa
apprentice [ə'prentys] *czeladnik*
baker ['bejkə] *piekarz*

shoemaker. Both were not more than 18 years old, not very strong, poorly dressed, but both for their age had a fair amount of imagination and pluck.

"Where shall we meet then?" asked Peter.

"I think, in front of the Royal Exchange, where I saw the pillory being put up on a dais," answered Tom, "about noon."

The boys separated, as it was 8 o'clock in the morning, and they had to go back to their masters to get permission.

Tom's master, a shoemaker had his shop not very far away in Grace Church Street. When he came to the shop, he saw Tom's excitement and asked him the reason. Tom said that he had run across a man who told him that a famous pamphlet writer, one Daniel Defoe would be put in the pillory in front of the Royal Exchange that day. The master had already read several pamphlets of that writer and he thought him a bold man.

"I knew," he said, "that they had put him in Newgate for what he had written, and so the man will be brought in the cart, all the way from the prison."

"Will you let me go there and see him?" asked Tom.

"Sure my boy, you may go and I shall be there too," consented the master.

At about half past eleven Tom ran to the Royal Exchange, which was then a meeting place for merchants, where they did business.

There were quite a lot of people there.

shoemaker ['szu:mejkɔ] *szewc*
imagination [y͵mædży-'nejszn] *wyobraźnia, fantazja*
pluck [plak] *odwaga*
Royal Exchange ['rojɔl yks'czejndż] *Królewska Giełda*
dais ['dejys] *podwyższenie, podium*
put up *ustawiać*
separate ['sepɔrejt] *rozdzielić (się), rozstać się*
permission [pɔ'myszn] *pozwolenie*
Grace [grejs] — *nazwa*
excitement [yk'sajtmənt] *podniecenie*
run across *napotkać*
pamphlet ['pæmflyt] *pamflet*

Newgate ['nju:gyt] — *nazwa więzienia*
bring *przynieść, przywieźć*
cart [ka:t] *wóz*
surely ['szuəly] *pewnie*
consent [kɔn'sent] *zgadzać się*
merchant ['mə:czənt] *kupiec*
do business *załatwiać interesy*

In the centre of a large square, in front of the Exchange, stood a high square dais, on which a wooden frame on a post was placed, having holes for the head and hands. The people were shouting and asking where the prisoner was.

Tom looked for his friend Peter, and after a short while found him standing near the dais and looking at the pillory. "Peter, you are here, how goes?" Tom greeted him.

"Oh, this is terrible. But listen to the people shouting along Cheapside. They are probably bringing Defoe here."

The boys stood on tiptoe and tried to see along the street. They couldn't however see much for the crowds around them. As there was still time they turned around watching the people gathered for the occasion.

"Look," said Peter, "what a great many people you can meet here: merchants, pedlars, monks, soldiers..."

"Yes, yes, and scores of apprentices, gallants and beggars too, there I can see water-carriers, milkmaids..."

"All of them are so curious, and some of them have brought their women, wives and daughters."

"Even courtiers are here," Tom concluded.

At last the troop of guards with the prisoner in the cart arrived amid the shouts of the people. He was a man of about forty, over five foot eight inches tall, with a swarthy complexion, dark brown

square *plac* **prostokątny**

frame [frejm] *rama*
post [poust] *słup*
prisoner ['pryznə] *więzień*
how goes? *co się dzieje? jak tam?*
Cheapside ['czi:p'sajd]
— *nazwa ulicy*
on tiptoe [on'typtou] *na palcach*
however [hau'ewə] *jednakże*
for *z powodu*
a great many *wielu*
monk [maŋk] *zakonnik*
score [sko:] *dwadzieścia, moc*
gallant ['gælənt] *elegant*
beggar ['begə] *żebrak*
water-carrier ['ᵘo:təkæ-riə] *woziwoda*
milkmaid ['mylkmejd] *dojarka, mleczarka*
curious ['kjuəriəs] *ciekawy*
courtier ['ko:tjə] *dworzanin*
conclude [kən'klu:d] *zakończyć*
troop [tru:p] *oddział*
troop of guards *oddział straży*
amid [ə'myd] *wśród*
shout [szaut] *okrzyk*
over five foot eight inches tall *wysoki ponad 5 stóp i 8 cali (tj. 1,70 m)*
swarthy ['sᵘo:ðy] *śniady*
complexion [kəm'plekszən] *cera*

hair, hooked nose, sharp chin, grey eyes and a large mole, near his mouth...

He went up on to the dais, looked boldly around, and after a while he came up to the pillory and put his head and hands in the holes. Then the frame was made tighter so that he could not take them out. All the time his eyes were looking round as if he appraised the crowd. Suddenly his face changed. He heard some people singing...

"What is that?" Peter said.

"I don't know," Tom replied, "let's ask somebody."

"Look, look, someone is distributing something. What is it?"

"Ladies and gentlemen," someone was shouting, when the singing stopped for a while, "this is the writing by the pilloried man, it is his, Defoe's Hymn to the Pillory, take it, read it and sing!"

Gradually more people sang the Hymn, in which the author laughed at his judges and at his punishment. The pillory instead of exposing the man to people's ridicule, won him their sympathy.

A bunch of flowers thrown by somebody dropped at his feet. Soon dozens of bunches and handfuls were thrown at him.

"I wonder what the man is thinking of at present," thought Peter.

The man stood there tense with excitement. The shouts of the people went deep into his heart. He did not feel any shame. He was sure he had done the right thing.

---

hooked [hukt] *haczyko-waty*
chin [czyn] *podbródek, broda*
mole [moul] *znamię*
go up on to *wejść na*
tight [tajt] *ciasny*
make tighter *zaciskać*

appraise [ə'prejz] *ocenić*
change [czejndż] *zmienić się*

reply [ry'plaj] *odpowiedzieć*
distribute [dys'trybju:t] *rozdawać*

hymn [hym] *hymn*
gradually ['grædjuəly] *stopniowo*
author ['o:θə] *autor*
laugh at *śmiać się z*
punishment ['panyszmnt] *kara*
expose [yks'pouz] *wystawić*
ridicule ['rydykju:l] *pośmiewisko*
sympathy ['sympəθy] *współczucie, sympatia*
handful ['hændful] *garść*
at present *teraz*
tense [tens] *naprężony*
went deep into his heart *wzruszyły go mocno*
he had done the right thing *postąpił słusznie*

He had laughed at his enemies and had made these people laugh at them.

Looking at the shouting and singing crowd he thought:

"I promise... I will make you heroes and heroines. I will write about you. Generations will know this city by what I write about you, by what I will put into your mouth. I will make you heroes and heroines of my books... not the great, but you common, small people of London... you beggars, milkmaids and apprentices, pedlars and cripples, you princes and colonels of the London streets..."

Instead of pelting the offender with mud and filth as had been usually done on such occasions, flowers were thrown at him. Instead of hoots and jeers of the onlookers his own satirical poem was read and sung by them.

The next day, that is on 30th July, Defoe was put once more in the pillory, this time in Cheapside not far from famous St. Paul's Cathedral. On 31st July he was standing at Temple Bar, the place where the Strand changes its name to Fleet Street.

Both times he was cheered by the crowd, who sang his "Hymn to the Pillory," drank his health, threw flowers in admiration and acknowledgement of his wit.

enemy ['enymy] *wróg*

promise ['promys] *przyrzekać*
heroine ['herouyn] *bohaterka*
generation [dżenə'rejszən] *pokolenie*

cripple [krypl] *kaleka*
prince [pryns] *książę*
colonel [kə:nl] *pułkownik*
pelt [pelt] *obrzucać*
offender [ə'fendə] *przestępca*
filth [fylθ] *brud*
hoot [hu:t] *hukanie*
jeer [dżiə] *szydzenie*
onlooker ['onlukə] *widz*
satirical [sə'tyrykl] *satyryczny*
Temple Bar ['templ ba:] — *nazwa rogatki*
Strand [strænd] — *nazwa ulicy*
Fleet [fli:t] — *nazwa ulicy*
both times *i za jednym i za drugim razem, obydwa razy*
cheer [cziə] *wznosić okrzyki na cześć*
admiration [ˌædmə'rejszn] *podziw*
acknowledgement [ək-'nolydżmənt] *uznanie*
wit ["yt] *dowcip, bystrość*

OBJAŚNIENIA

mind	umysł, pamięć
to make up one's mind	zdecydować się
to change one's mind	rozmyślić się, zmienić zdanie
to have a good mind to	mieć wielką ochotę (coś zrobić)

The True-Born Englishman	utwór wyśmiewający szowinizm narodowy Anglików, dzieło Daniela Defoe'go (1660—1731), autora Robinsona Kruzoe.
dissenter	dysydent — członek sekty, która oderwała się od Kościoła Anglikańskiego.

Peter was working for a baker.	Piotr pracował u piekarza.
He was living with a baker.	Mieszkał u piekarza.
with us	u nas

Cornhill, Grace Church, Cheapside, The Strand, Fleet są to nazwy ulic londyńskich, nadal istniejących. Fleet Street, znana jako siedziba redakcji wielu pism angielskich, jest symbolem prasy. St. Paul's Cathedral, Katedra św. Pawła, znajduje się — tak jak wspomniane ulice — w starej części śródmieścia Londynu. Więzienie Newgate założone w 1218 r. kilkakrotnie spalone, zostało zburzone w 1902 r.

The boys stood on tiptoe.	Chłopcy stali na palcach.
tip [typ]	czubek
toe [tou]	palec u nogi (wyrazu finger używamy tylko dla palców u rąk).
five foot 8 in. tall	5 stóp 8 cali wysoki

gdy wyraz foot w znaczeniu miary długości (stopa — 12 cali), użyty jest przydawkowo, a po nim podane są i cale, stawia się go wyłącznie w liczbie pojedynczej, choć mowa jest często o kilku stopach.

He had done the right thing.	Postąpił słusznie.
the right to	prawo do
to be in the right	mieć słuszność, rację
women's rights	prawa kobiet

hero [′hiərou]   bohater
heroine [′herouyn]   bohaterka (zwrócić uwagę na od-
                                   mienną wymowę)
heroic [hy′rouyk]   bohaterski (zwrócić uwagę na wy-
                                   mowę i akcent)

GRAMATYKA

1. The Past Perfect Tense *

a.

Tom said he had run across a man   Tom powiedział, że spotkał człowie-
who told him...   ka, który powiedział mu...

b.

The master had already read several   Majster przeczytał już (kiedyś) kilka
pamphlets of that writer.   pamfletów tego pisarza.

c.

"I knew", he said, "that they had   Ja wiem, powiedział, że go wsadzili
put him in Newgate for what he   (uprzednio) do Newgate za to, co
had written".   on napisał (uprzednio).

d.

He was sure he had done the right   On był pewny, że postąpił słusznie.
thing.

W przykładach z Past Perfect mamy dwa okresy wydarzeń: jeden wcześniejszy, drugi późniejszy. W zdaniach a, c i d istnieją
dwie czynności, jedna wcześniejsza, druga późniejsza; w zdaniu b
okres wcześniejszy wyrażony jest czasem Past Perfect, a późniejszy (domyślny w tym zdaniu) dotyczy chwili, w której Daniel Defoe stał pod pręgierzem.

2. Użycie czasownika dare

Dare mieć odwagę do, ośmielić się, śmieć może być czasownikiem ułomnym lub zwykłym, bez różnicy znaczenia.

---

* patrz l. 2

a. Jako czasownik ułomny **dare** używany jest obecnie najczęściej w pytaniach i przeczeniach. Następuje po nim bezokolicznik bez **to**, w 3. osobie l. poj. nie przybiera końcówki **-s**, form pytającej i przeczącej nie tworzy za pomocą czasownika **do**, np.:

Dare they put him in the pillory? *Czy ośmielą się postawić go pod pręgierzem?*

Dare he go there? *Czy on się ośmieli tam iść?*
She dare not enter. *Ona nie śmie wejść.*

Brak mu innych form i czasów. Czas przyszły wyrażamy za pomocą czasu teraźniejszego, np.:

He dare not (daren't) come tomorrow. *On się nie ośmieli przyjść jutro.*

Czas przeszły wyrażamy za pomocą **dare** plus Perfect Infinitive:

I daren't have gone into the garden last night. *Wczoraj wieczorem nie śmiałem wejść do ogrodu.*

Dawnej formy Simple Past **durst** [də:st] nie używa się obecnie.

b. Jako czasownik zwykły ma wszystkie czasy i formy, np.:

a daring young man
śmiały młody człowiek (mający odwagę)

He dares to swim in this lake.
On ma odwagę pływać w tym jeziorze.

A daring young man

c. Zwrot **I dare say** znaczy: *myślę, że; sądzę, że*; np.:

I dare say you are right.   *Myślę, że* (prawdopodobnie) *masz ra-
                                        cję.*

3. Przedrostek *a-*

W czytance występuje wyraz **afishing**, który znaczy **on fishing**
na łapanie ryb, na ryby. Jest to stara forma, powstała ze słabej
formy przyimka **on** (dawniej **an**). Jako przedrostek **a-** istnieje jeszcze przed niektórymi rzeczownikami, imiesłowami itd., np.:

afoot	*pieszo*	**asleep**	*śpiący*
apart	*oddzielnie*	**awake**	*nie śpiący, będący na jawie.*

Z imiesłowami forma ta jest często używana w angielskich
i amerykańskich piosenkach ludowych oraz w poezji.

4. Tryb rozkazujący *

W rozkazach używamy zawsze czasownika w formie bezokolicz-
nika bez słowa **to**, np.: **take it!** *weź to!* **read it and sing!** *czytaj
to i śpiewaj!* **go!** *idź!* Jest to forma 2. osoby l. pojedynczej i mnogiej **(you) go!** **(you) take it!** itd.

Let's go = Let us go!   *Chodźmy!*
Let's ask somebody = Let us ask   *Zapytajmy się kogoś!*
somebody!

Dla tworzenia form w 1. i 3. osobie obu liczb stosuje się czasownik **let**:

Liczba pojedyncza	Liczba mnoga
1. os. **Let me go!**	**Let us go!**
2. os. **Go!**	**Go!**
3. os. **Let him, her, it go!**	**Let them go!**

Dla emfazy można użyć słowa posiłkowego **do**, np.:

Do go! Do let's go!   *Idź koniecznie! Idźmy koniecznie!*

---

* patrz I, l. 13, 15, 33

U w a g a : Ponadto czasownik **to let** we wszystkich czasach ma znaczenie „zezwolenia", np.:

Will you let me go?
Yes, I will let you go now.
to let

This garage is to let.

Czy pozwolisz mi odejść?
Tak, pozwolę ci odejść teraz.
między innymi znaczy
do _wynajęcia_, np.:
Ten garaż jest do wynajęcia.

5. _Should rather, would_

I should rather go afishing.
Oh, would you?

Poszedłbym raczej na ryby.
Oh, poszedłbyś? (na ryby?)

W języku angielskim mówionym w Anglii, **should** w pierwszej osobie służy, między innymi, do wyrażenia życzenia, zamiaru, chęci.

W języku mówionym w Szkocji, Ameryce, Kanadzie i Australii prawie zawsze używa się słowa **would** zamiast **should.**

6. Biernik z imiesłowem czasu teraźniejszego

He heard some people singing.
I saw the pillory being put up on the dais.

Słyszał, jak niektórzy śpiewali.
Widziałem, jak pręgierz był (właśnie wtedy) _stawiany na podium._

Znamy konstrukcję biernika z bezokolicznikiem bez **to** (patrz I, 1. 42) po czasownikach wyrażających doznania zmysłowe (**to see, to feel, to hear** itp.) oraz wyrażających spostrzeganie (**to notice, to watch, to observe, to find** itp.).

W przytoczonych wyżej zdaniach mamy konstrukcję biernika z imiesłowem czasu teraźniejszego (biernik: **some people, the pillory**; Present Participle: **singing, being put up**).

Różnica między tymi obu konstrukcjami polega na tym, że biernik z bezokolicznikiem wyraża sam fakt odbywania się czynności:

I hear him sing.

Słyszę, jak śpiewa teraz; lub
Zwykle słyszę, jak śpiewa (ale niekoniecznie teraz).

I heard him sing.

Słyszałem, jak śpiewał (czynność zakończona).

Biernik z imiesłowem podkreśla trwanie, ciągłość czynności:

I hear him singing.   *Słyszę, jak śpiewa* (właśnie teraz).
I heard him singing.   *Słyszałem, jak śpiewał* (przez pewien czas).

Na język polski obie konstrukcje tłumaczymy za pomocą zdania pobocznego dopełnieniowego.

I hear him singing

ĆWICZENIA

Read aloud:

[ˈᵘyl ju: let mi: ˈgou ðeə ənd ˈsi: hym? a:skt tom.
ˈsᴢuə boj, ju: ˈmej gou ənd ˈaj szl bi: ðeə ˈtu:,
ðə ˌma:stə əˈgri:d.
ət əˌbaut ˈha:f ˈpa:st yˈlewn tom ˈræn tə ðə ˈrojəl yksˈczejndż ᵘycz
ᵘəz ðen ə ˈmi:tyŋ ˈplejs əw ˈmə:cznts ᵘeə ðei dyd ˈbyznys]

LEARN BY WRITING AND READING

I. Wstaw brakujące wyrazy:

The conversation — place on 29th of July, 1703, in Cornhill, between two London apprentices. Peter was — for a baker and the other boy, Tom, — a shoemaker. Both were not more — 18 years of age, not very strong, — dressed, but both for their age had a fair — of imagination and pluck. Where shall we — then? asked Peter. I think, in front of the Royal —.

II. Zamień zdania na mowę zależną pamiętając o następstwie czasów:

P r z y k ł a d : **Tom said, "I have run** across a man who **told** me about Mr. Defoe".

Tom said that he **had run** across a man who **had told** him about Mr. Defoe.

1. The Master said, "I have already read two pamphlets written by that man." 2. The manager said, "Now I can't give you my permission." 3. They told the unhappy man, "You have our deepest sympathy." 4. Mother said, "I can give you a handful of nuts, but not more." 5. The heroine of the play said, "I don't know that apprentice." 6. The colonel said, "I have heard they've put the writer in a prison called Newgate." 7. The foreman said to the workers, "That part of the roof is not safe." 8. The conductor said, "That passenger must (w zdaniu podrzędnym zastąpić przez to have to) leave the bus."

III. Dokończ następujące zdania według przykładów:

P r z y k ł a d y : *A shrub is* **smaller than** *a tree.*
A child is **younger than** *his father.*

1. A shrub is smaller than —.
2. A short story is shorter than —.
3. A motor car is more valuable than —.
4. Your brother has better manners than —.
5. I have more chances to learn to speak English than —.
6. Strawberries are much sweeter than —.
7. Girls are better at picking fruit than —.

IV. Odpowiednio do następujących zdań ułóż pytania z *like* według przykładów:

P r z y k ł a d y : **What is the weather like?** *Jaka jest pogoda, jak wygląda pogoda?*
What is your room like? *Jak wygląda twój pokój?*

1. The weather is fine today. 2. Your younger brother's wife is very attractive. 3. A zebra crossing is black and white. 4. A summer camp for students is very interesting. 5. This chicken is like its mother, the brown hen. 6. The Houses of Parliament are imposing buildings on the bank of the Thames.

V. Wyszukaj przeciwieństwa wyrazów według przykładu:

P r z y k ł a d : *to approach — to go away from.*

to approach	entry	terrible
ordinary	to earn	to find
never	near	filled up
few	a question	the beginning

VI. Wyszukaj wyrazy, w których literę o wymawia się [ou], np.:

oa	*ow*	inne kombinacje liter
road	lower	notice
coach	slowly	open

VII. Opisz, co Tom widział koło giełdy: What Tom saw at the Royal Exchange.

VIII. Przetłumacz na język angielski:

Piątego listopada

No tak, napisałem już wszystkie ćwiczenia z lekcji 8, myślę, że pójdę spać wcześnie. Jestem zmęczony, odpocznę sobie tej nocy (będę miał dobry odpoczynek — a good night's rest). Przepraszam? Czyś ty powiedział, że odpoczniesz sobie dobrze tej nocy? Tak, czemu nie? Czy nie pamiętasz, że dziś jest 5 listopada? Piąty listopada jest specjalnym dniem dla angielskich dzieci i ta noc nie będzie spokojna. Mój Boże (My goodness), jakie (to) straszne, a dlaczego? W 1605 pewien człowiek zwany Guy Fawkes ['gaj 'fo:ks] usiłował wysadzić w powietrze (to blow up) Parlament, ale złapano go (użyć formy biernej) w samą porę (in time), ukrywającego się w piwnicach budynku. Od tego czasu dzieci angielskie, pokolenie za pokoleniem, obchodzą (to keep) piąty listopada jako rodzaj święta, dzień Guy Fawkes'a. Chłopcy i dziewczęta robią kukły Guy Fawkes'a (dolls) z papieru, starych ubrań, kijów i słomy, a wieczorem palą je wśród dymu i hałasu. Rozpalają (make) ogniska (ognie), cieszą się wystrzeliwaniem sztucznych ogni (rockets) po całym kraju (all over the . . .). To tak jest (I see). A więc, jeżeli nie mogę iść wcześnie spać, chodźmy oglądać ogniska, ognie sztuczne i całą zabawę.

LESSON NINE   **THE NINTH LESSON**

The Simple Past Tense
The Present Participle

WHO'S DONE IT?

I

"I say, what's happened?" Jones, a young worker, moved away from the lathe at which he was working.

"Why have you stopped working?" he asked.

One of the men rushing out shouted, "Somebody's killed Brown. They've just found him lying in front of the welding shop."

"What, Brown killed?" exclaimed Jones and followed the others into the assembly hall, where a crowd of workers were whispering standing near the first-aid room.

"Wasn't it an accident?" asked one of them.

"I don't think so, his head's been hit with something heavy."

"Is he dead?" asked a worker.

"I don't know," said another, who was standing near the door and looking at the physician bending over Brown's body.

People went on talking. "Brown was a decent fellow, but he could be sharp." "He's made some enemies at the last T.U. meeting." "He was mad about overtime." "Nonsense, it wasn't as serious as that."

who's done it? (who has done it?) *kto to zrobił?*

I say *słuchajcie*

Jones [dżounz] — *nazwisko*

move away *odsunąć się*

lathe [lejð] *tokarka*

somebody's = somebody has

welding shop [ˈʷeldyŋ ˈszop] *spawalnia*

assembly hall [əˈsembly hoːl] *hala montażowa*

whisper [ˈʷyspə] *szeptać*

first-aid [ˈfəːstˈejd] room *ambulatorium* (aid *pomoc*)

I don't think so *nie sądzę*

his head's been hit = his head has been hit

he's made some enemies *zrobił sobie trochę wrogów*

T.U. = Trade Union

mad about [ˈmædəˈbaut] *wściekły z powodu*

serious [ˈsiəriəs] *poważny*

A foreman was heard to complain, "This trouble must come right now when we want to start the extra shifts on Saturday morning. We ought to speed up the production of the new car. And I thought we would be ahead of schedule!"

"Have the police been called?.." "Oh, here they are..."

foreman ['fo:mən] *majster*
was heard to complain *słyszano, jak skarżył się*
shift [szyft] *szychta, zmiana*
speed up *przyśpieszyć*
production [prə'dakszən] *wytwórczość, produkcja*
ahead of schedule [ə'hed əw 'szedju:l] *przed terminem*
police [pə'li:s] *policja*
here they are *oto oni*

II

Inspector: So you're a turner. You were talking to Brown in the machine-shop at half past ten. What were you doing at that time?

Black: I had just started my lathe when Brown came in and asked where Cummings was.

inspector [yn'spektə] *inspektor*
turner ['tə:nə] *tokarz*
machine-shop [mə'szi:n szop] *warsztat mechaniczny*
Cummings ['kamyŋz] — *nazwisko*

The two fellows quarrelled

Inspector: And who is Cummings?

Black: He's another fellow that works in the machine-shop. I said to Brown, 'It's none of your business.' You see, Brown is a foreman and he's very strict about absenteeism. But his job is in the carpenter's shop, not in mine, and I know that Cummings is on sick-leave.

Inspector: What happened next?

Black: Brown just looked at me and went out.

Inspector: There have been some strong words between Brown and some other fellows. Were you present at any of those quarrels?

Black: One of them at the canteen. But it wasn't anything serious at all. A man said that the two factory cats made too much trouble. He said the creatures should be turned out. The cats are Brown's pets, and he lets them run all over the place. So the two fellows quarrelled about it.

III

Inspector: Mr. Needman, as a personnel officer you should know something about the relations between your men. Would you say that Brown had many enemies?

Needman: That would be saying too much. But he's an active trade-unionist, and he's got friends as well as enemies. At the last meeting he was attacked for neglecting safety measures. He ans-

none of your business *to nie twoja sprawa*
he's strict about *on jest formalistą w sprawach*
absenteeism [æbsən'ti:-yzm] *absencja, bumelanctwo*
carpenter ['ka:pyntə] *cieśla*
on sick-leave *na urlopie zdrowotnym*
sick [syk] *chory*
strong words between *kłótnia, zadrażnienie*
present ['preznt] **at** *o-becny przy*
canteen [kæn'ti:n] *świetlica, stołówka*
turn out *wyrzucić*
pet [pet] *ulubieniec (zwierzę)*
all over the place (dosł.: *po całym miejscu*), *wszędzie*
Needman ['ni:dmən] — *nazwisko*
personnel officer [pə:sə-'nel 'ofysə] *urzędnik działu personalnego*
active trade-unionist *aktywista związku zawodowego*
as well as *zarówno jak*
attack [ə'tæk] *atakować*
neglect [ny'glekt] *zaniedbywać*
safety ['sejfty] *bezpieczeństwo*
safety measures ['sejfty 'meżəz] *przepisy bezpieczeństwa pracy (bhp)*

wered hotly and some workers got furious.

Inspector: You mean Black, Cummings and Downe, I suppose.

Needman: I see, you've been told a lot.

Inspector: Who is Robert Downe? I hear he's quarrelled with Brown on more serious grounds.

Needman: Downe is a trade-unionist, too. He's our shop-steward. They're sure to quarrel. Downe is a member of the C.P. (Communist Party) and Brown is a conservative of the most reactionary type.

Inspector: When did they quarrel last?

Needman: Some time ago, before we started the job on the new car. The manager wanted to dismiss some fifty men and Downe made the workers fight for introducing short-time instead. And then again yesterday, but that was only about the T.U. contributions.

Inspector: Well, I'd like to have a word with Downe, (to the policeman taking

hotly *gorąco*
get furious *rozgniewać się, wściekać się*
Downe [daun] — nazwisko
Robert ['robɔt] *Robert* (skrót: **Bob**)
on more serious grounds *z poważniejszych powodów*
shop-steward ['szopstjuɔd] *mąż zaufania* (reprezentant interesów robotników w zakładzie)
they're sure to quarrel *pewnie* (oczywiste jest) *że się kłócą*
member ['membɔ] *członek*
C.P. = **Communist Party** ['komjunyst 'pa:ty] *partia komunistyczna*
conservative [kɔn'sɔ:wɔtyw] *konserwatysta*
reactionary [ry'æksznɔry] *reakcyjny*
last *ostatnio*
dismiss [dys'mys] *zwolnić* (z posady itp.)
some fifty men *jakieś* (około) *50 ludzi*
introduce [yntrɔ'dju:s] *wprowadzić*
short-time ['szo:tajm] *niepełna ilość godzin* (pracy)
contribution [ˌkontry'bju:szn] *opłata, składka*
have a word with *zamienić kilka słów z, porozmawiać z*

notes) fetch the fellow, will you? (to Needman) What's his job?

Needman: He works in the drilling-shop. But I'm sure he's got nothing to do with the accident. He's an excellent worker, most reliable. He's been with us for five years already...

Suddenly the door opens and a policeman enters the room where the investigation has been carried on.

Inspector: Oh, here you are again. Have you found the weapon?

Policeman: Yes, sir. In the pocket of a fellow who says he doesn't know anything about the murder.

(To be continued in Lesson 10).

take notes *robić notatki*
fetch [fecz] *przyprowadzić*
will you? *dobrze?* (dosł. *czy zechcesz?*)
drilling-shop ['drylyŋszop] *wiertarnia*
he's got nothing to do with *nie ma nic wspólnego z*
with us *u nas*
investigation [ynwesty-'gejszən] *dochodzenie, śledztwo*
carry on *prowadzić*

murder ['mə:də] *morderstwo*
continue [kən'tynju] *kontynuować*

Quotations, proverbs and jokes

Women are wiser than men because they know less and understand more.

(J. Stephens)

OBJAŚNIENIA

Somebody's killed Brown.   *Ktoś zabił Browna.*

Somebody jest zaimkiem nieokreślonym. Występuje on jeszcze w postaci **someone**, oba znaczą to samo: *ktoś.* Zaimków tych używa się z liczbą pojedynczą. (Patrz l. 25)
Somebody spotykamy częściej w mowie, **someone** — w piśmie.

physician [fy'zyszn]	*lekarz*
physical ['fyzykəl]	*fizyczny*
physics ['fyzyks]	*fizyka*
physicist ['fyzysyst]	*fizyk*

to make enemies	*zrobić sobie wrogów*
to make friends	*zaprzyjaźnić się*
mad	*szalony, zwariowany, wściekły*
mad about	*wściekły z powodu; mający bzika na punkcie ... szalejący z zachwytu nad ...*
production [prə'dakszn]	*produkcja*
product ['prodəkt]	*produkt, wyrób*
to produce [prə'dju:s]	*produkować, tworzyć*
ahead of schedule	*przedterminowo*
schedule ['szedju:l]	*wykaz, plan;* wymowa amerykańska: ['skedżul]

shop	*sklep; warsztat*
machine-shop, welding shop, carpenter's shop	*warsztat mechaniczny, spawalnia, warsztat ciesielski*
shopping	*sprawunki*
window shopping	*oglądanie wystaw sklepowych*
to talk shop	*mówić o sprawach zawodowych*

leave	*urlop*
on leave	*na urlopie*
personnel	*personel* (nie mylić z **personal** *osobisty*)
measure	*miara*
made to measure	*zrobiony na miarę*
measures	*środki, kroki* (przedsięwzięte w jakimś celu)

I see	*Ach tak, rozumiem* (w potocznej mowie); tak samo szczególne znaczenie mogą mieć zwroty:
I say	*słuchaj, słuchajcie*
I hear	*podobno, mówią że*

last	*ostatni, ostatnio*
at last	*w końcu*
last Sunday	*w zeszłą niedzielę*

GRAMATYKA

1. The Simple Past Tense *

a. Czynność jednorazowa w przeszłości

Jones, a young worker moved away from the lathe ...	*odsunął się*
What! Brown killed, exclaimed Jones and followed the others ...	*wykrzyknął, wyszedł*
One of the men rushing out shouted ...	*krzyknął*
A foreman was heard to complain ...	*słyszano, jak się skarżył*
Brown just looked at me and went out ...	*popatrzył, wyszedł*

W podanych wyżej zdaniach mamy przykłady użycia Simple Past Tense. Ze zdań tych wynika, że wyrażona czynność miała charakter jednorazowy dokonany, a nie ciągły. Ponadto z całości czytanki widać, że czynności wyrażone w powyższych zdaniach odbyły się w określonym czasie w przeszłości, tj. wtedy, gdy nastąpił wypadek w fabryce.

Simple Past Tense używa się więc do wyrażenia czynności jednorazowej, dokonanej w określonym czasie w przeszłości, abstrahując od tego, jak długo trwała.

b. Czynność powtarzająca się w przeszłości
Z pytania inspektora:

When did they quarrel last?	*Kiedy kłócili się ostatnio?*

wnioskujemy, że Brown i Downe kłócili się częściej niż raz. A zatem przytoczone zdanie wyraża czynność powtarzającą się w przeszłości.

Czynność powtarzającą się i będącą w zwyczaju w przeszłości wyrażamy również za pomocą Simple Past Tense.

Inne przykłady:

When I was a boy I went to school.	*Gdy byłem chłopcem, chodziłem do szkoły.*

* patrz I, l. 20, 26

Last summer it was raining so much in London that I always wore a raincoat.

During my stay in London in September I went to the cinema every day.

Ubiegłego lata tak bardzo padał deszcz w Londynie, że zawsze chodziłem w płaszczu nieprzemakalnym.
Podczas mego pobytu w Londynie, we wrześniu, chodziłem co dzień do kina.

2. The Present Participle *

a.

One of the men rushing out shouted.   Jeden z ludzi wybiegając krzyknął.

W zdaniu tym **rushing** jest imiesłowem (przysłówkowym, czynnym) czasu teraźniejszego.

b.

They've just found him lying.   Dopiero co znaleźli go (jak leżał) leżącego.

Mamy tu konstrukcję biernika z imiesłowem ** **him lying.** Jest to imiesłów przymiotnikowy czynny, wyrażający stan trwający dłużej.

c.

the policeman taking notes   policjant robiący notatki

Tutaj występuje również imiesłów przymiotnikowy czynny, następujący po rzeczowniku lub zaimku, który określa bliżej (por. **an eagle fishing**).

ĆWICZENIA

Read aloud:
[ɔnd ˈhuːz ˈkamyŋz?
hiːz əˈnaðə ˈfelou ðət ˈⁱɔːks yn ðə məˈsziːn szop.
aj ˈsed tə ˈbraun yts ˈnan ɔw joː ˈbyznys.
juː ˈsiː, ˈbraun yz ɔ ˈfoːmən ənd hiːz wery ˈstrykt əˈbaut ˌæbsnˈtiːyzm,

---

* patrz I, l. 27 i 45
** patrz l. 8

bət hyz dżob yz yn ðɔ ʹkaːpyntɔz szop, ʹnot yn majn, ɔnd aj ʹnou ðɔt ʹkamyŋz yz on ʹsyk liːw]

LEARN BY WRITING AND READING

I. **Uzupełnij następujące zdania czasownikiem w Present Perfect** (w zdaniach jest mowa o czynnościach, których skutki jeszcze trwają):

P r z y k ł a d : **I have bought** *a picture; look, it's hanging above my desk.*

1. The foreman (to hear) about the accident; he's ringing up the police.
2. I (to find) where the first-aid room is; I'm going there at once.
3. Brown (to be hit) by something heavy; he's lying on the floor.
4. Something serious (to happen); all the people in the carpenter's shop are so excited.
5. Cummings (to be) ill for a week. He's on sick leave now.
6. The police (to be called); here they are.

II. **Ułóż zdania w czasie Simple Past, zaczynające się od zwrotów wyraźnie określających czas w przeszłości:**

P r z y k ł a d : *Two days ago* I had to work *on the night shift.*

Two days ago...   Last week...
At five in the morning...   When I met the inspector...
Some time ago...   While he was working at the
In 1954...   lathe...
Last summer...   On Tuesday...

III. **Wyszukaj przeciwieństwa wyrazów:**

P r z y k ł a d : *young — old*

young	to find	hot
to stop	strong	new
enemy	much	noise
serious	many	open
day	over	to spoil

IV. **Podaj czasowniki wyrażające ruch:**

P r z y k ł a d : *to rush, to run.*

V. **Przetłumacz na język angielski:**

Ktoś znalazł Browna leżącego na ziemi. Nikt nie wiedział, co się zdarzyło (uważać na następstwo czasów). Jeden z robotników myślał, że ktoś zabił kolegę. Na szczęście (szczęśliwie) w ambulatorium był lekarz. Mówią, że ten człowiek miał dużo nieprzyjaciół. Ale sądzę, że miał również dużo przyjaciół. Na (at) naszym ostatnim zebraniu związkowym niektórzy (ludzie) zgadzali się z nim, inni się kłócili (z nim). Zebranie to było bardzo długie, skończyło się o jedenastej w nocy. Czy wiesz, że zaczęliśmy produkcję nowego typu samochodu? Musimy postarać się (get) o dodatkowe zmiany, pracujące w sobotę. No, muszę wrócić do (swojej) pracy.

LESSON TEN   **THE TENTH LESSON**

May, might, must z **Perfect Infinitive**
Imiesłów w funkcji przymiotnika
Opuszczanie spójnika *that*

WHO'S DONE IT?
(cont.)

Inspector: Not the murder, the attack, I should say. Brown is alive and will live, I hope. Bring the man in.

A young man with a worried look comes in. Needman starts as if surprised and shocked.

Inspector: What's your name?

Young Man: Robert Downe.

Inspector: So you've just learned about the accident from this officer? How did it happen that you didn't notice there was some trouble in the factory?

Downe: I was watching a drilling machine and it makes a lot of noise.

Inspector: But didn't you notice people rushing and moving?

Downe: Oh, yes, but I thought there was some trouble in the welding shop, like last week, with the conveyor-belt.

I should say *powiedziałbym raczej*
bring in *wprowadzać*
worried look *strapiony wygląd*
shock [szok] *wstrząsnąć*

you've just learned *pan się dopiero teraz dowiedział*

drilling machine [ˈdry-lyŋ məˈszi:n] *wiertarka*

like *jak* (to było)
conveyor-belt [kənˈwe-jəbelt] *transporter*

Inspector: And where did you pick that hammer they found in your pocket?

Downe: It was lying about in the passage, so I picked it up. I like things to be tidy. I wish I hadn't!

Inspector: What were you doing in the passage?

Downe: I was going to the drawing office. The man at the drilling machine had some questions about the design, there was a mistake, I think. You see, it's a new kind of car we're making now...

Inspector: Come and show me where you found the hammer.

pick *wynaleźć, wziąć*
hammer ['hæmə] *młotek*
lie about *leżeć sobie* (byle gdzie)
passage ['pæsydż] *korytarz*
I like things to be tidy *lubię porządek*
I wish I hadn't *szkoda, że to zrobiłem*
drawing office *biuro projektów, kreślarnia*
design [dy'zajn] *rysunek*

IV

Downe: It was here, right under the skylight.

Inspector: (looking up) I see... Someone must have thrown it through the open skylight. It's pretty high... The poor fellow might have been killed on the spot. I suppose the men rushing in to help Brown didn't notice the hammer on the floor.

The policeman turned to Downe and opened his mouth to say something when suddenly a loud, strange noise came from the glass roof, a wild shriek followed.

"Hey, sir, look out!" he shouted to the inspector and jumped aside while some heavy things fell down through the skylight. First a pair of pliers and then a few nails just missed the inspector, and then two huge cats landed in front of him. As

right under *akurat pod*
skylight ['skajlajt] *okno w dachu* (dające górne światło)
pretty high *dosyć wysoko*
rush [rasz] *spieszyć się, pędzić*

a wild shriek followed *dosł. dziki wrzask nastąpił*
hey [hej] *hej!*
look out *uwaga! ostrożnie!*
aside [ə'sajd] *na bok, w bok*
pliers ['plajəz] *szczypce płaskie*
nail [nejl] *gwóźdź*
miss [mys] *ominąć*

scared as the men, the animals ran out into the open air.

Inspector: So those are the criminals! Cats playing on the roof. But who was so careless to leave such things near an open skylight?

Downe: I know who's done it, sir. Brown said he would mend the skylight. He must have left the hammer and the pliers there.

The doctor: (coming out of the hall): Oh, here you are, Inspector, I've got good news. Brown will be all right. He's come round to, just now. I think it's only a mild concussion.

Inspector: I've got good news too. It was an accident, not a crime. Nobody tried to kill Brown. The man himself has neglected safety rules and his own pet cats must answer for the attack. Well, I'm not going to arrest a cat.

run out *wybiegać*
criminal ['krymynl] *przestępca, zbrodniarz*
careless ['keəlys] *niedbały*
all right *zdrów, w porządku*
he's come = **he has come**
come round to *przyjść do siebie* (do przytomności)
concussion [kən'kaszən] *wstrząs*
mild [majld] *łagodny, lekki*
mild concussion *lekki wstrząs*
crime [krajm] *przestępstwo, zbrodnia*
the man himself *ten człowiek sam*
but *tylko*

Quotations, proverbs, and jokes

A man can die but once

(Shakespeare)

Death has a thousand doors to let out life.

(Massinger)

... just missed the inspector

OBJAŚNIENIA

The attack, I should say.   Atak, sądzę (myślę, powiedziałbym, powiedzmy, rzekłbym)

Zwrot **I should say** wyraża pewne przypuszczenie odnoszące się do jakiegoś zdarzenia w teraźniejszości lub w przyszłości (patrz l. 6, 8, 11).

lie about	*leżeć, leżeć sobie* (byle gdzie, na wierzchu)
lying about	*rzucony w nieładzie, gdzieś na wierzchu*
run about the garden	*biegać sobie po ogrodzie*
somewhere about	*gdzieś tutaj*
pass	*przejść, podać*
passage	*przejście; korytarz*
draw	*rysować; ciągnąć*
drawing	*rysunek*
drawer	*szuflada*
drawers	*majtki*
design	*zamiar; plan* (np. artystyczny), *szkic, rysunek*
to have designs on	*mieć złe zamiary w stosunku do*
pretty high	*dość wysoki* (nie mylić z przymiotnikiem **pretty** *ładny*)
to follow	*następować po; naśladować*
as follows	*jak następuje*
Do you follow me?	*Czy rozumiesz mnie?*

to miss	*chybić, nie trafić, opuścić, odczuwać brak*
to miss a train	*spóźnić się na pociąg*
to miss a lesson	*opuścić lekcję*
to miss a kiss	*stracić okazję do pocałunku*
to miss a friend	*odczuwać brak przyjaciela*

mild	*łagodny*
mild weather	*ciepła i bezwietrzna pogoda*
mild cigarette	*łagodny papieros*
to put it mildly	*mówiąc delikatnie*

GRAMATYKA

1. *May, might, must* z **Perfect Infinitive**

W lekcjach 3 i 7 była mowa o **may, might** i **must** w połączeniu
z Present Infinitive, w odniesieniu do teraźniejszości. Te same
czasowniki ułomne w połączeniu z Perfect Infinitive odnoszą się
do przeszłości.

a.

| **Their quarrel may have finished long ago.** | *Ich kłótnia mogła się była dawno skończyć* (możliwe, że skończyła się). |

...**may have finished** wyraża prawdopodobieństwo czynności
w przeszłości.

b.

| **Their quarrel might have finished long ago.** | *Ich kłótnia mogła się była dawno skończyć* (ale wątpliwe jest, czy skończyła się). |

...**might have finished** wyraża mniejsze prawdopodobieństwo,
że czynność faktycznie odbyła się (w przeszłości).

Inny przykład:

| **The poor fellow might have been killed on the spot.** | *Biedak mógł zostać zabity na miejscu* (ale nie został zabity). |

c.

| **Someone must have thrown it through the open skylight.** | *Ktoś musiał* (chyba) *rzucić to przez otwarte okienko w dachu.* |
| **He must have left the hammer and the pliers there.** | *On musiał* (chyba) *tam zostawić młotek i szczypce.* |

...**must have thrown, must have left** wyrażają przypuszczenie,
że czynności te musiały się dokonać w przeszłości (porównaj analogiczne formy z **ought** l. 2).

2. Imiesłów w funkcji przymiotnika *

A young man with a worried look.
Needman starts as if surprised and
shocked.
running water, drilling machine

Młody człowiek ze zmartwioną miną.
Needman drgnął jakby zdumiony czy
zgorszony.

Imiesłowy w funkcji przymiotników mogą stać przed rzeczownikami lub po nich. Jeśli stoją przed nimi, to nazywamy je przy-
dawką, jeśli po nich, to — orzecznikiem.

3. Opuszczanie spójnika *that*

I wish I hadn't = I wish that I hadn't

Opuszczanie spójnika that jest przyjęte, jest ono idiomatyczne.
Opuszczanie that w zbyt długich zdaniach złożonych jest jednak
niepożądane.

ĆWICZENIA

Read aloud:
[sou 'ju:w 'dżast 'lə:nd ə'baut ðy 'æksydnt from ðys 'ofysə?
'hau dyd yt ,hæpn ðət ju: 'dydnt 'noutys ðeə "əz sam 'trabl yn ðə
'fæktəry?
aj "əz 'ᵘoczyŋ ə 'drylyŋ mə'szi:n ənd yt mejks ə 'lot əw 'nojz]

LEARN BY WRITING AND READING

I. Odpowiedz na pytania:

1. What is Jones? 2. Who works in the first-aid room? 3. Why should Mr.
Needman know much about all the workers? 4. Which worker was a regular
member of the Communist Party? 5. Who had to look after safety measures
in the factory? 6. What was the weapon with which Brown was hit?
7. Where was it found? 8. Who else (kto jeszcze) might have been hit by
something heavy? 9. What is a skylight? 10. Why have many factories glass
roofs?

---

* patrz I, l. 24

II. Wypisz 5 wyrazów, w których litera *g* wymawiana jest [g] 5, w których wymawiana jest [dż], a 5, w których w ogóle się jej nie słyszy, np.:

[g]	[dż]	[—]
finger	passage	strong
get	George	through

III. Napisz 3 zdania według wzoru:

A foreman was heard to complain to everybody.

P r z y k ł a d : *She was heard to shout in the street.*

3 zdania według wzoru:

The poor fellow might have been killed on the spot.

P r z y k ł a d : *The boy might have been lost in the wood.*

IV. Uporządkuj wyrazy w kolumnach tak, aby utworzyły zdania (pamiętaj o normalnym porządku: podmiot, orzeczenie, dopełnienie dalsze, dopełnienie bliższe, okolicznik sposobu, miejsca, okolicznik czasu)

knives	must	cats	children
immediately	He	of	afternoon
The	the	huge	whole
us	left	front	the
lady	hammer	him	played
gave	have	landed	The
the	there	Two	garden
	yesterday	in	in
	heavy		the

V. Wstaw czasownik w Perfect Infinitive:

1. The boy is very tired, he must — too fast (to run).

P r z y k ł a d : *The boy is very tired, he must have run too fast.*

2. Mrs. Dill thought they were pulling the house down; the noises from inside must — very strange (to be).
3. Why are you so hungry? You must — nothing since breakfast (to eat).
4. The two men might — about something more serious (to quarrel).
5. Mr. Molyneux may — a great number of birds (to observe).
6. Those young people could — a scholarship if they had worked more (to win).
7. Your American friend could — our international camp for students in Kazimierz (to join).

VI. Opowiedz całe wydarzenie w skrócie, tak jak by to opowiedział Downe, w pierwszej osobie.

VII. Przetłumacz na język polski: (nie zgub tłumaczenia, przyda się w późniejszej lekcji)

A Trade Union Meeting

Last Monday, at 8 p. m. we had a Trade Union meeting in our factory at Benham. We had to cope with a very serious situation for a number of workers were afraid of losing their jobs. The meeting was for members only, no strangers were admitted. The only exception was Henry Wood, a delegate of the Railwaymen's Union. We asked his advice for he was an old trade-unionist, and his words carry weight (mają dużą wagę, znaczenie) with us. He was in favour of introducing short-time. Some speakers were against the idea, others were for Wood's advice. Downe, who was the chairman * of the meeting, spoke enthusiastically about the bold fight (walka) of the union to which Wood belonged for higher wages. Finally, after a few more workers had spoken, the meeting was followed by a ballot. Most people were in favour of what Wood had suggested. Only two or three men were disappointed. The meeting was over at half past ten.

LESSON ELEVEN   **THE ELEVENTH LESSON**

Przyrostki
Zdania warunkowe nierzeczywiste
Użycie Subjunctive
Contracted Forms
Curtailed Words

A SLEEPLESS WORLD

Willy: John, look at this ad: "After only a few days of taking our new wonderful

sleepless ['sli:plys] *bezsenny, bez snu*
ad [æd] — skrót od **advertisement** *ogłoszenie*

---

* chairman ['czeəmən] *przewodniczący.* Kobietę przewodniczącą zebrania nazywamy *lady chairman.*

Vita Pills you'll feel stronger and happier than ever. Each pill contains twice the minimum amount of vitamin C, a proper amount of all the minerals your body needs daily for the busy life we all lead now..." Do you think people believe that happiness is a matter of taking pills?

John: Probably those things sell well, or they wouldn't go on producing new ones. And they do.

Willy: Look here, Ivor, you're a chemist. Why don't you invent pills that would make me learn faster? I've got an exam in nuclear physics next week and my brain is empty...

Betty: Don't study physics. You'll end up in producing atom bombs and other awful weapons.

Willy: You all think that nuclear physicists deal only with destruction. You have

Vita ['wajtə] — nazwa firmy
pill [pyl] *pigułka*
minimum ['mynyməm] *minimum, minimalny*
the minimum amount *minimalna dawka*
vitamin ['wytəmyn] *witamina*
mineral ['mynərəl] *minerał*
daily ['dejly] *codziennie*
happiness ['hæpynys] *szczęście*
is a matter of taking pills *zależy od zażywania pigułek*
probable(-bly) ['probəbl(-y)] *przypuszczalny(-nie)*
sell well *mieć popyt*
look here *słuchaj no!*
Ivor ['ajwə] — imię męskie
chemist ['kemyst] *chemik* lub *farmaceuta*
would make me learn faster *spowodowałyby, że uczyłbym się prędzej*
invent [yn'went] *wynaleźć*
exam [yg'zæm] *egzamin*
nuclear ['nju:kljə] *nuklearny*
physics ['fyzyks] *fizyka*
brain [brejn] *mózg*
atom ['ætəm] *atom*
physicist ['fyzysyst] *fizyk*
deal, dealt, dealt [di:l, delt] *mieć do czynienia*

no idea how much has been done in the peaceful use of atomic energy.

Sylvia: I know. It's been used in many branches of engineering, in moving ships, submarines, there are nuclear power stations etc. By the way, Ivor, what is your speciality?

Ivor: I want to be a science chemist and specialize in chemistry dealing with food.

Betty: Good. You'll make sure the sardines I buy are fit for consumption.

Sylvia: You eat too much food out of tins.

Betty: What else can I do? What with my job and the evening classes, I'm so busy and tins save time.

Willy: Time... Yes, that's what we all need. And think, what a lot of time we're wasting on sleep, for instance. Six to eight hours a day! In a week it makes about forty-five hours, in a month four times forty-five... My goodness, I'd be ready for my exam in no time if I didn't have to sleep.

John: You're right. It would be wonderful if there were some kind of medicine, drug, or something that would keep us awake. Not coffee, something that would make us rested in a minute, something that would take the place of sleep.

Ivor: I'd take up my music lessons. I had to give up playing the piano.

Betty: I'd read more, and, perhaps start learning Italian again.

John: I'd have more time to spend with my kids. Margaret complains that I neglect

you have no idea *nie macie pojęcia*
energy [′enədży] *energia*
it's been = it has been
nuclear power station *e- lektrownia o napędzie atomowym*
by the way *à propos, nawiasem mówiąc*
speciality [speszy′ælyty] *specjalność*
science chemist *chemik (naukowiec)*
specialize [′speszəlajz] **in** *specjalizować się w*
make sure *upewnić się, przypilnować*
consumption [kən′sampszən] *konsumpcja*
tin [tyn] *puszka*
what with my job *biorąc pod uwagę moją pracę*
8 hours a day *8 godzin dziennie*
my goodness [maj ′gudnys] *mój Boże!*
in no time *bardzo szybko*
if I didn't have to *gdybym nie musiał*
you're right *masz rację*
drug [drag] *lek, narkotyk*
take the place *zastąpić*
I'd = I would
take up *podjąć na nowo*

them. We would have more leisure, more fun in life.

Betty: Now, to think of it, I'm not quite sure we would have more leisure if we got rid of sleep. I think we'd have to work more too.

Ivor: Why? We'd be saving money. See, we wouldn't need any beds, pyjamas, nightgowns etc.

Betty: But we would eat more (I would, I am sure!) we would wear our clothes out faster, need more electric power, more cars, trains. If you want more pleasure, books, sport, theatres, cinemas, you must pay more for it and somebody must provide it. That's clear.

Willy: I wouldn't mind more work...

John and Ivor laugh and cry "hear, hear" for Willy has never been a hard--working boy.

Willy: I mean it. It would speed up my studies. People would work a little more, industry would produce more goods. And I suppose farmers could use the same drug in cattle breeding. The animals wouldn't sleep, they would grow faster, breed faster. So we'd have more pigs, oxen, sheep and so on for consumption.

John: You could introduce the drug into the water pipes. And so, by degrees, you could make the whole world get rid of sleep and live a fuller and richer life.

Ivor: You forget that animals need fodder, man needs fruit, vegetables, and cereals too. And plants are quite different from animals. If we increased cattle breeding

---

to think of it *zastanowiwszy się*

get rid [ryd] **of** *pozbyć się*

we'd have to = we would have to *musielibyśmy*

see *widzisz*

wear out *zdzierać, niszczyć*

electric power [y'lektryk 'pa{}^uə] *elektryczność*

provide [prə'wajd] *dostarczyć*

hear, hear *brawo!*

I mean it *mówię serio*

studies ['stadyz] *studia*

cattle [kætl] *bydło*

breed [bri:d] *rozmnażać się, rozradzać się*

oxen [oksn] *woły*, **ox** [oks] *wół*

water pipes ['{}^uotə pajps] *rury wodociągowe*

by degrees *stopniowo*

fodder ['fodə] *pasza*

cereals ['siəriəlz] *zboża*

plant [pla:nt] *roślina*

increase [yn'kri:s] *zwiększyć*

so suddenly by one third, we'd be soon short of corn, grass, potatoes and such like. It would upset the whole balance of our economic life.

Willy: I come to think that if all animals bred faster, flies, fleas, bugs, would multiply by tenfold most probably...

Betty: What a dark picture you're drawing.

John: Now, Sylvia, you've kept quiet all the time. Would you like to get rid of sleep and gain eight hours a day?

Sylvia: No, I don't think I would. First of all I like dreams. Then I like peaceful things. I like to relax and enjoy the quiet of the night. Especially in town, after the noise of the traffic by day. I like the sight of birds sitting close to one another on a branch, in the evening, to look at a cat dreaming happily in front of a fireplace, a baby asleep in its bed. Think of it, John, your three children would never, never go to bed, you would never have any peace and quiet...

John: Good Heavens! I never thought of that. The kids would be shouting, singing, jumping, asking a thousand questions for twenty-four hours. No, no, I couldn't stand it. Ivor, forget that idea, don't invent any "keep awake" drugs. Long live good sleep! Good-bye everybody, good night everybody. I'm going home, and — as Pepys says — "so to bed."

be short of *odczuwać brak*
and such like *i tym podobne*
upset, upset, upset [ap-'set] *obalić*
balance ['bæləns] *równowaga*
economic [i:kə'nomyk] *ekonomiczny*
I come to think *dochodzę do wniosku*
fly [flaj] *mucha*
flea [fli:] *pchła*
bug [bag] *owad, pluskwa*
multiply ['maltyplaj] *mnożyć (się)*
by tenfold ['tenfould] *dziesięciokrotnie*
keep quiet *milczeć*
gain [gejn] *zyskać*
relax [ry'læks] *odprężyć nerwy*
quiet ['kʷajət] *spokój, cisza*
close to ['klous tu] *bliski*
happily ['hæpyly] *szczęśliwie*
peace [pi:s] *pokój*
Good Heavens ['gud-'hewnz] *mój Boże*
I couldn't stand it *nie mógłbym znieść tego*
"keep awake" drugs *leki pozbawiające snu*
long live *niech żyje*
Pepys [pi:ps] — nazwisko pamiętnikarza z XVII wieku

so to bed *a zatem spać*

OBJAŚNIENIA

sleep	spać
sleepless	bezsenny
sleepy	senny
sleeper	osoba śpiąca; wagon sypialny
sleeping-car	wagon sypialny
a matter of	patrz obj. 1. 3.
chemist	chemik; aptekarz (ang.)
druggist ['dragyst]	aptekarz (amer.)
research chemist [ry'sə:cz], science	chemik (naukowiec)
chemist	
chemist's shop	apteka (ang.)
drugstore ['dragsto:]	apteka, drogeria
chemistry	chemia

deal with	zajmować się (czymś); handlować z; mieć do czynienia z
a great deal, a good deal	dużo, sporo, mnóstwo
dealer	handlarz

specialize = specialise
recognize = recognise niektóre czasowniki zakończone na -ize (pochodzenia greckiego) można pisać również -ise, ale: advertise zawsze -ise.

by the way	nawiasem mówiąc, à propos
on the way to	na drodze do
this way	tędy
that way	tamtędy
stand in the way of	stać komuś na drodze, zawadzać
get in the way	przeszkadzać
out of the way	niezwykły, niecodzienny

medicine	lekarstwo, medycyna
medical	medyczny
medical man	lekarz
I mean it	mówię serio, faktycznie to, co mam na myśli (patrz 1. 1).
breed	płodzić, rodzić; rozmnażać się; hodować

breeding

well-bred
ill-bred
ox 1. mn. **oxen**
bull [bul]
bulldog

cow
cowboy ['kauboj]
cattle [kætl]
cereals

hodowla; wychowanie, dobre wychowanie
dobrze wychowany
źle wychowany
wół, woły
byk
buldog — rasa psów niegdyś tresowanych do walki z bykami
krowa
pastuch na koniu, kowboj
bydło
zboże (żyto, pszenica, owies, ryż, kukurydza itd.); przetwory zbożowe (płatki owsiane, kukurydziane itp.), zwane czasem **breakfast food.**

Samuel Pepys (1633—1703) — autor słynnego Dziennika z lat 1660—1669, napisanego szyfrem, odnalezionego i wydanego dopiero w 1825. Jego codzienne zapiski kończyły się często słowami **"and so to bed".**

GRAMATYKA

1. Przyrostki *

happy	*szczęśliwy*	**specialize**	*specjalizować się*
happiness	*szczęście*	**speciality**	*specjalność*
peace	*pokój, spokój*	**specialist**	*specjalista*
peaceful	*spokojny*	**wonder**	*cud, podziw*
physics	*fizyka*	**wonderful**	*cudowny, wspaniały*
physical	*fizyczny*		
physicist	*fizyk*	**danger**	*niebezpieczeństwo*
awe	*groza, przerażenie*	**dangerous**	*niebezpieczny*
awful	*przerażający*	**hope**	*nadzieja*
awesome	*budzący trwogę*	**hopeful**	*pełen nadziei*
chemistry	*chemia*	**hopeless**	*beznadziejny*
chemical	*chemiczny*	**dentist**	*dentysta*
chemist	*chemik, aptekarz*	**dentistry**	*dentystyka*
colour	*kolor*	**destroy**	*niszczyć*

* patrz 1. 28 i I, 1. 39.

colourful	*bardzo kolorowy*	**destruction**	*zniszczenie*
colourless	*bezbarwny*	**destructive**	*destrukcyjny, ni-*
special	*specjalny*		*szczycielski*

Wyżej wymienione wyrazy zostały utworzone za pomocą przyrostków, z których jedne są rzeczownikowe, jak: **-ness, -ity, -ry, -tion, -ist;**

inne są przymiotnikowe, jak: **-ful, -less, -ive, -al, -ous, -some;** i czasownikowe, jak: **-ize.**

2. Zdania warunkowe (*if* — gdyby). Użycie Subjunctive *

If there were some kind of medicine, drug, or something that would keep us awake ... we would have more leisure, we would eat more ... people would work a little more, industry would produce more goods ... the animals would grow faster, breed faster etc.

Gdyby istniał jakiś rodzaj lekarstwa, narkotyku lub czegoś, co powstrzymywałoby nas od snu, mielibyśmy więcej wolnego czasu, jedlibyśmy więcej... ludzie pracowaliby trochę więcej, przemysł produkowałby więcej towarów... zwierzęta rosłyby i rozmnażałyby się szybciej itd.

If there were some drug... animals would grow faster

Zdanie to stanowi przykład zdania warunkowego odnoszącego się do teraźniejszości. Warunek w nim wyrażony jest nie tylko nierzeczywisty (czynność urojona), ale nawet niemożliwy do speł-

---

* patrz I, l. 40.

nienia: nie ma takich lekarstw i jest wątpliwe, czy kiedykolwiek będą. W zdaniu głównym używamy Present Conditional, w zdaniu zawierającym warunek (zaczynającym się od **if** — *gdyby*) używamy Simple Past. Jedynie czasownik **to be** stawiamy w czasie przeszłym trybu łączącego, Subjunctive Mood: **I were, you were, he were** itd. (Subjunctive patrz l. 21).

A teraz sprawa użycia **would** i **should**.

Zasadniczo Present Conditional wymaga **should** dla 1. osoby l. poj. i mn., **would** dla pozostałych osób. Jednakże w praktyce bardzo często używamy **would** zamiast **should** (por. l. 8 oraz I, l. 33) dla wszystkich osób. Użycie **would** w 1. osobie (zamiast **should**) wskazuje, że czynność jest wyrazem zdecydowania, woli, obietnicy osoby mówiącej, np.:

I wouldn't do it.   *Nie zrobiłbym tego* (bo nie chcę).

Siła tego wyrazu zależy jednak od kontekstu, od intonacji stosowanej przez osobę mówiącą, czasami jest ona większa, czasami zupełnie zanika.

Natomiast użycie **should** w 2. i 3. osobie l. poj. i mn. zawsze wskazuje, że czynność jest wynikiem przymusu niezależnego od podmiotu zdania, np.: **They should learn.** Nie jest to jednakże Present Conditional, tylko samodzielnie występujący czasownik **shall,** użyty z bezokolicznikiem.

3. Contracted Forms (Formy ściągnięte)

W mowie potocznej używamy stale form ściągniętych niezależnie od tzw. form słabych, dotyczących wymowy wyrazów (Weak Forms patrz l. 6). Forma pełna, nieściągnięta, użyta w rozmowie, nadaje czasownikom znaczenie emfatyczne, podkreśla je specjalnie, np.:

I don't know.	znaczy:	*Nie wiem.*
I do not know.	znaczy:	*Oczywiście, że nie wiem; mówiłem już, że nie wiem.*

Nie ma mowy o rozumieniu angielskiego języka mówionego, ani o władaniu nim poprawnie, bez opanowania form ściągniętych.

W piśmie występują one rzadziej, jedynie w dialogach, w listach nieoficjalnych i — coraz częściej — w czasopismach.

Czasowniki posiłkowe

Twierdzenia

I'm [ajm] = I am
you're [′juə] = you are
he's [hi:z] = he is lub he has
she's [szi:z] = she is lub she has
it's [yts] = it is lub it has
we're [ᵘiə] = we are
they're [′ðejə] = they are
I've [ajw] = I have
you've [ju:w] = you have
we've [ᵘi:w] = we have
they've [ðeiw] = they have
I'd [ajd] = I had, I would, I should
you'd [ju:d] = you had, you would
he'd [hi:d] = he had, he would
she'd [szi:d] = she had, she would
it'd [ytd] = it had, it would
we'd [ᵘi:d] = we had, we would, we should
they'd [ðejd] = they had, they would
I'll [ajl] = I will
you'll [ju:l] = you will
he'll [hi:l] = he will
she'll [szi:l] = she will
it'll [ytl] = it will
we'll [ᵘi:l] = we will
they'll [ðejl] = they will
there'll [ðeəl] = there will
Phil'll come = Phil will come (Phil = Philip)

Przeczenia

shan't [sza:nt] = shall not
won't [′ᵘount] = will not
aren't [a:nt] = are not
(**aren't I?** = Czy nie jestem?)
isn't [yznt] = is not
doesn't [daznt] = does not
don't [dount] = do not

didn't [dydnt] = did not
weren't ["ə:nt] = were not
wasn't ["oznt] = was not
shouldn't [szu:dnt] = should not
wouldn't ["u:dnt] = would not
hasn't [hæznt] = has not
haven't [hæwnt] = have not
hadn't [hædnt] = had not

Czasowniki ułomne

oughtn't [o:tnt] = ought not
mustn't [masnt] = must not
can't [ka:nt] = cannot
couldn't [kudnt] = could not
mayn't [mejnt] = may not
mightn't [majtnt] = might not
daren't [deənt] = dare not
needn't [ni:dnt] = need not

Inne wyrazy

ne'er [neə] = never
let's [lets] = let us
that's [ðæts] = that is
there's [ðeəz] = there is
what's ["ots] = what is
George's come ['dżo:dżyz kam] = George has come
who's [huz] = who is
where's ["eəz] = where is

U w a g a :

Nie mylić **it's** *to jest* z zaimkiem dzierżawczym **its** (*jego*, rodzaj nijaki), np.:

It's true that the roof of that house is green. I thought that its colour was red.   *To prawda, że dach tego domu jest zielony. Myślałem, że jego kolor jest czerwony.*

Szczególna forma **aren't I?** (zamiast poprawnego **am I not?**) używana jest zwłaszcza w pytaniach rozłącznych, po zdaniach w formie twierdzącej, np.:

I am older than you, aren't I?   *Jestem chyba starszy od ciebie, prawda?*

Who's *kto jest* brzmi zupełnie tak samo jak dopełniacz zaimka **who: whose** (*czyj, czyja, czyje*).

4. Curtailed Words * (Skrócone wyrazy)

John, look at this ad. *Janie, popatrz na to ogłoszenie.*

Wyraz **ad** jest skrótem wyrazu **advertisement** *ogłoszenie, reklama*. Język angielski potoczny posiada wiele skrótów. Oto przykłady:

bus (omnibus) *autobus*
bike (bicycle) *rower*
phone (telephone) *telefon*
zoo (zoological gardens) *ogród zoologiczny*
varsity (university) *uniwersytet*
exam (examination) *egzamin*
pub (public house) *bar, gospoda, karczma*
chick (chicken) *kurczę*
plane (aeroplane) *samolot*
flu (influenza) *grypa*
photo (photograph) *fotografia*

ĆWICZENIA

Read aloud:
['luk 'hiə, 'ajwə, juːə ə 'kemyst.
'ᵘaj dount juː yn'went 'pylz ðət ᵘud ˌmejk mi: 'ləːn 'faːstə? 'ajw got
ən yg'zæm yn 'njuːkljə 'fyzyks nekst ˌᵘiːk ənd maj ˌbrejnz 'empty . . .
'dount 'stady 'fyzyks juːl 'end 'ap yn prə'djuːsyŋ 'ætəm 'bomz ənd ˌaðə
'oːful 'ᵘepənz]

LEARN BY WRITING AND READING

I. Odpowiedz na pytania:

1. Does Willy believe in what the advertisement says? 2. Which student is a chemist? 3. What examples do you know of the peaceful use of atomic energy? 4. In which branch of chemistry is Ivor going to specialize? 5. Why

---

* [kəˈtejld]

does Betty eat too much food from tins? 6. What would she do if she had more time? 7. What are the things we need for sleeping? 8. What animals need grass as fodder? 9. Would Sylvia like to get rid of sleep? 10. Why did John say, "Long live good old sleep!"?

II. Dokończ następujące zdania:

Przykłady:

If he had more time, Ivor **would start again his music lessons.**
I would have more leisure **if I lived nearer my factory.**

1. If he had more time, Ivor ...
2. If there were more hours in a day, we ...
3. If scientists got rid of sleep, Betty ...
4. If industry produced more goods ...
5. I would have more leisure if ...
6. We would be short of fodder if ...
7. John's children would ask a thousand questions if ...
8. Willy would be ready for his exam if ...

III. Uzupełnij następujące zdania stosując tzw. pytania rozłączne:

Przykłady:

Some people believe everything they read, **don't they?**
This year farmers will breed more cattle, **won't they?** (patrz I, l. 28, 40)

1. Some people believe everything they read, ...
2. Nuclear physicists deal not only with destruction ...
3. Ivor specializes in food industry, ...
4. I'll save time by having sardines for lunch, ...
5. Last year they built a wonderful nuclear power station, ...
6. Margaret complained that John neglected his children, ...
7. Industry has produced more goods for consumption, ...
8. This year farmers will breed more cattle, ...
9. The animals would grow faster, ...
10. Sylvia likes to look at a sleeping cat, ...

IV. Utwórz nowe przymiotniki i imiesłowy dodając przedrostek *un-* do następujących wyrazów i podaj ich polskie znaczenie:

Przykład: *happy — unhappy — nieszczęśliwy*

happy	like	expected
usual	interested	attractive
favourable	boiled	changed

V. Dokończ zwroty w a, uzupełniając je wyrazami z b:

a.

1. As brave as —

Przykład: *As brave as* a lion.

2. As bright as —
3. As brown as —
4. As deep as —
5. As fat as —

6. As green as —
7. As poor as —
8. As safe as —

b.

a church mouse
the ocean
a lion
a pig

a new penny
the Bank of England
grass
a nut

VI. Wstaw *a little* **lub** *a few* **w następujących zdaniach:**

1. There were — French people at the camp. 2. Angela didn't earn a lot of money picking gooseberries, only — 3. Did you find enough time to go to the pub at night? Yes, — 4. Did any girls get scholarships for studying in England? Yes, — did. 5. Last night I was too tired, I danced only — in the evening. 6. I think I speak English — better than a year ago. 7. Were there many farm-labourers in the pub? Yes, there were —. 8. As a typist Angela doesn't earn much money, just —.

VII. Przetłumacz na język angielski:

Amerykańska drogeria (drugstore)

Jim, czy masz jakieś pigułki na sen (sleeping pills)? Przykro mi, ale nie mam żadnej. Ale, posłuchaj (popatrz no), potrzebuję trochę papierosów, wyjdę i kupię pigułki również. — Oto są (here they are). Dostałem je w aptece na (w) placu. Czy nie macie jakiejś drogerii (drugstore) bliżej? Nie, nie ma. "Drugstore" to amerykański (wyraz) na aptekę (jak) sądzę. Niezupełnie. Nasze drogerie w Stanach różnią się (są różne) od waszych w Europie. Czy nie sprzedają lekarstw, mydła, kremów do golenia (shaving cream), szczotek etc.? Owszem. Ale sprzedają znaczną ilość innych rzeczy również — gazety, czasopisma ilustrowane, papier, pióra. A także i żywność: kanapki, ciastka (cakes), lody, kawę, mleko, wody mineralne, wodę sodową. Część sklepu (amerykańskie: store), w której (gdzie) dostaje się (dostajesz) jedzenie nazywa się (jest nazwana) "soda fountain". Ach, tak (widzę). A czasem jadacie (to take) lody z wodą sodową i owocami (owocem).

LESSON TWELVE   **THE TWELFTH LESSON**

Verbs with prepositions
The Accent

A DRIVING LESSON

I

Mrs. Jones: Don't forget to inquire about the driving lessons. And be firm with the people, don't be shy, the lessons must start tomorrow.

Mr. Jones: I won't forget. Good-bye dear. The husband closed the garden gate carefully and turned into the main road. Suddenly he stopped. "I'd rather go there now", he thought. "It might be too late on my way home. I should have to catch the early train." He stepped into a doorway beside a huge poster advertising driving lessons.

> You can learn to drive in a matter of hours! Expert teaching in 12, 6 or 4 hour courses, at times to suit you, including Saturdays and Sundays.
>
> *Preparation for Official Driving Test.*

The moment he entered the office a young man jumped up from his seat and asked him brightly,

"What can I do for you, sir?"

Mr. Jones: Er... I'd like to inquire about driving lessons. First of all what are your hours?

driving lesson *nauka jazdy*
inquire [yn'kʰajə] *dowiadywać się o, pytać się*
firm [fə:m] *twardy, niewzruszony*
shy [szaj] *nieśmiały*
careful(-ly) ['keəful(-ly)] *uważny(-nie), staranny(-nie)*
turn into *skręcić w*
I'd rather go *wolałbym pójść*
on my way home *w drodze powrotnej (do domu)*
poster ['poustə] *plakat*
in a matter of hours *w ciągu kilku godzin*
expert teaching *fachowe szkolenie*
official [ə'fyszəl] **driving test** [test] *egzamin na prawo jazdy*
the moment he entered *z chwilą kiedy wszedł*
jump up *zeskoczyć, zerwać się*
brightly *żywo*
I'd like = I would like *chciałbym*
first of all *przede wszystkim*

Young Man: We like the morning best because of the light, but if...

Mr. Jones: That suits me perfectly. Do you teach every day?

Young Man: It all depends on the learner. We can fit in as many hours as you like.

Mr. Jones: Have you got your own cars for training drivers? I wouldn't like to risk my new Morris, you see.

Young Man: We've got various makes of cars.

He gets up eagerly. "Please, follow me into the yard. I'll show you our Morris."

Mr. Jones: Well, I believe you...

Young Man: Do come along, have a look at her. I like it when people show some interest in the cars.

In the large yard of the school there were several cars, each with a large red L (for learner) painted on a white plate on the front and on the back. A black Morris was standing not far away.

Young Man: You see that lovely chassis.

Mr. Jones: Yes, I see.

Young Man: Now look inside. Here's the dashboard with all the switches for the headlights, the speedometer to show you how fast you're going. Too many people exceed the speed limit these days.

Mr. Jones: Yes, I see. But I'd like to...

Young Man: You'd like to see her run? I know, many people are eager to start driving right away.

Mr. Jones: No, I didn't mean that. I'm afraid...

that suits me *to mi odpowiada*
learner ['lə:nə] *uczący się*
fit in *dostosować, uzgodnić*
as you like *jak pan chce*
Morris ['morys] — *marka samochodu*
make [mejk] *wyrób, marka*
eagerly ['i:gəly] *raźno*
yard [ja:d] *podwórze*
do come along *niechże pan przyjdzie*
have a look at her *niech się pan mu przyjrzy*
interest ['yntryst] **in** *zainteresowanie (czymś)*
plate [plejt] *płyta*
chassis ['szæsyz] *podwozie*
dashboard ['dæszbo:d] *tablica rozdzielcza*
switch [sᵘycz] *wyłącznik, kontakt*
headlight ['hedlajt] *reflektor (w samochodach)*
speedometer [spy'domytə] *szybkościomierz*
go *jechać*
exceed [yk'si:d] *przekroczyć (miarę)*
speed limit *granica szybkości*
these days *obecnie*
to see her run *zobaczyć jak on jedzie*
right away *od razu*

... show some interest in cars

Young Man: Don't be afraid. I'll watch you all the time. (He sits at the wheel) Come in, come in.

Mr. Jones: All right, if you insist. But I warn you you're wasting your time. (He gets in and shuts the door).

insist [yn'syst] *nalegać*

OBJAŚNIENIA

turn	*obracać (się); zwracać się*
turn into	*skręcić do; zamienić się na*
turn round	*obracać się*
turn on	*włączyć światło, radio, maszynę, otworzyć kurek*
turn off	*wyłączyć, zamykać*

learn	*uczyć się*
learner	*uczący się*
teach	*uczyć (kogoś)*
teacher	*nauczyciel*
teaching	*nauka*

test	*próba; egzamin; praca pisemna; test; sprawdzian*
bright	*jasny, żywy (o kolorach), np.* **bright green,** *rozpromieniony*
bright pupil, bright child	*bystry, inteligentny, wesoły*
brightly	*żywo, wesoło*

I'd like = I would like	*chciałbym*
I should like	*chciałbym*
I want	*chcę*
I wish	*chcę, życzę sobie*
I wish I had, I knew etc.	*szkoda, że nie mam, że nie znam* itd.

light	*światło*
strike a light	*zapalić zapałkę*
Can you give me a light?	*Czy mogę poprosić o ogień* (do zapalenia papierosa, fajki).
light	*jasny, lekki, niepoważny*
light blue	*jasnoniebieski*
a light box	*lekkie pudełko*
suit	*odpowiadać (dogadzać), pasować, dostosować*
Will 5 o'clock suit you?	*Czy panu odpowiada godzina piąta?*
suit yourself	*rób jak chcesz*
suit	*ubranie męskie, garnitur; komplet damski*
suitcase	*walizka*
fit	*odpowiadać, pasować*
fit on	*przymierzać*
fit	*zdrowy, w dobrej kondycji*
yard	*jard — miara długości, około 91 cm, 3 stopy; dziedziniec, podwórze*

Scotland Yard — ulica, na której mieściła się komenda policji londyńskiej i nie istniejący już pałac królów szkockich, stąd: *Komenda Policji Londyńskiej*

plate   *płyta; plakieta; talerz; danie; blacha*

You would like to see her run.	*Chciałby pan zobaczyć, jak on (ona) jedzie.*

Samochody, łodzie, maszyny itp. są rodzaju żeńskiego.

You'd like to see her run.	*Chciałby pan zobaczyć, jak on jedzie.*

Mamy tu konstrukcję biernika **(her)** z bezokolicznikiem bez **to (run)** po czasowniku wyrażającym doznanie zmysłowe **(see)**. Patrz 1. 27 i I, 1. 39, 42.

you're wasting your time   dosł: *marnujesz swój czas*

W języku angielskim znacznie częściej używa się zaimków przymiotnych dzierżawczych aniżeli w języku polskim, np.: *kładę kapelusz na głowę* tłumaczy się:

I put my hat on my head   (dosł.: *kładę mój kapelusz na moją głowę*)

GRAMATYKA

1. Verbs with prepositions *

Oto nowe przykłady czasowników z przyimkami i partykułami przysłówkowymi:

to inquire about (lub **after**)	*zapytywać o coś, dowiadywać się o*
to read about	*czytać o*
to turn into	*skręcać w; zamienić się na*
to step into	*wstąpić, wejść*
to jump up	*zerwać się z miejsca, podskoczyć*
to get up	*wstawać*
to depend on	*polegać na; zależeć od*
to press on	*nacisnąć*
to fit in	*dopasować*
to get in	*wejść, dostać się do*
to come in	*wejść*
to put in	*włożyć do środka, włączyć*
to look inside	*zajrzeć do środka*
to start with	*rozpocząć od*
to press with	*nacisnąć czymś*

2. The Accent (Akcent)

W ciągu ostatniego tysiąclecia akcent wyrazowy w języku angielskim niewiele się zmienił. Podobnie jak w średniowieczu tak i obecnie zasadą jest, że akcent pada na zgłoskę stanowiącą rdzeń

* patrz 1. 7.

danego wyrazu — nawet wtedy, gdy dodamy do niej przedrostki
lub przyrostki — lub na pierwszą zgłoskę, np.:

    rise *powstać*   a′rise *wyłonić się*   ′rising *powstanie*
    for′get *zapomnieć*   for′getful *zapominalski*

a. Istnieje tendencja do przesuwania akcentu ku pierwszym
zgłoskom wyrazu. Tendencja ta jest silniejsza w amerykańskiej
angielszczyźnie, aniżeli w brytyjskiej. I tak, odmiennie od Anglików, Amerykanie akcentują liczne wyrazy, np.:

′magazine *magazyn; pismo*   ′address *adres*
′princess [′prynsys] *księżniczka*   ′ally [′ælaj] *sprzymierzyć się*
′adult [ædalt] *dorosły*   ′direct [′dajrekt] *prosty*

b. Niektóre wyrazy występują jako rzeczowniki i czasowniki.
Przy rzeczownikach akcent pada zazwyczaj na pierwszą zgłoskę,
przy czasownikach — na drugą. Są to zwykle wyrazy pochodzenia łacińskiego, np.:

        Rzeczownik   Czasownik

′accent [′æksnt] *akcent*   ac′cent [æk′sent] *kłaść nacisk na*
′refuse [′refju:s] *odpadki*   re′fuse [ry′fju:z] *odmawiać*
′extract [′ekstrækt] *ekstrakt*   ex′tract [yks′trækt] *wyciągać*
′import [′ympo:t] *import*   im′port [ym′po:t] *importować*
′increase [′ynkri:s] *wzrost, przyrost* in′crease [yn′kri:s] *wzrastać*

c. W wyrazach mających więcej aniżeli 3 zgłoski obok akcentu
głównego występuje również akcent poboczny. Stawiamy go u dołu zgłoski, podczas gdy akcent główny stawiamy u góry, przed
silniej akcentowaną zgłoską. Akcent poboczny kładziemy zwykle
na pierwszej lub drugiej zgłosce, np.:

    ˌcharacte′ristic [ˌkæryktə′rystyk] *rys, cecha*
    ˌpsycho′logical [ˌsajkə′lodżykəl] *psychologiczny*
    ˌpropa′ganda [ˌpropə′gændə] *propaganda*
    proˌnunci′ation [prəˌnansy′ejszn] *wymowa*
    aˌssoci′ation [ə sousy′ejszn] *stowarzyszenie, skojarzenie*
    maˌteria′listic [məˌtiəriə′lystyk] *materialistyczny*

d. Istnieją wyrazy, które mają dwa główne akcenty. Są to przeważnie wyrazy złożone. Przykłady:

'**thir'teen** ['θə:'ti:n] *trzynaście*
'**fif'teen** ['fyf'ti:n] *piętnaście*
'**un'known** ['an,noun] *nieznany*
'**beef'steak** ['bi:f'stejk] *befsztyk*
'**church'yard** ['czə:cz'ja:d] *cmentarz*

e. Gdy wyraz trzyzgłoskowy zmienia się na dłuższy, wtedy akcent przesuwa się ku końcowi, np.:

'**politics** ['polytyks] *polityka*, **po'litical** [pə'lytykəl] *polityczny*, ,**poli'tic-ian** [,poly'tyszn] *polityk*
'**intellect** ['yntylekt] *intelekt, rozum*; **in'telligence** [yn'telydżəns] *inteligencja, wywiad*; ,**inte'llectual** [,ynty'lektjuəl] (przymiotnik) *intelektualny*, (rzeczownik) *inteligent*; **in,telli'gentsia** [yn,tely'dżencjə] *inteligencja* (grupa społeczna).

f. Wyrazy z przyrostkami: **-ion, -ic (ical), -ian, -cient, -ious, -eous, -ual, -uous, -ity, -ety, -itous, -itive, -itude, -itant** przyjmują akcent na zgłosce poprzedzającej końcówkę, np. znane wyrazy:

de'cision, co'llection, e'lectric, do'mestic, fan'tastic, mys'terious, cou'rageous, 'usual, cu'riosity, an'tiquities, uni'versity, natio'nality, in'habitant.

g. Wyrazy wielozgłoskowe z przyrostkami **-fy, -ize**, (lub **-ise**) i **-ate** przyjmują akcent na trzeciej zgłosce od końca (należy pamiętać, że końcowa litera e nie stanowi osobnej zgłoski, nie wymawia się jej, np.:

'**terrify**, '**advertise**, '**exercise**, e'**xaggerate**, '**hesitate**, '**illustrate**.

Jednakże dwuzgłoskowe wyrazy z tymi samymi przyrostkami mają akcent na ostatniej zgłosce, np.:

cre'ate, sur'prise; **de'fy** [dy'faj] *stawić czoło, opierać się (komuś, czemuś)*.

Oczywiście od wszystkich wyżej przytoczonych zasad akcentowania istnieje bardzo wiele wyjątków. Niektóre wyrazy, zwłaszcza dłuższe, można wymawiać w różny sposób i z akcentem na różnych zgłoskach, inne znów są właśnie w trakcie przesuwania akcentu z jednej zgłoski na inną, najczęściej bliższą początkowi wyrazu. W związku z tym, uczący się powinien zwracać uwagę przy nowych wyrazach nie tylko na ich znaczenie, wymowę, pisownię, ale i na akcent wyrazowy.

ĆWICZENIA

Read aloud:
[ajd 'lajk tə yn'kʰajə ə,baut 'drajwyŋ 'lesnz.
'fə:st əw 'o:l 'ʰot a: jo:'rauəz?
,ʰi: lajk 'best ðə 'mo:nyŋ by:ko:z əw ðə 'lajt, bət ,yf . . .
ðæt sju:ts mi: 'pə:fyktly.
du ju 'ti:cz 'ewry dej?
yt 'o:l dy'pendz on ðə 'lə:nə]

LEARN BY WRITING AND READING

I. Napisz pytania, na które następujące zdania byłyby odpowiedzią:

1. Mrs. Jones tells her husband to be firm because he's rather shy.

P r z y k ł a d : *What does Mrs. Jones tell her husband?* lub: *Why does Mrs. Jones tell her husband to be firm?*

2. He stopped in front of a poster.
3. The man said "What can I do for you"?
4. The switches for the headlights are here.
5. There are so many accidents on the roads because people drive much too fast.
6. A red L on a white plate means "Learner".
7. The young man shut the door.

II. Zamień następujące czasowniki na przysłówki i podaj ich znaczenie:

careful —

P r z y k ł a d : **careful — carefully** — *starannie*

shy —   bright —
perfect —   eager —
funny —   beautiful —
firm —

III. Napisz po 2 zdania zawierające czasowniki: to inquire about, to look for, to be firm with.

IV. Postaw na początku następujących pytań odpowiedni zaimek lub przysłówek pytający: How, what, when, where, which, who, why.

1. — asked Mr. Jones to go to the driving school?

Przykład: **Who** *asked Mr. Jones...*

2. — do the street lamps wink?
3. — can you see the notice "No Smoking"?
4. — happened when the gentleman started swearing?
5. — entry is larger, the one on the left or the one on the right?
6. — do you do?
7. — did you hear about his experience, on Tuesday or on Wednesday?

V. Przetłumacz na język angielski:

Wiesz, kochanie, poszedłem dowiedzieć się (zapytać) o lekcje, zanim poszedłem do banku. Szkoła jazdy jest zupełnie blisko (close to) naszej stacji. Przed nią był duży plakat. Można uczyć się (możesz), kiedykolwiek się chce (chcesz), włączając soboty i niedziele. To wszystko zależy od uczącego się i od pogody. Za szkołą znajduje się podwórze z samochodami różnych marek. Ten człowiek próbował wytłumaczyć mi, co to jest reflektor (uważać na szyk wyrazów — zdanie zależne) i gdzie są wyłączniki.

LESSON THIRTEEN   THE THIRTEENTH LESSON

> Czasowniki przechodnie i nieprzechodnie
> Odmiana rzeczowników
> *Though* na końcu zdania

A DRIVING LESSON

II

Young Man: Don't be so shy. Modest people often become expert drivers. Now watch me. You start the engine with the starter — there... You press the accelerator with the right foot, you see?

modest ['modyst] *skromny*
starter ['sta:tə] *starter*
press [pres] *naciskać*
accelerator [ək'selərejtə] *akcelerator*

Mr. Jones: Yes, yes, I see.

Young Man: You put in the clutch by pressing your foot on the pedal on the left hand side to change gear. Low gear for starting, top gear for going quickly.

Mr. Jones: I know it all, I tell you...

Young Man: You've read about it in a driving manual. That's all rubbish to me. In practice it's much more difficult. I bet you all you really know is how to sound the horn. Now change seats with me and try for yourself. Remember, low gear for starting, then...

Mr. Jones: I know, I know.

He sits at the wheel and starts the engine with a flourish.

Young Man: Steady, steady. Not so fast. Don't press the accelerator too hard... That's better. Now turn left... turn right... Not bad for a beginner, only a little too nervous, though. Now move the gear lever into second gear.

Mr. Jones: You see, I can drive...

Young Man: Not yet, not yet, but you will, soon. Now press down the pedal on the left hand side and put her in neutral to stop the car. Now put the lever into reverse to make her run backwards. Mind

clutch [klacz] *sprzęgło*
put in the clutch *włączyć sprzęgło*
pedal [pedl] *pedał*
on the left hand side *z lewej strony*
gear [giə] *bieg* (w samochodzie)
low gear *bieg dolny, pierwszy*
top gear *najwyższy bieg*
rubbish ['rabysz] *bzdura*
practice ['prӕktys] *praktyka*
I bet you *założę się z panem, że*
horn [ho:n] *klakson*
sound [saund] **the horn** *trąbić klaksonem*
try for yourself *niech pan sam spróbuje*
flourish [flarysz] *popis*
with a flourish *z fantazją*
steady, steady *powoli, powoli*
for a beginner *jak na początkującego*
nervous ['nə:wəs] *nerwowy*
though tu: *jednakże*
neutral ['nju:trəl] *obojętny*
put in neutral *włączyć bieg zerowy*
reverse [ry'wə:s] *wsteczny* (bieg)
put the lever into reverse *przełącz dźwignię wstecz*
run backwards *cofać się*

Now put the brake on

you don't hit that Austin. Now put the brake on. Good.

Mr. Jones: I think one of the back tyres needs pumping up.

Young Man: It's just your nerves. Everything's all right. Now let's go back to the office.

Mr. Jones: I hope you teach your pupils how to mend punctures, put on a spare wheel, fill the petrol tank etc?

Young Man: Certainly. You'll learn it all in good time. We'll teach you how to make a turn without scratching your mudguards or smashing a lamp-post. You'll have to study the Road Code.

Back at the office the young man sat down at his desk and gave Mr. Jones a form to fill in.

Young Man: Take a seat, sir, and let me have all the particulars. First the name and address.

Austin ['ostyn] — marka samochodu
brake [brejk] *hamulec*
put the brake on *włącz hamulec*
pump up [pamp ap] *napompować*
nerve [nə:w] *nerw*
puncture ['paŋkczə] *przebicie dętki*
spare wheel *koło zapasowe*
tank [tæŋk] *zbiornik*
all in good time *wszystko w swoim czasie*
make a turn *skręcać*
mudguard ['madga:d] *błotnik*
smash [smæsz] *rozbić*
lamp-post ['læmppoust] *latarnia*
Road Code *kodeks drogowy*
form [fo:m] *formularz*
to fill in *do wypełnienia*
particular [pə'tykjulə] *szczegół*

Mr. Jones: Rose Jones. 5, Street Park.
Young Man: Rose? Do you mean that
your first name is Rose?
Mr. Jones: Good Heavens, no! It's my
wife's name.

Young Man: So it's your wife who is to
learn driving, not you... I've been wasting
my time showing you the first steps...
Mr. Jones: I told you so. I passed my
driving test fifteen years ago.

it's your wife who is to learn *to pańska żona ma się uczyć*
pass a driving test *zdać egzamin na prawo jazdy*

Quotations, proverbs and jokes

Experience is the best of schoolmasters.   **schoolmaster** *nauczyciel*

OBJAŚNIENIA

by pressing	*przez naciskanie, za pomocą naciskania*
published by Wiedza Powszechna	*wydane przez Wiedzę Powszechną*
go by train, by boat, by bus, by sea	*jechać pociągiem, statkiem, autobusem, morzem itd.*

on the left hand side	*po lewej stronie*
on the right hand side	*po prawej stronie*
lend me a hand	*pomóż mi*
live from hand to mouth	*żyć z dnia na dzień*
change hands	*przechodzić z rąk do rąk*
shake hands	*uścisnąć ręce (nawzajem)*
in practice	*w praktyce (nie w teorii)*
be out of practice	*wyjść z wprawy*
the physician has a large practice	*lekarz ma rozległą praktykę*
to practise	*uprawiać zawód*
to practise piano	*ćwiczyć na fortepianie*
practised	*doświadczony*
spare wheel	*koło zapasowe*
spare bedroom	*pokój gościnny (nadprogramowy)*

in your spare time	*w wolnych chwilach*
spare	*oszczędzać (kogoś), szczędzić, od-*
	stępować, dawać
don't spare him	*nie oszczędzaj go, nie lituj się nad*
	nim
Can you spare me a few pounds?	*Czy możesz użyczyć mi kilku fun-*
	tów?

---

petrol *mieszanka benzynowa* (benzyna do samochodów, motorów itp.)
w USA: **gas** [gæs], **gasoline** lub **gasolene** [ˈgæsəliːn] *mieszanka benzy-*
nowa

---

tank	*pojemnik; czołg*
Road Code	*kodeks drogowy*
code	*zbiór przepisów, kodeks; szyfr;*
	system sygnalizacji
Pepys wrote in code	*Pepys pisał szyfrem*
the Morse code	*system sygnalizacji Morse'a*
particular	*szczegół, szczególny*
go into particulars	*wchodzić w szczegóły*
a particular case	*szczególny przypadek*
in particular	*w szczególności*

---

name	*imię, nazwisko, nazwa*
Christian name [ˈkrysczn], first	*imię własne*
name	
surname [ˈsəːnejm], family	*nazwisko*
name	
to call somebody names	*obrzucać wyzwiskami*

GRAMATYKA

1. Czasowniki przechodnie i nieprzechodnie

a.

to sound the horn	*trąbić klaksonem*
to change seats	*zamienić miejsca*
to start the engine	*puścić w ruch silnik*
to press the accelerator	*nacisnąć akcelerator*

to move the gear lever	*przesunąć dźwignię biegu*
to press down the pedal	*nacisnąć pedał*
to put her in neutral	*przełączyć na luz*
to make her run	*spowodować, aby jechał (jechała)*
to hit that Austin	*uderzyć (wpaść na) tego Austina*
to put the brake on	*włączyć hamulec*

Czasowniki w przytoczonych zwrotach są czasownikami przechodnimi, rządzącymi dopełnieniami. Czynność, którą wyrażają „przechodzi" na dopełnienie (osobę lub rzecz, która po nich następuje).

b.

He sits at the wheel...	*siada przy kierownicy...*
I think one of the back tyres...	*myślę, że jedna z tylnych opon...*
Now let's go back to the office	*teraz wracajmy do biura*
I hope you teach your pupils...	*mam nadzieję, że pan uczy swoich uczniów...*
The young man sat down and gave Jones a form	*Młody człowiek usiadł i dał Jones - owi formularz*

Czasowniki w przytoczonych zdaniach są czasownikami nieprzechodnimi. Czynność, którą wyrażają, nie przechodzi na dopełnienie, dotyczy tylko podmiotu.

c. Czasami czasownik może być zarówno przechodni, jak i nieprzechodni, np.: **Birds fly** *ptaki latają*, czasownik „fly" jest czasownikiem nieprzechodnim. W zdaniu: **John is flying his toy aeroplane** — „fly" jest czasownikiem przechodnim. W takich wypadkach czasownik często zmienia znaczenie. *Ptaki latają i Jan puszcza teraz model samolotu* (zabawkę).

Inne przykłady:

The car runs fast.	*Samochód jedzie szybko.*
He runs the car like an expert.	*Prowadzi samochód jak fachowiec.*
Those drugs sell well.	*Te leki mają duży popyt (sprzedają się dobrze).*
He sells drugs.	*On sprzedaje leki.*

Czasowniki **run, sell** są w pierwszym przypadku czasownikami nieprzechodnimi, w drugim — przechodnimi.

W następującym przykładzie znaczenie czasownika nie zmienia się:

She sings beautifully.   *Ona ślicznie śpiewa* — nieprzechodni.
She sang Scottish songs.   *Ona śpiewała szkockie piosenki* — przechodni.

2. Odmiana rzeczowników

W języku angielskim można odmieniać jedynie rzeczowniki i niektóre zaimki. Ilość przypadków przy odmianie rzeczowników jest kwestią umowną. Z punktu widzenia fleksji istnieją bowiem tylko dwie formy: **the boy** i **the boy's.** Ze względów praktycznych i dla ułatwienia analogii między przypadkami w języku polskim i w angielskim przyjmijmy jednakże istnienie 3 przypadków:

a. Nominative ['nomynətyw] Case odpowiadający polskiemu mianownikowi i spełniający również rolę naszego wołacza.

b. Genitive ['dżenytyw] Case odpowiadający polskiemu dopełniaczowi. Ma on dwie formy:

ba. Dla rzeczowników żywotnych, tzw. Saxon Genitive lub Possessive Case: **the boy's book** *książka chłopca,* **the boys' book** *książka chłopców.* (Patrz l. 22, 29 oraz I, l. 3, 24).

bb. Dla rzeczowników żywotnych i nieżywotnych, tzw. Norman Genitive, utworzony za pomocą przyimka of: **the room of the boy** *pokój chłopca,* **the colour of the room** *kolor pokoju.* (Patrz l. 22, 29 oraz I, l. 3, 9, 24, 35, 38).

c. Objective [ob'dżektyw] Case odpowiadający zarówno polskiemu biernikowi, jak i celownikowi. Za pomocą różnych przyimków poprzedzających rzeczownik wyrażamy również pozostałe polskie przypadki, jak narzędnik czy miejscownik, np.:

I see the book.   *Widzę książkę.*
Give the boy an apple.   *Daj chłopcu jabłko.*
He eats with a knife.   *On je nożem.*
You speak about your sister.   *Mówisz o swojej siostrze.*

Polski celownik wyraża się w języku angielskim albo za pomocą szyku wyrazów w zdaniu, tzn. przez umieszczenie dopełnienia dalszego (w celowniku) przed dopełnieniem bliższym (w bierniku), np.:

Give the boy an apple.   *Daj chłopcu jabłko.*

albo za pomocą przyimka **to**, jeżeli dopełnienie bliższe (biernik) poprzedza dopełnienie dalsze (celownik):

Give an apple to the boy.   *Daj jabłko chłopcu.* (Patrz I, l. 14, 31).

d. Oto wzór odmiany rzeczownika żywotnego pokazujący, w jaki sposób możemy oddać polskie przypadki, stosując przyimki z biernikiem:

Przypadki: **Przykłady:**

a.
Nominative Case
John *Jan, Janie*   **John is here. John, come here!**

b.
Genitive Case
John's, of John *Jana*   **John's house. The house of John.**

c.
Objective Case
John *Jana, Janowi*   **I see John. I am giving John a lesson.**
(with John *z Janem*)   **I talked with John.**
(about John *o Janie*)   **We talked about John.**

U w a g a : Wszystkie przyimki rządzą biernikiem.

Przypadki noszą również inne nazwy: 1. przyp. = Subject Case, Subjective; 2. przyp. = Possessive Case; 3. przyp. = Object Case, Accusative Case. W podręczniku 3. przyp. nazywamy raczej Objective Case, gdyż Accusative wydaje się Polakowi, znającemu łacinę lub inne języki fleksyjne, niefortunną nazwą dla przypadku, którym tłumaczymy polski: celownik, biernik, narzędnik i miejscownik.

3. *Though* na końcu zdania

Not bad for a beginner, only a little nervous, though.   *Nieźle jak na początkującego, tylko trochę jednak zbyt nerwowo.*

Wyrazu **though** używa się najczęściej w znaczeniu *chociaż* i wówczas znajduje się on na początku zdania głównego lub pobocznego. W tym znaczeniu wyraz ten można zastąpić przez równoznaczne **although**.

Though na końcu zdania ma znaczenie: *jednak, mimo wszystko, bądź co bądź, niemniej,* i może być zastąpione wyrazami: **nevertheless** [ˌnewəðə'les], **all the same, really!**

ĆWICZENIA

Read aloud:

[teįk ə 'si:t sə:, ənd 'let mi: həw 'o:l ðə pə'tykljuləz.
'fə:st ðə 'nejm ənd ə'dres.
'rouz 'dżounz 'fajw 'pa:k stri:t.
'rouz? 'du: ju 'mi:n ðət jo: 'fə:st 'nejm yz 'rouz?
'gud 'hewnz, 'nou. yts maj '"ajfs nejm.]

LEARN BY WRITING AND READING

I. Uzupełnij zdania odpowiednim rzeczownikiem: *glass, material, metal, paper, rubber, wood*

Przykład: *The windows are made of* **glass.**

1. The chassis is made of —. 2. The windows are made of —. 3. The seats are covered with —. 4. The tyres are made of —. 5. The wheel in front of the driver is made of —. 6. The poster is made of —.

II. Przepisz z lekcji 12 i 13 zdania, w których występuje tryb rozkazujący:

Przykład: *Please,* **follow** *me into the yard.*

III. W następujących zdaniach zamień 1. osobę l. poj. na 3. osobę:

1. When I see her approaching, I stop working.

Przykład: *When* **he** *sees* **her** *approaching,* **he stops** *working.*

2. I know the first-aid room quite well. I go there pretty often. 3. I must join the night shift. 4. I am going to finish my job ahead of schedule

5. The foreman in my factory is very pleased with me. 6. They said I'd get my leave in August. 7. What do I do about absenteeism? 8. Nothing, I am neither a foreman nor a personnel officer.

IV. Dodaj do następujących czasowników odpowiednie dopełnienia: *to change* —

Przykład: **to change** *seats*

to wash —	to fly —	to ask —
to enter —	to answer —	to get —
to paint —	to watch —	to sound —
to run —	to sell —	

V. Ułóż po 3 zdania z rzeczownikami odsłownymi (gerund) następującymi po czasownikach *to mind, to like* **według wzorów:**

1. Would you mind telling me the time? (Bądź tak łaskaw ...)
2. Mary does not mind my smoking in her room (Mary nie ma nic przeciwko temu, że palę ...)
3. John likes working in the open air.

Przykład: *Would you mind* **shutting** *the door.*

VI. Przetłumacz na język angielski:

Rozmowa telefoniczna

Tak się cieszę, że Pani zadzwoniła (to ring up). Pani Banks. Pomyślałam, że to może być Pani (uważać na następstwo czasów w tym i innych zdaniach). Byłam pewna, że Pani jest już w domu (by now). Czy zaczęła Pani swoje lekcje jazdy? Mówiła Pani, że lekcje zaczną się od razu (right away). Tak, zaczynam jutro. Mój mąż mówi, że ci ludzie (the people) z kursu (at the course) są bardzo dobrymi nauczycielami. Czy Pani jest rada (z tego), że będzie w stanie (to be able) prowadzić sama samochód? O tak. Ale obawiam się, że będę bardzo nerwowa. Niech się Pani nie martwi (to worry). Ja myślałam, że nigdy nie będę dobrym kierowcą. Henryk powiedział, że ten młody człowiek ze szkoły mówi za dużo, ale zna się na rzeczy (zna swoją robotę dobrze). To musi być Mr. Brown. Moja córka mówi, że jest przystojny. Jak mam się ubrać (How should I ...) na pierwszą lekcję? Henryk mówi (że) powinnam włożyć (put on) jakieś stare ubranie (clothes). Oczywiście, (że) nie. Niech Pani weźmie swój czerwony żakiet. Wszyscy mówią, że doskonale Pani w nim (że pasuje do Pani).

LESSON FOURTEEN   **THE FOURTEENTH LESSON**

> *Anybody* w zdaniach twierdzących
> The Definite Article
> Znaczenie wyrazu *just*
> Dwa czasowniki z jednym czasownikiem posił-
> kowym

MOONSHINE *

I can't think why anybody should want to go to the moon or Mars or Jupiter.

Because so few people have been to the moon and nobody has ever been to the other planets.

But is that a good reason? I've never been to lots of places, but I don't necessarily want to.

But other people have, and you know what those places are like. So far, about all anybody knows for certain about the other planets is that the days and nights last much longer, and that there's no evidence of any life on the moon, on Mars or Venus.

Poets, science fiction and song-writers

moonshine [′mu:nszajn] *rojenia*
why anybody should want? *dlaczego miał-by ktoś chcieć?*
lots of [′lotsəw] *moc, bardzo wiele*
I don't necessarily want to *niekoniecznie chcę (jechać tam)*
other people have — do-myślne: **have been**
so far *dotychczas*
about all *to prawie wszystko* (sugeruje: *niewiele*)
certain [′sə:tn] *pewny*
for certain *na pewno*
last [la:st] *trwać*
last a fortnight each *trwają każde po 2 ty-godnie*
evidence [′ewydəns] *do-wód*
poet [′pouyt] *poeta*
lover [′lawə] *kochanek*
song [soŋ] *pieśń, piosen-ka*

---

* Adapted by permission of the Linguist.

know much more than that. Anyway, if there's no life there, why worry?

You forget man's insatiable curiosity. Without it we should never have discovered anything so important as fire, let alone the wheel. Just think of all the things you take for granted and cannot do without: electric light, gas, a car, a refrigerator, wireless, television. If scientists hadn't experimented and gone on finding out about things in the teeth of opposition from people like you, you wouldn't have one of them.

Possibly not, but now that we have got all those things why not stop for a moment and enjoy them?

I don't see that any one generation has the right to decide when it's time to stop. No doubt your great-grand-mother was horrified when electric light was introduced, and lots of people were terrified by the first trains and cars. But to return to Mars...

We haven't got there yet.

But doubtless we shall, and doubtless

why worry? *czemu się martwić?*
insatiable [yn'sejsziəbl] *nienasycona*
discover [dys'kawə] *odkryć*
let alone *nie mówiąc o ...*
just think *pomyśl tylko*
take for granted ['gra:ntyd] *uważać za rzecz oczywistą*
do without *obejść się bez*
gas [gæs] *gaz*
refrigerator [ry'frydżərejtə] *lodówka*
scientist ['sajəntyst] *naukowiec, uczony*
experiment [yks'peryment] *robić doświadczenia*
opposition [opə'zyszn] *opozycja, sprzeciw*
in the teeth of opposition *wbrew, mimo sprzeciwu*
possibly not *możliwe, że nie*
generation [dżenə'rejszn] *pokolenie*
doubt [daut] *wątpliwość*
no doubt *bez wątpienia*
great-grand-mother ['grejt'grænmaðə] *prababka*
horrify ['horyfaj] *przerazić*
terrify ['teryfaj] *przerazić*
but to return to... *ale wróćmy do...*
doubtless ['dautlys] *niewątpliwie*

we shall go on to Venus and Jupiter. Personally, I see nothing to prevent space--travel from becoming an everyday thing. Just think of holidays on the moon or Mars or Jupiter, and round trips to half a dozen planets. Think of all the new opportunities that will spring up for space travel agents, crews of spacecrafts, interplanetary guides...

And space hostesses, and interplanetary customs officials...

And just suppose there is life on Mars and on the other planets. Think of meeting entirely new people, people with perhaps quite different bodies, different brains, with new ideas, new standards, new languages...

And just suppose life on the other planets is just the same as life here. Suppose when we get there we meet people just like our next-door neighbours, with similar faces, similar ideas, similar standards, all saying in Martian, or whatever the languages are called, exactly the same things as we say.

I shall suppose nothing of the kind. I'm an optimist.

Mars [ma:s] *planeta Mars*

Jupiter [ˈdżu:pytɔ] *planeta Jowisz*

personally *osobiście*

prevent [pryˈwent] *zapobiec, przeszkodzić*

space travel *podróże kosmiczne*

round trip *podróż okrężna*

opportunity [opəˈtju:nyty] *okazja*

spring up, sprang, sprung [spryŋ, spræŋ, spraŋ] *powstać*

agent [ˈejdżɔnt] *agent, pośrednik*

spacecraft *statek kosmiczny*

interplanetary [yntɔˈplænytry] *międzyplanetarny, kosmiczny*

hostess [ˈhoustys] *stewardesa*

customs [ˈkastɔmz] *urząd celny*

entirely [ynˈtajɔly] *całkowicie, zupełnie*

standard [ˈstændɔd] *poziom (życia)*

rest [rest] *reszta*

just like *zupełnie podobny do*

next-door neighbour *najbliższy sąsiad*

Martian [ˈma:szɔn] *marsjański*

I shall suppose nothing of the kind *nie spodziewam się niczego w tym rodzaju*

Quotations, proverbs and jokes

I should like to spend the whole of my life travelling, if I could anywhere borrow another life to spend at home.

spend [spend] *spędzać*
borrow ['bo:rou] *pożyczyć*

(W. Hazlitt)

OBJAŚNIENIA

moonshine

światło księżyca; rojenia, marzenia; bimber

the days last a fortnight each
każdy dzień trwa 2 tygodnie

it won't last = it will not last
to nie potrwa (długo)

How long will your money last?
Na jak długo wystarczy ci pieniędzy?

insatiable curiosity nienasycona ciekawość (powiedzenie znane z powiastki Kiplinga (1865—1936) — autora „Księgi dżungli", „Takich sobie bajeczek", powieści „Kim" i wielu nowel).

grant

przyznać, udzielić (czegoś komuś), przyznać prawo

take for granted
uważać, uznać za rzecz oczywistą

a grant
zasiłek, dotacja

refrigerator
lodówka

deep-freeze ['di:p'fri:z]
lodówka o znacznie niższej temperaturze, zamrażająca produkty (amer.)

experiment
robić doświadczenia

He will experiment with the new car.
Będzie robił doświadczenia z nowym wozem.

You must not experiment on me.
Nie powinieneś robić doświadczeń na mnie.

the experiment
doświadczenie (przeprowadzone dla celów naukowych itd.) por. experience doświadczenie życiowe, zasób wiedzy zdobytej w praktyce, patrz 1. 7.

round trip	*podróż okrężna lądem*
a cruise	*podróż okrężna na jeziorze, morzu*

custom	*zwyczaj, obyczaj*
customs	*cło; urząd celny*
Custom House	*Urząd Celny*
custom	*klientela*
customer	*klient*

the rest	*reszta; odpoczynek*
Have a good rest!	*Odpocznij dobrze!*

GRAMATYKA

1. *Anybody* w zdaniach twierdzących

I can't think why anybody should want to go to the moon.
So far, about all anybody knows for certain about the planets is...

Nie mogę zrozumieć, dlaczego ktoś miałby chcieć pojechać na księżyc. Dotychczas prawie wszystko (niewiele), *co wiadomo* (co ktoś wie) *na pewno o planetach, to...*

a. **Anybody** jest zaimkiem pochodnym od zaimka **any** i stosowany jest według tych samych co **any** zasad, tak jak inne pochodne: **anyone, anywhere** itd. (patrz l. 2 i I, l. 30). W przytoczonych zdaniach twierdzących mamy **anybody** (zamiast **somebody**) w znaczeniu *ktoś*, gdyż zawarta jest w nich pewna wątpliwość. W pierwszym zdaniu wątpliwość tę wyraża tryb warunkowy **should want**, w drugim — wyrażenie **about all** dosł. *prawie wszystko* (w gruncie rzeczy bardzo mało, niewiele).

Inne przykłady:

I wonder whether anybody is there.
Ciekaw jestem (zastanawiam się), czy tam ktoś jest.

He doubts whether anybody knows you.
On wątpi, czy ktoś cię zna.

There is hardly anybody who can play the piano properly.
Z trudem znajdzie się kogoś, kto by należycie grał na fortepianie.

*Anybody is better
than nobody*

b. Analogicznie do **any** (patrz l. 2) wyraz **anybody** używany jest w znaczeniu: *ktokolwiek, byle kto*, w zdaniach twierdzących, np.:

Anybody is better than nobody.   *Ktokolwiek (byle kto) jest lepszy a-niżeli nikt.*

Anybody will tell you the whole story.   *Byle kto opowie ci całą historię.*

Użycie **anybody** w zdaniach pytających i przeczących patrz I, l. 30.

2. The Definite Article *

W języku polskim nie ma przedimków i stosowanie ich w języ-kach obcych sprawia Polakowi wiele kłopotu. Teoretyczne opa-nowanie zasad użycia przedimków (zebranych w I, l. 37) musi słu-żyć jedynie za podstawę w nauce, istnieją bowiem liczne przy-padki idiomatyczne, zwroty z jednym czy drugim przedimkiem, które opanować można jedynie poprzez oczytanie i osłuchanie. Oto dla przykładu wyjaśnienie użycia przedimka określonego **the** w odpowiednich zdaniach czytanki:

---

* patrz I, l. 5, 10, 37.

a.

to go to the moon	mowa jest o określonym, jedynym dla nas księżycu

b.

the days and nights	mowa jest o określonych dniach i nocach, tych na księżycu
the right to decide	określone prawo: prawo decydowania
all the rest	określona reszta, to, o czym była mowa przed chwilą
all the new opportunities	określone okazje (do jazdy itd.)
all the things you take for granted	określone rzeczy, te, które uważasz za oczywiste
whatever the languages are called	te języki, o których mowa, określone

c.

the wheel	mowa tu o całej kategorii przedmiotów

d.

the first trains	pierwsze, określone pociągi (liczebnik porządkowy)

e.

the same	te same (**same** zawsze występuje z **the**)

f.

on the other planets	te pozostałe planety (zaimek: **the other**)

We wszystkich przypadkach podanych pod b. stosujemy przedimek określony **the,** ponieważ rzeczownik po nim następujący jest określony przez kontekst. Po polsku można go zwykle oddać zaimkiem *ten, ta, to, ci, te.* Pozostałe przykłady ilustrują inne reguły stosowania the: a — przedmiot jest jedyny, c — rzeczownik przedstawia całą kategorię przedmiotów, d — z liczebnikami porządkowymi, e — z zaimkiem **same,** f — z zaimkiem **other** w znaczeniu: *drugi, pozostały.*

g. **nothing of the kind** — jest zwrotem idiomatycznym.

3. Znaczenie wyrazu *just*

a.

Just think of all the things you take for granted ...

Pomyśl tylko o wszystkich rzeczach, które uważasz za oczywiste ...

b.

Just think of holidays on the moon ...

Pomyśl tylko o świętach na księżycu ...

c.

Just suppose there is life.

Pomyśl tylko, że tam może być życie.

d.

Just suppose life on the other planets is just the same as life here.

Pomyśl tylko, że życie na innych planetach może być takie samo jak życie tu.

e.

When we get there we meet people just like our ... neighbours.

Gdy tam się dostaniemy, spotkamy ludzi dokładnie (akurat takich) jak nasi sąsiedzi.

W pierwszych czterech zdaniach a, b, c i d przysłówek **just** na początku zdań użyty jest emocjonalnie i znaczy *tylko* (*pomyśl tylko!*). Mógłby być zastąpiony przez wyraz **only** *tylko*, np.: "**Only think**", "**Only suppose...**" itd.

W zdaniu d. **just the same** znaczy **exactly** lub **precisely**, tj. *dokładnie*. To samo znaczenie spotykamy w zdaniu e. **just like our neighbours**, tj. **precisely like our neighbours** — *dokładnie jak nasi sąsiedzi*. Ponadto **just** używany jest też jako przymiotnik: *sprawiedliwy, prawy*.

4. Dwa czasowniki z jednym czasownikiem posiłkowym

If scientists hadn't experimented and gone on finding out things ... you wouldn't have one of them.

Gdyby uczeni nie robili doświadczeń i nie posuwali się dalej odkrywając nowe rzeczy ... nie miałbyś ani jednej z nich.

Mamy tu przykład zdania warunkowego (if — gdyby) odnoszącego się do przeszłości. W myśl zasad dotyczących tego rodzaju zdań (patrz l. 5) w zdaniu warunkowym używamy Past Perfect. W tym wypadku jednakże mamy dwa czasowniki: **to experiment** robić doświadczenia i **to go on** postępować dalej, posuwać się dalej, które „obsługuje" jeden tylko czasownik posiłkowy **hadn't**. Dzięki temu unika się powtarzania pełnej formy Past Perfect, co brzmiałoby stylistycznie mniej zręcznie: **If scientists hadn't experimented and hadn't gone on...**

ĆWICZENIA

Read aloud:
[ju fɔ'get 'mænz yn'sejsziɔbl kjuɔr'josyty.
"y'ðaut yt "i szud 'newɔ hɔw dys'kawɔd 'enyθyŋ sou ym'po:tnt ˌæz 'fajɔ, let ɔˌloun ðɔ /"i:l.
ˌdżast θyŋk ɔw 'o:l ðɔ'θyŋz ju ˌtejk fɔ 'gra:ntyd ɔnd 'kænot du: "y'ðaut: y'lektryk 'lajt, 'gæs, ɔ 'ka:, ɔ ry'frydżɔrejtɔ, /"ajɔlys, 'telyˌwyżn.]

LEARN BY WRITING AND READING

I. Przepisz z lekcji 14 zdania przeczące zawierające any, anybody, anything, nobody, nothing, **lub zdania zależne od zdań przeczących podkreślając słowo wyrażające przeczenie:**

P r z y k ł a d : *I* **can't** *think why anybody should want to go to the moon,* or Mars.

II. Wstaw przedimki the, a, an **(lub nie) w następujących zdaniach:**

1. I should like to buy — refrigerator. 2. Where would you put it? In — kitchen. 3. What would you keep in it? Lots of — things. 4. First of all there would be — shelf for — butter, — milk, — eggs. 5. Then — special place for — meat. 6. Think of it, how much easier it is to cook for — large family, especially in — summer, when you know you have — cold corner in your home. 7. I would buy — big one. It's cheaper than — television set, anyway. 8. — refrigerator would be — great help, I'm sure.

III. Przepisz z lekcji 14 wyrazy o brzmieniu podobnym do polskiego

P r z y k ł a d : *electric.*

IV. Utwórz nowe przymiotniki za pomocą przyrostka -less i podaj ich polskie odpowiedniki.

P r z y k ł a d y : **Childless** *bezdzietny*, **doubtless** *niewątpliwy*.

home —   life —   class —
land —   heart —   form —
colour —   end —   fault —

V. Ułóż po 3 zdania według wzorów:

a. Just think of the paintings you'll see tomorrow.
b. My radio set is just like yours.

P r z y k ł a d y : **Just think** *of the dinner waiting for us.* **She was just like** *Mary.*

VI. Napisz pełnymi wyrazami następujące daty:

1.III.1960, 11.V.1964, 4.VII.1969, 5.XII.1814.

VII. Przetłumacz na język angielski:

Nienasycona ciekawość ludzka

Przez (for) długie wieki (wieki i wieki) człowiek patrzał na bladą twarz Księżyca. Nowocześni uczeni robili jej zdjęcia (to take a photograph — użyć Present Perfect), zastanawiając się (to wonder) przez cały czas, jak (what) druga strona wygląda. Ukryta przed (from) okiem człowieka została w końcu odkryta. Łunnik III zrobił zdjęcie Księżyca i przesłał je z powrotem na Ziemię (to earth) przez radio. Amerykańscy astronauci dotarli do Księżyca i bezpiecznie (safely) wrócili na Ziemię. Ciekawość człowieka jest nienasycona. Bez niej nie odkryłby nigdy ognia, nie wymyśliłby koła, nie odkryłby elektryczności, nie wytworzyłby (build) radia, samochodu, statków kosmicznych. Człowiek pragnie osiągnąć szczyty najwyższych gór, zbadać (know all about) głębokie oceany. Nie ma granicy dla (to) ludzkiego pragnienia (man's wish) poznania (to know) świata coraz lepiej (coraz więcej o świecie).

LESSON FIFTEEN

THE FIFTEENTH LESSON

Użycie wyrazu *bet*
Użycie wyrazu *only* w zdaniu
Użycie czasownika *to do*

THE FASHION SHOW

Betty and her husband Colin come to see Anne, who has had an accident and must stay at home for some time.

Anne: Oh, how nice of you to come and see me on such a rainy day!

Betty: How is your ankle? I suppose you can't walk yet.

Anne: No, not yet. Anyway I'm glad it's only sprained, not broken. Where have you been you two, you look so smart...

Betty: You'll never guess. We've been to a fashion show.

Anne: A fashion show. Fancy that! How on earth did you get invited?

Colin: Betty got an invitation from an old school friend who's made a career as a fashion artist.

Betty: Look here, Colin will tell you all about it. I'll go to the kitchen and make some tea.

Betty leaves the room and Anne turns to her brother-in-law.

Anne: I suppose it must have been a bore for a man.

Colin: Not at all. It was fascinating, although the air in the show room was a little too stuffy with smoke and scent.

fashion show *pokaz mody*
Colin ['kolyn] — *imię męskie*
ankle [æŋkl] — *kostka (u nogi)*
not yet *jeszcze nie*
sprain [sprejn] *zwichnąć*

fancy ['fænsy] *wyobrażać sobie*
fancy that! *a to dopiero!*
how on earth? *jakżeż?*
career [kə'riə] *kariera*
fashion artist *projektant mody*

brother-in-law ['braðərynlo:] *szwagier*
bore [bo:] *nudziarstwo*
stuffy ['stafy] with *duszny od*
smoke [smouk] *dym*

A lot of pretty women, all incredibly thin and beautifully dressed.

Anne: And what is the latest fashion? Are the skirts longer?

Colin: I don't know. But I noticed that the nylon stockings were almost invisible and the heels very high.

Anne: What shades are fashionable?

Colin: You know I'm almost colour--blind. But I remember a girl in a bright red frock with something black in front.

Anne: What was the black thing? A belt or what?

Colin: I don't remember. She was a tall brunette with a hair-do like a Roman goddess. And then one model wore a black and green winter coat. She reminded me of Pamela with her lovely dimples.

Anne: A model with dimples? I don't believe you, they're too thin.

Colin: That one wasn't. She had a sweet baby face.

Anne: I bet she is as hard as nails.

Colin: She had lovely auburn hair and brown eyes.

Anne: I see, you had eyes only for the girls and can't say a word about their clothes...

Colin: You're wrong. I remember very well a magnificent fur coat.

Anne: What kind of fur?

Colin: I've no idea, perhaps dyed lamb or rabbit. The shape was that of a flower pot, and the price was incredible.

Anne: Most probably mink.

Colin: And the girl walked like the wife

nylon ['najlɔn] *nylon*
invisible [yn'vyzɔbl] *niewidoczny*
heel [hi:l] *obcas*
fashionable ['fæsznɔbl] *modny*
blind [blajnd] *ślepy*
colour-blind *nie rozróżniający kolorów*
belt [belt] *pasek*
brunette [bru:'net] *brunetka*
hair-do ['heɔdu:] *uczesanie*
goddess ['godys] *bogini*
model [modl] *modelka*
Pamela ['pæmylɔ] — *imię żeńskie*
dimple [dympl] *dołek na twarzy*
baby ['bejby] *dziecinny*
as hard as nails *twardy jak kamień; bezwzględny*
auburn ['o:bɔn] *kasztanowaty, rudy*
dye [daj] *farbować*
flower pot *doniczka*
mink [myŋk] *norka (futro)*

Anne has had an accident

of my former boss, with her head in the clouds.

Betty comes in.

Betty: Here are the sandwiches.

Colin: Fine! Cream cheese and cucumber, my favourite sandwiches.

Anne: Filling but not fattening.

Betty: Colin, be a dear, run off to the kitchen and see if the kettle is boiling.

Anne (laughing the moment Colin is gone): Now, Betty, do tell me what the show was like. Colin couldn't tell a nightgown from an evening dress!

Betty: You should have seen the face he made when he heard the prices of the more expensive items. Now to business: the length of the dresses hasn't changed, luckily for us. Wide skirts are still in fashion, so are wide sleeves.

Anne: Did you see anything really out of the way?

Betty: Well, a lovely red cocktail dress, low cut, made of heavy silk with an unusual black belt.

boss [bos] *szef*
with her head in the clouds *zamyślona*
fine! *świetnie!*
cream cheese [ˈkriːm ˈcziːz] *ser śmietankowy*
cucumber [ˈkjuːkəmbə] *ogórek*
filling [ˈfylyŋ] *sycący*
fatten [ˈfætn] *tuczyć*
be a dear *bądź tak dobry*
run off to *pobiec do*
the kettle is boiling *woda (w kociołku) gotuje się*
the moment Colin is gone *zaraz po wyjściu Colina*
what the show was like *jaki był pokaz*
tell a nightgown from *odróżnić koszulę nocną od*
make a face *robić miny*
expensive [yksˈpensyw] *kosztowny*
now to business *teraz do rzeczy*
length [leŋθ] *długość*
wide [ᵂajd] *szeroki*
in fashion *modny*
out of the way *niezwykły, nie spotykany często*
cocktail dress *suknia strojna popołudniowa*
low cut *głęboko wycięta, z dużym dekoltem*
silk [sylk] *jedwab*

Anne: Was there anything an ordinary woman like me might wear?

Betty: Well, not much. I liked a black velvet coat with green buttons very much.

Anne: Worn by a red-headed model Colin admired so much?

Betty: I didn't look at the model. I remember the green pockets though. And there was a woollen tailor-made I'd love to have.

Colin (coming in with a tray): Well, have you talked it over? You know what I really liked best was a quiet woman in black silk. I don't remember the style of the frock, but it was very smart, very quiet, and fitted her like a glove. And she moved in a normal way, not like the others.

Betty: She was medium height, wasn't she? Standing near the door most of the time?

Colin: Yes, that's her. The only model that looked like a human being and not a doll.

Betty: Oh, Colin, she was not a model. She was the girl who showed the models into the room.

They all laugh.

Betty: But, you know, Anne, Colin is right about her clothes. She was very smart and I should like to have a frock like hers.

velvet ['welwyt] *aksamit*
red-headed ['redhedyd] *rudy*
tailor-made ['tejlə'mejd] *klasyczny kostium damski*
I'd love to *chciałabym*
tray [trej] *taca*
talk over [to:k'ouwɔ] *omawiać*
fit [fyt] *pasować, dobrze leżeć (o ubraniu)*
fitted her like a glove *ściśle dopasowana (obcisła jak rękawiczka)*
height [hajt] *wysokość, wzrost*
medium height *średniego wzrostu*
being ['bi:yŋ] *istota*

show into *wprowadzać*

Quotations, proverbs and jokes

A stitch in time saves nine.

stitch [stycz] *ścieg*
in time *w porę*

OBJAŚNIENIA

fashion	*moda; zwyczaj; sposób*
fashionable, in fashion	*modny*
out of fashion	*niemodny*
old-fashioned	*staromodny*
fashion plate	*rycina z żurnalu mód*
to follow the fashion	*iść za modą*

to come and see zamiast **to come and to see** (patrz l. 16 — użycie infinitive bez **to**)

How nice of you to come and see me.	*Jak to miło z waszej strony, że przyszliście mnie odwiedzić.*

How is your ankle?	*Jak się ma twoja kostka? (w jakim jest stanie?)*
How are you?	*Jak się masz?*
	ale: *Jak on wygląda?* tłumaczymy za pomocą **what,**
What is he like?	*Jaki on jest? Jak on wygląda?*

---

break jako czasownik:

Anyway I'm glad your ankle is only sprained, not broken. W zdaniu tym czasownik **to break** użyty jest w stronie biernej. Podstawowe formy jego są: **break, broke, broken.** Poza znaczeniem *łamać*, czasownik ten ma jeszcze inne znaczenia, mianowicie: *rozbić, tłuc, kruszyć.* Oto przykłady znaczeń tego czasownika z różnymi przyimkami:

break out	*wybuchnąć (o ogniu, wojnie)*
break into, in	*włamać się do...*
break down	*zepsuć się*

lub w idiomatycznych powiedzeniach:

break one's promise	*złamać przyrzeczenie*
break someone's heart	*złamać komuś serce*
break one's journey	*przerwać podróż*
break the news	*wyjawić jakąś wiadomość*

break jako rzeczownik oznacza: *złamanie; stłuczenie; pęknięcie; lukę; przerwę.*

fancy	*fantazja, złudzenie; chętka*
fancy that!	*wyobraź sobie coś podobnego! a to dopiero!*

fancy dress	przebranie, maskarada
fancy goods	galanteria, artykuły ozdobne
to have a fancy for	mieć na coś ochotę; upodobać sobie coś
father-in-law, mother-in-law,	teść, teściowa
parents-in-law	teściowie
sister-in-law	bratowa, szwagierka
son-in-law, daughter-in-law	zięć, synowa
liczba mnoga: fathers-in-law,	
mothers-in-law itd.	

smoke	dym; palić papierosy, fajkę
	ale: to light a fire, to make a fire
	rozpalić ogień
tu burn	palić, spalić, sparzyć (się)

baby face	dziecinna buzia
baby car	samochodzik
baby carriage (amer.),	wózek dla dziecka
pram [præm] (ang.)	
baby sitter	osoba wynajęta na godziny doglądająca dzieci
filling	sycący, wypełniający
fill in a form	wypełnić formularz (wypisać dane)
fill up	napełnić

long długi	length [leŋθ] długość
wide szeroki, rozległy	width ["ydθ] szerokość
broad szeroki, nie wąski	breadth [bredθ] szerokość
deep głęboki	depth [depθ] głębia

so are w znaczeniu też, także, również (patrz I, 1. 23):

Wide skirts are still in fashion, so are wide sleeves.	Szerokie spódnice są nadal modne, szerokie rękawy również.
tailor made	odzież zrobiona na miarę; kostium damski
made to measure	uszyty na miarę
custom made	zrobiony na zamówienie (amer.)

girl zasadnicze znaczenie: dziewczyna, dziewczynka, często używane i w znaczeniu: pani, kobieta.

GRAMATYKA

1. Użycie wyrazu *bet*

I bet she is as hard as nails.

Jestem pewna (założę się), że ona jest twarda jak kamień.

W zdaniu tym czasownik **bet** użyty jest w znaczeniu: *zakładam się, jestem pewna*. Podobne zdanie moglibyśmy wyrazić w sposób następujący:

You bet she is as hard as nails.

Wtedy znaczenie nieco się zmienia: *Murowane, że ona jest twarda jak kamień.*

You bet!, **You bet your life!** — jest amerykańskim slangiem oznacza: *Murowane! Wyobrażam sobie! Z pewnością! Jako żywo!*

Formy czasownikowe są regularne lub nieregularne: **bet, bet, bet** lub **bet, betted, betted**.

Użyty z przyimkiem **on** i **against** czasownik **bet** ma następujące znaczenia:

to bet on *stawiać na coś*

to bet against *zakładać się o coś*

Jako rzeczownik **bet** ma znaczenie *zakład*.

2. Użycie wyrazu *only* w zdaniu

Anyway I'm glad your ankle is only sprained, not broken.
I see, you had eyes only for the girls ... etc.

Z powyższych zdań widać, że **only** stoi przed wyrazem, którego dotyczy: **only sprained** *tylko zwichnięta*, **only for the girls** *tylko dla dziewcząt*. Gdyby wyrazy **sprained** i **girls** stały na końcu zdania, wówczas aby nie zmienić znaczenia tego zdania, **only** mogłoby stać po nich, tj. **sprained only** i **girls only**.

Zwróćmy uwagę, jak się zmienia znaczenie zdania przy różnych pozycjach **only**:

Only I smoked a cigarette.
I only smoked a cigarette.

Tylko ja (a nie kto inny) paliłem.
Tylko paliłem papierosa (a nie robiłem nic innego).

I smoked only a cigarette.
I smoked a cigarette only.

Paliłem tylko papierosa (a nie cygaro lub fajkę).

3. Użycie czasownika *to do*.

a.

Are the skirts longer?
I don't know.
Did you see anything really out of the way?

Czy spódniczki są dłuższe?
Nie wiem.
Czy widziałaś coś rzeczywiście niezwykłego?

Czasownik posiłkowy **to do** służy do tworzenia formy przeczącej i pytającej w Simple Present i Simple Past wszystkich czasowników, z wyjątkiem czasowników posiłkowych i ułomnych (patrz I, l. 11, 20). Spośród czasowników posiłkowych formy z **to do** stosujemy tylko z czasownikiem **to do**, np.:

What did you do?
I don't do it at home.

Co zrobiłeś?
Nie czynię tego w domu.

oraz z **to have** użytym w znaczeniu innym aniżeli *posiadać, mieć*, np. w znaczeniu *musieć, kazać* (patrz l. 19). Pytania o podmiot z zaimkami **who, which, what** itd. bez **to do** patrz I, l. 34.

b.

Do you know my brother's garden?
Yes, I do.
He likes dogs, doesn't he?

She speaks English as well as you do.

Czy znasz ogród mego brata?
Owszem (znam).
On lubi psy, prawda? (prawda, że lubi?)

Ona mówi po angielsku tak dobrze jak ty (mówisz).

Używamy **to do** zamiast innych zwykłych czasowników w krótkich odpowiedziach, pytaniach rozłącznych i porównaniach w celu uniknięcia powtarzania tych czasowników (patrz I, l. 11, 23, 28, 40).

c.

Now, Betty, do tell me what the show was like.
Do sit down.
He really did look ill.
I do like cucumber sandwiches.
Do be quiet!

Teraz, Betty, opowiedzże, jaki był pokaz.
Usiądź, proszę bardzo.
On naprawdę wyglądał na chorego.
Bardzo lubię kanapki z ogórkiem.
Bądźże cicho!

Do sit down

Używamy **to do** w powiązaniu z następującym po nim czasownikiem dla wyrażenia emfazy, prośby usilnej lub nakazu z lekkim
zniecierpliwieniem.

ĆWICZENIA

Read aloud:

[ˈnau ˈbety, ˈduː tel miː ˈⁿot ð‿ɔ ˌszou "ɔz ˈlajk.
ˌkolyn ˈkudnt tel ɔ ˈnajtgaun from ɔn ˈiːwnyŋ dres!
juː szud hɔw ˈsiːn ð‿ɔ ˈfejs hiː ˌmejd "en hiː hɔːd ð‿ɔ ˈprajsyz ɔw ð‿ɔ ˈmoːr
yksˈpensyw ˈajtemz.]

LEARN BY WRITING AND READING

I. Odpowiedz na pytania:

1. Why can't Anne walk? 2. Who invited Betty to the fashion show? 3. What
did Colin think about the show? 4. What did he say about the new fashion?
5. Which girl wore a bright red frock? 6. Why did one model remind Colin
of his friend Pamela? 7. What sandwiches did Betty make? 8. Why did
Anne laugh when Colin went out? 9. Were the frocks expensive? 10. What
did both Colin and Betty like about the quiet woman standing near the
door during the show?

**II. Wyszukaj przymiotniki i imiesłowy, które można by zastosować do
sukni:**

Przykłady: *a* **fashionable** *dress, a* **long** *dress* etc.

III. Opowiedz, co Colin zauważył na pokazie: What did Colin see at the show?

IV. Wstaw wyraz only **w odpowiednie miejsce w następujących zdaniach:**

1. He had eyes for the lovely models.

Przykład: He had eyes only for the lovely models.

2. I am glad your watch cost eight pounds.
3. Anne's ankle was not broken, it was sprained.
4. Who's coming tonight? You? Nobody else?
5. George is a son, he has neither brothers nor sisters.
6. I've asked five people to tea. I haven't room for more.
7. There was one dress I should have liked to have.

V. Wyszukaj z lekcji "A Fashion Show" **10 wyrazów z głoską** [ej] **i 10 z głoską** [i:]:

Przykłady:

[ej]	[i:]
stay, made	see, cream

VI. Brother-in-law **znaczy:** szwagier. **Co znaczą podobne wyrazy:** mother-in-law, father-in-law, son-in-law, daughter-in-law, sister-in-law? **Wstaw je we właściwym zdaniu.**

1. Colin is Anne's —

Przykład: Colin is Anne's **brother-in-law.**

2. Betty's mother is Colin's —
3. Colin is Betty's mother's —
4. Anne is Colin's —
5. Betty is Colin's mother's —
6. Colin's father is Betty's —

VII. Przetłumacz na język polski:

Girls, Dogs and Lawns

What lovely hair those English girls have got! Bright, shining, beautifully brushed. They look after their hair properly, I must say. It's not only a matter of washing it often but rather of brushing it regularly. But I brush my hair every morning and every night, too. Yes, but how do you do it? You should make a hundred movements with your brush, both at night and in the morning. Oh, I see ... But English dogs also have extremely fine and thick hair. Do their masters brush their hair a hundred times, too? Perhaps they do, perhaps their hair grows so fine and thick because of England's wet climate? Look at the sheep in Great Britain. In the early months of summer they seem to carry a pile of wool on their backs! Look at the legs of English horses, they have rings of hair on them! Only grass is not allowed to grow too long in English parks. Once a foreigner visiting England said: "Only the English lawn and the English gentleman are shaved every day".

LESSON SIXTEEN   **THE SIXTEENTH LESSON**

> **Miejsce przedimków po:** *rather, all, both* **itd.**
> **The Future Tense**
> **Zaimki emfatyczne**
> **Infinitive bez** *to* **po czasownikach** *help, make, let* **itd.**
> **Ordinal Numbers**

THE SHADOW OF THE TOWER

I

There is a place in London which is very interesting on account of its historical associations. It was originally built for defensive purposes and in the course of its history became rather a grim prison for many a good man. It is the Tower of London.

shadow ['szædou] *cień*
on account of [on ɔ-'kaunt ow] *z powodu*
association [ɔ,sousy'ejszn] *powiązanie, skojarzenie*
originally [ɔ'rydżynly] *pierwotnie*
defensive [dy'fensyw] *obronny*
in course of its history *z biegiem dziejów, z czasem*
grim [grym] *ponury*
many a good man *niejeden porządny człowiek*

Two people wanted to go and see for themselves what it was like there. They came to London from the North of England, he on business and she to help make things easier for him. They were Mr. and Mrs. Harry Clifford, an intelligent middle-aged couple. They were staying in one of the hotels in the West End.

"How shall we get to the Tower, dear? Have you bought the plan of the London underground, or do you think we could inquire at the station?" asked Mrs. Clifford.

"Well, as a matter of fact I have not bought the plan yet. But I think we don't need it as in all underground stations there are so many people to ask..."

"Oh, look, there is an entrance. It is Piccadilly Circus, lovely place, isn't it?"

"Come, come, darling, we have no time to waste as there is much to be seen in the Tower."

They went down one of the flights of steps and presently found themselves in the underground station. Mr. Clifford was looking around, and on one wall, he saw the plan of all the railways of London.

"Clara, look, there is the plan."

They came up to the plan. It was not difficult to find Piccadilly Circus on it because an arrow was pointing to it. But there was no station for the Tower.

"We must ask someone... wait a moment, I will ask the ticket-collector," said Mrs. Clifford and went away. She was back in a moment and said:

---

see for themselves *osobiście zobaczyć*
on business *służbowo*
make things easier *ułatwić, pomagać*
Clifford ['klyfəd] — nazwisko
intelligent [yn'telydżənt] *inteligentny*
middle-aged ['mydl 'ejdż] *w średnim wieku*
West End ['ᵘest 'end] — elegancka dzielnica Londynu

plan [plæn] *plan*
not...yet *jeszcze nie*

Piccadilly Circus [,pykə'dyly 'sə'kəs] — plac w Londynie
much to be seen *dużo do zobaczenia*
flight of steps *kondygnacja schodów*
presently ['prezntly] *wkrótce, po chwili*

Clara ['kleərə] *Klara*
they came up to *podeszli do*
arrow ['ærou] *strzałka*

ticket-collector ['tykyt kə'lektə] *bileter*
in a moment *po chwili*

"We must buy tickets for Tower Hill, dear, on District Line or Circle Line, come on, this way, please, I know everything."

They bought tickets, went down the escalator and came on to the platform. They went first to Charing Cross, where they had to change for Tower Hill.

At last, after several minutes they came up to Tower Hill and out to Tower street, from where they could see the turrets of the Tower of London.

"Look Harry, it doesn't look very gay, does it?"

"No, it doesn't, but let's go this way across the square. Oh, there is the entrance. Good. So, here we are."

They bought their tickets and then went in the direction of the main gate.

The Tower is surrounded by what was once a moat.

"I remember," said Harry, "I've read about it some time, somewhere, and it was said that the building of the Tower was due to William the Conqueror, that's the eleventh century, if I'm correct. Do you remember anything more about it, Clara?"

"Not much," she answered, "my teacher at school said that Shakespeare in one of his plays attributed it to Julius Caesar and that was later confirmed by a professor of history at Cambridge in the 18th century, Thomas Gray, a famous English poet. I have always connected it with imprisonment and death, to mention only

Tower Hill — nazwa stacji metra
this way *tędy*
escalator ['eskəlejtə] *schody ruchome*
Charing Cross ['czæryŋ 'kros] — nazwa stacji metra
change for ['czejndż fo:] *przesiadać się w kierunku*
turret ['taryt] *wieżyczka*
surround [sə'raund] *otaczać*
moat [mout] *fosa*
some time *kiedyś*
due to [dju:] *przypisany, dzięki (komuś, czemuś)*
William the Conqueror ['"yljəm ðə 'koŋkərə] *Wilhelm Zdobywca*
if I'm correct *jeśli się nie mylę*
attribute to [ə'trybju:t] *przypisywać*
Julius Caesar ['dżu:ljəs 'si:zə] *Juliusz Cezar*
confirm [kən'fə:m] *potwierdzić*
Cambridge ['kejmbrydż] — miasto w Anglii, znane ze słynnego uniwersytetu
Thomas Gray ['toməs 'grej] — poeta angielski
imprisonment [ym'pryznmənt] *uwięzienie*
mention ['menszn] *wzmiankować*

two queens of Henry VIII, Anne Boleyn
and Katherine Howard."

to mention only *że wy-*
mienię tylko
queen [kᵘi:n] *królowa*
Anne Boleyn ['æn 'bu-
lyn] — żona Henryka
VIII
Katherine Howard ['kæ-
θryn 'hauəd] — żona
Henryka VIII

OBJAŚNIENIA

course   *bieg; przebieg; tok; kurs* (wykłady)
  in the course of its history   *z biegiem dziejów*
  in due course   *w odpowiednim czasie, biegu*
  of course   *oczywiście*
  the course of a river   *bieg rzeki*
  race course   *bieżnia, tor wyścigowy*
many a man, a great many people,   *wiele ludzi*
  a great number of people

business	*zajęcie; robota; zawód; interes; firma; sprawa*
on business	*służbowo*
business is business	*interes to interes* (a nie senty- menty)
none of your business	*nie twoja sprawa*
business man	*handlowiec, przemysłowiec, ku- piec, przedsiębiorca, czło- wiek interesu*
business-like	*rzeczowy; systematyczny; praktyczny*
business hours	*godziny urzędowe*

Mr. and Mrs. Harry Clifford Pani Clifford ma na imię Clara, ale gdy mowa
jest o niej i jej mężu mówi się: państwo Henrykowie (tu: Heniowie) Clifford.
Listy do pani Clifford adresuje się: **Mrs. Harry Clifford**

West End   elegancka dzielnica Londynu
Piccadilly Circus   okrągły plac w Londynie (rondo);
       nazwa stacji metra
a plan of the underground   *plan, mapka metra*

a time-table	*rozkład jazdy*
flight	*lot; ucieczka; stado; rój; formacja lotnicza*
flight of steps	*kondygnacja* (grupa) *schodów*
collect	*zbierać (się), ściągać* (opłaty), *inkasować*
collector	*bileter* (kolejowy); *poborca; inkasent*
District Line, Circle Line	*linie metra londyńskiego*

remember	*pamiętać*
to remind somebody of something	*przypomnieć komuś coś*

William the Conqueror — Wilhelm Zdobywca, książę Normandii, który podbił Anglię w 1066 r. i koronował się na króla angielskiego.
Julius Caesar — Juliusz Cezar, wódz rzymski, w latach 55—54 p.n.e. dokonał najazdu na W. Brytanię, zamieszkałą wówczas przez plemiona celtyckie.

professor	*profesor uniwersytetu,* rzadziej: *nauczyciel*
schoolmaster	*profesor, nauczyciel (w szkole)*
teacher	*nauczyciel, profesor, osoba ucząca kogoś* (w ogóle)

Henry VIII (Henry the Eighth) — Henryk VIII, król angielski (1491—1547) z dynastii Tudorów; zerwał z kościołem rzymskim i stworzył kościół anglikański. Miał kolejno 6 żon, z których 2 kazał ściąć: Annę Boleyn i Katarzynę Howard.

GRAMATYKA

1. **Miejsce przedimków po:** *rather, all, both* **itd.***

a.

The place became rather a grim   *To miejsce stało się dość ponurym*
prison for many a good man.   *więzieniem dla niejednego porządnego człowieka.*

---

* patrz I, l. 47.

Przedimek nieokreślony **a** (lub **an**) stawiamy po wyrazach **rather, many** (nadając wyrazowi znaczenie liczby pojedynczej), **such, quite, what, half.**

Inne przykłady:

*I have waited for
half an hour*

It was quite a surprise.	*To była istna niespodzianka.*
I bought such a lovely picture.	*Kupiłem taki piękny obraz.*
I have waited for half an hour.	*Czekam od pół godziny.*
What a funny idea!	*Co za śmieszny pomysł!*
many a man	*niejeden człowiek*

Quite, rather i **half** można używać również po przedimku, np.:

It's a rather long business.	*To dość długa sprawa.*
A half hour is not too long.	*Pół godziny to nie za długo.*

b.

He saw the plan of all the railways of London.	*Zobaczył plan wszystkich kolei w Londynie.*

Przedimek określony **the** stawiamy po wyrazach **all, both, half.**
Inne przykłady:

Both the gates were closed.	*Obie bramy były zamknięte.*
Half the windows were broken.	*Połowa okien została rozbita.*

2. The Future Tense *

How shall we get to the Tower, dear?
We must ask someone ... wait a moment, I will ask the ticket--collector.

Jak dostaniemy się do Tower? Musimy kogoś zapytać ... poczekaj chwilkę, zapytam biletera.

W pierwszym zdaniu mamy zwykły Future Tense, z **shall** dla pierwszej osoby l. poj. i mn., **will** dla drugiej i trzeciej l. poj. i mn.; w drugim tzw. Coloured Future, zabarwiony czas przyszły. Użycie **will** w pierwszej osobie wskazuje, że czynność jest wyrazem woli, chęci ze strony osoby mówiącej. Użycie **shall** w drugiej i trzeciej osobie wskazuje, że wykonanie czynności wypływa z przymusu lub obietnicy, zależnie od kontekstu i intonacji mówiącego (patrz l. 4 oraz I, l. 43).

3. Zaimki emfatyczne **

Two people wanted to go and see for themselves what it was like there.

Dwoje ludzi chciało pojechać i zobaczyć osobiście, jak to tam wygląda.

Themselves *sami, osobiście* jest zaimkiem emfatycznym podkreślającym rolę podmiotu **two people**, tj. fakt, że osobiście chcieli czegoś dokonać. Nie mylić z jednakowo brzmiącym zaimkiem zwrotnym, któremu odpowiada polskie *się*, np.:

Presently they found themselves in the underground station.
(patrz l. 5).

Po chwili znaleźli się na stacji metra.

4. Infinitive bez *to* po czasownikach *help, make, let* itd.

a.

She came to help make things easier.

Ona przyszła, żeby pomóc, aby sprawy potoczyły się łatwiej (pomóc ułatwić sprawy).

Po czasownikach **help, make, let** i po zwrotach **had rather, had sooner** używamy sporadycznie bezokolicznika bez **to**.

---

* patrz I, l. 22.
** patrz I, l. 32.

Inne przykłady:

We had to make do with a small suitcase.	*Musieliśmy sobie poradzić z małą walizką.*
The little boy made believe he was a horse.	*Chłopczyk bawił się w konia* (dosł.: udawał, że jest koniem).
They let slip the dogs of war.	*Wypuścili „ogary wojny"* (poetyckie określenie na: rozpoczęli wojnę).

b.

You had better come early.	*Lepiej, żebyś przyszedł wcześnie.*
I had sooner return home.	*Lepiej, żebym* (wolałbym) *wrócił do domu.*

Had better i had sooner mają to samo znaczenie co would rather (patrz l. 8).

c.

Two people wanted to go and see.	*Dwoje ludzi chciało pojechać zobaczyć.*

Jeżeli mamy w zdaniu kilka bezokoliczników spełniających tę samą funkcję, możemy drugi i następne bezokoliczniki użyć bez to.
Inny przykład:

How nice of you to come and see me.	*Jak to miło z waszej strony, że przyszliście mnie odwiedzić* (dosł.: przyjść i odwiedzić).

5. Ordinal Numbers *

Henry VIII — Henry the Eighth.

Przy imionach panujących, królów itp., podobnie jak po polsku, stawiamy cyfrę rzymską, którą odczytujemy jako liczebnik porządkowy.

Inne przykłady:

Henry V — Henry the Fifth
Elizabeth II — Elizabeth the Second

---

* patrz I, l. 33.

ĆWICZENIA

Read aloud:

['hau szəl "i: 'get tə ðʊ 'tauʊ, 'diʊ?
'hæw ju: bo:t ðʊ 'plæn ʊw ðʊ ˌlandʊn 'andəgraund, o: dju 0yŋk "i:
kud yn'k"ajə ət ðe 'stejszn?
'"el, ˌæz ə 'mætər ʊw 'fækt aj 'hæwnt bo:t ðʊ plæn 'jet]

LEARN BY WRITING AND READING

I. Odpowiedz na pytania:

1. Where did Mr. and Mrs. Clifford come from? 2. Are they very young?
3. What is the name of the place they want to see? 4. How will they get
there? 5. Where will they find a plan of the London underground? 6. What
tickets will Mr. Clifford buy? 7. Where did they have to change trains?
8. Is the entrance to the Tower free? 9. When was the Tower of London
built? 10. Who was Thomas Gray?

II. Wypisz nazwy pierwszych 6 miesięcy w roku.

III. Dokończ następujące zdania, pamiętając, że tutaj *if* **znaczy** jeżeli.

P r z y k ł a d : *If I am correct, two English queens were beheaded in the
Tower.*

1. If I am correct, . . .
2. If you know your way in London, . . .
3. If the purpose of your invention is peaceful, . . .
4. If the Tower was built for defensive purposes, . . .
5. If you find that dress so fascinating, . . .
6. If he has come to London on business, . . .
7. If the building is so old, . . .

IV. Napisz po jednym zdaniu ze zwrotami:

see for myself   as a matter of fact
many a man   it was said that
at last   most of the time
I suppose   on business

V. Wyszukaj 10 wyrazów z literą *t* **w zgłosce akcentowanej, a więc wymawianą z lekkim wydechem:**

P r z y k ł a d y : *ticket, Tower.*

VI. Napisz zdania z czasownikami: *to invent, to provide with, to deal with, to contain, to increase, to get rid of, to introduce, to specialize in* **w czasie Present Perfect.**

VII. Przetłumacz z języka polskiego na angielski tekst *"A Trade Union Meeting"*

Tekst polski weź z własnego tłumaczenia, po poprawieniu go za pomocą klucza do lekcji 10. Po przetłumaczeniu z powrotem na angielski, porównaj z oryginałem z lekcji 10.

LESSON SEVENTEEN   **THE SEVENTEENTH LESSON**

> **The Passive Voice**
> *Some, something* **itp. w pytaniach**
> **Użycie bezokolicznika dla wyrażenia celu**

THE SHADOW OF THE TOWER

II

"Let's go along this walk. Now to the left. Look, there is a group of people standing over there."

They approached the group of people standing by a square paved panel, mounted in green grass on which were written several names of people who had been beheaded there, among them the above mentioned names of the two English queens.

They went left to another tower. It was the Beauchamp Tower. They went up a very narrow staircase to a dimly lit chamber.

walk ["o:k] *chodnik, ścieżka*
over there *ot tam*
pave [pejw] *brukować*
panel ['pænl] *płyta*
mount [maunt] *montować, wmurować*
behead [by'hed] *ściąć głowę*
above mentioned *wyżej wspomniane*
Beauchamp ['bi:czɔm] — *nazwisko*
dim [dym] *mroczny*
chamber ['czejmbɔ] *komnata*

"Look Harry, how many inscriptions there are on the walls. Why are they all covered with glass?"

"I don't know, but probably to keep them unspoiled by weather or even people!"

"There are names of people who were imprisoned here cut out by the prisoners, how terrible..."

They spent some time looking at the inscriptions and reading them and then they left the Beauchamp Tower and went to see the Crown Jewels which are housed in the Wakefield Tower. The insignia consist of crowns, sceptres, anointing spoon, an ampulla etc.

After seeing the Crown Jewels the Cliffords proceeded to the White Tower which is placed in a central position.

"This tower, it is supposed, was built first in 1078," explained a guide leading a small group of young people, "now it contains a collection of old suits of armour. There you can see men clad in armour mounted on horses also in armour and a great many other pieces like helmets, guns, swords, blocks on which people were beheaded and various things of rather tragic memories."

Mr. and Mrs. Clifford went from one room to another.

"Look Harry," said Mrs. Clifford stopping in front of a 14th c. piece of armour, "what a big man he must have been to wear that large armour."

unspoiled ['an'spoilt] *nie zniszczony*
imprison [ym'pryzn] *uwięzić*
cut out *wyryć, wyrzeźbić*
Crown Jewels ['kraun 'dżu:ɔlz] *klejnoty koronne*
house [haus] *umieścić, gościć*
Wakefield Tower ['"ejkfi:ld 'tauɔ] — *nazwa wieży*
insignia [yn'sygnjɔ] *insygnia, oznaki*
sceptre ['septɔ] *berło*
anoint [ɔ'nojnt] *namaścić*
ampulla [æm'pulɔ] *ampułka*
place [plejs] *umieścić*
it is supposed *przypuszczalnie*
suit of armour [sju:t ɔw 'a:mɔ] *kompletna zbroja*
clad [klæd] *odziany*
armour ['a:mɔ] *zbroja*
mounted on horses *siedzący na koniach*
gun [gan] *strzelba*
sword [so:d] *miecz*
various ['weɔriɔs] *rozmaity*
tragic ['trædżyk] *tragiczny*
memory ['memɔry] *wspomnienie*

*I only come up
to his shoulders*

"Well, I am a big man but I only come up to his shoulder," he answered.

They were very tired when they left the White Tower.

"Shall we go now to that tower over there? Afterwards we will have a well merited rest on the bank of the Thames," suggested Mr. Clifford.

"Good, but what is that?"

"That is called the Bloody Tower, and in it Walter Raleigh, a famous English traveller and poet, was imprisoned during the reign of queen Elizabeth I. His head was cut off after about thirteen years of imprisonment," one of the casual visitors informed them, looking around him with awe.

They went into the very room in which that man was imprisoned.

"Could you tell us something more about this tower, please?" asked Mrs. Clifford.

"Well, in the Bloody Tower two young princes were murdered by order of their uncle, later king Richard III, whom Sha-

come up to *sięgać do*
shoulder ['szouldɔ] *ramię*

merit ['meryt] *zasłużyć*
bloody ['blady] *krwawy*
Walter Raleigh ['"o:ltɔ
'ræly] — *nazwisko*
traveller ['træwlɔ] *podróżnik*
reign [rejn] *panowanie*
Elizabeth [y'lyzɔbeθ] *El-
żbieta*
cut off *odciąć*
casual ['kæżjuɔl] *przypadkowy*
awe [o:] *podziw połączony z szacunkiem*
the very room *ta właśnie izba*
by order of *na rozkaz*
Richard III ['ryczɔd ðɔ
'θɔ:d] *Ryszard Trzeci*
portray [po:'trej] *portretować*
vividly ['wywydly] *żywo*
play [plej] *sztuka teatralna*

kespeare portrays so vividly in one of his historical plays."

"Shall we now go to the Thames to rest there a while?" said Clara.

"Certainly we will," agreed her husband as they moved slowly out... "look how beautiful the river is and how fresh the air is here. How high the Tower Bridge looks from here."

They stopped and looked at the bridge. At that moment a ship was passing underneath, the bridge divided in the middle, its two bascules were raised toward the side towers, and then lowered to their place again.

"A wonderful piece of mechanism, isn't it?" remarked Mr. Clifford.

the Thames [ðə temz] *rzeka Tamiza*
Tower Bridge ['tauə brydż] *most Tower*
at that moment *w tym momencie*
pass underneath *przejeżdżać pod*
the bridge divided in the middle *most rozdzielił się w środku*
bascule ['bæskju:l] *ruchomy pomost (przy moście)*
mechanism ['mekənyzm] *mechanizm*
a piece of mechanism *maszyneria*
remark [ry'ma:k] *zauważyć*
raise [reiz] *podnieść*
rise [raiz] *powstać*

OBJAŚNIENIA

mount — *wchodzić na górę* (schody); *oprawiać; montować*
to mount a horse, a bicycle — *dosiadać konia, wsiąść na rower*
mounted — *osadzony*
Mount Everest [maunt 'ewəryst] — *góra Everest.* **Mount** stawiamy przed nazwami szczytów górskich; góra nazywa się: **mountain**

chamber — *izba, komnata*
Chamber of Commerce — *Izba Handlowa*
chamber music — *muzyka kameralna*

keep — *trzymać; utrzymywać; dotrzymywać; strzec*
keep unspoiled — *chronić przed zniszczeniem*
keep awake — *powstrzymywać (się) od snu*
keep a house, shop — *prowadzić dom, sklep*
keep cool — *zachować spokój*

crown	*korona; władza królewska*
crown jewels	*klejnoty koronne*
a half-crown	*moneta srebrna wartości 2¹/₂ szylinga* (nie w obiegu)
suit of armour	patrz l. 12.
gun	*broń palna; działo; armata; strzelba; karabin; pistolet; rewolwer*
gunfire	*ogień armatni*
gunner	*artylerzysta*
gunman	*bandyta*
memory	*wspomnienie; pamięć*
in memory of	*ku czyjejś pamięci*
to learn by heart	*uczyć się na pamięć*
bank	*pochyły brzeg rzeki, jeziora, kanału; skarpa*
bank holiday	*święto bankowe, dzień wolny od pracy* (4 razy w roku)
awe	*podziw połączony z szacunkiem; groza*
awful	*straszny* (sporadycznie: *grozę budzący*)

the very room	*ten właśnie pokój (ten sam)*
the very day I came	*właśnie, akurat tego dnia, kiedy przyszedłem*
the very idea is impossible	*sam pomysł jest niemożliwy*
very difficult, very kind	*bardzo trudny, bardzo miły*

order	*rozkaz; zarządzenie; porządek; zamówienie; order* (w niektórych przypadkach tylko; częściej mówi się: **decoration**)
by order of	*na rozkaz*
in order	*w porządku*
out of order	*nie w porządku*
call to order	*przywołać do porządku*
in order to (read, take etc.) lub to (read, take etc.)	*na to, żeby* (czytać, brać itd.); *celem*

GRAMATYKA

1. The Passive Voice *

a.

A square paved panel, mounted in green grass on which were written several names of people who had been beheaded there ...	*kwadratowa tablica wmurowana w trawie, na której wypisano kilka imion osób ściętych tam ...*
Why are they all covered with glass ...?	*Dlaczego wszystkie one są pokryte szkłem ...?*
There are names of people who were imprisoned.	*Są tam nazwiska osób, które były uwięzione.*
The crown jewels which are housed in the Wakefield Tower ...	*Klejnoty królewskie, które są umieszczone w Wakefield Tower ...*
Two young princes were murdered by order of ...	*Dwaj młodzi książęta zostali zamordowani na rozkaz ...*

W zdaniach powyższych mamy przykłady użycia strony biernej. Obejmują one czas teraźniejszy, przeszły i zaprzeszły. Oczywiście, że inne czasy mają również stronę bierną i to zarówno w formie prostej, jak i trwającej.

b. W języku angielskim strony biernej używa się znacznie częściej aniżeli w polskim, szczególnie w celu wyrażenia czynności w formie bezosobowej, np.:

I was told	*powiedziano mi* (nie mówi się o tym, kto mówił).
She is nowhere to be seen.	*Nigdzie jej nie widać.*
There is much to be seen in the Tower.	*Jest dużo do obejrzenia w Tower.*
He is to be blamed.	*To jego wina* (Jego należy winić).

c. Stronę bierną, odmiennie niż w języku polskim, tworzą również czasowniki, po których następują przyimki, jak np.:

Dogs run after hares.	*Psy biegną za zającami.*

Można to zdanie zamienić na:

Hares are run after by dogs.	*Zające są gonione przez psy* (dosł.: zające są „biegane" przez psy).

---

* patrz I, 1. 36

Po polsku musimy użyć innego czasownika, który rządzi biernikiem i nie wymaga przyimka (patrz I, 1. 42).
d. Jeżeli zdanie w stronie czynnej ma dwa dopełnienia, jedno
bliższe, a drugie dalsze, np.:

Mr. Brown offered me a good job.　　*Pan Brown zaproponował mi dobrą*
me — dopełnienie dalsze,　　　　　　*posadę.*
a good job — dopełnienie bliższe

to zamieniając je na stronę bierną możemy utworzyć 2 odmiany
zdania: podmiotem może być dopełnienie dalsze **(me):**

I was offered a good job by Mr. Brown.

lub też dopełnienie bliższe **(a good job):**

A good job was offered to me by Mr. Brown.

W języku polskim mamy tylko jedną możliwość, dopełnienie
bliższe zamieniamy na podmiot:

Dobra posada została zaofiarowana mi przez pana Browna.

Inne przykłady:

John showed Mary five pictures.
Mary was shown five pictures by John.
lub: **Five pictures were shown to Mary by John.**

2. *Some, something* itp. w pytaniach

Could you tell us something about　　*Czy mógłby pan nam coś powiedzieć*
this tower?　　　　　　　　　　　　*o tej wieży?* (Oczywiście, wiado-
　　　　　　　　　　　　　　　　　　　mo, że opowie.)

Dotychczas używaliśmy zaimka **some** i jego pochodnych **(somebody, something, someone** itp.) jedynie w zdaniach twierdzących.
W pytaniach zastępowaliśmy je zaimkiem **any (anybody** itp.).
Przytoczony przykład wykazuje, że stosujemy **some, somebody**
itp. w zdaniach pytających, jeżeli jest to w gruncie rzeczy pytanie retoryczne, lub też jeżeli spodziewamy się odpowiedzi pozy-
tywnej.

Inne przykłady:

Will you take some sugar?	*Może pan pozwoli trochę cukru?*
May I have some paper?	*Czy mogę dostać trochę papieru?*
	(Widocznie jest go pod dostatkiem).
Would you like some more soup?	*Może chcesz jeszcze trochę zupy?*
Will he remember something from this lesson?	*Chyba zapamięta coś z tej lekcji?*

3. Użycie bezokolicznika dla wyrażenia celu

a.

Why are they all covered with glass? ...**probably to keep them unspoiled.**	*Dlaczego wszystkie one są pokryte szkłem? ...pewnie aby ochronić je przed zniszczeniem.*
They left the Beauchamp Tower and went to see the Crown Jewels.	*Wyszli z Wieży Beauchamp i poszli zobaczyć klejnoty koronne.*

W zdaniach okolicznikowych celu orzeczenie może być wyrażone, tak jak w języku polskim, tj. w bezokoliczniku. Ale w języku angielskim zamiast spójnika **in order to** *po to, żeby, aby* często używa się samego przyimka **to**.
Inne przykłady:

He opened the door to look at the room.	*Otworzył drzwi, żeby popatrzeć na pokój.*

b.

There is much to be seen in the Tower.	*Wiele jest do obejrzenia w Tower.*

Bezokolicznik może służyć jako dopełnienie celu (patrz l. 22).

ĆWICZENIA

Read aloud:
['szæl ᵘi: gou nau tə 'ðæt ˌtauə ˌouwə 'ðeə?
'a:ftəᵘədz ᵘi:l həw ə 'ᵘel 'merytyd 'rest on ðə 'bæŋk əw ðə 'temz,
sə'dżestyd ˌmystə ˌklyfəd.
'gud, bət ᵘots 'ðæt?
'ðæts 'ko:ld ðə 'blady ˌtauə]

LEARN BY WRITING AND READING

I. Zamień na stronę czynną:

1. In the XVIIIth century, what Shakespeare had said about the Tower was confirmed by a professor of history.

P r z y k ł a d : *In the XVIIIth century a professor of history* **confirmed** *what Shakespeare had said about the Tower.*

2. Two English queens were imprisoned by their husband, Henry VIII.
3. The names of famous people were mentioned by a guide standing near the entrance.
4. A group of sailors was led into the Bloody Tower by another guide.
5. Two young princes were murdered by men sent by their uncle, King Richard III.
6. That terrible murder has been presented by Shakespeare in one of his plays.
7. The narrow staircase was dimly lit by a very small lamp.

II. Napisz po 2 zdania w czasie przyszłym zaczynające się od: *as soon as, the moment* z chwilą kiedy, *while, when*:

Pamiętaj o użyciu czasu teraźniejszego zamiast przyszłego w zdaniu czasowym.

P r z y k ł a d : **As soon as you leave** *the Tower* **you will go** *to see the bridge.*

III. Utwórz pytania dotyczące rzeczy lub faktów wyróżnionych drukiem półgrubym.

1. There was a crowd **in the assembly hall.**

P r z y k ł a d : *Where was the crowd?*

2. **Brown** had some enemies.
3. The extra shifts will start **on Saturday.**
4. The inspector asked the personnel officer **a few questions.**
5. The foreman was attacked **for neglecting his duty.**
6. Our shop-steward has quarrelled **with the inspector.**
7. We wanted to introduce **short-time** in our branch of industry.
8. The policeman found the weapon **in the pocket of one of the workmen.**

IV. Dokończ następujące zdania:

We shall go either to the Moon or ...

P r z y k ł a d : *We shall go* **either** *to the Moon or to Mars.*

Ivor will be either a chemist or ... Betty wants to buy either sardines or ...
You will either work better or ... Jim has met either Stanley or ... Either
you or John will ... Either John or his wife has introduced ... Either Sylvia
or her best friend will ... Either this drug or that pill can ... I'm afraid
this is either a flea or ...

V. Wypisz nieregularne czasowniki z lekcji 17 w trzech podstawowych formach i podaj polskie odpowiedniki:

P r z y k ł a d : **go, went, gone** — *iść.*

VI. Wyszukaj 4 wyrazy, w których litery "ch" wymawia się [k] i 8, w których wymawia się [cz]:

P r z y k ł a d y :

[k]	[cz]
school	child

VII. Przetłumacz na język angielski:

Może pan będzie tak uprzejmy ...
Chodźcie w tę stronę (this way), dzieci. Są tylko dwie osoby tutaj, a pociąg
jest tak natłoczony ... Janko, siadaj tutaj, Michał, nie otwieraj tej paczki ... Młody człowieku, może pan będzie łaskaw pomóc mi (would you mind
helping me) położyć mój bagaż na półce? Bardzo dziękuję. Może pan będzie
łaskaw otworzyć okno, jest bardzo gorąco tutaj. — Mamusiu, popatrz, jaki
to napis (co to jest na tym napisie): ,,Ażeby zatrzymać pociąg, pociągnij łań-
cuch" — Michał, nie dotykaj tego! Janko, chodź tutaj, za zimno jest koło
okna. Może pan będzie łaskaw zamknąć okno? Bardzo uprzejmie z pana
strony (nie tłumacz ,,strony"). Michał, zostaw gazetę tego pana. Może pan
będzie tak łaskaw pożyczyć dzieciom swoje pismo ilustrowane? Dziękuję, teraz, dzieci, siedźcie cicho i patrzcie na obrazki. Długa jest droga do Londynu, prawda? Co? Czy pan jest pewien, że ten pociąg nie jedzie do Londynu?! Bogu dzięki (thanks heaven), jest jeszcze (still) czas, aby wyjść ...
Pospieszcie się, dzieci ... Może pan będzie tak łaskaw podać mi (to hand)
paczkę, koszyczek, pudło ... Może pan będzie łaskaw zamknąć drzwi ... Bardzo dziękuję!

LESSON EIGHTEEN   **THE EIGHTEENTH LESSON**

Przedrostki
Odmiana zaimka względnego *who*

A GLIMPSE INTO THE TATE GALLERY

Our friends Anne and Betty were going up the steps to the Tate Gallery in London. In the vestibule Anne went up to the bookstall with picture postcards, books etc.

"Excuse me," she asked a woman behind the counter, "could you tell me in which room I can find the Pre-Raphaelite painters."

"Oh, there is a special room where the works of those painters are exhibited. It's number XI, beyond room VII."

"Thank you very much. I think we shall manage somehow to get there."

"I'm sure you will. There are attendants who'll help. Are you interested in the Pre-Raphaelite painters? If so, we are selling here reproductions of the paintings."

"Thank you. I want to look at them first. Where are you Betty?"

"I'm here, darling, we have to leave our umbrellas and rain-coats here in the cloakroom."

The sisters went through a number of rooms to get to the Pre-Raphaelites' room.

"I'm almost ignorant as to the Pre-Raphaelites. I've seen one or two of their

glimpse [glymps] *rzut o-ka*
Tate Gallery ['tejt 'gæ-ləry] *Galeria Tate*
vestibule ['westybju:l] *przedsionek, hall*
go up to *podejść do*
bookstall ['buksto:l] *kiosk z gazetami itd.*
picture postcard *pocztówka obrazkowa*
Pre-Raphaelite ['pri:-'ræfəlajt] *prerafaelicki*
exhibit [yg'zybyt] *wystawiać*
beyond [by'jond] *za, poza*
manage ['mænydż] *dać sobie radę*
we shall manage somehow to get there *jakoś tam trafimy*
reproduction [ˌri:prə-'dakszn] *reprodukcja*
cloakroom ['kloukrum] *szatnia*
ignorant ['ygnərnt] *ignorancki*
as to *jeśli chodzi o*

paintings but could not say more about them than that I liked them," said Betty.

"Well, I know a little, although my interest in them comes rather from a special point. I've always remembered that some of them wrote poetry."

"Who?" asked Betty.

"Oh, you remember the author of the Blessed Damosel, don't you?"

"Good gracious! Of course I do! Wasn't it about a woman who was leaning out of heaven longing for her lover to come?"

"That's so! The poem was very famous and a favourite with the people," explained Anne." The poet's name was Dante Gabriel Rossetti, who together with John Millais and Holman Hunt founded P.R.B."

"What? What do the letters stand for?" wondered Betty.

"Pre-Raphaelite Brotherhood, dear, the three painters founded a new movement in painting which they called the Pre-Raphaelite movement."

"What was it?"

"You see," replied Anne, "they had been dissatisfied with the prevalent style in painting in the 1840's which was artificially based on Raphael and the late

although ['o:lðou] *chociaż*

point *punkt widzenia*

poetry ['pouytry] *poezja*

damosel ['dæmɔzəl] *dzieweczka*

good gracious! ['gud 'grejszɔs] *mój Boże!*

lean, leant, leant out [li:n, lent] *wychylać się*

long for [loŋ fo:] *tęsknić za*

lover ['lawə] *kochanek*

that's so *o właśnie to*

favourite with the people *bardzo popularny, lubiany*

Dante Gabriel Rossetti ['dænty 'gejbriəl rosety] — *nazwisko*

Millais ['mylej] — *nazwisko*

Holman Hunt ['houlmən 'hant] — *nazwisko*

found [faund] *założyć, ufundować*

P.R.B. ['pi:'a:'bi:] — *skrót* [pri:'ræfəlajt 'braðəhud]

Brotherhood ['braðəhud] *bractwo*

dissatisfy [dys'sætysfaj] *nie zadowalać*

prevalent ['prewələnt] *ogólnie przyjęty*

the 1840's [ðy ej'ti:n 'fo:tyz] *lata czterdzieste*

artificial [a:ty'fyszl] *sztuczny*

base on [bejs 'on] *opierać się na*

Venetians. There was not however any unanimous decision as to who or what, before Raphael, was to be their guide. Their painting however presents a curious mixture of idealism and realism."

"How strange! Look Anne! How expressive that picture is over there. I wonder who that represents. A beautiful woman with closed eyes, uplifted face, full of unusual spiritual submissiveness as if in a trance or sleep..."

"That's 'Beata Beatrix' the name taken from Dante's Vita Nuova. The picture symbolically embodies the death of Beata Beatrix, Dante's great love. But look over there, that's Ophelia, Hamlet's unfortunate lover, painted by John Millais. The sitter was Elizabeth Siddal, Rossetti's wife. And that picture by Edward Burne Jones is famous 'King Cophetua and the Beggar Maid'. The story it represents is about an African king who married a beggar maid.

Raphael ['ræfeəl] malarz włoski *Rafael Santi*

Venetian [wy'ni:szn] *wenecki*

unanimous [ju'nænyməs] *jednomyślny*

idealism [aj'diəlyzm] *idealizm*

realism ['riəlyzm] *realizm*

expressive [yks'presyw] *pełen wyrazu*

spiritual ['spyrytjuəl] *duchowy*

submissiveness [səb'mysywnys] *oddanie, uległość*

trance [tra:ns] *trans, ekstaza*

Beata Beatrix ['biətə 'biətryks] — imię

Vita Nuova ['wyta nu'owa] — utwór Dantego (1265—1321)

embody [ym'body] *wcielać*

symbolical [sym'bolykl] *symboliczny*

Ophelia [o'fi:ljə] *Ofelia*

Hamlet ['hæmlyt] *Hamlet*

sitter ['sytə] *model, modelka*

Siddal ['sydl] — nazwisko

Edward Burne Jones ['edᵘəd 'bə:n 'dżounz] — nazwisko

Cophetua [ko'fetjuə] — imię

beggar maid ['begə mejd] *żebraczka*

What do they stand for?

The story was also a subject of Tennyson's poem 'The Beggar Maid'."

"It's beautiful! But you mentioned only three names, and now you say that there was also Burne Jones," remarked Betty.

"I said that the three of them started the movement but many more joined the group. They all produced a set of masterpieces that placed them in an important place in the history of British painting."

The girls went around the room and saw several more pictures.

"We have another painter in the history of British painting who was a painter and a poet at the same time," said Anne.

"Who was he?" asked Betty.

"In the 18th century there was William Blake, whose pictures we should find in this Gallery. He was a kind of visionary, a poet-mystic, and his pictures and poems show that. Among other things he illustrated Dante's Divina Comedia," went on Anne.

African [′æfrykən] *afrykański*
subject [′sabdżykt] *treść*
Tennyson [′tenysn] — nazwisko

masterpiece [′ma:stəpi:s] *arcydzieło*

at the same time *jednocześnie*
18th = eighteenth
William Blake [′ᵘyljəm ′blejk] — nazwisko
visionary [′wyżnəry] *wizjoner*
mystic [′mystyk] *mistyk*
Divina Comedia [Dy′wyna Kom′ydiə] *Boska Komedia* utwór Dantego

"I had not realized we had such talented men, and who do you think was the greatest of the British painters?" asked Betty.

"Well, that's a very difficult question. It depends upon your point of interest in painting. Look, now we are in Turner's room, he lived in the 19th century, and he is considered one of the greatest. What do you say about his pictures? Do you like them?"

"Oh yes, I do. Though they seem very strange! They present nature as it probably looks, and record the effect of light and colour in an unusually wonderful way. Look at that picture, a ship on the high seas in a snow storm. How original, dramatic and profound!"

"Yes," agreed Anne, "and now look, we are in the room with Gainsborough's masterpieces. He was one of the best portrait painters and lived in the 18th century."

"Oh look, how lovely that picture is over there. How colourful and beautiful!"

"You like them, don't you? And now if you only wanted to see something of Hogarth, whom they call a novelist in pictures, as he painted whole series of pictures representing contemporary life, of Reynolds, a portrait painter, Constable, a landscape painter, and many, many others, you would certainly not be able to say which of them was the greatest."

realize ['riəlajz] *zdawać sobie sprawę*
talented ['tæləntəd] *utalentowany*
depend upon [dy'pend ə'pon] *zależeć od*
point of interest tu: *zainteresowania*
Turner ['tə:nə] — *nazwisko*
present [pry'zent] *przedstawić*
nature ['nejczə] *przyroda*
record [ry'ko:d] *rejestrować; notować; opisać*
high seas *wzburzone morze*
profound [prə'faund] *głęboki*
Gainsborough ['gejnzbərə] — *nazwisko*
portrait ['po:tryt] *portret*
over there *ot tam*
colourful ['kaləful] *barwny*
Hogarth ['houga:θ] — *nazwisko*
novelist ['nowəlyst] *powieściopisarz*
series ['siəri:z] *seria, serie*
contemporary [kən'temprəry] *współczesny*
Reynolds ['renldz] — *nazwisko*
Constable ['kanstəbl] — *nazwisko*
landscape painter *pejzażysta*

OBJAŚNIENIA

excuse [yks′kjuːz] **(from, for)**

usprawiedliwiać, wybaczyć, usprawiedliwienie, wymówka; rzeczownik [yks′kjuːs]

excuse me
excuse oneself (from, for)

przepraszam, proszę darować usprawiedliwiać się; przepraszać; zwalniać się (z pracy)

Kiedy przechodzimy między rzędami zajętych miejsc w teatrze, kinie itp., kiedy zaczepiamy kogoś, aby się o coś zapytać, mówimy **excuse me** lub **pardon me.** W Ameryce również używamy tego zwrotu, kiedy nie dosłyszeliśmy tego, co ktoś do nas powiedział, na co w Anglii mówimy **I beg your pardon?**

exhibit [yg′zybyt]
exhibition [eksy′byszn]

wystawiać; eksponat
wystawa (zwrócić uwagę na wymowę)

manage	*prowadzić, kierować; zarządzać (czymś); opanować, dać sobie radę, poradzić sobie, uporać się*
to manage a business	*kierować przedsiębiorstwem*
to manage a horse	*opanować konia*
to manage a difficult child	*poradzić sobie z trudnym dzieckiem*
Can you manage without help?	*Czy dasz radę bez pomocy?*
management	*dyrekcja, kierownictwo, zarząd*
manager	*dyrektor, kierownik, zarządca*

cloakroom

szatnia, garderoba, przechowalnia bagażu

cloak
lean, leaned, leaned albo
  lean, leant, leant
  lean on a table
  lean against the wall
  Don't lean out of the window!
  leaning
brotherhood
  motherhood
  childhood
  manhood

płaszcz luźny, peleryna
pochylać się, być pochylonym

opierać się na stole
opierać się o ścianę
Nie wychylaj się przez okno!
skłonność, tendencja
bractwo, braterstwo
macierzyństwo
dzieciństwo
męskość; wiek męski; ludność męska

Hamlet	bohater tragedii Szekspira pod tym samym tytułem
maid	*dziewczyna, dziewczę, służąca*
milkmaid	*dojarka*
house-maid ⎫ maid-servant ⎭	*służąca*
Alfred Tennyson (1809—1892)	poeta angielski

GRAMATYKA

1. Przedrostki

W czytance spotykamy następujące przedrostki:

re — pochodzenia łacińskiego, znaczenie: **back, again** w wyrazach:
reproduction, remember, represent, remark

ex — pochodzenia łacińskiego, znaczenie: **out of** w wyrazach: **exhibit, explain**

dis — pochodzenia łacińskiego, znaczenie: **not** w wyrazie: **dissatisfied**

un — pochodzenia anglo-saksońskiego, znaczenie: **not** w wyrazach: **unusual, unfortunate**

sub — pochodzenia łacińskiego, znaczenie: **under** w wyrazie: **submissiveness**

em — pochodzenia łacińskiego, znaczenie: **in, into** w wyrazie: **embody**

im — pochodzenia łacińskiego, znaczenie: **in, into** w wyrazie: **important**

Przytoczone przykłady nie wyczerpują oczywiście wszystkich przedrostków, których jest bardzo dużo. Należą one jednak do najczęściej występujących.

2. Odmiana zaimka względnego *who* *

A woman who was leaning out of heaven...   *Kobieta, która wychylała się z nieba...*

---

* patrz 1. 13 oraz I, 1. 28, 38.

Dante G. Rossetti, who together with John Millais...	*Dante G. Rossetti, który razem z Johnem Millais...*
William Blake, whose pictures we should find in this gallery.	*William Blake, którego obrazy powinniśmy znaleźć w tej galerii.*
Hogarth, whom they call a novelist in pictures.	*Hogarth, którego nazywają powieściopisarzem w obrazach.*

Zaimek względny **who** można odmieniać w 3 przypadkach:

Nominative Case	**who**	*który*
Genitive Case	**whose**	*którego* (dopełniacz)
Objective Case	**whom**	*którego* (biernik)

W języku potocznym **whom** często się opuszcza, ewentualnie zastępuje nieodmienym zaimkiem **that**, np.:

The people you saw yesterday lub **The people that you saw yesterday.**
The woman I met at the concert lub **The woman that I met at the concert.**

Who stosujemy tylko z rzeczownikami żywotnymi, ale dopełniacz **whose** stosowany jest również z rzeczownikami nieżywotnymi, zamiast **of which**, np.:

A room whose walls are painted white seems larger.	*Pokój, którego ściany pomalowane są na biało, wydaje się większy.*

ĆWICZENIA

Read aloud:
[a: ju: ˈyntrəstyd yn ðə ˈpri:ˈræfəlajt ˈpejntəz?
yf ˈsou ᵘiə selyŋ hiə ˌri:prəˌdaksznz əw ðə ˈpejntyŋz.
ˈθæŋk ju: aj ᵘont tə ˈluk ət ðəm fə:st.]

LEARN BY WRITING AND READING

I. Wstaw brakujące wyrazy z pamięci:

1. There is a special room where the works of the Pre-Raphaelites are —. 2. We are selling here — of the paintings. 3. We have to leave our — and raincoats in the cloakroom. 4. The heroine of the poem was — out of heaven longing for her lover. 5. The three painters founded a new — in painting. 6. Their work represents a curious — of idealism and realism. 7. Blake was another artist who was a painter and a poet at the — time. 8. Turner, a great English painter, lived in the 19th —.

II. Uzupełnij następujące zdania według przykładu:

Przykład: *He is an Englishman, he speaks English.*

He is a Pole, he speaks —.
She is a German woman, she speaks —.
He is a Dutchman, he speaks —.
They are Spaniards, they speak —.
You are a Swede, you speak —.
He is a Russian, he speaks —.
They are Danes, they speak —.

III. Ułóż po 3 zdania zaczynające się od *"Excuse me..."* **i 3 od** *"Would you mind..."*

Przykłady: *Excuse me, I should like to take my umbrella, it's behind you.*
Would you mind handing me that bag?

IV. Napisz, jak się wymawiają następujące wyrazy, przepisując transkrypcję fonetyczną ze słowniczka:

Przykład: *remember* [ry'membə]

remember, reproduction, represent, remark, remind, require, release, reactionary, return.

V. Naucz się na pamięć 4 spośród następujących przysłów:

1. Too many cooks spoil the broth.
2. A friend in need is a friend indeed.
3. Speech is silver but silence is golden.
4. He laughs best who laughs last.
5. Let sleeping dogs lie.
6. Better late than never.
7. The proof of the pudding is in the eating.
   (Tłumaczenie przysłów lub analogiczne przysłowia polskie:
1. Gdzie kucharek sześć, tam nie ma co jeść. 2. Przyjaciel w potrzebie jest prawdziwym przyjacielem. 3. Mowa jest srebrem, milczenie — złotem.
4. Śmieje się najlepiej, kto śmieje się ostatni. 5. Nie wywołuj wilka z lasu.
6. Lepiej późno niż wcale. 7. Smak puddingu poznaje się w jedzeniu.)

VI. Co oznaczają następujące wyrazy?

1. a landscape   a. a Dutch garden
   b. a picture of a view in the country
   c. a foreign country

2. a cloakroom
    a. a place for keeping coats, hats, umbrellas, etc.
    b. a kind of coat
    c. a very large room

3. ignorant
    a. tired
    b. artificial
    c. knowing nothing

4. a bookstall
    a. a novel
    b. a bookcase
    c. a place where you can buy books, papers etc.

5. spiritual
    a. connected with drinking
    b. connected with the mind
    c. funny

VII. Przetłumacz na język angielski:
(uważaj na zdania warunkowe)

Dyskusja (dispute) na podwórzu fabrycznym

Brown mówi, że moja ciężarówka najechała na (to run into) wóz. No, jeżeli tak było (jeżeli zrobiłeś), musisz naprawić uszkodzenie (damage) albo zapłacić za nie. Ale to nie była moja wina. Gdyby on nie (był) skręcił w lewo (to turn left) bez ostrzeżenia, nie zderzyłbym się z nim (to bump into). Jeżeli będziesz obserwował (to watch) należycie, co się dzieje (what's going on) przed tobą, nie będziesz miał wypadków. Gdybym nie patrzył na to, co (what) jest za ciężarówką, kiedy jadę (to drive) w tył, rozbiłbym (to smash) latarnię. Gdybyś rozbił latarnię, nie byłoby to pierwszy raz. Gdybym jechał tak nierozważnie jak ty (jak ty czynisz), byłbym w szpitalu. Miałeś za dużo szczęścia dotychczas (byłeś zbytnim szczęściarzem — lucky). Słuchaj, Jones, gdybyś miał tyle doświadczenia co ja, nie potrzebowałbyś być szczęściarzem, aby uniknąć najechania na różne rzeczy (na rzeczy). No, no (now), słuchajcie, i Brown i Jones. Jeżeli dalej (to go on) będziecie się tak kłócić (like that), nigdy nie wyruszymy w podróż (nie zaczniemy naszej podróży). Żądam (nalegam) spokoju (peace and quiet). W porządku, w porządku. Brown, zapomnij o tym. Dobra. Przepraszam, może to była moja wina.

LESSON NINETEEN   **THE NINETEENTH LESSON**

Użycie *either* i *either... or*
Użycie *to have*
Użycie *the former... the latter*

SWOP YOUR IN-LAWS

The weather was terrible, fog in the morning and then a fine steady, November drizzle. Stanley and Andrew were going along the wide street rather fast, with their collars turned up, their hands in their pockets.

Neither was inclined to talk, the gloomy weather was too depressing. Suddenly Andrew stopped.

Andrew: What's this, Stanley?

He pointed to a place on the pavement where you could see traces of some pictures, the coloured chalk being slowly washed away by the rain.

Andrew: It can't be the work of a child!

Stanley: It isn't. Haven't you seen pavement artists yet?

Andrew: I don't remember. What are they? Why do they draw on the ground?

Stanley: That's their way of earning money. They draw pictures on the pavement with coloured chalks. People stop either to admire them or to feel sorry, and quite a number of them drop a coin into a hat lying near the drawings. You see, begging is forbidden by law.

swop [s"op] (potocznie) *zamieniać (się)*
in-laws ['ynlo:z] *teściowie* (patrz l. 15)
drizzle [dryzl] *drobny deszczyk*
wide ["ajd] *szeroki*
collar ['kolə] *kołnierz*
inclined [yn'klajnd] *skłonny*
gloomy ['glu:my] *ponury*
depress [dy'pres] *przygnębiać*
trace [trejs] *ślad*
coloured ['kaləd] *kolorowy*
chalk [czo:k] *kreda*
wash away *zmywać (z powierzchni)*
pavement artist *malarz uliczny*
earn [ə:n] *zarabiać*
feel sorry *żałować (kogoś)*
quite a number of them *znaczna ich ilość*
drawing ['dro:yŋ] *rysunek* (patrz obj. l. 10)
begging ['begyŋ] *żebranie*
forbid, forbade, forbid-

Andrew: Fancy that! Here I can see a landscape... there the remains of a portrait. And what's that? A bottle?

Stanley: Probably a bottle of brandy and a plate with a duck or turkey, with the words "The Rich Man's Dinner." Usually there are two. The other is a picture of "The Poor Man's Dinner" — a little fish on a large plate.

Andrew: I see... But, you know, this fellow can draw pretty well, can't he?

Stanley: Not necessarily. I heard once that the drawings were often done by someone else, not the fellow collecting the money. Oh, hello! how do you do, Robert?

Robert and his cousin Jack have suddenly come from round the corner.

Stanley: What's the matter, Robert? You look so down-hearted.

Robert: You've met my cousin, haven't you? We're in low spirits because Jack is in trouble. His parents were told they would have to leave their house.

Andrew: But why? Can the landlord turn them out like that?

Robert: The rent has gone up too much for them, they can't afford it. They'll have to look for new lodgings.

Jack: We've lived in it for twenty years, it's a very damp house, although the roof has been recently repaired.

Andrew: I was told that it was very hard to find new lodgings.

Jack: The main point is that they're more expensive. Most landlords can de-

den [fə'byd, fə'bejd, 'fə'bydn] *zabronić*

fancy that! *patrzcie państwo!*

remains [ry'mejnz] *resztki, szczątki*

brandy ['brændy] *koniak*

turkey ['tə:ky] *indyk*

pretty well *nieźle*

not necessarily ['not ˌnesy'seryly] *niekoniecznie*

from round the corner *zza rogu*

what's the matter? *co się stało?*

down-hearted ['daun 'ha:tyd] *przygnębiony*

cousin [kazn] *kuzyn*

you've met my cousin *znasz mego kuzyna*

spirit ['spyryt] *duch*

in low spirits *w ponurym nastroju, przygnębiony*

his parents were told *jego rodzicom kazano*

landlord ['lænlo:d] *gospodarz*

turn out *wyrzucić* (np. z domu)

like that *w ten sposób*

rent [rent] *komorne, czynsz*

they can't afford it *nie stać ich na to*

recent(ly) ['ri:snt(-ly)] *ostatni(-o), niedawny(-o)*

repair [ry'peə] *naprawiać*

the main point is that *najważniejsze to, że*

mand as much rent as they wish from the new tenants.

Stanley: And what about the council houses?

Robert: They say that their rents are to be raised too.

Jack: I don't see what can be done about it. Neither do my parents.

Stanley: But can't you fight against rent increase? Robert told me you were a bus driver, Jack — so you should know from the recent transport strike what solidarity can do.

Robert: Stanley's right. Didn't you hear that tenants were protesting against the increase?

Andrew: The other day I read in the papers that the tenant movement was now more widely known.

Stanley: Don't you remember people marching and carrying banners "Mayfair rents asked for slums," "No more rent increase" and others. Plenty of housewives, some teenagers singing and dancing to attract notice.

Andrew: Oh, they were council tenants, weren't they?

Jack: My father said that rent increase would simply lower our living standard. Do you know that they want to impose on us a means test?

wish [ˮysz] *chcieć, życzyć sobie*
tenant [ˈtenənt] *lokator, dzierżawca*
council [ˈkaunsl] *rada*
council house *dom należący do rady miejskiej*
their rents are to be raised *ich komorne ma być podwyższone*
what can be done *co można zrobić*
neither do my parents *ani też moi rodzice*
transport [ˈtrænspoːt] *komunikacja*
solidarity [ˌsolyˈdæryty] *solidarność*
the other day *niedawno temu*
procession [prəˈseszn] *pochód*
banner [ˈbænə] *transparent, flaga*
Mayfair [ˈmejfeə] — *dzielnica w Londynie*
slum [slam] *rudera, brudny zaułek* (slumsy)
no more rent increase *dosyć podnoszenia komornego*
attract notice *zwrócić, przyciągnąć uwagę*
living standard [ˈlywyŋ ˈstændəd] *stopa życiowa*
impose on [ymˈpouz] *narzucić*
means [miːnz] *środki* (utrzymania)
test [test] *sprawdzian*

Andrew: What is a "means test"?

Robert: The rent increase in the council houses will depend on the income of the tenant. And I was told the income of both husband and wife would be taken into account.

Jack: But what's the good of protesting? How can that help?

Robert: Either can be of great help. The tenants' movement wins more members. Didn't you read that in some parts of London tenants had already won some concessions?

Jack: Maybe you're right. On the whole I won't be sorry to leave the old house. It's not only damp but also infested with mice. (To Andrew) You see, it's in the slums, not far from the dock warehouses. What I am afraid of is the rent in the new lodgings.

Robert: You see, Jack is getting married and they'll live with his future wife's parents before they can be on their own. He's been working overtime to save money for the furniture and now, he says it'll have to go to help his father-in-law to pay the raised rent.

Andrew: I don't think it's a good idea for a young married couple to live with their parents.

Jack: I don't either. But what else can we do? Blackwood, my best friend is doing exactly the same, he is going to live with his in-laws.

Robert: Look here, Jack. I've got an

---

means test *wgląd w warunki materialne (petenta)*
income ['ynkəm] *dochód*
of both husband and wife *i męża, i żony*
account [ə'kaunt] *rachunek*
take into account *brać w rachubę*
what's the good of *na co się zda*
rally ['ræly] *wiec*
either can be of great help *oba mogą być bardzo pomocne*
part [pa:t] *część*
concession [kən'seszn] *ustępstwo*
maybe ['mejby] *być może*
on the whole *ogólnie biorąc, właściwie*
I won't be sorry *nie będzie mi przykro*
infest [yn'fest] *nękać, naprzykrzać się*
what I am afraid of is *czego się boję to*
Jack is getting married *Jack ma się żenić*
on their own *na swoim, na własnym (mieszkaniu, utrzymaniu itp.)*
father-in-law *teść*
what else *cóż innego*
Blackwood ['blæk"ud] — *nazwisko*
exactly the same *zupełnie to samo*
I've got an idea *mam myśl, pomysł*

Jack is getting married

idea. Why don't you and your friend swop your in-laws?

Jack: What do you mean by swop my in-laws?

Robert: Exchange them. You could live with Blackwood's parents-in-law and young Blackwood and his wife could stay with yours. Of course until both of you have saved enough to move. You know, it has been done before. I am sure you'll be treated as friendly lodgers, the old people will be treated as elderly friends. There will be less interference, fewer arguments so common when you have two couples in one family, an old one and a young one, living together in the same house. The former doesn't like changes, the latter is eager for all that's new and different. I tell you, follow my advice — swop your in-laws.

The four young men start laughing.

Stanley: What a thing to suggest!

exchange [yks'czejndż] *zamieniać*
you could live with *moglibyście zamieszkać u*
until you have saved *dopóki nie zaoszczędzicie*
treat [tri:t] *traktować*
lodger ['lodżə] *sublokator*
the old people *starsi*
interference [ˌyntə'fiərns] *wtrącanie się*
argument ['a:gjumənt] *sprzeczka*
the former... the latter *to pierwsze... to drugie*
eager for *spragniony*

Jack: I must tell Jane about your idea. I must say there is something in it!

Jane [dżejn] *Janina*

Quotations, proverbs and jokes

When Adam dug and Eve span,
Who was then the gentleman?

dig, dug, dug [dyg, dag, dag] *kopać*
spin, span, spun [spyn, spæn, span] *prząść*

OBJAŚNIENIA

inclination	*skłonność*
to have an inclination to lub **for**	*mieć skłonność do*
to be inclined to	*być skłonnym do*
neither was inclined to talk	*żaden nie był skłonny do rozmowy*
to incline one's ear to	*nakłaniać ucho do czegoś*
with their collars turned up	*z postawionymi kołnierzami*
turn out	*okazać się, wyłączać* (światło), *wyrzucić* (kogoś)

Inne złożenia z czasownikiem **to turn** patrz objaśnienia l. 12.

Sorry!	*przepraszam!*
to feel sorry	*odczuwać przykrość, litować się*
I am sorry for you, — about it	*żałuję cię, — przykro mi z tego powodu*
I am sorry	*przepraszam, przykro mi, żałuję*
I am sorry to say	*przykro mi powiedzieć*
sorry excuse	*marna wymówka*
sorry situation	*przykra sytuacja*

maybe ['mejby]	*być może, prawdopodobnie, może*
Maybe you are right, maybe not!	*Może masz rację, może nie!*
pretty well	*dość dobrze*
pretty late	*raczej późno, dość późno*
pretty good	*dość dobry*
pretty hot	*dość gorący*
from round the corner	*zza rogu*
in low (poor) spirits	*przygnębiony*

in high (great) spirits	*w dobrym humorze*
I can afford it	*stać mnie na to*
she can't afford a car	*nie stać ją na samochód*

the main point is	*główną sprawą jest*
make a point of	*nastawać na, kłaść nacisk na,*
	uważać coś za konieczne i
	bardzo ważne
turning point	*punkt zwrotny*
a point of view	*pogląd, opinia*
to point	*wskazywać*
to point out	*wykazać*
to point at	*celować do, wskazywać na*

the other day	*onegdaj; ostatnio; kilka dni temu*
by day	*za dnia*
day by day	*dzień w dzień*
day off	*dzień wolny od zajęć (pracy)*
this day week	*od dziś za tydzień*
the day before yesterday	*przedwczoraj*
the day after tomorrow	*pojutrze*
what day of the week?	*jaki dzień tygodnia?*

living standard	*stopa życiowa*
the standard of living	*stopa życiowa*
on the whole	*na ogół*
to be on one's own	*być na swoim* (utrzymaniu)
I've got an idea!	*Mam myśl!*
teenager	*młoda dziewczyna, młody chłopiec*
teens	*wiek młodzieńczy* (13 do 19 lat)
a girl in her teens	*podlotek*
The coloured chalk being slowly washed away...	*Kolorowa kredka powoli zmywana przez deszcz...*

Użycie tej formy imiesłowu czasu teraźniejszego patrz l. 32.

His parents were told...	*Powiedziano jego rodzicom*
I was told...	*Mówiono mi... Słyszałem, że...*
	(patrz l. 17)

GRAMATYKA

1. Użycie *either* i *either... or* *

a.

Either can be of great help.	*I jedno i drugie może się bardzo przydać (być bardzo pomocne).*
Neither was inclined to talk.	*Żaden z nich nie miał ochoty rozmawiać.*

b.

People stop either to admire them or to feel sorry.	*Ludzie przystają, aby je podziwiać lub też by litować się.*
She can neither sing nor dance.	*Ona nie umie ani śpiewać, ani tańczyć.*

c.

I don't see what can be done about it. Neither do my parents.	*Nie widzę, co można zrobić w tej sprawie. Ani też moi rodzice (moi rodzice też nie).*

Either i **neither** mogą być zaimkami nieokreślonymi, spójnikami, a **neither** — ponadto przysłówkiem.

ad a. Zaimek **either** znaczy: *każdy z dwóch* (albo jeden, albo drugi), *i jeden, i drugi*, np.:

Either twin may come.	*Każde z bliźniąt może przyjść* (obojętne które).
On either side of the river.	*I po jednej, i po drugiej stronie rzeki.*

Analogicznie **neither** znaczy: *żaden z dwóch* lub *ani jeden, ani drugi*. Po **either** i **neither** następuje czasownik w liczbie pojedynczej.

ad b. Spójniki **either** w połączeniu z **or, neither** z **nor** znaczą: *albo... albo,* oraz *ani... ani* (patrz I, 1. 29).

ad c. Przysłówek **neither** służy do tworzenia krótkich odpowiedzi przeczących:

---

* patrz I, 1.29

Neither do I, neither can I, neither have you　　*ja też nie, ty też nie* itp.

analogicznych do krótkich odpowiedzi twierdzących typu:

So do I, so can I, so has Mr. Jones itp.　　*ja też, pan Jones też* itp. (patrz I, 1. 23 i 42).

2. Użycie *to have*

a.

They were told they would have to leave their house.　　*Powiedziano im, że będą musieli wyprowadzić się z domu.*

They'll have to look for new lodgings.　　*Będą musieli szukać nowego mieszkania.*

To have może być czasownikiem posiłkowym i głównym. W przytoczonych przykładach **to have** jest czasownikiem głównym o znaczeniu: *musieć* (patrz 1. 3), odmienianym tak jak inne czasowniki główne za pomocą **to do** w formach pytającej i przeczącej.

b. **To have** jako czasownik główny znaczy również: *jeść, pić, wziąć*. Odmienia się tak jak inne czasowniki główne:

I had lunch at five.　　*Zjadłem lunch o piątej.*

Did you have your breakfast?　　*Czy zjadłeś śniadanie?*

Will you have a cup of tea?　　*Czy napijesz się herbaty?*

She didn't have a bath in the morning.　　*Nie wzięła kąpieli rano.*

Have a smoke.　　*Zapal sobie* (weź papierosa).

c. **To have** w znaczeniu podstawowym: *mieć, posiadać* odmienia się jak czasowniki posiłkowe bez **to do** w pytaniach i przeczeniach. W języku potocznym używa się najczęściej zwrotu **have got** zamiast samego **have**, np.:

Have you got a brother?　　*Czy masz brata?*

W USA **to have** w znaczeniu *posiadać* odmienia się jak czasownik główny z **do** w formach pytającej i przeczącej itd.

d. **To have** z konstrukcją biernika z Past Participle znaczy: *sprawić, kazać, przyczynić się* (do czegoś), np.:

I must have my hair cut.   *Muszę kazać sobie ostrzyc włosy.*
He had his coat cleaned.   *Kazał wyczyścić płaszcz. Dał płaszcz*
     do czyszczenia.
They had the fence repaired.   *Kazali naprawić płot.*
She had the child taught French.   *Sprawiła, że dziecko uczyło się (że*
     uczono dziecko) *francuskiego.*

To get z tą samą konstrukcją ma podobne znaczenie, por. 1. 6.

3. Użycie *the former... the latter*

When you have two couples in one family, an old one and a young one ... The former doesn't like changes, the latter is eager for all that's new and different.

Gdy się ma dwa małżeństwa w jednej rodzinie, jedno starsze i drugie młode... To pierwsze nie lubi zmian, to drugie jest spragnione wszystkiego co nowe i odmienne.

The former *pierwszy* (pierwszy, wcześniej wspomniany) odnosi się tu do starszej rodziny, **the latter** *drugi* (drugi, później wspomniany) do młodej rodziny. **The former... the latter** używa się zawsze w odniesieniu do dwu rzeczowników lub zaimków, o których jest mowa w poprzednim zdaniu.

ĆWICZENIA

Read aloud:
[ðej 'dro: 'pykczəz on ðə 'pejwmənt "yð 'kaləd 'czo:ks.
pi:pl 'stop 'ajðə tu əd'majə ðəm o: tə fi:l 'sory ʌnd 'kʷajt ə 'nambər əw ðəm ˌdrop ɔ 'kojn ˌyntə ə 'hæt 'lajyŋ 'niə ðə 'dro:yŋz]

LEARN BY WRITING AND READING

I. Odpowiedz na pytania:

1. Why did the young men turn up their collars? 2. Why did Andrew stop suddenly? 3. What do the pavement artists use for drawing? 4. Why do they put a hat near their drawings? 5. What is the picture of "The Rich Man's Dinner" like? 6. Who draws the pictures on the pavement? 7. Why was Jack in low spirits? 8. Have many rents been raised? 9. What is Jack's job? 10. Is there any association of tenants? 11. How do they advertise their movement? 12. Who took part in the march of tenants?

II. Zamień następujące zdania na zdania zależne, poprzedzając je zwrotami:

He said that... She told me that... I heard that... He read in the papers that... I know that...
1. Pavement artists draw pictures on the ground.

Przykład: He said that *pavement artists drew pictures on the ground.*

2. Near the picture there is a crowd of people. 3. Her parents are in low spirits for several reasons. 4. He knew the whole truth already in 1972. 5. I shall join the tenants' movement, too. 6. This rent increase will certainly lower our standard of living. 7. He has saved enough money to buy the furniture for his flat. 8. The meeting is starting now. 9. The young couple must live here with their parents. 10. My friend is here in this building. 11. If you live in different flats, there will be less interfering. 12. I treat them as friends of mine, not as strangers.

III. Dokończ następujące zdania używając spójników "either... or":

1. I'm willing to help you, I can either put the baby to bed...

Przykład: *I'm willing to help you, I can* **either** *put the baby to bed* **or** *wash up the cups and saucers.*

2. John is a sportsman; he can either swim...
3. The man has fine paintings. You will find either portraits...
4. That woman never smiles; she is either in low spirits...
5. This ceiling is damp. Either the roof has been repaired badly...
6. They're looking for new lodgings; either a flat...
7. Before we go on strike we must arrange either a march...
8. Many landlords either raise the rent the tenants must pay...

IV. Napisz zdania z następującymi zwrotami:

pretty well — to turn out
in low spirits — you've met
the other day — what's the good of
can afford — I'm afraid of
what else — last week

V. Ćwicz wymowę długich samogłosek [i:] i [o:] powtarzając głośno:

[i:]		[o:]	
leave	feel	author	born
seat	sheep	caught	worn
cream	speech	taught	port
weak	exceed	cause	horn
reach	queen	fault	order

VI. Dokończ następujące zdania za pomocą wyrażenia „...też nie" *don't either, hasn't either, can't either* **itp.***

1. I don't know much about fashions; Mary ...

Przykład: **I don't** *know much about fashions.* Mary **doesn't either.**

2. Colin hasn't noticed any unusual dress. Betty ...
3. I don't suppose models have dimples. She ...
4. My old dress isn't fashionable at all. Your coat ...
5. Anne can't tell us much about the heights of the new heels. I ...
6. Betty will not eat any fattening food. Her sister ...
7. Sylvia can't wear that red silk dress. You ...
8. Those shoes don't match my tailor-made. My old hat ...

VII. Wstaw przysłówki w odpowiednie miejsce:

1. I stay at home after lunch. (seldom).

Przykład: I **seldom** *stay at home after lunch.*

2. Her nylon stockings were invisible. (almost)
3. You can bet those cheap furs are dyed. (usually)
4. His boss walks with his head in the clouds. (always)
5. I watch the kettle boil. (never)
6. In spring the length of our old dresses is right. (seldom)
7. She wears clothes that fit her like a glove. (often)

VIII. Przetłumacz na język polski:

The Weather

What awful weather we've had this week, haven't we? Last night they said on the radio that because of the fog trains coming to London were up to two hours late and those going out, up to an hour and a quarter late. My brother had to put off his flight to Edinburgh and he won't go by car either. He was told that there had been several road accidents. Yesterday I heard that many drivers had left their cars on the road. I don't wonder. They don't want to be killed. What did they say on the radio about the weather for to-morrow? They said it was expected to be cold and foggy over the South of England and the whole of Wales. What about Scotland? I should like to know what weather Robert will have for his trip. The radio announcer said that the roads in Scotland were covered with six to twelve inches of snow. The roads wouldn't be very safe. Good gracious, in November! I wonder what the weather will be like in January.

---

* patrz formy ściągnięte l. 11.

LESSON TWENTY   THE TWENTIETH LESSON

> Stopniowanie przymiotników i przysłówków
> Absolute Superlative
> Użycie *thou*

SOME FLOWERS IN MY GARDEN

"Yesterday I visited the Chelsea Flower Show. I saw wonderful flowers there. People say that this year the exhibition is more exciting, magnificent and dazzling than ever before," said Anne.

"Is it?" asked Betty, "for how long is it open?"

"Four days altogether. First day on May 20th to the Royal Horticultural Society, and to the public on the following three days."

"I must go there and see it," decided Betty, "are there any special flowers?"

"Oh yes, there are not only beautiful ones from England but also from several foreign countries which take part in the exhibition. I saw beautiful flowers and plants shown by Holland and other countries. There are also various vegetables and I saw a lot of fine strawberries, that made my mouth water."

"I love all flowers very much but I like roses best! There are so many colours and they smell so sweet."

"Yes, they are, no wonder many poets have written poems about them. To begin

exhibition [ˌeksyˈbyszn] *wystawa*

altogether [ˌoːltəˈgeðə] *razem; zupełnie, całkowicie*
horticultural [ˌhoːtyˈkalczərəl] *ogrodniczy*
society [səˈsajəty] *społeczeństwo; towarzystwo*
public [ˈpablyk] *publiczny; publiczność*

plant [plaːnt] *roślina; fabryka; obiekt przemysłowy*

with I like especially this one by Robert Burns:

O my Love's like a red, red rose
That's newly sprung in June
O my Love's like the melody
That's sweetly played in tune... etc."
"Oh, how lovely! and you still remember it so well!" cried Betty.

"I like Robert Burns and his poems, they are so natural... and so much reflect his nature," answered Anne, "he also wrote a poem about another flower, that was 'To a Mountain Daisy' which had been crushed with his plough:

Wee, modest, crimson-tipped flower,
Thou's met me in an evil hour..."
"I remember William Cowper wrote also about roses," said Betty. "Let me see, that was in 'The Winter Nosegay' where he mentions:

...The charms of the late blowing rose
Seem grac'd with livelier hue...
and also a lovely poem 'The Lily and the Rose' about a dispute between those two flowers as to which of them should reign as a queen:

...The Rose soon redden'd into rage,
And swelling with disdain,
Appeal'd to many a poet's page
To prove her right to reign...
The judgment of a goddess made peace between them. She decided that both the

melody ['melədy] *melodia*
tune [tju:n] *nuta; melodia; ton*
reflect [ry'flekt] *odbijać; odzwierciedlać*
crush [krasz] *zdruzgotać; zgnieść*
plough [plau] *pług*
wee ["i:] *maleńki*
modest ['modyst] *skromny*
crimson [krymzn] *pąsowy*
tip [typ] *czubek; koniuszek; napiwek*
thou [ðau] *ty (stara forma)*
evil [i:wl] *zły*
nosegay ['nouzgej] *bukiet*
blow [blou] *pękać; kwitnąć*
grace ['grejs] *przyozdobić*
lively ['lajwly] *żywy, rześki*
hue [hju:] *odcień; barwa*
lily ['lyly] *lilia*
redden ['redn] *poczerwienić*
rage ['rejdż] *pasja, wściekłość*
swell [s"el] *puchnąć; pęcznieć*
disdain [dys'dejn] *pogarda*
appeal [ə'pi:l] *apelować; prosić bardzo*
prove [pru:w] *dowieść; udowodnić*
judgment ['dżadżmənt] *wyrok*
goddess ['godys] *bogini*

flowers should be the queens of English flowers."

"Very beautiful indeed," admitted Anne, "but look, dear, we began with the Chelsea Show and have come to flowers in English poetry. Come on, try to remember some more!"

"There were so many poets writing about flowers, and especially about roses, lilies and daffodils. Let's take for instance, T. Moore's 'The Pretty Rose-Tree', in which the poet, 'weary of love' ('for the hearts of this world are hollow...') chose a rose-tree to be his mistress:

...Pretty Rose-tree,
Thou my mistress shall be,
And I'll worship each bud thou bearest...

and, he says farther, you will be

...the only one now I shall sigh to."

"How lovely!" cried Anne, "how cruel must have been that one 'of this world' to drive a man to look for love among flowers. But that reminds me of another poet and a poem,that is of Robert Herrick whose verse about rose-buds became well-known in our country..."

"Oh, I know it very well," interrupted Betty:

Gather ye rose-buds while you may,
Old time is still a-flying.
And this same flower that smiles to-day,
To-morrow will be dying...

The poem says that if you don't take advantage of youth, it will be no use trying once you have passed your prime."

"There is another poem by Robert Her-

weary [ˈᵘiəry] *znużony*
hollow [ˈholou] *pusty, wydrążony*
bear, bore, born [beə, bo:, bo:n] *rodzić, znieść*
worship [ˈᵘə:szyp] *wielbić, czcić*
bud [bad] *pąk; pączkować*
bearest [ˈbeəryst] *rodzisz (stara forma 2. osoby l. poj. cz. teraźn. — thou bearest)*

interrupt [ˌyntəˈrapt] *przerwać*
ye [ji:] = **you** *wy*
a-flying *upływa (jest w locie) (por. l. 8)*

advantage [ədˈwa:ntydż] *korzyść, zysk*

rick about flowers, that is 'To Daffodils', which are very early flowers, very popular, but which do not stay long, come in spring and go before summer," went on Anne.

"Oh, Anne, Wordsworth also wrote a poem about daffodils, in which he himself, during a walk, came on

...A host of golden daffodils
Beside the lake, beneath the trees
Fluttering and dancing in the breeze."

"Charming! But Betty, look here, we have not said anything about W. Shakespeare who, to my knowledge, did not write any special poem to any particular flower but mentioned a great many of them in his plays, to mention only 'A Midsummer Night's Dream' with its cowslips, crimson rose, love-in-idleness etc."

"That's right," admitted Betty, "we should remember it. I remember Shakespeare's words 'to eat the leek' meant to make little of an insult, and may be still in use."

"Oh, but the leek is not a flower! It is a vegetable to make one's broth tasty," said Anne, "and is the national emblem of Wales, as the rose is the national emblem of England, the thistle the emblem of Scotland, and the shamrock of Ireland."

"Exactly!" replied Betty, "but coming back to flowers... red ones... what are they? Poppies! Some people say that poppies grow on battlefields, and we have Poppy Day to remember the glorious dead of World War I which comes on Saturday

host [houst] *poczet*
golden ['gouldən] *złocisty*
beneath [by'ni:θ] *pod; poniżej*
flutter ['flatə] *trzepotać; bić (o sercu)*
breeze ['bri:z] *wietrzyk; podmuch*
cowslip ['kauslyp] *pierwiosnek*
love-in-idleness ['law yn ajdlnys] *bratek*
admit [ed'myt] *przyznać; dopuścić*
leek [li:k] *por (jarzyna)*
make little of *zlekceważyć*
insult ['ynsalt] *obelga*
broth [broθ] *rosół*
tasty ['tejsty] *smaczny*
emblem ['embləm] *godło; emblemat*
Wales ["ejlz] *Walia*
thistle [θysl] *oset*
shamrock ['szæmrok] *koniczyna*
Ireland ['ajələnd] *Irlandia*
reply [ry'plaj] *odpowiedzieć*
poppy ['popy] *mak*
battlefield ['bætlfi:ld] *pole bitwy*

nearest to November 11. So as I said before I am going to the Show to-morrow
and I shall see all those beauties. I hope
I shall come back home as fresh as a dai-   **fresh** [fresz] *świeży*
sy."

"By the way," asked Anne, "when you   **lavender** ['læwyndə] *la-*
come back will you buy some lavender to   *wenda*
put among the linen?"   **linen** ['lynyn] *bielizna*

Quotations, proverbs and jokes

What is the plural of forget-me-not?
(You will find your answer in the key to   **key** [ki:] *klucz*
the exercises.)

OBJAŚNIENIA

Chelsea ['czelsy]   dzielnica Londynu
Royal Horticultural Society   *Królewskie Towarzystwo Ogrodnicze*
horticulture ['ho:tykalczə]   *ogrodnictwo; uprawa kwiatów, ja-*
          rzyn i owoców

to take part in   *brać (w czymś) udział, pomagać*
to make one's mouth water   *wywoływać ślinkę, wielką ochotę*
fine strawberries that made my   *piękne truskawki, które wywoływa-*
  mouth water   *ły ślinkę*

Robert Burns ['robət bə:nz] — największy poeta szkocki 1759—1796
William Cowper ['ᵘyljəm 'ku:pə] — poeta angielski 1731—1800
Thomas Moore ['toməs 'muə] — poeta irlandzki 1779—1852
Robert Herrick ['robət 'heryk] — poeta angielski 1591—1674
William Wordsworth ['ᵘə:dzᵘəθ] — poeta angielski 1770—1850
William Shakespeare ['szejkspiə] — największy poeta angielski i dramaturg
          1564—1616

as to   *w związku z; co do*
to drive a man to look for love   *aby doprowadzić (zmusić) człowieka*
  among flowers   *do tego, by szukał miłości wśród*
          kwiatów

to take advantage of — *wykorzystać coś, kogoś*

ye [ji:] — 2. osoba 1. mn. używana obecnie tylko w poezji

Old time is still a-flying. — *Czas stary wciąż ucieka.* Użycie **a-flying** patrz l. 8.

once you have passed your prime — *kiedy twoja młodość przeminie*

to my knowledge — *o ile mi wiadomo*

Poppy Day — *Dzień Maku*, zwykle sobota najbliższa daty 11 listopada dla uczczenia poległych w I Wojnie Światowej 1914—1918. Tego dnia w całej W. Brytanii odbywa się uliczna sprzedaż kwiatów maku, które wszyscy noszą w butonierce.

so as I said before... — *a więc jak już powiedziałam przedtem...* Użycie **as** patrz I, l. 44.

GRAMATYKA

1. Stopniowanie przymiotników i przysłówków *

a.

The charms of the late blowing rose   *Wdzięki późno rozkwitłej róży wyda-*
Seem graced with livelier hue...   *ją się obdarzone żywszą barwą...*

W przykładzie tym mamy przymiotnik zakończony na -y, dwuzgłoskowy, gdyż środkowej litery -e- nie wymawiamy ['lajwly], w stopniu wyższym, utworzonym za pomocą końcówki **-er.**

Za pomocą końcówki **-er** i **-est** stopniuje się przymiotniki: jednozgłoskowe **(low, lower, lowest)** oraz dwuzgłoskowe, jeśli:

aa. Akcent pada na ostatnią zgłoskę, np.:

polite, politer, politest — *grzeczny, grzeczniejszy, najgrzeczniejszy*

ab. Zakończone są na **-er -ow, -some, -y,** np.:

clever — *zdolny*
yellow — *żółty*
handsome — *przystojny*

---

* patrz l. 3.

15 Język ang. dla zaawansowanych

happy   — szczęśliwy
lively   — żywy

ac. Zakończone są na głoskę zgłoskotwórczą, np.:

able   — zdolny
noble   — szlachetny
simple   — prosty
subtle [satl] — subtelny

Do tej samej grupy zaliczamy również następujące przymiotniki:

civil	— uprzejmy	**quiet**	— cichy
common	— zwykły	**stupid**	— głupi
cruel	— okrutny	**wicked** [ˈuykyd]	— zły
pleasant	— przyjemny		

U w a g a : Końcówki przymiotników -y, -le zamieniają się przy stopniowaniu fleksyjnym na: -ier, -iest, -ler, -lest, np.: **livelier, noblest.**

Podwajamy końcową spółgłoskę przed końcówką -er, i -est, jeżeli jednozgłoskowy przymiotnik kończy się na jedną spółgłoskę, poprzedzoną krótką samogłoską, np.: **bigger, thinnest.**

b.

People say that this year the exhibition is more exciting, magnificent than ever before.	*Ludzie mówią, że tegoroczna wystawa jest bardziej podniecająca, wspaniała, aniżeli kiedykolwiek przedtem.*

More exciting, magnificent jest przykładem stopniowania tzw. opisowego.

Za pomocą przysłówków **more** i **most** stopniuje się:

ba. Przymiotniki, które mają więcej aniżeli dwie zgłoski, np.:

fantastic	*fantastyczny*
more fantastic	*bardziej fantastyczny*
most fantastic	*najbardziej fantastyczny*

bb. Liczne przymiotniki dwuzgłoskowe, np.: z akcentem na 1. zgłosce, zakończone dwiema spółgłoskami, z imiesłowami mającymi charakter przymiotników, np.:

usual	*zwykły*
more usual	*zwyklejszy*
most usual	*najzwyklejszy*
correct	*prawidłowy*
daring	*śmiały*
boiled	*gotowany*

c. Przysłówki jednozgłoskowe stopniuje się tak jak przymiotniki jednozgłoskowe, np.:

fast	*szybko*
faster	*szybciej*
fastest	*najszybciej*

Przysłówki wielozgłoskowe stopniuje się za pomocą **more** i **most**, np.:

slowly   more slowly   most slowly

slowly	*wolno*
more slowly	*wolniej*
most slowly	*najwolniej*

Wyjątki:

early	*wcześnie*
earlier	*wcześniej*
earliest	*najwcześniej*
often	*często*
oftener	*częściej*
oftenest	*najczęściej*

lub:

more often	
most often	

U w a g a : Stopniowanie nieregularne patrz l. 3 i I, l. 43.

Na ogół uważa się, że formy z **more** i **most** podkreślają silniej znaczenie przymiotnika, dlatego też używa **się** je nawet przy jednozgłoskowych przymiotnikach, np.:

Books are the most true friends of a man.	*Książki są najwierniejszym przyjacielem człowieka.*

d.

He drove faster and faster.	*Jechał coraz szybciej.*
The exercises become more and more difficult.	*Ćwiczenia stają się coraz trudniejsze.*
He is growing older and older.	*On jest coraz starszy.*

W powyższych przykładach mamy postęp stopnia wyższego, który wyrażamy przez powtórzenie samego przymiotnika połączonego spójnikiem **and** albo przez powtórzenie przysłówka **more** przed przymiotnikiem.

Spis najczęściej używanych przymiotników jedno- i dwusylabowych, które stopniujemy za pomocą końcówek -*er* i *est*:

broad	flat	mad	slight	tough
brown	funny	narrow	slow	true
clean	gentle	near	small	ugly
clever	grand	new	smooth	warm
cold	great	old	soft	weak
cool	happy	pretty	steady	wealthy
cruel	hard	proud	steep	wet
dark	heavy	red	stiff	white
dirty	high	rough	straight	wide
dry	kind	round	strong	wild
early	large	sad	sweet	windy
easy	late	safe	tall	wise
fast	light	sharp	thick	worthy
fat	long	short	thin	young
few	low	simple	tight	

2. Absolute Superlative

Czasami przysłówek **most** jest użyty przed przymiotnikiem lub przysłówkiem w sensie **very**. Formę tę nazywamy Absolute Superlative, choć zasadniczo nie wyraża ona stopniowania.

That has been most kind of you.	*Było to bardzo uprzejmie z twojej strony.*
The lesson has been most instructive.	*Lekcja była bardzo pouczająca.*
He behaved most cruelly.	*On się zachowywał bardzo okrutnie.*

3. Użycie *thou*

a.

Thou's met me in an evil hour... *Spotkałaś mnie w złej godzinie...*
Thou my mistress shall be, *Ty będziesz moją ukochaną i będę*
And I'll worship each bud thou *czcił każdy pączek, który zrodzisz.*
bearest.

Thou jest zaimkiem osobowym odpowiadającym formalnie polskiemu *ty*, używanym powszechnie za czasów Szekspira. Obecnie używany jest jedynie w poezji, w modlitwach i w niektórych dialektach (m.in. wśród kwakrów w USA).

Inne formy zaimka są następujące:

> **thee** *ciebie, tobie,*
> **thyself** *ty, siebie*
> **thy, thine** *twój, twoja itp.*

b. W wierszu Burnsa **thou's met** jest ściągniętą formą

thou hast met *spotkałeś*

Dawna koniugacja czasowników zawierała odmienną 2. osobę 1. poj. od 2. osoby 1. mn., np.:

have	**be**	**bear**	**can**	**may**
ty thou hast	thou art	thou bearest	thou canst	thou mayst
wy you have	you are	you bear	you can	you may

Odmienne formy istniały również dla czasu przeszłego itp. Obecnie archaiczna forma czasowników 2. os. 1. poj. używana jest bardzo rzadko, tak jak **thou**.

ĆWICZENIA

Read aloud:

['jestədy aj 'wyzytyd ðə 'czelsy flauə szou.
/ᵘandəful 'flauəz a:r yg'zybytyd.
'pi:pl sej ðət ðys jeə ði ,eksy'byszn yz mo:r
y'ksajtyŋ, mæg'nyfysnt ənd 'dæzlyŋ ðən 'ewə by'fo:]

LEARN BY WRITING AND READING

I. Utwórz pytania do następujących zdań:

1. Wonderful flowers are exhibited at the Flower Show.
2. This year it is more exciting than last year.
3. We must go and see it at once.
4. It will be open for a long time.
5. Shakespeare has not written any particular poem about any particular flower.
6. A vegetable is the national emblem of Wales.
7. In Wales not everybody speaks English.
8. They have got a language of their own.
9. It is similar to the language spoken in Ireland.
10. The leek is not a flower.
11. Thistles grow in Poland too.
12. People say that poppies grow on battlefields.

II. Przetłumacz na polski następujący wierszyk. Naucz się go na pamięć:

> *There was an Old Man in a tree,*
> *Who was terribly bored by a bee;*
> *When they said, "Does it buzz?"*
> *He replied, "Yes, it does!*
> *It's a regular brute of a bee!"*
>
> (Edward Lear, 1812—1888)

a bee [bi:] *pszczoła,*
to buzz [baz] *brzęczeć,*
a brute [bru:t] *bydlę, bestia*

III. Utwórz rzeczowniki z następujących przymiotników, dodając przyrostek -*ness* i podając ich znaczenie:

P r z y k ł a d : **good — goodness** — *dobroć*

kind	soft	thick
clever	mild	strange
blind	fresh	vivid
	shy	correct

IV. Napisz nazwy miesięcy od czerwca do grudnia.*

V. Uzupełnij następujące zdania podanymi przymiotnikami w stopniu porównawczym:

Przykłady: *brighter, more intelligent*

1. Sunshine is (bright) than moonshine.
2. Which month is (gloomy) November or December?
3. What is (expensive), a motor-car or a motor-cycle?
4. Two years ago the boy was much (ignorant) than he is now.
5. Your second novel isn't very gay. It's even (grim) that the first.
6. In Italy winters are much (mild) than in England.
7. Let's go out of this room, the air is (fresh) outside.
8. Truth can be sometimes (amazing) than fiction.
9. Lend me your pen, it's (good) than mine.
10. The factory in which you work is (pleasant) than the one where John does.

VI. Napisz 5 do 7 zdań o swoich ulubionych kwiatach.

VII. Napisz zdania ze zwrotami „coraz . . ."
wider and wider

Przykład: *The river is getting* wider and wider.

more and more amusing
longer and longer
less and less probable (coraz mniej prawdopodobny)
more and more interesting
smaller and smaller
younger and younger
better and better

VIII. Przetłumacz na język angielski (z własnego tłumaczenia poprawionego za pomocą klucza) *"Girls, Dogs and Lawns"* z lekcji 15.

* Sprawdź 1. 23.

LESSON TWENTY-ONE   **THE TWENTY-FIRST LESSON**

Indirect Speech
Użycie zwrotów: *is to* lub *was to* z bezokolicz-
nikiem
Subjunctive Mood

FREDDIE AND HISTORY

I

Margaret: Oh, Freddie, there's been a phone call for you this afternoon. I wrote it down on a piece of paper, it's here on the sideboard. No, it isn't, I can't find it. Anyway I remember it was from Ronald. He said the theatre party would be for to--night, not for to-morrow. He rang up in case you had not noticed the date on the ticket.

Freddie: What a shame, I didn't look at the ticket (he takes it out of his pocket). Here it is... Yes, it's for to-night's show. Good heavens, it's almost seven. I wish I were there now.

Margaret: Hurry up. There was something else Ronald said but I forgot what it was. Take a taxi.

Freddie runs out into the street saying to himself "The tube is good enough for me" and turns into the nearest underground railway station. In no time he is on the train, standing in a crowd of passengers. The play he is going to see is a stage adaptation of Walter Scott's novel "Ivanhoe". When at school, Freddie sel-

the theatre party *wspólne pójście do teatru*
tonight, to-night [tə'-najt] *dziś wieczorem*
in case *na wypadek gdyby*
what a shame! *jaka szkoda!*

something else *coś jeszcze, coś innego*
taxi ['tæksy] *taksówka*
in no time *bardzo szybko*
play [plej] *sztuka teatralna*
stage [stejdż] *scena*
adaptation [ˌædæp'tej-szən] *adaptacja, przeróbka*
Ivanhoe ['ajwənhou] — *tytuł powieści Walter Scotta*

dom got any good marks in English literature (he was better at mathematics), but
he liked history and historical novels. Ronald was to get tickets for a party including Mary and Eve, her guest from Sweden.

Freddie: Leicester Square, that's my
station. Good Lord, it's twenty-five past
seven.

People on the platform looked surprised
when Freddie ran up the escalator and
rushed into a small side street. He bumped into a poor fellow, probably a disabled
soldier, selling shoelaces and matches. "I
beg your pardon," he exclaimed and went
on.

Once in the hall of the theatre, he passed
the cloak-room attendant and the attendant who took his ticket, and joined a few
other late comers running upstairs to the
upper circle. Freddie was lucky to know
his way about that theatre pretty well.

He knew where the entrance to the
stalls was, the way to the pit or the dress
circle. The lights were going out when, at
last, he reached his seat beside Mary.

"I'm glad you could come," she whispered. "Why have you changed the day?"
he asked. The sound of the National Anthem "God save the Queen" and the noise
people made by standing up, put a stop
to any more talk. The moment the anthem
was over the curtain was raised.

The well lit stage was rather empty; on
the left hand side a rich chair and a few
steps, three pillars separating them from

---

mark [ma:k] *stopień*
was to get tickets *miał
się postarać o bilety*
including [yn'klu:dyŋ]
włączając
Eve [i:w] *Ewa*
Sweden ['s"ːidn] *Szwe-
cja*

disabled soldier [dys-
'ejbld] *inwalida wo-
jenny*
shoelace ['szu:lejs] *sznurowadło*
once in the hall *kiedy
już się znalazł w hal-
lu*
circle [sə:kl] *balkon* (w
teatrze)
upper circle ['apə] *balkon 2. piętro*
dress circle [dres] *balkon 1. piętro*
stalls [sto:lz] *miejsca
frontowe na parterze*
pit [pyt] *parter w teatrze*

whisper ['"yspə] *szeptać*

anthem ['ænθəm] *hymn*
put a stop to *położyć
kres* (czemuś)
curtain [kə:tn] *kurtyna*

pillar ['pylə] *filar*

Put a stop to any more talk

an open space on the right, that looked like the seaside with the blue water somewhere behind on the painted background. A group of actors in splendid historical costumes walked on to the stage. One of them, most richly dressed, a melancholy nobleman, sat on a chair. A boy, looking like a page, was playing an old-fashioned instrument. He stopped playing while the others settled round the chair in a graceful group, some sitting on the steps, others standing and pretending to chat. The melancholy one started to speak in a pleasant voice:

"If music be the food of love, play on..."

Freddie was a little surprised, "I've read it somewhere. Where was it?"

background ['bæk-graund] *tło*
actor ['æktə] *aktor*
costume ['kostju:m] *kostium*
nobleman ['noublmən] *arystokrata, człowiek utytułowany*
melancholy ['melənkəly] *melancholijny, melancholia*
page [pejdż] *paź*
instrument ['ynstrumənt] *instrument*
the melancholy one *ten melancholijny*

OBJAŚNIENIA

a phone call — a telephone call	*rozmowa telefoniczna, telefon (do kogoś)*
to phone someone	
to ring someone up	
to give someone a ring	*dzwonić do kogoś*
to call someone up	

party

theatre party

dinner party
cocktail party

to give a party
to be a party to

party line
to-night's show

towarzystwo; przyjęcie; partia; grupa ludzi
grupa ludzi wybierająca się razem do teatru
obiad proszony
przyjęcie, na którym podaje się głównie cocktaile
wydać przyjęcie
brać w czymś udział, być wtajemniczonym w
telefon towarzyski (amer.)
dzisiejsze przedstawienie

Użycie Saxon Genitive patrz l. 22

Walter Scott [/ᵘo:ltə /skot] — szkocki poeta i powieściopisarz (1771—1832)

to be good at (mathematics)

disabled soldier

to disable

an invalid [/ynwəli:d]

to be lucky
What luck!
Good luck!
Bad luck to him!
to be down on one's luck
in luck
out of luck
luckily
the melancholy one

być zdolnym do (matematyki), zręcznym do (czegoś)
inwalida wojenny, dosł.: żołnierz inwalida
czynić niezdolnym do, zrobić kaleką, inwalidą
schorowany, chronicznie chory (rzadko: inwalida, kaleka)
mieć szczęście
Co za szczęście!
Szczęścia (życzę)!
Niech go licho porwie!
przeżywać okres niepowodzeń
mieć szczęście, przy szczęściu
nie mieć szczęścia
na szczęście
ten melancholijny

Użycie zaimka **one** patrz I, l. 13.

GRAMATYKA

1. Indirect Speech *

He said the theatre party would be for tonight, not for tomorrow.

Powiedział, że pójdą do teatru dziś wieczorem, a nie jutro.

W zdaniu tym Małgorzata powtarza to, co powiedział Ronald przez telefon:

The theatre party will be for tonight...

Pójdziemy do teatru dziś wieczorem...

Czas przyszły ze zdania Ronalda zmienił się w wypowiedzi Małgorzaty na Present Conditional (zwany również: Future in the Past). Zmiana czasów nastąpiła na skutek przekształcenia zdania mowy niezależnej na zdanie mowy zależnej.

W zależności od użytego w mowie niezależnej czasu następuje w mowie zależnej (gdy w zdaniu nadrzędnym mamy Past Tense) następująca zmiana czasów:

MOWA NIEZALEŻNA	MOWA ZALEŻNA
Present Tense	
The theatre party is...	He said the theatre party was...
Present Perfect Tense	
The theatre party has been...	He said the theatre party had been...
Past Tense	
The theatre party was...	He said the theatre party had been...
Future Tense	
The theatre party will be...	He said the theatre party would be...
Future Perfect Tense	
The theatre party will have been..	He said the theatre party would have been...
Present Conditional Tense	
The theatre party would be...	He said the theatre party would have been...

---

* patrz I, l. 33.

Z powyższych przykładów widzimy, że przy przekształcaniu mowy niezależnej w mowę zależną z Past Tense w zdaniu nadrzędnym zachodzą następujące zmiany:

Present Tense (w mowie niezależnej) zmienia się na Past Tense

Present Perfect Tense zmienia się	— na Past Perfect Tense
Past Tense	— na Past Perfect Tense
Future Tense	— na Present Conditional Tense
Future Perfect Tense	— na Past Conditional Tense
Present Conditional	— na Past Conditional Tense

Tryb rozkazujący zmienia się na bezokolicznik, np.:

Take a taxi	*Weź taksówkę*

zmieni się na:

She told him to take a taxi.	*Ona powiedziała mu, żeby wziął taksówkę.*
Don't take a taxi.	*Nie bierz taksówki.*
She told him not to take a taxi.	*Ona powiedziała mu, żeby nie brał taksówki.*

Ponadto zmianom czasu towarzyszą zmiany przysłówków czasu, miejsca i zaimków osobowych oraz wskazujących, np.:

Last Monday she said "I shall come to see this picture tomorrow."	*W zeszły poniedziałek powiedziała: „Przyjdę zobaczyć ten film jutro."*
Last Monday she said she would come to see that picture the following day.	*W zeszły poniedziałek powiedziała, że przyjdzie zobaczyć ten film następnego dnia.*

this	zmienia się na	**that**
these	—	**na those**
here	—	**na there**
yesterday	—	**na the day before**
next week	—	**na the following week**
a year ago	—	**na a year before** itp.

2. Użycie zwrotów: *is to* lub *was to* z bezokolicznikiem

Ronald was to get tickets for a party.	*Ronald miał zdobyć (postarać się o) bilety dla całego towarzystwa.*

Zwrot **is to** lub **was to** (w czasie przeszłym) z bezokolicznikiem jest odpowiednikiem polskiego *ma* (*coś zrobić*), w czasie przeszłym *miał* (*coś zrobić*). Zwrot ten jest do pewnego stopnia odpowiednikiem 3. osoby l. poj. **must** oraz **have to** *musieć*, gdyż wyraża zobowiązanie dokonania czynności uprzednio ustalonej lub zaplanowanej.

Ronald was to get tickets...   ponieważ Margaret zaprosiła do teatru Mary i Eve, swoich gości ze Szwecji (patrz 1. 3).

3. Subjunctive Mood * (tryb łączący)

Subjunctive Mood jest to tryb wyrażający warunek, życzenie, pragnienie, przypuszczenie itp.

I wish I were there now.   *Chciałbym tam być teraz.*
God save the Queen!   *Boże zachowaj królową!*
If music be the food of love, play   *Jeśli muzyka ma być pokarmem mi-*
on...   *łości, graj dalej...* **

Są to przykłady użycia Subjunctive Mood.

W odróżnieniu od Indicative Mood (trybu oznajmującego) Subjunctive Mood występuje tylko w Present Tense i Past Tense.

Tryb łączący w czasie Past Tense odnosi się do czasu teraźniejszego i czasu przyszłego i brzmi:

     to be   **to take**

we wszystkich osobach liczby pojedynczej i mnogiej:

     were   **took**

U w a g a : Z wyjątkiem czasownika **to be** czas przeszły trybu łączącego brzmi tak samo jak zwykły Past Tense.

Tryb łączący wyrażony w czasie Present Tense, rzadziej używany, odnosi się do czasu przyszłego i brzmi:

     to be   **to take**

---

* [səb'dżaŋktyw mu:d]
** W zdaniu warunkowym stosuje się czas teraźniejszy w funkcji czasu przyszłego.

we wszystkich osobach liczby pojedynczej i mnogiej:

be

take

Subjunctive Past Tense stosuje się:

a. Dla wyrażenia myśli sprzecznej z rzeczywistością w zdaniach warunkowych, w których spełnienie warunku jest niemożliwe, np.:

If I were a bachelor I should not have so many troubles.   *Gdybym był kawalerem, nie miałbym tylu kłopotów.*

b. Dla wyrażenia życzenia dotyczącego czasu teraźniejszego lub przyszłego po czasowniku **wish** — *życzyć sobie.* Użycie Subjunctive nadaje życzeniu odcień zniecierpliwienia, zmartwienia z powodu faktycznego stanu rzeczy, np.:

I wish I were out of here.   *Chciałbym, żeby mnie tu nie było* (szkoda, że tu jestem).

He wishes that his son took more interest in politics.   *Chciałby, aby jego syn więcej interesował się polityką* (szkoda, że tego nie robi).

Subjunctive Present Tense stosuje się:

a. Dla wyrażenia życzenia, pragnienia lub woli w zdaniach wykrzyknikowych, np.:

God save the Queen!   *Boże, chroń królową!*
Heaven forbid!   *Broń Boże!*
God bless you!   *Niech ci Bóg błogosławi!*
You be gone!   *Wynoś się!*
You be hanged!   *Powieś się!*

b. Dla wyrażenia życzenia, pragnienia lub woli, odnośnie do przyszłości, np.:

I wish that he give up his studies.   *Chciałbym, aby zrezygnował ze studiów.*

She asks that her pictures be put on the show.   *Ona prosi, aby jej obrazy były wystawione* (umieszczone na wystawie).

It is necessary that he remain here.   *Jest (to) konieczne, aby on tu pozostał.*

W USA stosuje się Subjunctive Present Tense znacznie częściej

aniżeli w W. Brytanii, gdzie w zdaniach celowych tego typu stosuje się zwykle **may, might, should, could** itp., patrz I, l. 46.

c. W kilku powiedzeniach idiomatycznych, jak np.:

Come what may I shall go there.	*Niech się dzieje co chce, ja tam pój-* *dę.*
Be that as it may.	*Co będzie to będzie.*
Far be it from me to criticize but ...	*Daleki jestem od krytykowania,* *ale* ...
Suffice [sə'fajs] **it to say** ...	*Wystarczy powiedzieć* ...
So be it ...	*Niech tak będzie* ...

ĆWICZENIA

Read aloud:

[ðeəz byn ə 'foun 'mesydż ,fə ju: ðys 'a:ftə'nu:n.
yts 'hiə on ðə 'sajdbo:d.
'nou, yt 'yznt aj 'ka:nt 'fajnd yt.
'eny^{u}ej yt ^{u}oz frəm 'ronld]

LEARN BY WRITING AND READING

I. Odpowiedz na pytania:

1. Who told Freddie there was a message for him? 2. Where had she left
the message? 3. Did Freddie take a taxi? 4. How did he go to the theatre?
5. What was the play he was going to see? 6. What novels did Freddie like
to read? 7. Why did he run up the escalator? 8. Did he come in time for the
beginning of the show? 9. Who was sitting next to him? 10. Why did people
get up at the sound of music before the show? 11. What did the stage
represent? 12. What was the page doing?

II. Wstaw brakujące przedimki *a, an, the,* **tam, gdzie należy, pamiętając, że**
w wielu wypadkach nie są potrzebne:

Freddie runs out into — street saying to himself, "— tube is good enough for
me", and turns into — nearest underground railway station. In no time he
is on — train, standing in — crowd of passengers. — play he is going to
see is — stage adaptation of Walter Scott's novel "Ivanhoe." When at —
school, Freddie seldom got any — good marks in English literature (he was
better at — mathematics) but he liked — history and — historical novels.

Ronald was to get — tickets for — party including — Mary and — Eve her — guest from — Sweden. — young man was sure that both he and — friends he was going to meet would be pleased with — play.

III. Przetłumacz wierszyk i naucz się go na pamięć:

The Jelly Fish

I wish I were a jelly fish
That cannot fall downstairs.
Of all the things I wish to wish
I wish I were a jelly fish

That hasn't any cares.
And doesn't even have to wish
"I wish I were a jelly fish
That cannot fall downstairs."

(*Anonymous*)

jelly fish ['dżely fysz] *chełbia, meduza*

IV. Wstaw *some time ago* (kiedyś, w przeszłości) lub *sometimes* (czasami):

1. — I didn't dream that people could send rockets to the moon.
2. I was told that — our great-grandmothers were afraid of trains.
3. I watch the television — but not very often.
4. Electric light was already introduced in this village —
5. — the experiments of scientists are more fantastic than things you read in novels.
6. Is it true that you bought a refrigerator —, about two years ago?
7. — I think I should like to be a member of the crew of a space liner.

V. Utwórz zdania z wyrazów podanych w kolumnach:

any	a	a	concert
evidence	half	of	The
life	dozen	to	before
no	planets	see	Anthem
of	round	was	played
on	trips	Freddie	every
moon	think	stage	National
the	Just	going	is
There's	of	adaptation	show
	to	novel	or
	!	historical	
		a	

16 Język ang. dla zaawansowanych

VI. **Zamień następujące zdania** w *indirect speech* **na** *direct speech*:

Przykłady:

She says she can swim.　　　　　**She says: "I can swim".**
He shouted to everybody that he **He shouted to everybody: "I will**
would not do the job.　　　　　**not do the job."** (Uważaj na czasy)

1. He said that the wireless was out of order. 2. I said to him that I couldn't wait a fortnight. 3. The man said that science fiction writers knew more about the moon than scientists. 4. Mother said she had no time for television. 5. An English writer said he was never tired of London. 6. Downe said that he didn't know who had hit Brown.

VII. **Przetłumacz na język angielski:**

dosyć często	prawie zawsze	prawie nigdy
zazwyczaj	dwa razy tygodniowo	może jutro
bardzo rzadko	ilekroć (kiedykolwiek)	kiedyś
może czasem	dosyć rzadko	o czwartej
od czasu do czasu	kiedy?	raz na dzień
rano	może nigdy	w dzień
potem	podczas gdy	nocą
przed południem	kwadrans po trzeciej	cały dzień

LESSON TWENTY-TWO　　　　　**THE TWENTY-SECOND LESSON**

Saxon Genitive
Zaimek względny *what*

FREDDIE AND HISTORY

II

A conversation followed about the lord's love to a proud lady. Then the scene moved to the right side of the stage. A few sailors appeared with a young lady, who was looking round with curiosity.

proud [praud] *dumny*

"What country, friends, is this?" she asked.

"This is Illyria, lady," answered one that looked like a captain.

Freddie wondered again. Why Illyria? Where is Illyria? England should form the background of "Ivanhoe." He didn't remember the book well, but he knew it was about King Richard the Lion-Heart and his friends, the outlaws. Should not there be conflicts between the Saxons, the people of the country, and the Normans, who had ruled there since William the Conqueror's invasion? Something was wrong. It couldn't be "Ivanhoe" turned into a play. There were no knights, not a word about Prince John, the king's brother. Almost all the people had Italian names and they spoke in verse. The decor looked rather Italian, too.

Freddie borrowed Mary's opera-glasses and had a look at the costumes. They were wrong, too. Not at all medieval, rather sixteenth century, Elizabethan. Most probably Ronald had made a mistake about the title of the play, perhaps it was an adaptation of another novel by Scott, maybe "Kenilworth."

Freddie remembered that the story of "Kenilworth" was about a tragedy at the court of Queen Elizabeth. But then why wasn't there in the play anything about the queen or her famous courtiers, Sir Walter Raleigh, for instance, the famous sailor and soldier?

The first act of the play went on, show-

Illyria [y'lyriə] — dawna nazwa Dalmacji
outlaw ['autlo:] *banita, wyjęty spod prawa*
conflict ['konflykt] *konflikt*
Saxon [sæksn] *Saksończyk*
Norman ['no:mən] *Normandczyk*
rule [ru:l] *panować*
invasion [yn'wejżən] *inwazja*
something was wrong *coś było nie w porządku*
turned into a play *przerobiona na sztukę*
not a word *ani słowa*
knight [najt] *rycerz*
verse [wə:s] *wiersz*
decor [dy'ko:] *dekoracja teatralna*
opera-glasses ['opərə 'gla:syz] *lornetka*
medieval [‚medy'i:wəl] *średniowieczny*
Elizabethan [y‚lyzə'bi:-θn] *elżbietański*
made a mistake *zrobił błąd*
Kenilworth ['Kenylᵘəθ] — tytuł powieści W. Scotta
tragedy ['trædżydy] *tragedia*
court [ko:t] *dwór*
Walter Raleigh ['ᵘo:ltə 'ræly] — znany podróżnik, żołnierz, poeta za czasów Elżbiety I
act [ækt] *akt* (w sztuce teatralnej)

ing a romantic love story about a duke and two pretty young ladies, of whom one was dressed as a young man to make matters more amusing and more complicated.

When the curtain dropped at the end of the act, Freddie was delighted with the play but still wondering. At last all the lights in the theatre were switched on again. He looked at his neighbour's programme to see the title of the play, it was... "Twelfth Night or, What You Will" by William Shakespeare!

Freddie turned red, shocked at his ignorance. The comedy is one of the best known of Shakespeare's plays.

"It's very hot here", commented Ronald, noticing his friend's pink face. "Let's go to the foyer for a smoke."

The whole party moved towards the exit, then down to the foyer, crowded with people coming out of the boxes, stalls, etc.

Mary: I'm glad Margaret told you in time about the change of date.

Freddie: But I didn't expect to see Shakespeare. Ronald said it would be "Ivanhoe" turned into a play.

Ronald: But I told Margaret that Eve couldn't join us on Friday so we had to make it to-day. I hope you're not sorry you've come.

Frieddie: Oh, no, certainly not. I like it tremendously. The cast is excellent, especially the actress playing Viola. How do you like it, Eve? Can you follow what the actors say?

Eve: Well, not everything. But the act-

romantic [ro'mæntyk] *romantyczny*
amusing [ə'mju:zyŋ] *zabawny*
drop [drop] tu: *opuścić*
delighted [dy'lajtyd] *zachwycony*

turn red *zaczerwienić się*
ignorance ['ygnərəns] *ignorancja*
comedy ['komydy] *komedia*
foyer ['fojej] *palarnia*
for a smoke *na papierosa*
moved towards *ruszył ku*
box [boks] *loża*
in time tu: *na czas*

cast [ka:st] *obsada*
actress ['æktrys] *aktorka*
Viola ['wjoulə] — *imię*
follow tu: *rozumieć*
act [ækt] *grać w teatrze*

I'm looking forward to what will follow

ing is so good that I can guess what is going on. I'm looking forward to what will follow. I suppose, you English people know the play almost by heart.

Freddie (modestly): Er... er... not quite. Strictly speaking I don't remember too much of it. I'm also looking forward to the next acts.

what is going on? *co się dzieje?*

look forward to [luk 'fo:ʷəd] *cieszyć się na...*

English people *Anglicy*
by heart *na pamięć*
not quite *niezupełnie*
strictly speaking *mówiąc ściśle*

Quotations, proverbs and jokes

To be, or not to be, — that is the question.

(Shakespeare)

question ['kʷeszczən] *pytanie, zadawać pytanie*

OBJAŚNIENIA

love to	*miłość do*
love for	*miłość dla*
to fall in love with	*zakochać się w*
to be in love with	*kochać się w*
love affair	*afera miłosna*

A few sailors appeared with a young lady.	*Kilku marynarzy ukazało się z młodą panną.*
a few *kilka*, **a little** *trochę*	

nie mylić z **few** *niewielu*, **little** *mało* (patrz I, l. 30, 45)

look round	*obejrzeć się* (patrz l. 3)
look up at	*popatrzeć w górę na*
look down at	*popatrzeć w dół na*
look about	*rozglądać się*
look into	*wejrzeć w*
look on, upon	*patrzeć na* (sprawę)
look over	*przejrzeć, przeglądać*
look through	*zbadać dokładnie*
look ahead	*przewidywać*
look back	*wspominać coś*
look out!	*uważaj!*

This is Illyria, lady.   *To jest Iliria, o pani!*

Wyrazu **lady** bez nazwiska, w wołaczu, używa się powszechnie tylko w l. mn., np.:

Ladies and Gentlemen!   *Panie i Panowie!*

W l. poj. używa się jedynie w języku poetyckim, jak w podanym przykładzie lub w języku wulgarnym. Inne użycie wyrazu **lady** patrz objaśnienia w l. 1.

King Richard the Lion-Heart [kyŋ 'ryczəd ðə 'lajən ha:t] król Ryszard Lwie Serce — król rycerz, wędrowiec, trubadur, poeta, żył w 1157—1199 (dynastia Plantagenetów).

William the Conqueror ['ᵘyljəm ðə 'koŋkərə] Wilhelm Zdobywca — w 1066 r. najechał na Anglię i wygrał sławną bitwę pod Hastings ['hejstyŋz], sprowadził Normanów do Anglii, żył ok. 1027—1087.

Elizabethan [y‚lyzə'bi:θən] elżbietański — z okresu panowania królowej Elżbiety I (1533—1603) z dynastii Tudorów, okres odkryć, rozwoju literatury, sztuki, okres twórczości największych pisarzy angielskich, jak Szekspir, Marlowe, Ben Jonson i wielu innych.

Shakespeare ['szejkspiə]   **Marlowe** ['ma:lou]
Ben Jonson [ben'dżonsn]   **Tudor** ['tju:də]

to drop	upuścić coś
to drop a bomb [bom]	rzucić bombę
to drop a letter into a pillar-box ['pyləboks]	wrzucić list do skrzynki pocztowej
to drop a line	napisać parę słów do kogoś
to drop dead	paść trupem
to drop in	wpaść na krótką wizytę

GRAMATYKA

1. Saxon Genitive *

a.

Yes, it's for to-night's show.	*Tak, to jest na dzisiejsze przedstawienie.*
A conversation followed about the lord's love to a proud lady ...	*Nastąpiła rozmowa o miłości lorda do dumnej damy.*
... since William the Conqueror's invasion.	*... od najazdu Wilhelma Zdobywcy.*
the king's brother	*brat króla*
Mary's opera-glasses	*lornetka Marii*
...his neighbour's programme	*...program jego sąsiada*
...his friend's pink face	*...różowa twarz jego kolegi*

Powyższe przykłady, wybrane z tekstów lekcji 21 i 22 ilustrują użycie dopełniacza saksońskiego. Formę tę tworzą rzeczowniki, które oznaczają stworzenia posiadające serce. Rośliny, drzewa, kwiaty żyją również, ale nie posiadają serca i dlatego nie tworzą dopełniacza saksońskiego.

b. W języku angielskim istnieje jednak wiele wyjątków od zasady „posiadania serca". Najbardziej typowe z nich podajemy poniżej:

nazwy państw, miast, mórz, rzek itp., np.:

Poland's climate is nice
London's underground railway

określenia czasu, np.:

a fortnight's holiday
to-night's show
two days' travel

określenia wartości, np.:

a pound's worth of pears

określenia miar długości, szerokości, głębokości itp., np.:
at a 100 yards' distance
the Palace of Culture's height

---

* Patrz l. 29 i I, l. 3, 24 i 35.

oraz szereg idiomatycznych zwrotów, np.:

She is at her wits' end.

At last they come to their journey's end.

He had the subject at his fingers' ends.

I enjoyed the company to my heart's content.

The thirsty beasts were lying at the water's edge.

In my mind's eye I can see Europe's future.

Ona jest bliska rozpaczy, nie wie, co począć.

Wreszcie nadchodzi koniec ich podróży.

Znał temat bardzo dobrze (dosł.: miał go na końcu palców).

Całym sercem cieszyłam się z towarzystwa.

Spragnione zwierzęta leżały na krawędzi wody.

Widzę obraz przyszłości Europy.

Niekiedy występuje kilka dopełniaczy saksońskich w jednym zdaniu, np.:

That is Adam's father's wife's car.

c. Dopełniacz saksoński eliptyczny występuje wówczas, gdy brak jest określanego przez niego rzeczownika. Rzeczownik jest wówczas domyślny, np.:

We met at my aunt's (tj. **at my aunt's flat** lub **home**).

The hairdresser's is in this street (**the hairdresser's shop**).

Spotkaliśmy się u mojej ciotki.

Fryzjer damski jest na tej ulicy.

U w a g a : Spotykamy również obie formy dopełniacza w jednym zdaniu, np.:

A soldier of the king's own regiment.   *Żołnierz pułku królewskiego.*

2. Zaimek względny *what*

I'm looking forward to what will follow.

What I want to know is ...

Cieszę się z góry na to, co dalej nastąpi.

To czego chcę się dowiedzieć, to ...

Zaimek względny **what** znaczy *to co*. Jeżeli chce się szczególnie podkreślić sam zaimek, można użyć formy **that which**, np.:

I'm looking forward to that which will follow.

Inne zaimki względne patrz I, l. 28.

ĆWICZENIA

Read aloud:

['fredy 'boroud ˌmeəryz 'opərə ˌglaːsyz ənd ˌhæd ə 'luk ət ðə 'kostjuːmz. 'ðej ᵘəː 'roŋ, 'tuː, 'notə'toːl medy'iːwl, 'raːðə 'syks'tiːnθ 'senczury, yˌlyzə'biːθn. 'jes, 'ðæt ᵘəz ðə 'riːzn. moust 'probəbly ronld ˌmejd ə mys'tejk ə'baut ðə 'tajtl.]

LEARN BY WRITING AND READING

I. Ułóż pytania, na które odpowiedzią są następujące zdania:

1. A few sailors appeared on the stage.

P r z y k ł a d : *Who appeared on the stage?* lub: *Where did the sailors appear?*

2. The place of the action of the novel is in England. 3. Freddie's tickets were for the upper circle. 4. Richard the Lion-Heart was a king of England. 5. The Normans ruled in England since the invasion in 1066. 6. All the people on the stage had Italian names. 7. Scott's novel "Kenilworth" is about the court of Queen Elizabeth. 8. Freddie was delighted with the play. 9. He looked at his neighbour's programme to see the title of the play. 10. The title was "Twelfth Night". 11. The young man turned red for he was shocked at his ignorance. 12. They went down to the foyer for a smoke.

II. Ułóż listę wyrazów związanych ze sztuką:

Przykłady: play, theatre, talent etc.

III. Zamień na

1. He knew the play quite well.

P r z y k ł a d : *He knows the play quite well.*

2. I learned a great many poems by heart. 3. They felt tired after the show. 4. Did it hurt you? 5. Where did he come from? 6. What was his name? 7. Freddie enjoyed going to the theatre. 8. Sometimes he tried to get cheaper tickets. 9. Did you know the picture? 10. He liked music.

IV. Ułóż następujące wyrażenia w formie Saxon Genitive i użyj je w zdaniach:

the bicycle of the boy

P r z y k ł a d : **The boy's bicycle** *was not far away.*

the author of this novel
the brother of the young ladies
the palace of Henry the Eighth
a historical play by the great poet
the questions of the economist
a play by Shakespeare

the works of Walter Scott
the remark of your leader
a jewel of the film star
the words of your father
the legs of a fly

V. Zgadnij, o czym mowa w następujących wyjaśnieniach:

1. What is... like? (Jak wygląda...?) It's white, cold, soft.
After some time it gets dirty in the streets of towns.

P r z y k ł a d : *What is* **snow** *like?*

2. What is... like? It's a room in theatres, schools, restaurants etc. where you keep coats, hats, sticks and umbrellas.
3. What is... like? It's a soft, shining material used for women's evening or summer dresses.
4. What is... like? It's a large piece of paper with some information, notice or advertisement written on it.
5. What is... like? It's made of rubber, it's round and it makes going by car more comfortable.
6. What is... like? It's a shop with shelves and cupboards along the walls, full of pills, bottles of medicine etc.

VI. Napisz w pierwszej osobie liczby pojedynczej, co Freddie widział w teatrze (około 6 do 8 zdań), np. o budynku, publiczności, sztuce.

VII. Dobierz odpowiednie zwroty z a. do zwrotów z Gerund w b.:

a.

He is tired of...
Eve is fond of...
You must stop...
They warned me against...

We are looking forward to...
Freddie was shocked at...
Don't risk...
Father was surprised at...

b.

...my coming late for the lecture.
...smoking so much.
...my speaking English so well.
...going to the pictures.

...working late at night.
...seeing you again next week.
...catching cold by standing in the rain.
...trying to pass the examination now.

VIII. Przetłumacz na język angielski:

Dobre stare czasy

Czy chciałbyś żyć w „dobrych dawnych (starych) czasach"? Czy nie myślisz, że tamte czasy były bardziej romantyczne aniżeli nasze? Nie, nie myślę. Jedni (ludzie) mieszkali (forma trwająca) we wspaniałych zamkach i pałacach, a mnóstwo innych usługiwało im (z mnóstwem — plenty of — ludzi usługujących im). Skąd wiesz (jak wiesz), że byłbyś (Past Conditional) bogatym lordem? Może byłbyś (Past Conditional) biednym, wyzyskiwanym robotnikiem rolnym pracującym ciężko dla lorda? To prawda (to jest prawdziwe). Ale pomyśl: jakie piękne (what...) budynki oni stworzyli! Zapominasz, że nie miały łazienek, nie miały szyb (żadnego szkła) w (swoich) oknach. Ale ludzie mieli wspaniałe stroje (kostiumy). Co za kolory, co za wyobraźnia! O ile (jak bardzo) przyjemniejsze (nicer) aniżeli nasze. Nosili cudowne kapelusze nawet w (swoich) domach. A czy wiesz dlaczego? Ponieważ nie mieli właściwie (właściwych) pieców, żadnego centralnego ogrzewania (central heating) w swoich pałacach i pokoje były niezmiernie zimne zimą. Musisz przyznać, że mieli spokojniejsze życie. Żadnej gonitwy tu i tam, żadnych hałaśliwych samochodów, motocykli, samolotów. Pomyśl o tym: twoi sąsiedzi nie mieli aparatów radiowych! Aa, przyznaję, że tu masz rację (you've got a point there).

LESSON TWENTY-THREE   THE TWENTY-THIRD LESSON

Wyrazy pochodne
Bezokolicznik jako okolicznik celu, skutku itp.
Rzeczowniki zmieniające swe znaczenie w l. mn.

A LETTER FROM POLAND

Warsaw, Aug. 17th, 19...

Dear John,
   Here at last is a letter I promised you in my postcard from Zakopane. You see I've travelled a long way from Warsaw but, as perhaps you know, railway fares are

Aug. — August ['o:gəst]
sierpień

much lower here than in our country. I was surprised to learn that students, and schoolchildren pay reduced prices for their tickets, by as much as 30 per cent! I wish we paid less for our trains at home especially as they are also nationalized.

It's a pity you have not seen Zakopane. It's a most beautiful health resort, perfectly situated among high, beautiful hills. There are charming walks in the valleys, rock-climbing and real mountaineering for the specialists. Mountains can be very dangerous, especially for beginners. This autumn I must save money to come here for a fortnight's skiing or tobogganing in winter.

I like the mountain people very much. They're gay, sociable and very talented. Many outstanding Polish musicians, painters and architects come from this part of the country. You should see their wood--carving, both in the traditional and in the most up-to-date style. I've bought a present for you: a pair of beautifully embroidered slippers.

Cracow you know, of course. I quite agree with you that the charm of the town lies in the picturesque character of its streets as well as in the great number of fine old buildings, walls and gates. But I've seen something you haven't: the new and

schoolchildren *uczniowie*
reduce [ry'dju:s] *zmniej-szyć, obniżyć* (cenę)
by as much as 30% *aż o 30 %*
per cent [pə'sent] *procent*
I wish we paid...* *szkoda, że nie płacimy...*
nationalize ['næsznəlajz] *upaństwowić*
it's a pity... *szkoda*
health resort ['helθ ry-'zo:t] *uzdrowisko*
valley ['wæly] *dolina*
rock-climbing ['rok-'klajmyŋ] *wspinaczka*
mountaineering *wspina-czka, taternictwo*
specialist ['speszəlyst] *specjalista*
dangerous ['dejndżərəs] *niebezpieczny*
toboggan [tə'bogn] *san-ki, saneczkować*
embroider [ym'brojdə] *haftować*
slippers *kapcie*
wood-carving ['ᵘud/ka:-wyŋ] *rzeźbiarstwo w drzewie*
musician [mju'zyszn] *muzyk*
architect ['a:kytekt] *architekt*
traditional [trə'dyszənl] *tradycyjny*
sociable ['souszəbl] *to-warzyski, przyjacielski*
as well as *jak również*
Cracow ['kra:kou] *Kra-ków*

---

* patrz l. 21, gramatyka 3b.

modern part of Cracow — Nowa Huta, the "steel town."

You see, the other people in my party went on a trip to Wieliczka, to visit a salt--mine — something unique — but I had a special invitation from a Polish friend of a fellow countryman of ours. The man is a manager of one of the departments of the Lenin Metallurgical Works in Nowa Huta. He most obligingly let one of his employees show me round the place.

You must see the whole thing to believe it. A few years ago the place was a poor, small village; now it's a modern industrial town producing goods for home use and export. The plant, the machines, the social services, everything is up-to-date. So are the new blocks of flats with comfortable lodgings.

I know that you are interested in coope-

salt-mine [′so:lt‚majn] *kopalnia soli*

countryman [′kantrymən] **of ours** *nasz rodak*

Lenin [′lenyn] *Lenin*

metallurgical works [metə′lə:dżykl ′ʷə:ks] *huta*

most obligingly... *bardzo uprzejmie*

employee [‚emploj′i:] *pracownik*

show me round the place *oprowadzić mnie dookoła*

for home use... *na użytek krajowy*

export [′ekspo:t] *eksport*

export [eks′po:t] *eksportować*

plant [pla:nt] *urządzenie fabryczne*

social [souszl] *społeczny*

up-to-date [′aptə‚dejt] *nowoczesny*

modernize [′modənajz] *modernizować, unowocześniać*

bound [baund] *zobowiązany*, tu: *na pewno*

collective [kə′lektyw] *kolektywny, zbiorowy*

collective farm *spółdzielnia produkcyjna*

product [′prodəkt] *produkt, wyrób*

productivity [‚prodak′tywyty] *wydajność*

equip [y′kʷyp] *zaopatrzyć, wyposażyć*

effort [′efət] *wysiłek*

rative farms. Perhaps I really owe you a picture of Polish country life but I think that you should make an effort and come here next year and see everything for yourself.

By the way, I like the food here, especially in private houses. And the fruit is excellent, you should taste the cherries, the wild strawberries, or the mushrooms. I should like to bring some mushrooms home for an aunt of my mother's (who is of Polish origin) if it isn't against the customs regulations. Back in London I'll have to look for a shop with food imported from Poland.

Now, I hope, you won't say any more that my letters are too short, this one is probably too long! Well, bye-bye, see you in a month's time.

Yours ever

Thomas Bright

mechanize [ˈmekənajz] *mechanizować*
cooperative [kouˈoprətyw] *spółdzielczy*
owe [ou] *być winnym; zawdzięczać*
by the way... *à propos, ale ale*
private [ˈprajwyt] *prywatny*
cherry [ˈczery] *czereśnia lub wiśnia*
mushroom [ˈmaszrum] *grzyb*
to bring home *przywieźć do domu*
an aunt of my mother's *ciotka mojej matki*
regulation [ˌregjuˈlejszn] *przepis*
back in London tu: *po powrocie do Londynu*
import [ˈympo:t] *import*
import [ymˈpo:t] *importować*
bye-bye [ˈbajˈbaj] *do widzenia* (poufałe)

If it isn't against the customs regulations

Quotations, proverbs and jokes

Language is the dress of thought.

(*Johnson*)

Government of the people, by the people, for the people.

(*Lincoln*)

OBJAŚNIENIA

Aug. August	*sierpień*
Skróty pozostałych miesięcy:	
Jan. January [′dżænjuəry]	*styczeń*
Feb. February [′februəry]	*luty*
Mar. March [ma:cz]	*marzec*
Apr. April [′ejprəl]	*kwiecień*
Sept. September [səp′tembə]	*wrzesień*
Oct. October [ok′toubə]	*październik*
Nov. November [no′wembə]	*listopad*
Dec. December [dy′sembə]	*grudzień*
May, June, July nie posiadają skrótów.	
the social services	*urządzenia socjalne*

---

a lodging *mieszkanie*

Wyrazu **lodging** użyto na określenie pokojów wynajętych na mieszkanie lub pokoju sublokatorskiego.

lodging-house jest pensjonatem (nie hotelem), skromnym domem noclegowym, przeznaczonym przeważnie dla biednych. Mieszkanie, w polskim pojęciu, nazywa się **flat** [flæt] w Wielkiej Brytanii, a **apartment** [ə′pa:tmənt] w Ameryce.

---

new blocks of flats	*nowe bloki mieszkalne*
block	*pieniek* (u rzeźnika)

block (w Ameryce) wszystkie domy wzdłuż ulicy ciągnące się od jednej przecznicy do następnej. Wyraz ten używany jest tam jako pojęcie odległości, np.:

He lives seven blocks from here.	*On mieszka siedem bloków stąd.*

to be bound to	*być zobowiązanym do*
be bound to win	*na pewno wygrać*
the ship is bound for Poland	*okręt zmierza do Polski*
bound	*skok, sus*
bounds	*granice* (zwykle l. mn.)
out of bounds	*wejście zabronione* (dla kogoś)

good-bye jest skróconą formą od "God be with you" Bóg niech będzie z tobą.

She said good-bye and sadly went away. — *Powiedziała do widzenia i smutno odeszła.*

Good-bye mówimy, gdy się żegnamy z kimś, kogo przypuszczalnie nie zobaczymy tego samego dnia. Używamy tej formy również przy zakończeniu rozmowy telefonicznej, gdy nie myślimy o widzeniu się z osobą, z którą rozmawialiśmy.

"Bye-bye", said Mary to her friend Alice. — *Do widzenia, pa, powiedziała Mary do swej przyjaciółki Alicji.*

"Bye", answered the other already on her way out. — *Pa, odpowiedziała ta druga zdążając już ku wyjściu.*

Możemy również użyć formy skróconej bye-bye ['baj 'baj]. Jest to raczej poufały zwrot stosowany między ludźmi, którzy się bardzo dobrze znają.

GRAMATYKA

1. Wyrazy pochodne

Oto przykłady wyrazów pochodnych i różnice występujące w ich wymowie:

a.

Czasownik: to employ [ym'ploj] *zatrudnić*
Rzeczownik: employment [ym'plojmǝnt] *zatrudnienie, praca*
               employer [ym'plojǝ] *pracodawca*
               employee [emploj'i:] *pracownik*
               unemployment [ˌanym'plojmǝnt] *bezrobocie*
               unemployed [ˌanym'plojd] *bezrobotny*
Przymiotnik: employable [ym'plojǝbl] *możliwy do zatrudnienia*

b.

Czasownik: to socialize ['souszǝlajz] *uspołeczniać*

Rzeczownik: **socialism** ['souszəlyzm] *socjalizm*
society [sə'sajəty] *społeczeństwo*
socialist ['souszəlyst] *socjalista*
Przymiotnik: **sociable** ['souszəbl] *towarzyski (lubiący towarzystwo)*
social ['souszəl] *społeczny, towarzyski*
socialistic [,souszə'lystyk] *socjalistyczny*
Przysłówek: **socially** ['souszəly] *społecznie, towarzysko*

c.

Czasownik: **to use** [ju:z] *używać*
Rzeczownik: **use** [ju:s] *użytek, używanie, użycie*
usage ['ju:zydż] *zwyczaj, obchodzenie się; używanie języka*
usefulness ['ju:sfulnys] *użyteczność*
uselessness ['ju:slysnys] *bezużyteczność*
Przymiotnik: **useful** ['ju:sful] *użyteczny*
useless ['ju:slys] *bezużyteczny*
usable ['ju:zəbl] *używalny*

d.

Czasownik: **to collect** [kə'lekt] *zbierać*
Rzeczownik: **collection** [kə'lekszn] *zbiór, zbiórka*
collector [kə'lektə] *kolektor, zbieracz*
collectivism [kə'lektywyzm] *kolektywizm*
Przymiotnik: **collective** [kə'lektyw] *kolektywny, wspólny, zespołowy*

e.

Czasownik: **to cooperate** [kou'opərejt] *współpracować*
Rzeczownik: **cooperation** [kou'opərejszn] *współpraca*
Cooperative Society *spółdzielnia*
Przymiotnik: **cooperative** [kou'opərətyw] *współpracujący, spółdzielczy*

2. Bezokolicznik jako okolicznik celu, skutku itp.

I was terrified to see mere beginners starting on excursions.
Byłem przerażony na widok zaledwie początkujących, wyruszających na wycieczki.

I was bound to visit a collective farm.
Byłem obowiązany zwiedzić (na pewno zwiedzę) spółdzielnię produkcyjną.

It was easy to write.
To było łatwe do napisania.

I was surprised to learn.
Zdziwiłem się na wiadomość (gdy dowiedziałem się).

17 Język ang. dla zaawansowanych

Bezokolicznika można użyć jako okolicznika celu, skutku, przyczyny po przymiotnikach i imiesłowach czasu przeszłego, np.:

terrified to see, bound to visit, easy to write itp.
przerażony na widok (przyczyna), *obowiązany, żeby zwiedzić* (cel) itp.

Bezokolicznik w zdaniu okolicznikowym celu, np.:

I must save money to come here in winter patrz 1. 17.

3. Rzeczowniki zmieniające swe znaczenie w l. mn.

I should like to bring some mushrooms ... if it isn't against the customs regulations.   *Chciałbym przywieźć trochę grzybów... jeżeli to nie jest niezgodne z przepisami celnymi.*

Niektóre rzeczowniki zmieniają znaczenie w l. mn., np.:

custom *zwyczaj*   **customs** *zwyczaje* lub: *cło, urząd celny*
colour *kolor*   **colours** *kolory* lub: *flaga*
spectacle *widowisko*   **spectacles** *widowiska* lub: *okulary*
spirit *duch, nastrój*   **spirits** *duchy, nastroje* lub: *napoje alkoholowe*
good *dobro*   **goods** *towary*
physic *lek*   **physics** *fizyka*

ĆWICZENIA

Read aloud:
[yts ə 'pyty ju: ˌhæwnt si:n Zakopane.
yts ə 'moust 'bju:təful ˌhelθ ry'zo:t, 'pə:fyktly ˌsytju'ejtyd ə'moŋ 'haj, ˌ"ajld ˌhylz.
ðeəra: 'cza:myŋ ˌ"o:ks yn ðə 'wælyz, 'rokˌklajmyŋ ənd riəl ˌmaunty'niəryŋ fə ðə 'speszəlysts.]

LEARN BY WRITING AND READING

I. Odpowiedz na pytania:

1. Where did Thomas write from? 2. Where did he write the postcard from? 3. What surprised him about the railway fares? 4. What is the situation of Zakopane? 5. Who are mountains dangerous for? 6. What does Tom (i. e. Thomas) want to save money for? 7. What sports do you like best in winter? 8. Why does Tom like the mountaineers so much? 9. What makes the charm

of Cracow? 10. Is Nowa Huta a town or a part of another town? 11. Who showed Tom round the Lenin Works? 12. What did he consider so amazing?

II. Ułóż według końcówek następujące wyrazy (pochodne od *social, product, nation, collect, mechanic, special, commune*):

P r z y k ł a d y :   -ist: *communist, specialist* itd.
                          -al: *national, mechanical* itd.

Communism, nationalistic, productivity, collective, mechanize, society, specialize, mechanical, productive, national, communist, socialize, collectivize, specialist, socialism, communistic, collectivism, socialistic, nationalize, speciality, mechanism, socialist.

III. Dokończ zwroty łącząc wyrazy z a. i z b.:

a.

North and —
P r z y k ł a d : *North and* South.

Right and —   Heaven and —   Gold and —
Brave and —   Coat and —   Knife and —
Open and —   Bigger and —   Day and —
Black and —   Paper and —

b.
white, bold, hat, night, silver, earth, South, pencil, wrong, shut, better, fork

IV. Napisz pocztówkę z Zakopanego lub innej miejscowości tak, jak gdyby napisał ją Thomas Bright.

V. Napisz 5 zdań zaczynających się od *"Nobody has ever..."*

P r z y k ł a d : *Nobody has ever given me a present. Nobody has ever been on Mars.*

VI. Przetłumacz na język angielski:

Pytania

Gdzie jest najbliższa poczta?
Jak się idzie (Which is the way) do stacji?
Jak się idzie do autobusu nr 7?
Przepraszam, co ten napis (notice) głosi (mówi)?
Przepraszam, co to za budynek (czym jest)?
Czy mógłby mi pani powiedzieć, kiedy pociąg odchodzi (start)?
Którym autobusem dojadę do (take) stacji?

Ile płacę za tę pocztówkę?
Jak daleko jest do (mojego) hotelu?
Czy pani mówi po angielsku?
Czy pani mówi po rosyjsku?
Czy pani mnie rozumie, gdy mówię powoli?

LESSON TWENTY-FOUR   **THE TWENTY-FOURTH LESSON**

> **The Past Continuous Tense**
> *Must* **w zdaniach podrzędnych**

A TALISMAN

I

Ralph Barney was coming back from his uncle. He was sitting in the underground train to Hammersmith and was thinking about him. Ralph Barney's parents died when he was a small boy. The boy was left with a rich uncle as his guardian, who spent all his life travelling. At present he is living quietly in London on what he has saved.

He paid his nephew an allowance which was too small to make both ends meet. So the young man was in constant need of money. To-day he has been to see his uncle in the hope that the old man would allow him some more money, because, owing to unexpected expenses, his monthly allowance dwindled down to what was a

talisman ['tælyzmən] *talizman, amulet*
Ralph [relf] — *imię męskie*
Barney ['ba:ny] — *nazwisko*
guardian ['ga:djən] *opiekun*
allowance [ə'lauəns] *zezwolenie; suma pieniężna, zwykle okresowa, przyznawana komuś*
owing to ['ouyŋ tu:] *dzięki, zawdzięczając*
unexpected ['anyks'pektyd] *niespodziewany*
expense [yks'pens] *wydatek*
monthly ['manθly] *miesięczny*
dwindle ['d"yndl] *maleć, podupadać, ubywać*

very beggarly living towards the end of the month.

Instead his uncle gave him something which he said would bring him luck in any future venture. It was a small talisman which he had been given by the chief of an African tribe and consisted of a bone of an animal, or possibly of a man, with some magic signs on it stuck in a piece of extremely hard black wood.

Ralph Barney took out the talisman and looked at it from all angles. Does it really have any supernatural powers to help?

His eyes wandered off the talisman and rested upon an elderly lady who, obviously, was coming back from, or going to some social occasion as her dress showed under her summer coat. The lady had a sparkling necklace discreetly covered with a transparent scarf and through her gloves could be seen some fine rings and a gold bracelet studded with gems.

Ralph Barney instinctively thought that if the jewels were all genuine they must be very valuable.

The lady was about sixty years of age, well-dressed, unpresuming but for the jewels.

Suddenly an idea darted through Ralph's mind — rob her of the jewels. To steal

living ['lywyŋ] *utrzymanie*
luck [lak] *szczęście*
venture ['wenczɔ] *ryzykowne przedsięwzięcie*
chief [czi:f] *wódz, szef*
tribe [trajb] *szczep*
bone [boun] *kość*
magic ['mædżyk] *magiczny*
sign [sajn] *znak*
stick, stuck, stuck [styk, stak, stak] *przylepić; przytwierdzić, wprawić*
angle ['æŋgl] *kąt*
supernatural [ˌsju:pə-'næczrəl] *nadprzyrodzony*
upon [ə'pon] *na*
sparkling ['spa:klyŋ] *świecący, błyszczący*
necklace ['neklys] *naszyjnik*
discreetly [dys'kri:tly] *dyskretnie, ostrożnie*
transparent [træns'peɔrnt] *przezroczysty*
ring [ryŋ] *pierścień*
gold [gould] *złoto*
bracelet ['brejslyt] *bransoleta*
stud [stad] *wysadzać, nabijać*
gem [dżem] *klejnot, drogi kamień*
instinctively [yn'styŋktywly] *instynktownie, odruchowo*
genuine ['dżenjuyn] *prawdziwy*
unpresuming ['anpry-'zju:myŋ] *bezpretensjonalny, skromny*

... a talisman which he had been given by an African chief

and sell them, and at last enjoy a life of plenty... but how could he do it?

Obviously she must not suspect him. He turned his gaze in a different direction and thought: "That will be my first venture with the talisman, it will be successful! It must be successful!"

He put his hand into his trousers pocket to ensure the talisman was still there, and went on thinking:

"I shall walk behind her, see where she is going, see where she is living... if alone, I shall try to find a pretext to knock at the door, and present myself as... a municipal clerk... or no, as a plain clothes policeman... yes, that will be better... and then gag her, take everything... all those precious rings... necklaces... no harm done..."

When the train started from Gloucester Road the lady got ready to get off...

"Well," — thought Ralph Barney — "she is going to get off in Earl's Court... I wonder where she is going..."

rob [rob] *ograbić, zrabować*

gaze [gejz] *wzrok, spojrzenie*

pretext ['pri:tekst] *pretekst*

present [pry'zent] *przedstawić*

municipal [mju:'nysypəl] *miejski*

clerk [kla:k] *urzędnik*

plain clothes ['plejn 'klouðz] *po cywilnemu*

gag [gæg] *kneblować*

precious ['preszɔs] *cenny*

harm [ha:m] *krzywda, zło*

no harm done ['nou ha:m dan] *bez skrzywdzenia*

get off [get'o:f] *wysiąść, odejść*

At the next stop the woman alighted together with a crowd of people. She did not know that she was being closely watched...

She turned right into Earl's Court Road and went straight on, crossed all zebra crossings in Old Brompton Road and then proceeded to one of the streets lying off Redcliffe Square. It was rather a short quiet street lived in by well-to-do people.

She stopped in front of a house... crossed a little flower garden, stopped in front of the door... fumbled for keys... found them... inserted the key in the lock and opened the door. Then, not looking behind her, she entered the house.

Just then Ralph Barney was slowly passing along. He did not hear anybody greeting the lady. He stopped for a moment, bent down, and pretended to adjust his shoelaces all the time listening if there were any voices in the house. No, he did not hear anything.

There was nobody in the street either. He went on to the corner of the next street, looked round, and not seeing anybody there he now turned back with sure steps towards the unknown lady's house.

Old Brompton Road [ould 'bromptən roud] — nazwa ulicy w Londynie
Redcliffe Square ['redklyfsk"eə] — nazwa placu
fumble ['fambl] *grzebać*
insert [yn'sɔːt] *umieścić, włożyć*
lock [lok] *zamek (u drzwi)*

pretend [pry'tend] *udawać*
adjust [ə'dżast] *dopasować*

either ['ajðə] tu: *również*

OBJAŚNIENIA

Hammersmith ['hæməsmyθ], **Gloucester Road** ['glostəroud], **Earl's Court** ['əːlz'koːt] — nazwy stacji kolei podziemnej w Londynie

The boy was left with a rich uncle. *Chłopiec został oddany pod opiekę bogatego wuja (pozostawiony wujowi).*

to leave for New York	wyjechać do Nowego Jorku
to leave behind	pozostawić, nie wziąć
to leave alone	nie dotykać, pozostawić kogoś w spokoju
to make both ends meet	aby wystarczyło do pierwszego (aby związać koniec z końcem)
owing to unexpected expenses	z powodu nieoczekiwanych wydatków
owing to	z powodu czegoś, dzięki czemu, zawdzięczając czemu
It was a small talisman which he had been given by a chief.	Był to mały talizman, który otrzymał od pewnego wodza.
It was rather a short, quiet street lived in by well-to-do people.	Była to dosyć krótka, spokojna ulica, zamieszkana przez zamożnych ludzi.

Dwa przykłady użycia strony biernej w sposób specyficzny dla języka angielskiego, patrz l. 17.

Does it really have any supernatural powers?	Czy on naprawdę posiada jakieś moce nadprzyrodzone?

Does w zdaniu tym szczególnie podkreśla sens czasownika, dodaje emfazy, patrz l. 15.

His eyes wandered off the talisman.	Jego wzrok (oczy) powędrował z talizmanu.
to wander	wędrować, błądzić
social occasion	towarzyska impreza

---

the lady was... well dressed, unpresuming but for the jewels	dama była dobrze ubrana, gdyby nie jej klejnoty wyglądałaby skromnie
but ale, lecz, tylko	
all but prawie, np.:	
He all but died of five wounds.	Omal nie umarł od pięciu ran.
but for gdyby nie, bez, np.:	
But for your help I should have failed.	Bez twojej pomocy nie udałoby mi się.
but z wyjątkiem, np.:	
All are cowards ['kauədz] but he.	Wszyscy są tchórzami z wyjątkiem niego.
last but one	przedostatni

Suddenly an idea darted through Ralph's mind.
Nagle pewna myśl przeszyła umysł Ralfa.

a life of plenty
dostatnie życie

I shall present myself as...
Przedstawię się jako...

The lady got ready to get off.
Dama przygotowała się do wysiadania.

The streets lying off Redcliffe Square.
Ulice (leżące) w pobliżu Redcliffe Square.

His eyes wandered off the talisman.
Jego wzrok (oczy) powędrował z talizmanu.

Wyraz **off** występuje w funkcji przyimka i przysłówka i służy do określenia, że ktoś lub coś znajduje się obok, poza, w okolicy, z (czegoś), nie na itd. Przeciwieństwem jego jest wyraz **on.** Oto kilka innych przykładów:

be off	*odejść*
break off	*odpaść*
roll off	*toczyć się w dół, odsunąć się, zsuwać się*
clear off	*odejść; sprzątnąć; zniknąć*
pass off	*minąć (o bólu)*
run off	*odbiec*
set off	*wyruszyć, wyjechać*
go off	*wystrzelić (o strzelbie itp.)*
all was off	*wszystko zostało odwołane, skasowane*

A street lived in by well-to-do people.
Ulica zamieszkana przez zamożnych.

to fumble for keys
szukać rękami kluczy (niezgrabnie)

GRAMATYKA

1. The Past Continuous Tense *

a.

Ralph Barney was coming back...
Ralph Barney powracał...

She did not know that she was being closely watched.
Ona nie wiedziała, że była ściśle obserwowana.

---

* patrz I, l. 31.

Just then Ralph Barney was slowly passing.	*Właśnie wtedy Ralph Barney powoli przechodził.*

W powyższych przykładach czynność, która odbywała się w przeszłości i trwała przez pewien czas, wyrażona została przez formę trwającą w Past Tense.

Stosuje się tę formę również w następujących wypadkach:

b. Dla wyrażenia czynności ciągłej trwającej wtedy, gdy odbywała się inna, jednorazowa czynność, np.:

When I was crossing the street I met my brother.	*Gdy przechodziłem przez ulicę, spotkałem swego (mego) brata.*
The guests came when we were eating pudding.	*Goście przyszli, kiedy jedliśmy leguminę.*

c. Dla wyrażenia dwu lub więcej czynności, które się odbywały równocześnie, np.:

When I was writing this exercise, my wife was getting ready our supper in the kitchen, my daughter was singing Molly Malone, the dogs were howling outside, and all was well and quiet.	*Gdy pisałem to ćwiczenie, moja żona przygotowywała kolację w kuchni, moja córka śpiewała Molly Malone, psy wyły na dworze i wszystko było dobrze i spokojnie.*

Nie każda czynność trwająca w przeszłości musi być wyrażona za pomocą Continuous Form. Gdy ważniejsze jest dokonanie czynności aniżeli czas jej trwania, wtedy używa się Simple Past Tense, np.:

It was a very interesting book, I read it yesterday.	*To była bardzo interesująca książka, przeczytałem ją wczoraj (a przecież przeczytanie jej zajęło pewien okres czasu).*

2. *Must* w zdaniach podrzędnych *

Ralph thought that if the jewels were all genuine, they must be very valuable.	*Ralf myślał, że jeśli wszystkie klejnoty są prawdziwe, muszą być bardzo cenne.*

---

* patrz l. 3.

W przytoczonym przykładzie **must** występuje w zdaniu podrzędnym, podczas gdy w zdaniu głównym jest Past Tense (**thought
that** *myślał, że*). Według zasad następstwa czasów w mowie zależnej (patrz l. 21) należałoby użyć czasownika **have to** w Past
Tense, ale w zdaniach wyrażających przypuszczenie (l. 3) trzeba
użyć czasownika **must** w czasie teraźniejszym.

ĆWICZENIA

Read aloud:

[aj szəl ‚"o:k by'hajnd hə: 'si: "eə szi:z 'gouyŋ ‚si: "eə szi:z 'lywyŋ ...
yf ə'loun aj szl traj tə ‚fajnd ə 'pri:tekst tə ‚nok ət ðə 'do: ənd pry'zent
maj'self əz ... ə mju'nysypl kla:k o: nou əz ə plejn klouðz pə'li:smn]

LEARN BY WRITING AND READING

I. Wstaw brakujące wyrazy:

1. Ralph's parents — when he was a small boy. 2. His uncle paid the boy
an — which he thought too small. 3. So the young man was in constant —
of money. 4. The uncle had a talisman from the chief of an — tribe. 5. It
consisted of a bone of an animal with some magic — on it. 6. Sitting in the
underground — to Hammersmith he thought of the strange thing he had
been given. 7. Opposite him there was an elderly lady who had a — necklace
under her scarf. 8. Through her thin gloves some fine — could be seen as
well as a — of gold. 9. Ralph thought that the jewels — very valuable.
10. Suddenly an idea came into Ralph's —. 11. He would rob the lady of
the — and sell them. 12. The old lady — in a short, quiet street. 13. The
young man — her stop in front of a house and take out her keys.

**II. Podaj, w których z następujących wyrazów literę *r* się wymawia, a w
których nie (końcowe -*r*, -*re*, *r* przed spółgłoską):**

Przykłady:

[r] wymawiane
train, Ralph

[—] nie wymawiane
guardian, door

Barney, from, Hammersmith, rich, present, more, grow, very, beggarly, bring,
future, venture, African, tribe, hard, power, wander, rest.

III. Przepisz z czytanki l. 24 zdania z czasownikiem w czasie Simple Past Continuous, podkreślając czasownik:

Przykład: *Ralph* **was coming** *back from his uncle* ...

IV. Dobierz do zdań w a. odpowiednie wyrazy z b.:

a. 1. I can make bread like ...

Przykład: *I can make bread like* **a baker.**

2. I can paint portraits like ...
3. I can collect rents like ...
4. I can wear smart clothes like ...
5. I can make experiments like ...
6. I can make pills like ...
7. I can look for hidden cigarettes like ...
8. I can speak about nuclear problems like ...
9. I can make people take medicine like ...
10. I can breed cattle like ...
11. I can fly like ...
12. I can mend shoes like ...

b. a physicist, a farmer, a shoemaker, a landlord, a chemist, a model, a science chemist, a physician, an airman, a customs official, a baker, a painter.

V. Napisz pełnymi wyrazami daty: 1923, 1755, 1312, 894, 1540

VI. Ułóż po 3 zdania z czasownikami: *remember* pamiętać **i** *remind of* przypominać o.

Przykłady: *I shall never* **remember** *this date.*
                 Your picture **reminds** *me* **of** *my garden in the country.*

VII. Podaj 3. osobę l. poj. czasowników w a. oraz l. mn. rzeczowników w b.; przetłumacz obie grupy wyrazów:

Przykłady:

a. **he stays** *przebywa*   b. **ways** *drogi; sposoby*

a. to stay	to supply	to multiply
to try	to enjoy	to fly
to lie	to fancy	to tie
to dry	to occupy	to marry
b. way	lady	turkey
fly	day	sympathy
play	tray	entry
sky	toy	story

LESSON TWENTY-FIVE   **THE TWENTY-FIFTH LESSON**

Użycie zaimków nieokreślonych *no, nobody, none*

A TALISMAN

II

Before turning to the door he imperceptibly looked behind... not a soul...

Ralph Barney pushed the door... what luck! The door was slightly open. Now he was standing in the hall in which there were two or three doors all open. The flight of steps led to the upper floors... no one was moving inside, the house seemed deserted.

He moved to the first door on the right... that was a living-room... empty...

Suddenly he heard somebody walking upstairs just above his head... now stopped... the same steps... and no others...

"She must be up there alone," he thought.

So he went up very quickly and quietly taking two... three steps at a time. One door open... he took one step, and presently was standing on the threshold...

Yes, she was there standing in front of the looking-glass and taking off all her jewels...

In two long strides he found himself behind her... the woman shouted... Ralph Barney caught her by her head and tak-

imperceptibly [ˌympɔ-ˈseptɔbly] *niedostrzegalnie, niewidocznie*
soul [soul] *dusza*
not a soul tu: *nikogo* (nie widać)
what luck! *co za szczęście!*
flight [flajt] tu: *kondygnacja* (schodów)
desert [dyˈzɔːt] *opuścić, porzucić*
living-room [ˈlywyŋrum] *salonik*

at a time *na raz*
he took one step *zrobił krok*
threshold [ˈθreszhould] *próg*
she was taking off *zdejmowała*
stride [strajd] *krok*

ing out his handkerchief he tried to force it into her mouth... At the same time he was looking around to find something to tie her up with... But she shouted louder... they fell on the floor near the fireplace struggling...

He knew that he must do something to stop her crying... suddenly something whispered to him:

force [fo:s] *zmusić, tu: wcisnąć*
something to tie her up with *czymś ją związać*
struggle ['stragl] *wal-czyć*

A policeman was coming round the corner

"Hit her on the head with the poker, it's near your hand, stun her."

He did not know how he had done that. He snatched the iron and hit... she slipped down to the floor and lay there still...

Ralph Barney jumped up to the dressing table, took the necklace, several rings and a bracelet... and stood there listening for a while... the stillness of the house was complete.

poker ['poukə] *pogrze-bacz*
stun [stan] *ogłuszyć*
snatch [snæcz] *złapać*

stillness ['stylnys] *cisza*
complete [kəm'pli:t] *zu-pełny, kompletny*

Now he ran down the stairs, through the door and into the street, nobody around... So, he went quickly down in the direction of the underground station.

When Ralph Barney turned the corner at one end of the street a policeman was coming round the corner of the same street at the other end. He went along it. Now, he stopped. There was something wrong. The door of a house was open and nobody was coming out, nobody was moving inside...

The policeman went in. To break the stillness of the house he said aloud: "Is there anybody here?"

No reply.

"Hullo! Is there anyone here?!"

No sound.

The policeman went to the rooms on the ground floor. All were empty. So, he mounted the stairs asking once more if there was anybody there. At last he came into the room in which he found a woman lying on the floor. He bent down and listened to her breathing... nothing. He felt her pulse... no beating. She was dead. She was still warm.

pulse [pals] *puls*
beat, beat, beaten [bi:t, bi:tn] *bić*

Now he looked round and saw the iron poker lying near the body and traces of blood on it. She had been killed by some-one. He looked for signs of fight but did not see anything except a handkerchief and a strange looking piece of wood with a bone inside it. He did not touch anything but quietly went down and out to the nearest telephone box to ring Scotland Yard.

When he was near the box he met a young man who was going quickly in the opposite direction and looking carefully at the pavement.

"Looking for something, are you?" he asked. "Was that something so precious?"

"Oh no," answered the young man, "nothing."

"What was it?" persisted the policeman seeing that the young man was agitated and startled by being questioned.

"Oh, it was a small and rather strange thing given to me to-day to bring good luck."

On an impulse the policeman asked:

"Was it not a piece of bone inserted in wood?"

"Yes," answered the young man before he had time to think.

The policeman's face changed immediately. He quickly put his hand on Ralph Barney's shoulder and said:

"I arrest you for murdering a woman..."

Quotations, proverbs and jokes

Justice may wink a while, but see at last.

(Middleton)

Scotland Yard ['skotlɔnd ja:d] — siedziba komendy policji londyńskiej (patrz 1. 12 Objaśnienia)

persist [pɔ'syst] *nalegać*
agitate ['ædżytejt] *podniecać*
startle ['sta:tl] *przestraszyć, spłoszyć*

impulse ['ympals] *impuls, podnieta*

justice ['dżastys] *sprawiedliwość*
wink ["yŋk] tu: *przymrużyć oko*

OBJAŚNIENIA

the upper floors	*górne piętra*
ground floor	*parter*
first floor	(W. Bryt.) *pierwsze piętro,* **second floor** *drugie piętro* itd.
first floor	(Amer.) *parter*

Istnieje jeszcze inny sposób określania pięter, a mianowicie:

w Ameryce: **story** [sto:ry] *piętro* (w ogóle)
ground lub **first story** *parter*
second story itd. *pierwsze piętro* itd.

w W. Bryt.: **storey** ['sto:ry], 1. mn. **storeys**   } mieszkania, korytarze
story   1. mn. **stories**   } itd. położone na tym
samym poziomie.

three steps at a time	*trzy schodki na raz*
Barney turned the corner	*Barney skręcił za rogiem*
a policeman was coming round the corner	*policjant wychodził zza rogu*
there was something wrong	*coś było nie w porządku*
Is there anybody here?	*Czy jest tu ktoś?*
he mounted the stairs	*poszedł na górę po schodach*
to mount a hill	*wspinać się na pagórek*
to mount a horse	*wsiąść na konia*
the mounted police	*policja konna*
He mounted the stairs asking once more if there was anybody there.	*Poszedł na górę po schodach, pytając jeszcze raz, czy tam ktoś jest.*

Pytanie **if there was anybody there** jest pytaniem zależnym od głównego zdania i dlatego ma formę twierdzącą (patrz I, 1. 30).

the young man was agitated and startled by being questioned	*młody człowiek był podniecony i przestraszony pytaniami*
Looking for something, are you?	*Szuka pan czegoś, prawda?*

Pełne zdanie brzmiałoby: **Are you looking...** Pytanie rozłączne **are you?** jest odmianą zdania rozłącznego, wyrażającą zdziwienie (patrz 1. 31).

on an impulse	*pod wpływem jakiegoś impulsu*
to arrest	*aresztować, zatrzymać; powstrzymać coś w rozwoju* np.:

I arrest you for murdering a woman	*aresztuję pana za zamordowanie kobiety*
an illness arrested its development to arrest	*choroba zatrzymała jego rozwój zwrócić uwagę, np.:*
the beautiful view arrested her whole attention	*piękny widok pochłonął jej całą uwagę*

GRAMATYKA

1. Użycie zaimków nieokreślonych *no, nobody, none* *

a.

No reply.	*Nie ma żadnej odpowiedzi.*
No sound.	*Nie słychać żadnego dźwięku. Cisza.*

Nieokreślonego zaimka przymiotnego **no** *żaden* używa się w odniesieniu do osób i rzeczy w liczbie pojedynczej i mnogiej, np.:

He has no sisters.	*On nie ma sióstr.*
There were no questions.	*Nie było żadnych pytań.*

b.

The door of the house was open and nobody was coming out, nobody was moving inside.	*Drzwi domu były otwarte i nikt nie wychodził, nikt się nie poruszał wewnątrz.*

Nieokreślonego zaimka rzeczownego **nobody (no one, not any)** *nikt* używa się w odniesieniu do osób tylko w liczbie pojedynczej.

c. Nieokreślonego zaimka rzeczownego **none (not one)** *żaden, nikt* używa się w odniesieniu do osób i rzeczy zarówno w liczbie pojedynczej, jak i mnogiej, np.:

You have many friends, I have none.	*Ty masz wielu przyjaciół, ja żadnych.*
None of these people will help me! Are there any tickets left? None.	*Żaden z tych ludzi nie pomoże mi. Czy zostały (jeszcze) jakieś bilety? Żadne.*

---

* patrz I, l. 30

U w a g a : Przy zaimkach nieokreślonych należy zawsze pamiętać o zasadzie stosowania jednego tylko przeczenia w zdaniu, np.:

Nobody was moving. *Nikt się nie poruszał.*

Po angielsku mamy tylko jedno przeczenie: **nobody,** a po polsku dwa: *nikt* i *nie.*

ĆWICZENIA

Read aloud:

['lukyŋ fə 'samθyŋ, a: ju:? /ᵘoz ðæt 'samθyŋ sou 'preszəs? ,ou 'nou, 'naθyŋ. /ᵘot ᵘoz yt? 'ou, yt ᵘəz ə 'smo:l ənd ,raðə 'strejndż θyŋ, ,gywn tə mi: tə'dej tə bryŋ ,gud 'lak]

LEARN BY WRITING AND READING

I. Ułóż pytania odpowiednie do następujących zdań (wyrazy, których pytania dotyczą, są wyróżnione drukiem półgrubym:

1. Ralph pushed **the door.**

P r z y k ł a d : *What did Ralph push?*

2. The living-room was **on the right.** 3. The woman was **taking off** her jewels in front of the looking-glass. 4. **The woman** shouted. 5. He snatched the **poker.** 6. The young man stood there listening **for a while.** 7. The policeman found the woman **in the room upstairs.** 8. **The iron poker** was lying near the fireplace. 9. The policeman looked for **signs of fight.** 10. He went down **quietly.** 11. He went to a telephone box **to ring Scotland Yard.** 12. The man was arrested **immediately after he left the house.**

II. Wstaw w odpowiednich czasach i osobach czasowniki: *to leave* (zostawić, opuścić) **lub** *to remain* (pozostać):

1. Ralph watched the woman who was — the train. 2. He himself did not — in the train but followed her. 3. The woman — the front door open. 4. The man looked round before he — the hall and went upstairs. 5. Somebody must have — the poker on the floor near the fireplace. 6. The man — the house sure that nobody had seen him. 7. He did not know that his talisman — in the room upstairs. 8. The policeman noticed that somebody had — the door open although it was so late. 9. When he saw what had happened he did not — in the building but went to ring up the police station.

III. Ułóż po 2 zdania według wzorów:

a. I can bring in the suitcase if anybody helps me.
b. It is impossible to see anybody in this dark garden.
c. Has anybody noticed that you left before the end of the class?

P r z y k ł a d y :
a. The boy will be a good swimmer **if anybody** teaches him how to swim.
b. **It is impossible** to meet **anybody** after 9 o'clock.
c. **Has anybody** seen my umbrella?

IV. Ćwicz głośno wymowę długiej dwugłoski [ej] **i krótkiego** [e]:

[ej]	[e]
take, same, place, lay, bracelet, break, came, trace, late, strange.	step, led, empty, head, went, very, dead, bent, met, precious.

V. Utwórz nowe wyrazy za pomocą przedrostków wyrażających zaprzeczenie i podaj ich znaczenie:

un-	-in	dis-
boiled	human	order

P r z y k ł a d y :

unboiled *nie gotowany*	**inhuman** *nieludzki*	**disorder** *nieporządek*
faithful	formal	honest
popular	experienced	appear
comfortable	decent	similar
conditional	essential	like
intelligent	delicate	continuous

VI. Opowiadanie. Policjant opowiada przyjacielowi w kilku zdaniach, co mu się tego wieczoru zdarzyło.

VII. Tłumaczenie. Przetłumacz na język angielski tekst *"The Weather"* **z lekcji 19 na podstawie własnego tłumaczenia.**

LESSON TWENTY-SIX   THE TWENTY-SIXTH LESSON

Pozycje przysłówków w zdaniu
Przymiotniki zastępujące przysłówki
Użycie *as*

THE CITY OF THE ROUND TABLE

I

Winchester City lies about sixty miles south west of London. Once it was the chief city of the kingdom of Wessex (c. 519) until London became the capital of the island. From it King Alfred (871—901) directed the long struggle against the Danes. In the eleventh century Canute ruled both England and Scandinavia from Winchester. The city was still regarded as a capital during the reign of William the Conqueror. It was fortified and surrounded by a wall.

Mr. and Mrs. Clifford went there on a trip by coach from London.

"I'm so glad we've come here at last," said Mrs. Clifford getting off the bus, "I do not like too long journeys by bus, I always get cramp in my legs and my stomach does not somehow feel up to the occasion."

"Sure, darling," agreed Mr. Clifford, her husband, helping her to get off, "but fortunately it has not lasted too long."

Mrs. Clifford looking up:

Winchester [ˈᵘynczystə] — miasto w płd. Anglii
kingdom [ˈkyŋdəm] *królestwo*
Wessex [ˈᵘesyks] *królestwo Wessex*
c. = **circa** [ˈsəːkə] *około*
direct [dyˈrekt] *kierować*, tu: *prowadzić*
the Danes [ˈdejnz] *Duńczycy*
Canute [kəˈnjuːt] — imię
Scandinavia [ˌskændyˈnejwjə] *Skandynawia*
rule [ruːl] *rządzić, panować*
regard [ryˈgaːd] *uważać, dotyczyć*
conqueror [ˈkoŋkərə] *zdobywca*
fortify [ˈfoːtyfaj] *fortyfikować*
stomach [ˈstamək] *żołądek*
cramp [kræmp] *kurcz, skurcz*
fortunately [ˈfoːcznytly] *na szczęście*
last [laːst] *trwać*

"So, this is Winchester College, the gate is quite medieval, isn't it?"

"Oh yes," agreed Mr Clifford, "it is very old. The College was founded at the end of the fourteenth century. It is one of the oldest English public schools."

medieval [ˌmedyˈiːwəl] *średniowieczny*

It was a fine day in July, the sun was shining, the sky was blue, and the air very warm.

They went into the College's spacious grounds walking slowly from building to building and from court to court taking stock of everything that could be of the slightest interest. They had never been in Winchester before but they knew a great deal about the city and its history.

spacious [ˈspejszəs] *obszerny*
take stock [ˈtejk ˈstok] tu: *oglądać szczegółowo*

"I find it quite interesting to see the school and get first hand knowledge of the surroundings in which our young men live," said Mrs. Clifford.

"Oh yes, and the library in which they have so many ancient scripts is very old," replied Mr. Clifford.

surroundings [səˈraundyŋz] *otoczenie, okolica*
ancient [ˈejnszənt] *stary, starożytny*
script [skrypt] *rękopis*

They came back to the street.

"Now let's go to the cathedral and then to the central part of the city where I should like to have some tea."

"Good."

central [ˈsentrəl] *centralny*
churchyard [ˈczəːczˈjaːd] *cmentarz przykościelny*

They went across the churchyard not far from the college.

"What a noble building, it's Gothic, isn't it, Harry?"

"Yes, it is, and the most striking feature of the cathedral is that it has the longest nave in England," explained Mr. Clifford.

"How interesting, let's go inside."

feature [ˈfiːczə] *cecha, rys*
nave [nejw] *nawa*

I find it interesting

They went in and immediately at the entrance, inside the cathedral, Mrs. Clifford stopped to read an epitaph:

"In memory of Thomas Thetcher a grenadier in the North Reg. of Hants Militia, who died of a violent Fever contracted by drinking Small Beer when hot the 12th of May 1764, aged 26 years.

In grateful remembrance of whose universal good-will towards his Comrades this stone is placed here at their expense

epitaph ['epyta:f] *epitafium, napis na nagrobku*

memory ['meməry] *pamięć*; **in memory of** *(ku) pamięci*

Thetcher ['teczə] — nazwisko

Reg. skrót od **regiment** ['redżymənt] *pułk*

Hants [hænts] skrót od **Hampshire** ['hæmpsziə] — nazwa hrabstwa

fever ['fi:wə] *gorączka*

contract [kən'trækt] *nabawić się czegoś*

grateful ['grejtful] *wdzięczny*

remembrance [ry'membrəns] *pamiątka, wspomnienie*

universal [ˌju:ny'wə:səl] *powszechny*, tu: *ogromny*

as a small testimony of their regard, and concern.

Here sleeps in peace a Hampshire Grenadier
Who caught his death by drinking cold small beer
Soldiers be wise from his untimely fall
And when ye're hot, drink strong or none at all.

This monument was restored by the Officers of the Garrison A. D. 1781.

An honest soldier never is forgot
Whether he die by Musket or by Pot."

"Oh, how tragic and funny," exclaimed Mrs. Clifford, "to die of a pot of beer!"

Mr. Clifford did not make any remark as he did not think that death from a pot of beer was anything strange... especially if it was good beer... why not?

They moved along the left aisle. Mrs. Clifford got interested in epitaphs, so she read them walking slowly. Once more she stopped interested.

"Look Harry, this is the grave of Jane Austen, I had no idea she was buried here."

"Hm, yes... I didn't know myself."

They stopped for a while reading.

Then they went round the cathedral and finally found themselves once more in front of its main entrance.

Quotations, proverbs and jokes

One man: "My wife is an angel!"
Another man: "Glad to hear it, mine is still alive."

---

will ['yl] *wola*
good-will *sympatia, życzliwość*
comrades ['komrydz] *koledzy, towarzysze*
testimony ['testymany] *świadectwo, dowód*
concern [kən'sə:n] tu: *zmartwienie*
wise ["ajz] *mądry*
untimely [an'tajmly] *przedwczesny*
ye're ['ji:ə] = you are
restore [rys'to:] *odnowić*
garrison ['gærysn] *garnizon*
A. D. — skrót od Anno Domini *Roku Pańskiego*
forgot = forgotten
musket ['maskyt] *muszkiet*

aisle [ajl] *nawa boczna*
grenadier [ˌgrena'diə] *grenadier*

angel ['ejndżəl] *anioł*
glad to hear it *miło to usłyszeć*

OBJAŚNIENIA

The kingdom of Wessex — Anglo-Saksońskie królestwo Wessex obejmowało płd.-zach. część Anglii. Uzyskało ono hegemonię nad innymi królestwami za panowania króla Alfreda Wielkiego, 871—901.

King Alfred the Great — Król Alfred Wielki panował w latach 871—901, znany był ze swych walk z duńskimi najeźdźcami. Popierał naukę, sam pisał tłumaczenia z łaciny i zapoczątkował Anglo-Saksońską Kronikę, która zbierała dane historyczne od czasów wprowadzenia chrześcijaństwa w Anglii.

The Danes — Duńczycy, z Półwyspu Jutlandzkiego. Dokonywali częstych podbojów Anglii.

Canute — Król Anglii i Skandynawii, 1016—1035.

Winchester College — średnia szkoła publiczna w Winchester, Anglia.

my stomach does not somehow feel up to the occasion	*mój żołądek nie bardzo umie dostosować się do jazdy* (okazji)
feel one's way	*iść po omacku*
feel like	*mieć pragnienie na coś*, np.:
I feel like going for a swim.	*Mam ochotę pójść popływać.*

They went into the college's spacious grounds.   *Weszli na rozległy teren szkoły.*

Saxon Genitive patrz 1. 22.

take stock of   *pomyśleć uważnie o; ocenić coś; zbadać szczegółowo; zrobić listę posiadanych rzeczy*

stock-taking   *czynność związana z robieniem listy*

a great deal **a good deal**	*dużo, wiele* (z rzeczownikami niepoliczalnymi)
a great many **a good many**	*dużo, wiele* (z rzeczownikami policzalnymi)

get first hand knowledge of the surroundings   *poznać samemu otoczenie (zapoznać się bezpośrednio z pierwszej ręki)*

Whether he die by Musket or by Pot ...   *Czy umrze od muszkietu czy kufla ...*

he die — patrz Subjunctive 1. 21.

---

to have some tea   *napić się herbaty*

Picie herbaty w W. Brytanii stało się, jak mówią sami Anglicy, ich narodową wadą, gdyż jest ogromnie rozpowszechnione. Nie ma tak ważnej czynności, której nie można by przerwać dla "cup of tea" (zazwyczaj z mlekiem surowym). Sposobów zaparzania jest mnóstwo, a ceremoniał przy tym różnorodny.

tea-shop, tea-room *herbaciarnia*
tea-pot *imbryczek, czajnik*
tea-kettle *imbryk*
tea-set *serwis do herbaty*
tea-time *czas podwieczorku* (zwykle 4—5 po południu)
tea-things *przybory do herbaty* jak: serwis, taca, łyżeczki itp.
tea-dance *podwieczorek taneczny*
high tea *podwieczorek obfity, zwykle z daniem gorącym*
plain tea *podwieczorek składający się z herbaty, kanapek, ciastek*

Jane Austen ['dżejn 'o:styn] — powieściopisarka angielska (1775—1817).

GRAMATYKA

1. Pozycje przysłówków w zdaniu

a.

I always get cramp in my legs.   *Zawsze dostaję kurczy w nogach.*

b.

I had never been in Winchester be-   *Nigdy przedtem nie byłem w Win-*
fore.   *chester.*

W zdaniu a. przysłówek **always** stoi bezpośrednio przed czasownikiem, którego dotyczy, i takie jest normalne miejsce przysłówków nieokreślonych czasu (patrz I, l. 17 i 27).

W zdaniu b. przysłówek **never** stoi po czasowniku posiłkowym **have**, tj. w środku konstrukcji Past Perfect Tense: **I had never been**. Jeżeli dany czas składa się z kilku czasowników posiłkowych, wówczas przysłówki umieszcza się zwykle po pierwszym z nich, np.:

I should never have gone there.   · *Nie powinienem był nigdy tam cho-*
                                          dzić.

W konstrukcjach czasów złożonych można postawić przysłówki jeszcze bliżej początku zdania, zaraz za podmiotem, a to dla emfazy, podkreślenia ich, np.:

I never had been in Winchester before (z akcentem na **never had**), lub nawet przed podmiotem, np.:

Never had I been in Winchester before.	*Absolutnie nigdy nie byłem w Winchester.*

Wtedy następuje inwersja (przestawny szyk wyrazów): czasownik posiłkowy **had** umieszcza się przed podmiotem **I**.

Wyjątkową pozycję ma drugi przysłówek w przytoczonym zdaniu, tj. **before**. Jest to przysłówek nieokreślony czasu dotyczący w danym wypadku czasownika **be**. Zwykle stoi on po czasowniku i po okoliczniku miejsca (in Winchester). Można go przesunąć do przodu dla emfazy, ale tylko w połączeniu z przysłówkiem **never**:

Never before had I been in Winchester.

Gdyby umieszczono **before** w frontowej pozycji bez **never**, stałby się on spójnikiem znaczącym *zanim*:

Before I had been in Winchester...	*Zanim byłem w Winchester...*

Por. l. 15, w której wyjaśniono, jak przysłówek **only** zmienia sens zdania, zależnie od swej pozycji.

2. Przymiotniki zastępujące przysłówki

Now let's go to the cathedral.	*Chodźmy teraz do katedry.*
Good.	*Dobrze.*

Przymiotniki stosuje się często w krótkich odpowiedziach i wykrzyknikach zamiast przysłówków. W danym przykładzie **good** znaczy *dobrze*. Nie ma bynajmniej odcienia wulgarności, jak ma polska podobna odpowiedź: dobra!

Inny przykład:

How are you? Fine, thanks.	*Jak się masz? Świetnie, dziękuję.*

Por. przymiotniki użyte przysłówkowo l. 33.

3. Użycie *as*

a.

The city was still regarded as a capital.	*Miasto było nadal uważane za stolicę.*
This stone is placed here ... as a small testimony of their regard.	*Ten kamień został tu umieszczony ... jako skromny dowód ich pamięci.*

W przytoczonych zdaniach spójnik **as** znaczy: *jako, jak, za, na sposób*. Używa się go często w zwrotach: **as a rule** *z zasady*, **as usual** *jak zwykle*, **as if** *jak gdyby* itp.

Inne przykłady:

I come as a friend not as an enemy.	*Przybywam jako przyjaciel, nie jako wróg.*
Business as usual.	*Sklep (zakład, warsztat itp.) czynny jak zwykle.*

b.

Mr. Clifford did not make any remark, as he did not think that...	*Pan Clifford nie zrobił żadnej uwagi, ponieważ nie sądził, aby ...*

W tym zdaniu spójnik **as** znaczy: *ponieważ, wobec tego, że*. **As** może również znaczyć: *kiedy, jak, podczas gdy*, np.:

As the play went on the acting improved.	*W miarę jak sztuka posuwała się dalej, gra aktorów stawała się lepsza.*

c. **As** jako przysłówek, w połączeniu z **as** zaimkiem względnym, służy do wyrażania stopnia równości między przymiotnikami i przysłówkami, np.:

Your son is as tall as mine. (patrz I, 1. 12)	*Twój syn jest tak wysoki jak mój.*

ĆWICZENIA

Read aloud:
[ajm ′sou ′glæd ᵘi:w kam ‚hiə ət ′la:st.
aj ′dount lajk ′tu: loŋ ′dżɔ:nyz baj ‚bas.
aj ′o:lᵘəz get ‚kræmp yn maj legz ɔnd maj ′stamək daznt ′samhau
fi:l ′ap tu ðə ə′kejżn.
′szuɔ ‚da:lyŋ, bət ′fo:cznytly yt ‚hæznt ‚la:styd ′tu: loŋ.]

LEARN BY WRITING AND READING

I. Wstaw brakujące wyrazy:

1. Winchester — about sixty miles south west of London. 2. A long time ago the town was the chief — of the kingdom of Wessex. 3. King Alfred fought — the Danes. 4. Winchester was surrounded by a — in the times of William the Conqueror. 5. Mr. Clifford and his wife came there on a trip by — from the capital. 6. Mrs. Clifford didn't — going by bus. 7. The gate of Winchester college was quite —. 8. The college was — in the fourteenth century. 9. They had never — in Winchester before. 10. They knew a great — about the city and its history. 11. The lady wanted to get first hand — of the surroundings of the college. 12. The churchyard was not — from school. 13. Inside the — the lady stopped to read an epitaph. 14. Mrs. Clifford had no — that Jane Austen, a well-known English novelist, was buried there.

II. Zamień następujące zdania na pytania, uważając na zaimki *some, somebody* **itp.:**

1. She found something interesting in the cathedral.

P r z y k ł a d : *Did she find* **anything** *interesting in the cathedral?*

2. She remembered some facts about the city. 3. During the journey she had some trouble with her legs. 4. They went to see some parts of the college. 5. In one of the courts they found something of great interest. 6. I know nothing about the history of our town. 7. There are some slight mistakes in your exercise. 8. I have no time.

III. Wstaw przysłówki z b. do odpowiednich zdań w a.:

a.

1. I have — been in Winchester.

P r z y k ł a d : *I have* **never** *been in Winchester.*

2. That town has — been visited by travellers from abroad. 3. Happily the journey has not lasted —. 4. The gate of the college is — medieval. 5. She knew something about Jane Austen but she had — read her novels. 6. Mrs. Clifford — gets tired if she walks too much. 7. The poor soldier had died from having drunk beer that was — cold. 8. We can — find such funny epitaphs.

b.

always, often, never, never, quite, too, too long, seldom.

IV. Dokończ następujące zdania używając konstrukcji biernika z bezokolicznikiem, tj. stawiając po dopełnieniu bliższym czasownik w bezokoliczniku:

Przykłady: *She wants* me to admire *her flower garden.*
I'm sure your mother wouldn't like you to play *with fire.*

1. She wants me...
2. I'm sure your mother wouldn't like you...
3. Are you quite sure your sister wants me...
4. The town council doesn't allow tenants of council houses...
5. The vegetables in my garden need watering. Tell your brother...
6. I forget which flower is the emblem of Ireland, I should like you...
7. I haven't any ticket for the flower exhibition, I want you...
8. I don't remember the title of that play about a black man, I should like Betty...

V. Napisz pełnymi słowami liczby porządkowe od 1 do 10:

Przykłady: *the first, the second* itd.

VI. Dobierz wyrazy o podobnym znaczeniu z a. i b.:

a.
too
Przykład: **too — also**

to point at	probably	to collect
depressed	to repair	recent
wide	a party	damp
magnificent	teenagers	to forbid
start	steady	

b.
a meeting, splendid, also, to gather, perhaps, to mend, latest, wet, to prohibit, in low spirits, young people, to begin, regular, to show, broad.

VII. Ułóż po trzy zdania zawierające *one another* **(nawzajem, jeden drugiego) i 3 zawierające** *themselves* **(się, siebie samych) wykazujące różnicę w znaczeniu:**

Przykłady: *The boys looked at* **one another** *and burst out laughing (nawzajem, jeden na drugiego).*
They washed **themselves** *with hot water (umyli się).*

VIII. Przetłumacz na język polski:

This Is the Way to . . .

The station is quite near; go straight on and then turn left.
Take bus number 8 and it will take you to your hotel.
First turn right, then walk along the river for a few minutes, and the bridge
will be on your left.
I'm sorry I don't know where the opera is. Please ask the policeman.
Come with me, I'll show you the post office.
This is the way to the park, and that is the way to the sea.
The hotel will be in the third street to the left.
I understand you quite well, but I don't know where that street is.

LESSON TWENTY-SEVEN   **THE TWENTY-SEVENTH LESSON**

Użycie wyrazu *else*
Użycie bezokolicznika z *to* i bez *to*
Stawianie przecinków w zdaniach podrzędnych
przydawkowych

THE CITY OF THE ROUND TABLE

II

"Shall we go across the churchyard to
the city now?" asked Mrs. Clifford.

"Oh yes, darling, and over there I can
see a nice looking tea-shop, let's go there!"   **tea-shop** *herbaciarnia*
agreed Mr. Clifford.

They went slowly along the path of the
churchyard and out into the street.   **and out into the street**
                                        i na zewnątrz na ulicę
In the tea-shop they had tea and plenty
of various kinds of sandwiches. Afterwards
they went to the central part of the city,
which was High Street. First they turned   **High Street** ['haj'stri:t]
right.   — nazwa ulicy

"What is that standing there?" Mrs.

Clifford was pointing at some monument standing in the centre of the street.

"Let's come nearer. It's a knight as he is holding a shield in his hand. Oh! It's King Alfred. What a wonderful statue!" said Mr. Clifford.

shield [szi:ld] *tarcza*

"Very beautiful, and how well it is placed here in the heart of his city, nobody could possibly miss it."

They stopped and admired the statue for a while, then went back to High Street in the direction of the old castle.

In the castle hall they saw the legendary Round Table of King Arthur.

legendary ['ledżəndəry] *legendarny*
Arthur ['a:θə] *Artur*

"Look Harry," said Mrs. Clifford, "this is the Round Table round which, it is said, one hundred and fifty knights sat, and their names are written there to show their own seats."

"Unbelievable! One has to be a bit romantic in such places. Do you remember all those stories about the knights of the Round Table?"

unbelievable [ˌʌnby'li:-wəbl] *niewiarygodny, nie do wiary*

"Oh, yes, I do, most of them! Winchester is probably that very legendary city which was called Camelot and which was the residence of King Arthur and his court. Which of the stories do you remember, Harry?"

Camelot ['kæmylot] — *nazwa legendarna miasta*
residence ['rezydəns] *rezydencja*

"Well, I liked best, or rather I was most impressed by the story of the Green Knight."

impress [ym'pres] *zrobić wrażenie*

"Oh yes, it was terrible. I can almost hear and see it all happening here... Look! The Green Knight rode on his horse this way, and in his terrifying voice he chal-

challenge ['czælyndż] *wyzwać*

I can see the Green Knight
gallop out... headless

lenged any of the knights of the Round Table to cut his head off and sustain a like blow on his own neck twelve months hence. You can imagine hearing, in this hall, his terrible laughter when he saw that there was no one to take the challenge up," related Mrs. Clifford.

"Go on, Clara, go on," encouraged Mr. Clifford, "you can easily imagine things or else you would not be able to present the scene so vividly."

"It was impossible for the knights of the Round Table not to answer such a challenge. They had been surprised by the audacity of the Green Knight at first. Up rose Sir Gawain and with one blow struck his head off. I can see it rolling on the floor. I can see the Green Knight stoop, pick it up, hold it under his arm,

sustain [səs'tejn] *wytrzymać, znieść*
hence [hens] *od (tego cząsu)*
twelve months hence *za 12 miesięcy*

imagine [y'mædżyn] *wyobrażać sobie*
or else [o:'rels] *w przeciwnym razie, inaczej*
audacity [o:'dæsyty] *zuchwałość, śmiałość*

Gawain ['gæⁿejn] — i-mię
stoop [stu:p] *pochylić się*
gallop ['gæləp] *galopować*

jump on his horse, and gallop out like the wind, headless," went on Mrs. Clifford.

"What an imagination!" cried Mr. Clifford in amazement. You must have played it at school. Now, pipe down dear girl, I will tell you the rest."

"All right, darling. But don't put on all the airs and manners of a medieval hero."

"There, there... now listen! I can well remember the most noble figure of Sir Lancelot, who was so much in love with Queen Guinevere, the wife of his king. Those two pure hearts could not resist the passion which came upon them... the cause of all later calamities that came to Camelot..."

"Oh, you men!" interrupted Mrs. Clifford. "You must always spoil things, (with a sigh) but it would not be so romantic..."

"But," went on Mr. Clifford, "she must have been a very beautiful woman. Remember another unfortunate couple that belonged also to the Court — Sir Tristan and Isolde. And Sir Percival, Sir Galahad, the holy knight who was granted the quest of the Holy Grail, and Merlin the old miracle worker and magician."

"I am so glad we came here," said Mrs. Clifford. "Now I will remember the place for ever."

So saying they went out and walked down the street towards the coach station.

---

headless ['hedlys] *bez głowy*
amazement [ə'mejzmənt] *zdziwienie, podziw*
pipe down *uspokoić się* (slang)
noble ['noubl] *szlachetny*
Lancelot ['la:nslət] — *imię*
Guinevere ['gʷynywiə] — *imię żeńskie (Giniwra)*
resist [ry'zyst] *oprzeć się (czemuś)*
passion ['pæszən] *namiętność*
cause [ko:z] *przyczyna*
calamity [kə'læmyty] *nieszczęście, klęska*

unfortunate [an'fo:cznyt] *nieszczęśliwy*
Tristan ['trystæn] — *imię*
Isolde [y'zoldə] — *imię*
Percival ['pə:sywʋl] — *imię*
Galahad ['gæləhæd] — *imię*
holy ['houly] *święty*
Merlin ['mə:lyn] — *imię*
grant [gra:nt] *nadać, przyznać*
quest [kʷest] *poszukiwanie*
miracle ['myrəkl] *cud*
magician [mə'dżyszən] *magik, czarodziej*
for ever *na zawsze*

Quotations, proverbs and jokes

It makes quite a difference whether the plot of a story is awfully simple or simply awful. **plot** [plot] tu: *wątek*

OBJAŚNIENIA

in the heart of the city
w centrum miasta

nobody could miss it
nikt nie mógłby przeoczyć

sandwich ['sæn^{n}ycz]
kanapka. Wyraz pochodzi od nazwiska Sandwich z w. XVIII. Sandwich różni się tym od polskiej kanapki, że składa się z dwóch kawałków chleba lub bułki z masłem, mięsem, serem, sałatą czy tp., a nie z jednego.

The Legendary Round Table of King Arthur
Legendarny Okrągły Stół króla Artura (V w.). — Okrągły stół już wtedy miał wyrażać równość wszystkich rycerzy, którzy przy nim zasiadali. Postać króla Artura jest przekazywana w legendach i znana jest zarówno w całej W. Brytanii, jak i na kontynencie. Nazwiska rycerzy wymienione w tekście związane są z postacią króla Artura. Miasto Camelot miało być siedzibą dworu królewskiego. Nikt jednak nie może dotychczas dowieść na pewno, czy miastem tym było Winchester.

one has to be a little romantic
człowiek musi być trochę romantyczny

He challenged any of the knights.
Rzucił wyzwanie któremukolwiek z rycerzy.
Any w zdaniu twierdzącym patrz l. 2

to cut his head off
odciąć mu głowę

sustain a like blow on his own neck twelve months hence
wytrzymać podobne uderzenie na własnej szyi za dwanaście miesięcy

to take the challenge up	*przyjąć wyzwanie*
You must have played it at school.	*Musiałaś widocznie grać to w szkole.*
She must have been a very beautiful woman.	*Musiała być piękną kobietą.*
Perfect Infinitive po must patrz 1. 10.	
But don't put on all the airs and manners of a medieval hero.	*Ale nie przybieraj tych wszystkich min i póz średniowiecznego bohatera.*
there ... there	*cicho ... cicho ..., dobrze już ... dobrze*
here and there	*tu i tam*
there and then	*w tym czasie i miejscu, od razu, z miejsca*
there and back	*tam i z powrotem*
there now!	jako wykrzyknik triumfu, że mówiący ma rację.
granted the quest of the Holy Grail ['holy grejl]	*dane mu było podjąć się poszukiwania* (quest) *i znaleźć Świętego Grala.*
old miracle-worker	*stary cudotwórca*
for ever	*na zawsze*

GRAMATYKA

1. Użycie wyrazu *else*

a.

You can easily imagine things or else you would not be able to present the scene so vividly.	*Masz łatwość w wyobrażaniu sobie rzeczy, gdyż w przeciwnym razie nie potrafiłabyś przedstawić tej sceny tak żywo.*

W zdaniu powyższym **else** znaczy: *przeciwnie, w przeciwnym razie, bo inaczej*. W tym znaczeniu występuje ze spójnikiem **or: or else** [o:'rels].

b. Poza tym przysłówka **else** używa się po zaimkach i przysłówkach nieokreślonych **somebody, someone, somewhere, anything, nobody** itp. i wtedy znaczy: *inny, jeszcze inny, dodatkowy*, np.:

someone else, somebody else, anybody else	*ktoś inny, ktoś jeszcze*

something else, anything else
nobody else, no one else
somewhere else

coś innego
nikt inny
gdzie indziej itp.

c. **Else** używa się po zaimkach i przysłówkach pytających, jak **who, what, where,** np.:

Who else will go?
What else did you find there?
Where else have you travelled?

Kto jeszcze pójdzie?
Co jeszcze tam znalazłeś?
Gdzie jeszcze podróżowałeś?

d. Gdy **else** użyty jest z zaimkami, może przybrać końcówkę Saxon Genitive, np.:

somebody else's
someone else's
anybody else's
anyone else's

kogoś innego, czyjś (innej osoby)

everybody else's
everyone else's

każdego innego, wszystkich innych

nobody else's, no one else's
who else's?
She has taken someone else's book.

nikogo innego
kogo innego? itp.
Ona wzięła czyjąś (kogoś innego) *książkę.*

Let's compare anybody else's opinion on this subject.

Porównajmy jeszcze czyjąś (inną) *opinię na ten temat* (czyjąkolwiek).

2. Użycie bezokolicznika z *to* i bez *to*

I can see the Green Knight stoop, pick it up, hold it under his arm, jump on his horse, and gallop out like the wind, headless.

Widzę Zielonego Rycerza, jak się pochyla, podnosi ją, bierze pod pachę, skacze na konia i odjeżdża galopem jak wiatr, bez głowy.

Po czasownikach wyrażających doznania zmysłów (np. **see, hear**) lub spostrzeżenia (np. **observe, find**) stosuje się konstrukcję biernika z bezokolicznikiem bez **to**.

3. Stawianie przecinków w zdaniach podrzędnych przydawkowych

a.

This is the Round Table round which 150 knights sat.

To jest Okrągły Stół, dokoła którego zasiadało 150 rycerzy.

b.

I can remember Sir Lancelot, who was so much in love with Queen Guinevere, very well.	*Pamiętam bardzo dobrze Sir Lancelota, który był tak bardzo zakochany w królowej Giniwrze.*

Zdania podrzędne przydawkowe stanowią przydawkę, tj. określają bliżej jakiś wyraz zdania nadrzędnego.

Zdania podrzędne przydawkowe zaczynają się zwykle od zaimków względnych **who, which, what** itd. Oddzielamy je od zdania nadrzędnego przecinkiem tylko wtedy, gdy opisują dodatkowo wyraz, do którego się odnoszą, gdy można je opuścić lub wziąć w nawias bez naruszenia właściwego sensu zdania nadrzędnego.

Tak jest ze zdaniem podrzędnym z **who** w zdaniu b.

W zdaniu a. zdanie podrzędne z zaimkiem względnym **which** ogranicza zakres znaczenia wyrazu, który określa:

the table round which...	(ten) *stół, dokoła którego* (a nie żaden inny).

Zdanie podrzędne jest konieczne, gdyż uzupełnia sens zdania nadrzędnego. Przecinka nie stawiamy.

ĆWICZENIA

Read aloud:
[luk ′hæry, ðys yz ðə ′raund tejbl raund ,″ycz, yts ′sed ′ᵘan ′handryd ənd ,fyfty ′najts sæt ənd ðeə ′nejmz a: ′rytn ðeə tu szou ðeə′roun ′si:ts.
,anby′li:wəbl! ″an ,hæz tə bi: ə byt ro′mæntyk yn sacz ′plejsyz.]

LEARN BY WRITING AND READING

I. Odpowiedz na pytania:

1. Was the tea-shop far from the churchyard? 2. What did they have at the tea-shop? 3. What was the name of the most important street in Winchester? 4. Where is King Alfred's statue placed? 5. Where was the legendary Round Table? 6. How many knights sat round it? 7. Do you know any story of King Arthur and his knights? 8. Who was the hero of the story Mrs. Clifford told her husband? 9. Has Mrs. Clifford a vivid imagination? 10. What happened when Sir Gawain cut off the head of the Green Knight? 11. Who (whom) did Sir Lancelot love so much? 12. Whose wife was Guinevere?

II. Wstaw zaimki zwrotne (*myself, yourself* itd.) **lub nieokreślone** (*each other*) **gdzie należy:**

1. The middle-aged couple found — in front of an old gate. 2. They asked — questions about history. 3. Once I lost — in an old castle. 4. The husband and the wife understood — very well. 5. Did the soldier kill — by drinking small beer? 6. Trying to make a sandwich, I cut — with a knife. 7. Look after — during the trip. 8. The heroine of Jane Austen's novel placed — in a difficult situation.

III. Napisz, która godzina jest: co pół godziny od 2.30 do 7-ej.

P r z y k ł a d : *half past two, three o'clock . . .*

IV. Za pomocą konstrukcji biernika z bezokolicznikiem ułóż zdania odpowiadające następującym zdaniom, pamiętając o zasadach obowiązujących przy czasownikach typu to see, to observe, to watch, to hear **itp.**

1. Clara played the story of Sir Gawain. Her husband could see . . .

P r z y k ł a d : *Her husband could see* **her play** *the story of Sir Gawain.*

2. The knights enter the hall noisily. The king can hear . . .
3. The Green Knight picked up his head. All the terrified knights watched . . .
4. He laughed loudly. We all heard . . .
5. Clara points at a monument with her right hand. I can see . . .
6. The knights rode on their horses near the residence of the King. From her windows the Queen could observe . . .

V. Napisz 5 pytań z wyrazem shall **wyrażających kilka propozycji związanych ze zwiedzaniem obcego miasta:**

P r z y k ł a d y :   **Shall we enter** *this museum now?*
Shall I buy *a guide to the gallery?*

VI. Ułóż 6 zdań dotyczących legendy opowiedzianej przez p. Clifford.

VII. Przetłumacz na język polski:

Football

Winchester, August 13, 19 . . .

Dear Peter, .

I've just come to Winchester for the week-end. The other day I went to watch a football match and enjoyed it tremendously. I had an excellent seat. In your letter from the country you ask me about the differences between British and American football. Well, I think there are a few.

I suppose you know that the ball is egg-shaped, that there are fifteen players on the field. Each team tries to cross the goal line with the ball. The players can run with the ball in their hands, they can throw it or kick it. The man carrying the ball may be stopped, even thrown to the ground by the members of the other team. The players of his team may not use their hands to protect him, but they may run against their opponents with their bodies. The rules are different again when the ball has been kicked.

Of course there is a referee, who whistles to stop the play or start it again, who decides whether there has been a foul or not.

Next week I'm going to Wales for a few days and then home to Chicago, as our lectures and classes start in September.

Please remember me to your sister,

Your friend,
Jim

W krajach anglosaskich rugby uważane jest za odmianę gry w piłkę nożną.

Rugby football — potocznie **rugger** ['ragə] *rugby*
Association football — potocznie **soccer** ['sokə] *piłka nożna, futbol*
a goal [goul] *gol*
to kick [kyk] *kopać* (nogą)
opponent [ə'pounənt] *przeciwnik*
foul [faul] *faul*
Chicago [szy'kagou] — miasto w USA, gdzie znajduje się liczna kolonia polska.

LESSON TWENTY-EIGHT   **THE TWENTY-EIGHTH LESSON**

Przyrostki -*hood*, -*ish*, -*able*
Liczba mnoga rzeczowników
Użycie wyrazu *like*

A CALL ON PETER PAN

Whenever Muriel feels like being alone she goes to Kensington Gardens, that entrancing playground for children, or Hyde Park, where she can walk by herself, un-

Peter Pan ['pi:tə pæn] — imię własne
whenever ["en'ewə] *kiedykolwiek, ilekroć*
Kensington Gardens

disturbed, along the tree lined walks for as long as she wishes.

These two parks joined together by the Serpentine form a well known promenade of London. The Serpentine is the stretch of water which was once the Westbourne river running down to the Thames from the neighbouring hills.

The place will always be associated with Muriel's reminiscences of her childhood, as she used to play there almost every day.

Last Saturday she met her old friend Louise there.

"Hullo Muriel," said Louise surprised.

"Oh, hullo Louise! What a long time since I last saw you, what are you doing here alone?"

"I am taking a walk and trying to recollect the places where we used to play together in our childhood," answered Louise.

"Have you been to Peter Pan's statue?"

"Oh yes, of course, I remember we came to the statue every time we were here."

"Let's go there together now to look at the adorable boy piper. Oh, who was it that wrote the beautiful play and a book about Peter Pan, it's just slipped my memory."

"Wait dear," said Louise. "I have it on the tip of my tongue. It was James Barrie, and the book was beautifully illustrated. As a matter of fact there is a whole series of his books about Peter Pan, all of them fascinating and charming."

['kenzyŋtən 'ga:dnz] — nazwa parku w Londynie

undisturbed [ˌandys'tə:-bd] tu: *spokojnie*

entrancing [yn'tra:nsyŋ] *czarujący, zachwycający*

playground ['plejgraund] *miejsce zabaw*

Hyde Park ['hajd pa:k] — nazwa parku w Londynie

walk ["o:k] tu: *aleja*

Serpentine ['sə:pəntajn] — nazwa jeziora

promenade [ˌpromy'-na:d] *promenada, miejsce do spacerów*

stretch of water *pasmo wody, tafla wody*

Westbourne ['ᵘestbo:n] — nazwa

The Thames [temz] *Tamiza*

associate [ə'souszjejt] *kojarzyć*

reminiscence [ˌremy-'nysns] *wspomnienie*

recollect [ˌrekə'lekt] *przypomnieć (sobie)*

childhood ['czajldhud] *dzieciństwo*

adore [ə'do:] *uwielbiać, czcić*

adorable [ə'do:rəbl] *uroczy*

piper ['pajpə] *flecista, kobziarz*

tongue [taŋ] *język*

Presently the young ladies came up to the statue of Peter Pan and his fairy companions. It is fairly tall. The boy is standing high, on a pedestal sculptured in the form of a gnarled tree. He seems very much alive with his wind blown hair and tunic as if moving to the tune of the pipe he is playing. He looks a boy of about ten years of age, very graceful and full of charm. Round the tree there are birds and small animals like rabbits, mice etc. nestling in and among its roots. All of them are interested in the music played by the boy and they are listening to it, enchanted. Fairies play hide and seek about the tree trunk, and one of them, with the wings of a butterfly, has climbed up a little higher than the others and is looking at the boy bewitched.

The whole is situated in a grassy plot beside the water. The wide lawns and shady groves of this lovely place are a perfect home for Peter Pan.

"Look how charming the statue is," said Muriel, "and, as usual, what a lot of children round it."

In fact one can see there mothers pushing their babies in prams, or happy children with their skipping ropes, hoops, and balls.

The two friends stopped, they were looking at the picture in front of them with admiration. What were they thinking about? I am sure they thought of their childhood, and their comings and goings, of the time of childish happiness unruffled by

---

fairy ['feəry] *czarodziejka, wróżka; czarodziejski*
companion [kəm'pænjən] *towarzysz*
pedestal ['pedystl] *piedestał, postument*
sculpture ['skalpczə] *rzeźbić*
gnarled [na:ld] *sękaty*
tunic ['tju:nyk] *tunika, tu: kurteczka*
nestle [nesl] *gnieździć się, przytulić się*
in and among *w głębi i pomiędzy*
root [ru:t] *korzeń*
enchant [yn'cza:nt] *zachwycić*
hide and seek *zabawa w chowanego*
trunk [traŋk] *pień*
butterfly ['batəflaj] *motyl*
bewitch [by'ᵘycz] *oczarować*
plot [plot] *parcela, tu: placyk*
grove [grouw] *gaj, lasek*

skip [skyp] *skakać*
rope [roup] *lina, sznur*
skipping rope ['skypyŋ roup] *skakanka*
hoop [hu:p] *obręcz*

childish ['czajldysz] *dziecinny, dziecięcy*
unruffled ['an'rafld] *gładki, niezakłócony*

war, troubles of everyday life, happiness of ignorance — all those privileges of a child's mind.

"Let's walk along the railings of the park, along Bayswater Road to Hyde Park Corner and Marble Arch" suggested Muriel, "we can stop there for a while and listen to some orators."

"It has always been to me the most peculiar place. It is very strange that there are people who feel they must talk and hold forth about their ideas to others, in a public park."

They went on talking on various topics until they came up to several groups of people who were standing and listening to some orators, and exchanging opinions with them. They listened for some time and then parted, promising to meet again for a chat.

privilege [ˈprywylydż] *przywilej*
railings [ˈrejlyŋz] *sztachety żelazne*
Bayswater [ˈbejzⁿoːtə] — ulica w Londynie
marble [ˈmaːbl] *marmur*
arch [aːcz] *łuk*
orator [ˈorətə] *mówca*

hold forth [hould ˈfoːθ] *wygłaszać publicznie*
topic [ˈtopyk] *przedmiot, temat*

opinion [əˈpynjən] *pogląd, opinia*

Quotations, proverbs and jokes

The true use of speech is not so much to express our wants as to conceal them.

(*Goldsmith*)

want [ⁿont] *brak, potrzeba*
as to tu: *ale aby*
conceal [kənˈsiːl] *ukryć*

OBJAŚNIENIA

Muriel feels like being alone.
She can walk by herself undisturbed.
  she ... by herself
  I ... by myself
por. zaimki zwrotne l. 5.
tree lined walks
The Serpentine [ˈsəːpəntajn]

Muriel pragnie samotności.
Może spacerować sama, w spokoju.
ona ... sama
ja ... sam

drzewami wysadzane ścieżki, aleje
jezioro znajdujące się w Hyde Parku i Kensington Gardens w Londynie

hullo [ha'lou]
hello [he'lou]   }   pozdrowienia między dobrymi zna-
hallo [hə'lou]   jomymi

What a long time since I last saw   *Ileż czasu minęło, odkąd widziałem*
you!   *cię po raz ostatni!*

I am taking a walk   *spaceruję*
    to take a chance   *zaryzykować*
    Will you take tea, or coffee?   *Czy napijesz się herbaty, czy ka-*
                                     wy?

    to take off one's clothes   *rozebrać się*
    to take breakfast   *jeść śniadanie*
    to take notes   *notować*
    to take a picture   *robić zdjęcie*
    I take it for granted   *to jest rzecz oczywista*
    to take notice   *zauważyć*
    to take care   *troszczyć się*
    take care!   *uważaj!*
    to take a look around   *rozejrzeć się*
    to take down   *notować*
    the plane took off   *samolot wystartował*
    to take over   *przejąć, objąć (np. zarząd)*

We used to play together.   *Miałyśmy zwyczaj bawić się razem.*
Czasownik ułomny **used to** patrz
    1. 34.

It's just slipped my memory.   *Umknęło mi z pamięci.*
I have it on the tip of my tongue.   *Mam to na końcu języka.*
James Barrie ['dżejmz 'bæry]   pisarz angielski 1860—1937
wind blown hair   *rozwiane na wichrze włosy*

---

grassy plot   **grassy** i **shady** — przymiotniki utworzone od rzeczo-
shady grove   wników **grass** i **shade** przez dodanie **y**, przy czym koń-
                  cowe **e** w słowie **shade** odpada.
                  Patrz 1. 29.

Marble Arch ['ma:bl'a:cz]   łuk marmurowy zbudowany na wzór
                                 rzymskich łuków triumfalnych.
                                 Kiedyś stał przed pałacem królew-
                                 skim; na obecnym miejscu od
                                 1851 r.

GRAMATYKA

1. Przyrostki -hood, -ish, -able

Child — childhood dzieciństwo

Przyrostek rzeczownikowy -hood jest pochodzenia germańskiego i używany jest do tworzenia rzeczowników abstrakcyjnych oznaczających stan, naturę.

Inne przykłady:

man — manhood
likely
likelihood

wiek męski; ludność męska
prawdopodobnie(-y)
prawdopodobieństwo

Przyrostek przymiotnikowy -ish jest pochodzenia anglosaskiego, a ten sam przyrostek czasownikowy — pochodzenia francuskiego.

child — childish
Ireland
Irish
to punish
to finish
to publish

dziecięcy, dziecinny
Irlandia
irlandzki
karać
kończyć
publikować

Przyrostek -able, przymiotnikowy, jest pochodzenia łacińskiego.

to adore uwielbiać, adorable pełen wdzięku, godny uwielbienia, to imagine wyobrażać sobie, imaginable jaki można sobie wyobrazić, probable prawdopodobny, considerable znaczny (znaczna ilość, liczba)

2. Liczba mnoga rzeczowników

a. Pamiętamy ogólną zasadę tworzenia liczby mnogiej: dodajemy do rzeczownika w l. poj. końcówkę -s. Powinniśmy już dobrze pamiętać również kilka szczególnych wypadków. Przypomnijmy sobie krótko:

-es — po rzeczownikach zakończonych na spółgłoski syczące s, -ss, -sh, -ch -x: glasses, churches itd.;
-es — po rzeczownikach zakończonych na o: negroes itd.
-ves — po rzeczownikach zakończonych na f, fe: wolves, wives itd.
-ies — po rzeczownikach zakończonych na -y, jeżeli jest ono poprzedzone spółgłoską: ladies itd.

-en — po 2 rzeczownikach **child** i **ox: children, oxen;**
— zmiana samogłosek, jak **foot** — **feet, tooth** — **teeth, mouse** — **mice** itp.
— wreszcie nieliczne wypadki, gdy liczba mnoga brzmi tak samo jak liczba pojedyncza, np.: **sheep, fish, deer** (*jeleń*) itp.

Niżej podane są inne przypadki tworzenia liczby mnogiej. Nie wyczerpują one jednak całości zagadnienia, a podają jedynie najczęściej używane szczególne formy liczby mnogiej.

Rzeczowniki zakończone na **-f** poprzedzone drugą literą **f,** lub dwoma **o** przybierają tylko **-s,** np.:

roof *dach,*   roofs *dachy*
cliff *skała*   cliffs *skały*

Od tej zasady istnieje kilka wyjątków, jak **hoof** *kopyto,* które mieć może w liczbie mnogiej **hoofs** i **hooves.**

Niektóre rzeczowniki zakończone na **-o,** szczególnie pochodzenia obcego, tj. dotyczące muzyki lub te, które później weszły do języka angielskiego, przyjmują tylko **-s,** np.: **tobacco** — **tobaccos,** gdy mowa o kilku gatunkach tytoniu, **grotto** — *grota,* **grottos, piano** — **pianos, soprano** — **sopranos** itd.

b. Niektóre rzeczowniki mające formę liczby mnogiej mają znaczenie liczby pojedynczej, np.:

a news *wiadomość, nowina*   a means *środek* (do czegoś)

A zatem czasownik po nich występujący musi stać w liczbie pojedynczej.

Inne rzeczowniki znowu mają formę liczby mnogiej, choć oznaczają jeden przedmiot, jak np.:

scissors ['syzəz] *nożyczki*
trousers   *spodnie*

Czasownik po nich stojący musi być w liczbie mnogiej.

c. W rzeczownikach złożonych niekiedy obydwa człony wymagają formy liczby mnogiej, np.:

man-servant   *służący*   men-servants   *służący*
woman-writer   *pisarka*   women-writers   *pisarki*

a niekiedy tylko jedna część rzeczownika złożonego przyjmuje formę liczby mnogiej, jak np.:

tooth-brush	*szczotka do zębów*	**tooth-brushes**
father-in-law	*teść*	**fathers-in-law**

(w Ameryce spotyka się **father-in-laws** lub w skrócie: **in-laws**)

maid-servant *pokojówka* **maid-servants**

d. Inne rzeczowniki tworzą l.mn. w sposób nieregularny:

l. pojedyncza			l. mnoga
phenomenon	[fy′nomynɔn]	*fenomen*	— **phenomena** [fy′nomynə]
crisis	[′krajsys]	*kryzys*	— **crises** [′krajsi:z]
basis	[′bejsys]	*baza*	— **bases** [′bejsi:z]
oasis	[ou′ejsys]	*oaza*	— **oases** [ou′ejsi:z]

e. Jeżeli pragniemy wyrazić pojęcie *państwo*, tj. *męża i żony*, dodajemy przedimek określony oraz **-s**, np.:

Charles and Virginia Robinson — the Robinsons

Liczba mnoga od **miss** *panna* będzie, np.:

the miss Joneses lub **the misses Jones** *panny Jones*

f. Wyrazy **advice** (patrz l. 2), **information, furniture, knowledge** — nie mają liczby mnogiej. Aby ją wyrazić, należy użyć wyrazów pomocniczych, a więc np.: **pieces of furniture, some information** itp.

3. Użycie wyrazu *like*

a.

Round the tree there are birds and small animals like rabbits, mice.	*Wokół drzewa są ptaki i zwierzęta, takie jak króliki, myszy.*

Przymiotnik **like** znaczy: *podobny do, taki jak.*
Inne przykłady:

Like father like son.	*Jaki ojciec, taki syn.*
It was just like her.	*To było podobne do niej* (w jej stylu, zwyczaju).

Like father like son

b.

Whenever Muriel feels like being alone...   *Ilekroć Muriel ma ochotę być sama...*

W przykładzie tym **like** jest również przymiotnikiem i znaczy: *mający ochotę na, zanoszący się na.* Po nim następuje rzeczownik lub gerund, tj. rzeczownik odsłowny.

Inne przykłady:

I don't feel like sleeping.   *Nie mam ochoty* (nie jestem w odpowiednim nastroju) *na spanie.*

It looks like rain.   *Zanosi się na deszcz.*

c. **Like** może być również przysłówkiem lub spójnikiem w znaczeniu: *tak jak, na sposób,* np.:

He always writes like that.   *On zawsze tak* (w ten sposób) *pisze.*

He was dressed like a cowboy.   *On był ubrany jak kowboj.*

ĆWICZENIA

Read aloud:

[ou hə'lou lu'i:z!
"ot ə 'loŋ tajm syns aj ˌla:st 'so: ju:, /"ot a: ju: 'duyŋ hiər ə'loun.
ajm 'tejkyŋ ə /"o:k ənd 'trajyŋ tə rekə'lekt ðə 'plejsyz "eə "i: ˌju:stə plej
tə'geðə yn auə 'czajldhud.]

LEARN BY WRITING AND READING

I. Odpowiedz na pytania:

1. Where are Kensington Gardens? 2. What joins Kensington Gardens and Hyde Park? 3. How often did Muriel play there? 4. Who did she meet?

5. Who wrote the book about Peter Pan? 6. Where is Peter Pan standing?
7. How old is he? 8. What animals can be seen on the statue? 9. What do
children do round the statue? 10. Have you ever heard of that book?
11. What did the two girls think of while admiring Peter Pan? 12. What
strange sight can you see near the Marble Arch? 13. What did the orators
talk about? 14. Did Muriel and Louise listen to the speakers?

II. Ułóż zdania według wzoru:

W z ó r : *Muriel feels like having a talk with a friend.*

P r z y k ł a d y : **I felt like leaving** the room at once. **He feels like sitting** *in the park.*

III. Zestaw pytania i odpowiedzi w a. i b., pamiętając, że:

How is he?	znaczy	*Jak on się czuje?*
Who is he?		*Kto to jest?*
What is he?		*Kim on jest?*
What is he like?		*Jak on wygląda?*

a.

1. Who is he?
2. What is she like?
3. What is he?
4. How is he?
5. What is he like?

6. What is she?
7. Who is she?
8. How is she?

b.

A. She is better, but still weak.
B. Mr. George Brown.
C. She is a nurse in a hospital.
D. Mrs. Jones from Wales.
E. He is tall, thin, with an intelligent face.
F. He is still very ill, unfortunately.
G. She is rather attractive.
H. He is a teacher.

IV. Napisz 6 zdań o swoim dzieciństwie używając zwrotu *"I used to":*

P r z y k ł a d y : *When I was a child I used to keep rabbits. I used to eat bread with jam and sugar.*

V. Głośno przeczytaj następujące wyrazy, wymawiając wyraźnie końcową dźwięczną spółgłoskę:

P r z y k ł a d y : [z] feels [fi:lz], trees [tri:z]; [d] had [hæd], read [ri:d]
dźwięczne [z], zwykle wyrażone literą "s"

feels, trees, always, wishes, hills, Louise, places, Thames, years, companions,
wings, babies, troubles, privileges, orators, opinions

dźwięczne [d]

playground, Hyde, undisturbed, lined, joined, childhood, motherhood, manhood, illustrated, sculptured, bird, played, round, child, mind

VI. Wybierz i przepisz 7 idiomów z lekcji 20

VII. Przetłumacz na język angielski:

Niedziela w Anglii

Czytałem gdzieś, że niedziela w Anglii jest okropnym dniem dla cudzoziemców: żadnego pożywienia, żadnych przyjemności, żadnego odpowiedniego (proper) transportu. — No, to nie jest (tak) zupełnie prawda (prawdziwe). To jest obraz angielskiej niedzieli sprzed 50 lat. Przede wszystkim (First of all) niektóre restauracje i bary (snack bar) są otwarte. — Jeden z moich przyjaciół powiedział, że w Edynburgu jedynym miejscem, gdzie możesz zjeść obiad (to dine) w niedzielę, jest restauracja na (at) dworcu kolejowym. — O tak, w Szkocji jest się (jesteś) nadal w trudnym położeniu, jeżeli się jest (jesteś) podróżnym. Ale czy ludzie nie podróżują w niedzielę? — Oczywiście, że tak (czynią). Słyszałeś o angielskich weekendach, prawda? — A co przy deszczowej pogodzie (What about...)? W zimie lub jesienią wolałbym (I'd rather) popatrzeć (zobaczyć) na jakieś (tłumacz przedimkiem nieokreślonym "a") widowisko lub mecz. — Kina są otwarte, ale teatry nie (nie są). I nie ma żadnych zawodów (event) sportowych. — Co robiłeś w Anglii, gdy pogoda była brzydka (zła)? — Zwykle chodziłem do muzeów i galerii obrazów. Szczególnie lubiłem (moim ulubionym było) Muzeum Nauki (Science Museum) ze wszystkimi wynalazkami, których człowiek dokonał (człowiek zrobił) w ciągu wieków.

LESSON TWENTY-NINE   **THE TWENTY-NINTH LESSON**

Saxon Genitive rzeczowników zakończonych na -*s*
Krótkie zdania potwierdzające
Przyrostek -*y*
Nieregularna l. mn. rzeczowników: *hairs*

TROUBLE AT THE HAIRDRESSER'S

I

Freddie: Hello, Ronnie, I haven't heard from you for ages. How's life?
Ronald: Fine, thanks. I've come to town

hairdresser [ˈheəˌdresə]
fryzjer

only for the day. I'm staying in Kent on Charles's farm.

Freddie: I didn't know your brother was a farmer, I thought he was a science chemist.

Ronald: So he is. He is a most peculiar farmer. He's experimenting on animals...

Freddie: I hope nothing painful.

Ronald: Don't be silly. You know that Charles wouldn't hurt a fly. He's experimenting with dyes.

Freddie: With what?

Ronald: Dyes. D—Y—E—S. Artificial colouring.

Freddie: Is he painting chickens blue?

Ronald: Not chickens. Who would like to eat blue meat? I for one wouldn't touch it. No, sheep, foxes, rabbits, all kinds of furry creatures.

Freddie: My goodness! Do you mean he's really producing auburn sheep and green rabbits?

Ronald: Yes, he is. It's still a very great secret and he would be most annoyed if he knew I'd been talking about it. So, please, do keep your mouth shut.

Freddie: Well, well, well. That will make a revolution in the fur trade.

Ronald: Not only in the fur trade. Also in wool production, leather goods etc.

II

The telephone rings. Mr. Lotion, a hairdresser, takes up the receiver:

"This is the Modern Beauty Parlour."

A woman's voice: This is Mrs. Coogan

Kent [kent] — hrabstwo w Anglii

science chemist [ˈsajəns ˈkemyst] *chemik*

he's experimenting on *robi doświadczenia*
painful [ˈpejnful] *bolesny*

artificial [ˌaːtyˈfyszl] *sztuczny*

for one tu: *na przykład*
furry [ˈfəːry] *futrzany, włochaty*, tu: *futerkowy*

secret [ˈsiːkryt] *sekret*

revolution [ˌrewəˈluːszn] *rewolucja*
wool [ᵘul] *wełna*
leather [ˈleðə] *skóra wyprawiona*
Lotion [ˈlouszn] — *nazwisko*
Beauty Parlour [ˈbjuːty ˈpaːlə] *salon fryzjerski*
receiver [ryˈsiːwə] *słuchawka*
Coogan [ˈkuːgən] — *nazwisko*

speaking. Good morning Mr. Lotion. I'd like to come for a shampoo and set on Tuesday. Does it suit you?

Mr. Lotion: I'm sorry, Mrs. Coogan, we're full up for Tuesday. Couldn't you come on Wednesday, as usual?

shampoo and set [szæm-'pu: ǝn'set] *mycie włosów i uczesanie*

Mrs. Coogan: Well, if I must, I must. My hair is getting so dull, it needs brightening.

brighten ['brajtn] *rozjaśnić*

Mr. Lotion: I have an amazing piece of news for you. We've got quite a new way of dyeing hair. No need of creams or lotions. You take some pills and your hair grows coloured, it comes out the shade you choose yourself. And you'll be surprised how beautiful it will look.

lotion ['louszn] *płyn*

Mrs. Coogan: Oh Mr. Lotion, I must have the new pills. The golden brown squirrel colour.

squirrel ['sk"yrl] *wiewiórka*

Mr. Lotion: Certainly, madam. You'll have any shade you wish.

Mrs. Coogan: Did you invent the wonderful thing?

Mr. Lotion: Oh... not quite. I've got it from a fellow in Kent. He's got limited supplies as yet, and keeps it very secret but I am the first to introduce it in the hairdressing business.

supply [sǝ'plaj] *dostawa, podaż*
hairdressing business tu: *branża fryzjerska*

Mrs. Coogan: Is it safe? I mean, has anyone tried it before. I would not like to be the first.

Mr. Lotion: Quite safe, ma'm. You should see my wife's new hair, and the Duchess of...

ma'm = **madam**
duchess ['daczys] *księżna*

Mrs. Coogan: I must have it by all means. I'm coming on Wednesday.

I must have it
by all means

III

The end of a phone call to Mrs. Coogan from her friend Anita.

Yes Phyllis, I promise to get an invitation to the Duchess's party for you too somehow, but please, do tell me who your hairdresser is. I've never seen your hair so lovely...

Anita [ə'ni:tə] — imię żeńskie

Phyllis ['fylys] — imię żeńskie

promise ['promys] *obiecać*

IV

Charles: If you can, come and lend me a hand. I've had some trouble with my lab assistant. I had to dismiss him.

Freddie: What is the trouble?

Charles: He turned out quite impossible, and I'm afraid some stuff seems to be missing.

Freddie: What? Not the dye-pills, I hope?

Charles: Yes, I'm afraid, quite a lot of

lab, laboratory [læb lə-'borətry] *laboratorium*

turn out [tə:n'aut] *stać się, tu: okazać się*

missing ['mysyŋ] *brakujący*

pills have been lost or stolen. And I need your help in the new tests. You see, I'm not very happy about the latest results.

Freddie: Why? The pills worked well: the animals turned red and green and so on, so what's wrong?   **work** tu: *działać*

Charles: Yes, but after a month their hair fell off completely! It doesn't matter with the sheep, but can you imagine bald foxes and rabbits!   **bald** [bo:ld] *łysy*

Freddie: How funny! I mean, what a shame! So if anyone took those pills he would first have coloured hair and then become as bald as a tennis ball.

V

Anita: I tell you, I'll sue the man for damages, I'll go to the best lawyers... I'm in despair.

Mrs. Coogan: No dear, you won't. Imagine what the papers would write about us. We would be the laugh of the town.

Anita: But what shall I do? I pretend to be ill and I am staying at home now, but how long will my new hair take to grow?

Mrs. Coogan: I've been through it myself, dear. My beautiful auburn hair has gone, too. First single hairs, then whole handfuls. The Modern Beauty Parlour had to find a way out, they're producing wigs.

Anita: Wigs? I'll never wear false hair in my life! Anyway not in summer.

Mrs. Coogan: But I do, and so do all the women who have used the "wonderful dye": Jane and Kate and Mrs. Black and the Duchess of..

sue [sju:] *ścigać sądownie*
damage ['dæmydż] *strata, l. mn.: odszkodowanie*
lawyer ['lo:jə] *prawnik*
despair [dys'peə] *rozpacz*
the laugh of the town *pośmiewisko miasta*

I've been through it myself *ja sama przez to przeszłam*
handful ['hændful] *garść*
to find a way out *znaleźć jakieś wyjście*
wig ["yg] *peruka*
false [fo:ls] *fałszywy*

Kate [kejt] — *imię żeńskie*

Anita: Is that so? Well, if they wear wigs, I must have one too...

Quotations, proverbs and jokes

The man who makes no mistakes does not usually make anything.

(*E. J. Phelps*)

OBJAŚNIENIA

I haven't heard from you for ages.   *Nie (słyszałem) miałem wiadomości od ciebie od bardzo dawna (wieków).*

Wyraz **age** w liczbie mnogiej stosuje się w mowie potocznej w znaczeniu: *od bardzo dawna.*

I haven't seen you for ages.   *Nie widziałem cię od bardzo dawna.*

Nie moglibyśmy w tym wypadku użyć wyrazu **century**, który znaczy wiek (okres stu lat), jak np.: 19th century, 20th century itp. Wyrazu **age** używa się w znaczeniu *wiek* (człowieka, przedmiotu), np.:

What is your age?   *W jakim jesteś wieku?* (Ile masz lat?)

Ponadto określenia takie, jak **the Elizabethan Age, the Stone Age, the Middle Ages** *Wiek Elżbietański, Wiek Kamienny, Wieki Średnie* oznaczają okresy czasu, w których pewne charakterystyczne wydarzenia lub fakty nastąpiły. I tak oznaczają one: okres panowania królowej angielskiej Elżbiety I (1553—1603); okres, kiedy człowiek posługiwał się narzędziami z kamienia; okres historyczny w Europie (ok. 600—1450).

I for one wouldn't touch it.   *Ja na przykład nigdy bym tego nie dotknął.*

Zwrot **for one** w tym zdaniu sugeruje, że mogą być również inni, którzy się tego dotkną.

Do keep your mouth shut!   *Proszę cię, nie mów o tym!* (trzymaj swe usta zamknięte)

Do tell me who your hairdresser is?   *Koniecznie powiedz mi, kto jest twoim fryzjerem?*

Do użyte w zdaniach twierdzących służy do wyrażenia nacisku, emfazy (patrz l. 15).

We're full up for Tuesday.   *Cały wtorek mamy zajęty.*

Full up używa się, gdy się pragnie wyrazić, że coś jest wypełnione. Konduktor autobusu powie "**full up**", jeśli nie ma w autobusie miejsca.

My hair is getting so dull.

It comes out the shade you choose yourself.

I must have it by all means.
by all means

lend me a hand

What a shame!

Moje włosy zrobiły się takie bezbarwne.
Przybierają kolor (wychodzą w odcieniu), jaki sobie pani sama wybierze.
Muszę to mieć za wszelką cenę.
w każdy możliwy sposób, za wszelką cenę, z pewnością
pomóż mi (dosłownie: pożycz mi rękę)
Jaka szkoda!

W czytance podane są następujące kolory: **blue** niebieski, **auburn** *kasztanowaty, złotobrązowy,* **green** *zielony.*

Inne kolory:

red	*czerwony*	**grey**	*szary, siwy*
yellow	*żółty*	**golden**	*złoty*
violet	*fioletowy*	**sky blue**	*błękitny*
beige	*beżowy*	**black**	*czarny*
silvery	*srebrny*	**orange**	*pomarańczowy*
brown	*brązowy*	**pink**	*różowy*
white	*biały*	**navy blue**	*granatowy*

Podane kolory są najczęściej spotykane. Istnieją jeszcze dziesiątki odcieni, których znajomość nie jest niezbędna do porozumiewania się w języku angielskim.

GRAMATYKA

1. Saxon Genitive rzeczowników zakończonych na -s

I'm staying in Kent, on Charles's farm.   *Przebywam w Kent, na farmie Karola.*

Saxon Genitive (dopełniacz) rzeczowników zakończonych na literę -s tworzymy za pomocą **apostrofu** i **s** wymawianego [yz], np.: **Charles's** [′cza:lsyz].
Inne przykłady:

St. James's Square Plac św. Jakuba (w Londynie)
Daniel Jones's [′dżounsyz] **English** Słownik wymowy języka angielskie-
Pronouncing Dictionary go Daniela Jones'a (doskonały!)

Uwaga: Sporadycznie spotyka się jeszcze dawną formę bez końcówki -s, np.: **Dickens's novels** lub **Dickens' novels,** wymowa jest jednakże ta sama, jak z -s [′dykynzyz].

2. Krótkie zdania potwierdzające

I thought he was a science chemist. Myślałem, że on jest chemikiem.
So he is. Tak jest faktycznie, rzeczywiście tak jest.

W krótkich zdaniach, które potwierdzają treść poprzedniego zdania twierdzącego, używamy wyrazu **so** oraz powtarzamy czasownik posiłkowy lub ułomny. Jeżeli w 1. zdaniu mamy zwykły czasownik, stosujemy czasownik posiłkowy **to do.**
Inne przykłady:

Mary says you have a new car. Mary mówi, że masz nowy samochód.
So I have. Tak jest (rzeczywiście), mam.
People say that John speaks Polish dosł.: Ludzie mówią, że Jan mówi
quite well. po polsku zupełnie dobrze.
So he does. Rzeczywiście tak jest.

(Por. krótkie odpowiedzi I, 1. 23, oraz pytania rozłączne 1. 31 i I, 1. 28, 40).

3. Przyrostek -y

Pochodzenie tego przyrostka jest germańskie. Przez dodanie końcówki -y do rzeczowników tworzymy bardzo wiele przymiotników. Spółgłoskę końcową poprzedzającą -y podwaja się, jeśli następuje po jednej, zwykle akcentowanej samogłosce. Rzeczowniki zakończone na -e tracą tę literę, np.: **noise, bone, stone — noisy, bony, stony.**

Przykłady:

Rzeczowniki z krótką samogłoską

fun *żart*   **funny** *zabawny*
fur *futro*   **furry** *jak futro, puszysty*
wit *dowcip*   **witty** *dowcipny*

Rzeczowniki z długą samogłoską

stone *kamień*   **bone** *kość*   **noise** *hałas*
stony *kamienny*   **bony** *kościsty*   **noisy** *hałaśliwy*

Rzeczowniki z wieloma spółgłoskami

dirt *brud*   **dirty** *brudny*
health *zdrowie*   **healthy** *zdrowy*
wealth *bogactwo*   **wealthy** *bogaty*
wind *wiatr*   **windy** *wietrzny*
worth *wartość*   **worthy** *godny, wart czegoś*

4. Nieregularna l.mn. rzeczowników: *hairs*

My hair is getting so dull.   *Moje włosy stają się takie bezbarwne.*

First single hairs, then whole hand-   *Z początku pojedyncze włoski, póź-
fuls...*   *niej całe garście...*

Rzeczownik **hair** w l.poj. oznacza wszystkie włosy na głowie
lub całą sierść zwierzęcia — jako jedno pojęcie, jedną całość. Występuje po nim czasownik w l.poj. Forma l.mn. **hairs**, wymagają-
ca czasownika w l.mn., oznacza poszczególne włoski.

*Your hair
is too long*

*There are three dark
hairs on your collar!*

Inne przykłady:

Your hair is too long.	*Twoje włosy są za długie.*
There are three dark hairs on your collar.	*Na twoim kołnierzu są trzy ciemne włosy.*

Por. **penny** w l.mn. **pence** lub **pennies** l. 7.

ĆWICZENIA

Read aloud:

['maj 'gudnys! dju 'mi:n hi:z 'riəly prə'dju:syŋ 'o:bən ‚szi:p ənd 'gri:n 'ræbyts?
jes, hi: 'yz. yts styl ‚wery 'si:kryt ənd hi:d bi: 'moust ə'nojd yf hi: 'nju: ajd byn 'to:kyŋ ə'baut yt, sou 'pli:z, 'du: ki:p jo: mauθ 'szat.]

LEARN BY WRITING AND READING

I. Wstaw brakujące wyrazy:

I have an amazing piece of news — you. We've got — a new way of dyeing hair. No need of creams — lotions. You take some — and your — grows coloured, it comes out the shade you — yourself. And you'll be — how beautiful it will —. I've got it from a — in Kent. He's got limited — as yet, and keeps it very —, but I am the first to — it in the hairdressing —. It's —. You should — my wife's new hair.

II. Dokończ następujące zdania według wzorów:

P r z y k ł a d y: *I thought he was in London last Tuesday.* — **So he was.**
They tell me your brother is a chemist. — **So he is.** (faktycznie tak jest)

1. I thought he was in London. —
2. I was told you lost your ticket. —
3. They say you are very fond of skiing. —
4. I suppose Ronald helps his brother. —
5. They say the new dye brightens the hair wonderfully. —
6. I suppose the chemist invented the new drug some time ago. —
7. I thought the colour was artificial. —

III. Ułóż listę nazw zwierząt, które znasz:

P r z y k ł a d y: *a sheep, a fox.*

IV. Zakończ zwroty z a. wyrazami z b.:

Przykład: *Smooth as butter.*

a. Yellow as —   Strong as —   Black as —
   Hot as —   White as —   Tall as —
   Old as —   Quiet as —   Pretty as —
   Smooth as —   Bright as —   Fat as —

b. night, a new penny, fire, time, a picture, a mouse, an ox, a tree, snow, gold, butter, a pig

V. Utwórz przymiotniki z następujących wyrazów za pomocą przyrostka -y i dodaj do każdego odpowiedni rzeczownik.

Należy pamiętać o podwojeniu końcowych liter **n, r, d, t** po krótkich, akcentowanych samogłoskach:

Przykłady: *squeak — a squeaky voice; wit — a witty answer; bone — a bony hand.*

fun   rain   fur   bone
brain   cream   dust   filth
hair   luck   mud   pluck
risk   squeak   taste   wit

VI. Napisz po 3 zdania według wzorów:

Przykłady: *He was quite an old man.*
              Who would like to change places with me?
         a.   *This is quite a new way of dyeing hair.*
         b.   *Who would like to have a bald dog?*

VII. Wypisz z lekcji 29 cztery idiomy i naucz się ich na pamięć.

VIII. Przetłumacz na język angielski:

Polowanie na lisa (Fox Hunting)

Anglicy bardzo lubią (to be fond of) zwierzęta. Niektóre zwierzęta, chcesz powiedzieć (masz na myśli). Nie zapominaj, że lubią wszelkiego rodzaju (all kinds of) sporty, wśród nich strzelanie, polowanie. Polowanie na lisa jest bardzo angielskim sportem. Prawdziwe (regular) polowanie na lisa jest w gruncie rzeczy (rzeczywiście) rodzajem wyścigu. Jeźdźcy (rider) noszą na sobie różowe marynarki i zbierają się w jakimś miejscu na wsi, oznaczonym (fixed) przedtem. Psy biegną za lisem, jeźdźcy (następują) za nimi na przełaj po (across) polach i łąkach, skacząc nad żywopłotami, strumieniami itd. Trzeba więc być (musisz być) dobrym jeźdźcem. Oczywiście, to może być dość trudna (quite hard) jazda (jeżdżenie). To jest sport dla bogatych (a rich man's ...). Większość farmerów nie dba o to wszystko i strzela do lisów, ponieważ te zwierzęta wyrządzają (to cause) poważne straty w farmie. Co się dzieje z lisem (to happen to)? Kiedy myśliwi (huntsmen) mają szczęście (są szczęściarzami), lis zostaje złapany (i zabity) przez psy, kiedy lis ma szczęście, ucieka do nory ("goes to earth"), tzn. (i. e.) ukrywa się w swojej norze (dziurze) w ziemi (gruncie).

LESSON THIRTY   **THE THIRTIETH LESSON**

> **Użycie Present Perfect Tense zamiast Future Perfect w zdaniach czasowych**
> **Użycie** *elder, eldest*
> **Użycie** *if* i *whether* (*if* — czy)
> **Intonacja angielska**

CHOICE OF CAREER *

Is this your eldest son? He's a fine child for nine. And what are you going to be when you grow up, my boy?

I'm afraid Henry can't answer. Or rather, he is answering. He decided to become a Trappist monk this morning.

Really! An unusual choice, but I doubt if he'll keep the vow of silence for long.

No, but one is thankful for small things too. Last week he was a budding politician, and made speeches all day.

Well, there's nothing like trying everything while you're still young enough to avoid a decision, but, you know, it's not easy to decide on a child's future career. Unless he has real talent, or shows a

choice [czojs] *wybór*
Trappist monk ['træpyst maŋk] *trapista, zakonnik*
vow [wau] *ślub, wieczysta obietnica*
thankful ['θæŋkful] *wdzięczny*
budding tu: *rokujący nadzieje*
politician [‚poly'tyszn] *polityk*

unless [ən'les] *jeżeli nie, chyba że*

---
* Adapted by permission of The Linguist, London.

natural bent for something. My youngest boy is only two, but his future is obvious. He destroys everything around him.

A future road-breaker, or a demolisher of derelict buildings, or possibly a scrap-merchant.

Nonsense! Clearly a scientist in the atomic age. What about your boy?

It's a little early to decide. He's only six months, and so far his one diversion is howling.

Ah! A future radio singer! But, seriously, if a child shows a talent for one of the arts, and is going to be an artist, musician or writer, it usually shows up early, and there's no problem.

There's a financial problem. He has to be trained, and even if the infant prodigy turns into a genius, he probably won't get famous or rich until he's been dead a hundred years.

But at least you know where you are with a young genius. You can even see an early talent for the exercise of a profession such as medicine or the law. What I want to know is, how does one pick out a budding bank clerk, a future works manager, or an embryo salesman? The young themselves never seem to think that they may later on do some useful job for some moderate salary.

Never! When I was nine I saw myself as a great manager sitting in a richly furnished office, surrounded by telephones, secretaries and busy clerks. Instead of which...

bent for [bent fo:] *zamiłowanie do czegoś*
demolish [dy'molysz] *burzyć, demolować*
demolisher [dy'molyszə] *pracujący przy rozbiórce*
derelict ['derylykt] *opuszczony, bezpański*
scrap [skræp] *resztka, złom*
scrap-merchant *handlarz złomem*
diversion [daj'wə:szən] *rozrywka*
howl [haul] *wyć, wrzeszczeć*
singer ['syŋə] *śpiewak*
seriously ['sjə:rjəsly] *poważnie*
art [a:t] *sztuka, umiejętność*
financial [fy'nænszl] *finansowy*
infant ['ynfənt] *niemowlę*
prodigy ['prodydży] *dziwo, cud*
genius ['dżi:njəs] *duch, geniusz*
medicine ['medsyn] *medycyna*
pick out [pyk'aut] *wybierać, wyróżniać*
works ["ə:ks] *fabryka*
embryo ['embrjou] *zarodek*
salesman ['sejlzmən] *subiekt, sprzedawca*
moderate ['modəryt] *umiarkowany, tu: skromny*
furnished ['fə:nyszt] *umeblowany*

A future radio singer

I remember my only difficulty was to decide whether to lead the first expedition to the moon, become a leading jockey, or simply accept an appointment as chief of the police. As it is...

What is it, Henry? Have you ceased being a Trappist monk?

Yes, Daddy. I've just realized definitely what I want to be when I grow up.

Splendid! What will you be?

The only son of a millionaire.

jockey ['dżoky] *dżokej*
appointment [ə'pojntmənt] tu: *nominacja*
cease [si:z] *przerwać*
grow up [grou ap] *dorosnąć*
millionaire [ˌmyljə'neə] *milioner*

Quotations, proverbs and jokes

I know on which side my bread is buttered.

(Heywood)

OBJAŚNIENIA

He is a fine child for nine. On jest dużym (pięknym) dzieckiem jak na dziewięć lat.

What are you going to be when you grow up?	*Czym zechcesz zostać jak dorośniesz?*
to grow up	*dorastać*
grown up	*dorosły*
grown ups	*dorośli*

the vow of silence	*ślub milczenia*
a road-breaker	*kruszyciel nawierzchni dróg*
roadway	*jezdnia*
roadside	*krawędź drogi*
demolisher of derelict buildings	*pracujący przy rozbiórce domów*
scrap-merchant	*handlarz złomem, rzeczami bezuży-*
	tecznymi

---

one of the arts *jedna z gałęzi sztuki*
Pewne gałęzie wiedzy zalicza się do **arts** (nauki humanistyczne, społeczne), jak m.in. historia, literatura. Inne zalicza się do **science** (nauki mat.-przyrodnicze, nauki ścisłe). Stąd tytuły naukowe wyższych uczelni: Bachelor of Arts — Bakałarz Nauk Humanistycznych, inicjały B. A., lub Master of Arts — Magister Nauk Humanistycznych, inicjały M. A., Master of Science — Magister Nauk Ścisłych — M. Sc. Tytuły te są tytułami uniwersyteckimi.

the black art *czarna magia*
the fine arts *sztuki piękne* (malarstwo, rzeźba, grafika, architektura itp.)

He probably won't get famous or rich until he has been dead a hundred years.	*Prawdopodobnie nie osiągnie on sławy ani majątku wcześniej niż w sto lat po śmierci.*
the exercise of a profession	*wykonywanie zawodu*
a budding bank clerk	*rokujący nadzieje urzędnik bankowy*
a budding politician	*rokujący nadzieje polityk*
to bud [bad]	*pączkować*

GRAMATYKA

1. Użycie Present Perfect Tense zamiast Future Perfect w zdaniach czasowych *

He probably won't become famous or rich until he's been dead a hundred years.	*Prawdopodobnie nie stanie się on sławnym ani bogatym, aż dopiero w sto lat po śmierci (aż będzie martwy sto lat).*

---

* patrz I, l. 29.

W powyższym zdaniu czasowym użyty został Present Perfect dla wyrażenia czynności, która zostanie dokonana w przyszłości (**until he has been dead**) zanim rozpocznie się inna czynność (**he won't become**). Tę drugą czynność wyraża się w zdaniu głównym czasownikiem w czasie przyszłym lub w trybie rozkazującym. Inne przykłady:

I will fetch the bottle of sherry ['szery] **as soon as I have done this exercise.**	*Przyniosę butelkę sherry, skoro tylko ukończę to ćwiczenie.*
Stay here till I've washed my shirt.	*Pozostań tu, aż upiorę moją koszulę.*

W zdaniach czasowych, podobnie jak w warunkowych, Present Perfect zastępuje Future Perfect tak samo, jak Present zastępuje Future.

2. Użycie *elder, eldest*

Is this your eldest son?	*Czy to jest twój najstarszy syn?*

Nieregularny stopień wyższy i najwyższy przymiotnika **old: elder, eldest** wyraża starszeństwo wśród członków rodziny, np.:

elder brother, eldest daughter Ale: **my oldest friend** **her oldest dress**	*starszy brat, najstarsza córka* *mój najstarszy przyjaciel* *jej najstarsza suknia*

Elder używany jest również z imionami własnymi, np.: **The Elder Pitt** *Pitt Starszy.*

3. Użycie *if* i *whether* (*if* — czy)

I doubt if he'll keep the vow of silence for long.	*Wątpię, czy on długo dotrzyma ślubu milczenia.*
My only difficulty was to decide whether to lead the first expedition to the moon or to become a leading jockey.	*Moją jedyną trudnością było zdecydować się, czy poprowadzić pierwszą wyprawę na Księżyc, czy też zostać przodującym dżokejem.*

Spójniki **if**, **whether** *czy* stosuje się w zdaniach dopełnieniowych.

Inne przykłady:

I don't know whether he has a sec-   Nie wiem, czy on ma sekretarza.
retary.
Let me know whether you will come   Daj mi znać, czy przyjdziesz z nami,
with us or stay at home.   czy zostaniesz w domu.
Whether ... or   czy ... czy

4. Intonacja angielska

Intonacją nazywamy wznoszenie się i opadanie głosu w mowie,
mówienie raz wyższym, raz niższym głosem. Każdy język ma swą
własną, charakterystyczną intonację, melodię, którą różni się znacznie od innych języków. Zdarza się często, że zanim dosłyszymy
wyraźnie słowa wypowiedziane w radio, filmie czy przypadkowo
na ulicy, już po samej intonacji, po przyśpiewie zdaniowym, możemy domyślić się, jaki to jest język.

Za pomocą intonacji można wyrazić różne uczucia: zachwyt,
gniew, pochwałę, naganę, radość, smutek, miłość czy obojętność
itd. Intonacja różni się również w zależności od cech indywidual-
nych, od dzielnicy kraju, z której mówiący pochodzi. Wydaje się
nam zwykle, że cudzoziemiec mówiący po polsku dziwnie „śpiewa". Otóż my wszyscy „śpiewamy", gdy mówimy po polsku, ale
jesteśmy tak przyzwyczajeni do naszej intonacji, że nie dostrze-
gamy jej. Jedynie mówienie szeptem jest monotonne.

Intonacji angielskiej czy amerykańskiej mogą nauczyć się osoby muzykalne lub posiadające dar naśladowania innych, słuchając
i naśladując rodowitych Anglików i Amerykanów, mówiących
z płyt, w radio, w filmie lub przy osobistym kontakcie.

Uczący się samodzielnie języka angielskiego powinien zwrócić
uwagę na dwie zasadnicze zmiany wysokości głosu, mianowicie
na:

1. opadanie głosu — intonację opadającą
2. wznoszenie się głosu — intonację wznoszącą się.

Intonacji opadającej używa się przede wszystkim w zdaniach
oznajmujących i pytaniach szczegółowych, tj. zaczynających się
od zaimków pytających.

Intonacji wznoszącej się używa się przede wszystkim w pytaniach ogólnych, tj. takich, na które odpowiadamy: tak lub nie.

Angielscy fonetycy stosują różne systemy na oznaczanie intonacji w druku, jak za pomocą strzałek, apostrofów itp. Jeden z systemów oznacza kropkami zgłoski nieakcentowane, kreskami — zgłoski akcentowane, a opadanie i wznoszenie się głosu różnym poziomem znaków, np.:

1.

He's a fine child for nine.

What about your boy?

2. Is this your eldest son?

ĆWICZENIA

Read aloud:
[yz ðys jo: ′eldyst san?
′ⁿot a: ju ′gouyŋ tə ′bi: ′ⁿen ju grou ′ap maj ′boj?
ajm ə′frejd ′henry ka:nt ′a:nsə.
yts ′not ′i:zy tə dy′sajd on ɔ ′czajldz ′fju:czə kə′riə.]

LEARN BY WRITING AND READING

I. Przepisz 5 pytań zawartych w lekcji 28.

II. Zestaw odpowiednie wyrazy z a. ze zdaniami z b.:

Przykład: *A teacher — teaches schoolchildren.*

a.
1. a teacher	5. a politician	9. a radio singer
2. an artist	6. a musician	10. a novelist
3. a businessman	7. a chemist	11. a clerk
4. a salesman	8. a physician	12. a jockey

b.
A — writes novels	C — sells goods
B — works in a hospital	D — rides horses in races

E — paints pictures
F — works in commerce, industry
G — makes speeches in Parliament
H — makes experiments

I — sings songs
J — writes or plays music
K — works in an office
L — teaches schoolchildren

III. Ułóż zdania zawierające następujące zwroty:

doubt if...
What about...
even if...

It's not easy to...
It's a little early to...
What I want to know is...

so far...
at least...
later on...

IV. Zamień na czas przeszły:

1. He can't answer your question. 2. He says he will come.

P r z y k ł a d y : **He couldn't answer** *your question.* **He said he would come.**

3. He keeps the vow of silence for a long time. 4. The child shows a talent for music. 5. I think he is going to be a scientist. 6. They say that even if he turns into a genius he won't be rich or famous. 7. He sits there surrounded by telephones and secretaries who treat him as a god. 8. This is the man who leads the first expedition to the moon.

V. Ułóż po 3 zdania według wzorów:

a. He will not sing properly until he has learned more about music.
b. To-morrow, when you have settled this financial problem, you will be free to come to the club.

P r z y k ł a d y :

a. **I shall not leave** *the room* **until you have come back.**
b. *To-morrow* **when your son has decided** *on his career,* **he will tell** *me all about his plans.*

VI. Napisz wymowę następujących wyrazów za pomocą transkrypcji ze słownika i ćwicz ją głośno:

P r z y k ł a d : *exercise* ['eksesajz]

expedition, excuse, explain, exhibit, exhibition, excitement, exotic, exchange, expert.

VII. Przetłumacz na język polski:

This Is Warsaw Calling...
(Mówi Warszawa...)

Radio Programme. Broadcasts in English. Times of programmes in GMT

(Greenwich Mean Time). Regular weekly programmes broadcast at 8.30 p. m.
and again at 9.30:

Monday — Sports
Tuesday — Polish Facts and Comments
Thursday — Stamp Programme
Friday — Answers to Listeners' Letters
Saturday — The Week in Poland
Sunday — Cultural Programme

The daily international concerts will be broadcast from 9.30 to 11 p. m.
on 42.11 and 249 m.

Polish time: GMT+1 hour.

Broadcast ['bro:dka:st] *audycja radiowa; nadawać przez radio*;
stamp [stæmp] *znaczek pocztowy*;
cultural ['kalczərl] *dotyczący kultury, kulturalny*;
Greenwich Mean Time ['grynydż 'mi:n 'tajm] *czas obserwatorium Greenwich* (przez które przechodzi południk 0°); różni się od polskiego czasu o godzinę.

LESSON THIRTY-ONE   **THE THIRTY-FIRST LESSON**

Przyimki z określeniami czasu
Pytania rozłączne
Would jako czasownik główny
Intonacja amerykańska

NO MORE LATIN NO MORE GREEK

"Have you graduated from grammar
school or secondary modern?" asked
George, a foreign student in London University, of his English friend Andrew.

"Grammar, man! Generally those who
want to go on studying at a university
attend secondary grammar schools as they
give education on academic lines," replied
Andrew.

Latin ['lætyn] *łacina*
graduate ['grædjuejt]
kończyć studia
grammar school ['græ-
mɔ sku:l] *gimnazjum
klasyczne*
secondary ['sekəndəry]
*dodatkowy, tu: śred-
ni*
attend [ə'tend] *uczęszczać*

"Then, what is a secondary modern school?"

"It gives general education for life in the modern world. We used to say at school that secondary modern provides education on a lower level and a secondary grammar on a higher."

George became more interested in the subject and consequently became more inquisitive. He asked:

"And where do boys go to learn such special subjects as drawing, machines etc."

Andrew lit his pipe. He started to smoke not long ago, as fits a grown up man. He smiled at George and replied:

"I see you are very interested in our system of education. Well, if a young chap wants to get some technical knowledge, he goes to a secondary technical school, where he gets all he had imagined was good for him."

"Were you very happy when you left your school?"

"Oh yes, of course, I was. At the end of our last summer term we used to loudly declaim at our school:

No more Latin, no more Greek
No more cane to make us squeak.
No more History, no more French
No more sitting on hard, hard bench...

It is a little longer but I don't remember the whole of it. But you can imagine happiness emanating from those lines. The verse is pretty popular all over England, mostly in boarding schools."

"Tell me now, please, how many long

education [ˌedjuːˈkej-szən] *wykształcenie*
academic [ˌækəˈdemyk] *akademicki*

consequently [ˈkons-ykʷəntly] *wskutek tego*, tu: *w związku z tym*
inquisitive [ynˈkʷyzytyw] *ciekawy*

term [təːm] *kwartał, semestr, okres*
Greek [griːk] *greka, grecki*
cane [kejn] *trzcina, laska*
squeak [skʷiːk] *piszczeć, kwiczeć*
line *wiersz*
emanate [ˈemənejt] *wypływać, wynikać*
emanating [ˈemənejtyŋ] tu: *bijący*
mostly [ˈmoustly] *najwięcej, przeważnie*

holidays did you have in your school?" inquired George.

"We had a month's holiday at Christmas, a month at Easter and two months in summer."

Christmas ['krysməs] *Boże Narodzenie*
Easter ['iːstə] *Wielkanoc*

"How good! You then had plenty of time to rest and enjoy your life."

"Well, it was not bad. I have now much more time at the university — though now and then we have to work hard here as well."

"And what type of societies did you have at your school?"

"Quite a lot. Let's begin with A. Aeronautic Society, Art Club, Chess Club, Christmas Union, Dramatic Society, Essay Club, Film Society, Geographical Society, Modern Languages Society, and many, many more, altogether about twenty."

aeronautic [ˌeərə'noːtyk] *lotniczy*
dramatic [drə'mætyk] *dramatyczny*
geographical [dżyo'græ-fykl] *geograficzny*

"So, you were very busy — and was it compulsory for everyone to belong to those societies?"

"Not compulsory but almost all of us were members of one or the other."

compulsory [kəm'palsə-ry] *przymusowy*
one or the other *ten czy ów*

"And what about sports at school?"

"On our sports grounds in summer we play cricket, tennis and have athletic sports. In winter football."

"Now, Andrew, we have been talking all the time about boys. Shall we ask one of our friends, a girl, to tell me something about girls' schools and their activities? Best a girl you are in love with, you won't be jealous if she speaks to me for a while, will you?"

activity [æk'tywyty] *czynność, działalność*
jealous ['dżeləs] *zazdrosny*

"I'm not in love with anybody yet. But

all girls are. If you start talking to one
she immediately falls in love with you, so
I warn you brother!"

"Oh, never mind, let them... or rather
I think they ought to. I remember somebody said (wasn't it J. B. Priestley?) that
"a woman out of love was like an empty
court, an inn with bolted shutters, the dark
side of the moon..."

"Ha, ha, ha! that's fine! Then, boys fill
up your glasses.

To Alma and the lasses...
to quote after Edinburgh fashion, let's ask
one of those bewitching girls."

Andrew approached a group of young
women and after a while he came back
with a young girl of Scottish type of
beauty. She had golden hair, freckles and
a sweet smile.

"Jessie," he said to her, "this is my
friend George."

"How do you do," said Jessie.

"How do you do," said George.

"George is in England for the first time.
He has asked me a number of questions
concerning my school days. I confess I
could not tell him anything about schools
for girls, as you know Jessie I have never
been interested in what women do."

"Don't be so silly Andrew, everyone
knows you make big eyes whenever you
meet that Nancy Goodman, the red haired
girl from Glasgow. Oh, don't deny it, man!"

"You are pulling my leg Jessie, you
know! I never look at any woman unless
I must."

---

to fall in love with *za-kochać się*

J. B. Priestley [dżej bi: ˈpriːstly] — John Boynton [bojtən] Priestley

bolt [boult] *zaryglować*
shutters [ˈszatəz] *okiennice*

Alma   Mater [ˈælmə ˈmejtə] — nazwa łacińska uniwersytetu
lass [læs] *dziewczę*
quote [ˈkʷout] *cytować*
approach [əˈproucz] *podejść, zbliżyć się*
corridor [ˈkorydoː] *korytarz*
freckles [ˈfrekylz] *piegi*
Jessie [ˈdżesy] — imię żeńskie

concerning [kənˈsɔːnyŋ] *dotyczący*
confess [kənˈfes] *przyznać*

Nancy [ˈnænsy] — imię żeńskie
Goodman [ˈgudmən] — nazwisko
deny [dyˈnaj] *zapierać się, zaprzeczać*

"You are telling me, you hypocrite. But, George, whatever is it you want to know about schools for girls."

"If you would be so kind I should like very much to ask you to tell me what kind of secondary school you used to attend."

"Well, I went to a secondary grammar school for girls, which is a school organized on the same principles as grammar school for boys. At the end of it I took the General Certificate of Education necessary before entering a university."

"And how about sports?"

"I used to play tennis, but we had all kinds of sports at school, and clubs, and societies of various kinds."

"Oh, thank you Jessie, I see now your schools didn't differ very much from one another. They were both secondary grammar schools. I once heard somebody say something about public schools. I think your school was public too, wasn't it?"

"Oh no! George, listen, public schools in England are not public at all. They are boarding schools where boys get a thorough education."

But tell me aren't there such public schools for girls?" asked George.

"Oh, yes, there are. They are run in a similar way to boys' and their education aims at the same ideas."

"I thank you very much indeed Jessie, you really know so much. I should never be able to know so many things about the schools in my own country."

---

hypocrite ['hypəkryt] *hipokryta*
whatever ["o'tewɔ] tu: *co*

certificate [sɔ'tyfykyt] *świadectwo*

differ from ['dyfə] *różnić się od*

public ['pablyk] *publiczny*
at all *wcale, zgoła*

aim [ejm] *celować, dążyć do*
run [ran] tu: *prowadzona*

Another girl approached Jessie and
asked her and George and Andrew to join
the whole group and go with them to a
charming little teashop, run by a Pole,
where they give such delicious apple cake,
which they call "charlotte", wonderful!

charlotte [ˈszaːlɔt] *szarlotka*

Quotations, proverbs and jokes

All work and no play makes Jack
a dull boy.
All play and no work makes Jack
a mere toy.

mere [miɔ] tu: *tylko*

OBJAŚNIENIA

**they give education on academic
lines**   *dają wykształcenie według zasad a-kademickich*

no more cane   *dość trzciny, precz z trzciną*

W angielskich szkołach stosowano karę cielesną. Do tego celu używano
trzciny jeszcze do niedawna.

I have no more time   *nie mam więcej czasu*
he saw her no more   *on już jej więcej nie widział*
be no more   *być nieżywym*
more or less   *mniej więcej*

long holidays	*wakacje letnie*
a long dozen	*trzynaście*
in the long run	*w końcu, jako ostateczny re-zultat*
have a long tonque	*mieć długi język, mówić zbyt dużo*
a long face	*zawiedziona mina*
to long	*tęsknić*
longing	*tęsknota*

now and then
 by then
 before then
 from then onwards
 the then rulers
 what is it, then?
 now then!

od czasu do czasu
 do tego czasu, w tym czasie
 przedtem
 od tego czasu
 ci, co wtedy rządzili
 co to jest zatem?
 uwaga! no nie!

---

sports grounds
 it's a great sport to dress as
 a pirate ['pajəryt]
 sports jacket
 to make sport of a person
 be a sport!

boisko sportowe
 bardzo zabawne jest przebrać
 się za pirata
 marynarka sportowa
 żartować z kogoś
 bądź sportowcem, tzn. przyjmij
 to z humorem!

---

a woman out of love
 calf love

no love lost
 There is no love lost between the
 two sisters.
 love-child
 love
 love set
 not to be had for love or money
 love-lorn
 love-sick

nie zakochana kobieta
 pierwsza miłość młodzieńcza (calf
 [ka:f] cielę)
 brak przyjaźni, sympatii, np.:
 Nie ma przyjaźni miedzy tymi
 dwiema siostrami.
 nieślubne dziecko
 zero (punktacja w grze w tenisa)
 partia zerowa — 6:0 (o tenisie)
 niemożliwe do otrzymania
 porzucony przez osobę ukochaną
 chory z miłości

J. B. Priestley — współczesny pisarz angielski

"Jessie," he said, "this is my friend George."

„Jessie — powiedział do niej — to jest mój przyjaciel Jerzy".

Jest to jedna z form stosowanych przy przedstawianiu kogoś. Osoby zapoznawane mówią do siebie przy tej okazji "How do you do".

to pull one's leg
 you are telling me!
 The General Certificate of Education

nabierać kogoś
 mnie to mówisz!
 świadectwo maturalne

GRAMATYKA

1. Przyimki z określeniami czasu

at	at noon	w południe
	at four o'clock	o czwartej
	at a quarter to eight	za kwadrans ósma, o 7.45
	at Christmas	na Gwiazdkę
	at the beginning, at the end	na początku, na końcu
on	on Sunday, on Monday etc.	w niedzielę, w poniedziałek itd.
	on the first, second,	pierwszego, drugiego,
	third of May	trzeciego maja
	on that day	tego dnia
	on time	na czas, punktualnie
in	in the morning, afternoon,	rano, po południu,
	evening	wieczorem
	in time	w porę
	in the daytime	za dnia
	in the first week of August	w pierwszym tygodniu sierpnia
	in January, February etc.	w styczniu, lutym itd.
	in 1912	w 1912 r.
since	since 5 o'clock, 1979	od piątej, od 1979
for	for 5 years, 2 hours	{ przez 5 lat, 2 godziny, { od 5 lat, od 2 godzin
by	by next June	do przyszłego czerwca
	by 5 o'clock	do piątej, na piątą

2. Pytania rozłączne *

a.

You won't be jealous..., will you?	Nie będziesz zazdrosny... prawda?
I think your school was public too, wasn't it?	Myślę, że twoja szkoła była także szkołą publiczną, nieprawdaż?

Przypomnijmy sobie zasady tworzenia tej formy pytań rozłącznych (zwanych również zdaniami doczepnymi, 'sentence tags', 'appended questions' itd.), odpowiadającej polskiej formie: *prawda?, nieprawdaż?*:

---

* patrz I, l. 28, 40.

aa. Ze zdaniem twierdzącym łączymy krótkie pytanie w formie przeczącej, np.:

He's a man, isn't he?   *On jest mężczyzną, prawda?*

Ze zdaniem przeczącym łączymy krótkie pytanie w formie twierdzącej, np.:

He's not a woman, is he?   *On nie jest kobietą, prawda?*

ab. Czasowniki posiłkowe i ułomne użyte w zdaniu oznajmującym powtarza się w pytaniach rozłącznych, np.:

She must go, mustn't she?   *Ona musi iść, prawda?*
He ought to do that, oughtn't he?   *Powinien to zrobić, prawda?*

ac. Inne czasowniki tworzą pytania rozłączne za pomocą czasownika posiłkowego **do,** np.:

You sleep too long, don't you?   *Śpisz za długo, prawda?*

Pytań rozłącznych używa się, aby uzyskać odpowiedzi potwierdzające.

b.

Where is Mary?   *Gdzie jest Mary?*
I'm afraid she isn't here.   *Obawiam się, że jej tu nie ma.*
Oh, she isn't, isn't she?   *Ach tak? (ładna historia!)*
You can do this.   *Możesz to zrobić.*
Oh, I can, can I?   *Co? Ja mogę? (tak sobie wyobrażasz?)*

You can do this — Oh, I can, can I?

He wrote the letter.
He did, did he?

On napisał list.
On? rzeczywiście? (też przypuszczenie!)

Ten typ pytania rozłącznego składa się z powtórzenia czasownika posiłkowego (lub **do**) najpierw w tej samej formie co w zdaniu
oznajmującym, następnie w formie pytającej, np.: **she isn't, isn't
she? I can, can I?** Wyraża ono, zależnie od intonacji, całą gamę
uczuć: od przyjaznego lekkiego zdziwienia do ironii, oburzenia lub
sarkazmu.

3. *Would* jako czasownik główny

If you would
If you would be so kind, I should
like to ask you ...

jeślibyś zechciał
jeślibyś zechciała być tak uprzejma,
to chciałbym cię prosić ...

Would występuje tutaj jako czasownik główny w znaczeniu
chcieć, życzyć sobie.

Inny przykład:

If he would come earlier, I could
talk to him.

Jeśliby zechciał przyjść wcześniej,
mógłbym porozmawiać z nim.

Por. **would rather** *wolałbym, lepiej żebym* 1. 8 i 11.

4. Intonacja amerykańska

Intonacja amerykańska jest bardziej monotonna od angielskiej,
utrzymuje wysokość głosu na dość jednostajnym poziomie. Jedynie główne wyrazy w zdaniu, zwłaszcza końcowe, objęte są zmianami wysokości głosu.

Posługując się terminami muzycznymi Mencken, znany językoznawca amerykański, stwierdził, że intonacja amerykańska jest
bardziej „*staccato*"*, podczas gdy angielska bardziej „*glissando*"**. Fonetycy amerykańscy rozróżniają 3 do 4 tonów, tj. stop-
ni wysokości głosu w zdaniu: ton b. wysoki, wysoki, zwykły i ni-

---

* *staccato* — odrywając, oddzielając dźwięki od siebie
** *glissando* — prześlizgując się od tonu do tonu

ski. Oznaczają intonację numerami tonów lub linią ciągłą czy przerywaną, poziomą, pochyłą lub prostopadłą, np.:

a. Zdania oznajmujące i pytania szczegółowe:

We had a month's holiday.

What is a secondary modern school?

b. Pytania ogólne:

Were you very happy when you left your school?

Linia na jednym poziomie nie oznacza, że ton utrzymany jest bezwzględnie na jednakowej wysokości.

W zdaniach złożonych zarówno intonacja amerykańska jak i angielska ulega różnym modyfikacjom. Ogólna zasada głosi, że zmiana wysokości głosu lub najwyższy ton powinny przypadać na najsilniej akcentowane wyrazy w zdaniu. Należy dodać, że istnieją liczne odmiany intonacji angielskiej, jak np.: irlandzka, szkocka, australijska itd.

ĆWICZENIA

Read aloud:

[o:l /"ɔ:k ən nou 'plej mejks 'dżæk ə dal'boj
o:l 'plej ɔn nou /"ɔ:k mejks 'dżæk ə miə 'toj]
[nou mo: 'lætyn, nou mo: gri:k
nou mo: kejn tɔ mejk ɔs sk"i:k
nou mo: 'hystry nou mo: frencz
nou mo: 'sytyn ɔn ha:d ha:d bencz]

LEARN BY WRITING AND READING

I. Odpowiedz na pytania:

1. Where does George study? 2. Which school has a higher level: a secondary modern school or a secondary grammar school? 3. Did you or do you learn Latin at school? 4. Did George? 5. How long are the Christmas holidays in a secondary grammar school? 6. How long are their summer holidays? 7. Which of the many societies in Andrew's school do you like best? 8. Is it compulsory to belong to them? 9. What are their favourite sports? 10. What is your favourite sport? 11. Do people play football in winter in

this country (i. e. — that is — in Poland)? 12. What did the novelist Priestley say about a woman that is not in love? 13. What does Jessie look like? 14 Is she English? 15. What did George ask her?

II. Do następujących zdań dodaj krótkie pytania:

What for? (po co?), Who for? (dla kogo?), Who with? (z kim?), What with? (czym? za pomocą czego?), What about? (o czym?), Who by? (przez kogo?)

1. He went into the garden.

Przykład: *He went into the garden* — **What for?**

2. George came back after a moment. 3. In the teashop they had a cake filled with something delicious. 4. I have just finished a most fascinating short story. 5. At the meeting of the Chess Club they all talked a lot. 6. George has bought a fine ring.

III. Oznacz akcenty w następujących długich wyrazach i przeczytaj je głośno, akcentując wyraźnie odpowiednie zgłoski:

Przykłady: graduate — 'graduate, university — uni'versity, inquisitive — in'quisitive.

to graduate, geographical, altogether, athletic, activity, consequently, holiday, society, dramatic, compulsory, immediately.

IV. Zestaw odpowiednie wyrazy z a. z wyjaśnieniem w b.:

a.
1. A list of words.

Przykład: — *a vocabulary*

2. A group of words or a special way of using a word, typical for a language.
3. A book telling us in one language what many words mean in another language.
4. Common, popular language, often funny or fantastic, below the level of educated speech.
5. Exercises helping us to remember things we learned some time before.

b.
slang, a dictionary, revision exercises, a vocabulary, an idiom.

V. Ułóż po 3 zdania według wzorów:

a. My uncle can drive very carefully, can't he?
b. She bewitches everybody, doesn't she?
c. You don't understand what he has said, do you?

Przykłady: a. *He* **can** *swim quite well,* **can't he?**
b. *He* **dances** *too much,* **doesn't he?**
c. *He* **doesn't** *speak English,* **does he?**

VI. Wstaw odpowiednio następujące brakujące przyimki: at, at, at, about, before, by, for, from, from, in, in, in, of, on to, to.

1. My eldest son, who is — nine years old always gets up — six. 2. I don't know — what time he should go — bed. 3. — night he is very quiet but — day he is so noisy that you can hear him — every room in the house. 4. I hope that — summer he will be more in the garden. 5. This morning he played the piano — thirty minutes. 6. He should go for a walk — noon. 7. It's a pity that boys — his age don't go to bed — the afternoon. 8. Then I could enjoy peace and quiet — two — three, at least. 9. Happily for me school holidays begin — July. 10. And — Tuesday we must buy the boy some summer clothes.

VII. Przetłumacz na język polski:

Howlers *
(copied from schoolboys' exercises)

1. An elephant is a square animal with a tail in front and behind.
2. A circle is a round straight line with a hole in the middle.
3. The past tense of "I want" is "I got".
4. A circle is a round line joined up so as not to show where it began.
5. The difference between air and water is that air can be made wetter, but water cannot.

---

* **howler** ['haulə] *śmieszny błąd*

LESSON THIRTY-TWO   **THE THIRTY-SECOND LESSON**

> **Konstrukcja imiesłowowa**
> **Użycie zwrotów:** *I wish, If only*
> **Collective nouns**

AN EVENING CHAT

I

Daphne's parents are watching the TV, her husband is away on business, Daphne herself and her guest, Angela, are chatting while washing up after supper. Angela is putting the plates, cups and saucers on the plate rack, and drying the glasses with a gay cloth.

Daphne: Stanley says that the first thing that struck him in England was the traffic, the cars keeping to the left. In Poland they keep to the right.

Angela: So do cars in Italy. What struck me was the rows and rows, streets and streets of identical little houses in the suburbs of your big towns. Wouldn't it be more economical to build big blocks of flats with laundries and large gardens?

Daphne: Well, there are such modern blocks of flats, too. But an English family usually prefers to live in a house of its own, if possible with a little garden.

Angela: But then you have all those stairs to go up and down — bedrooms upstairs, kitchens and living-rooms downstairs.

Daphne [ˈdæfny] — imię żeńskie
Angela [ˈændżylə] — imię żeńskie
wash [ᵘosz] **up** *zmywać naczynia*
saucer [ˈsoːsə] *spodek*
rack [ræk] *stojak, wieszak na kapelusze, naczynia itp.*
plate rack *suszarka do naczyń*
cloth [kloθ] *ścierka*

identical [ajˈdentykəl] *identyczny*
flat [flæt] *mieszkanie*
laundry [ˈloːndry] *pralnia*

prefer [pryˈfəː] *woleć*

steep [stiːp] *stromy*

Daphne: And in so many houses, like this one, the stairs are narrow and steep. Think of the miles my husband must walk to fetch the coal in winter. One day, when we get our County Council house, I hope to have gas-fires. Stanley says winter is mild in this country but it's very cold inside the houses.

county ['kaunty] *hrabst-wo*
gas [gæs] *gaz*
gas-fire *kominek opalany gazem*

Angela: I suppose it's also because your sash windows have single panes, not double as in most colder countries. I wish we had more fireplaces in Italy. They're so friendly and cheerful. I like best wood fires.

pane [pejn] *szyba*

Daphne: Most expensive, though. Harry likes best central heating, but you find it rather in hotels and schools. Fireplaces are wasteful, besides you're roasted in front and cold at the back.

central heating ['sentrəl 'hi:tyŋ] *centralne ogrzewanie*
wasteful ['ᵘejstful] *marnotrawny*

Angela: Your sofas and armchairs face the fireplace and stand in the middle of the room, even in summer when the fire isn't burning. With us they're usually placed against the wall.

Their work having been done, the girls went upstairs into the bedroom.

Angela: Your doors open with knobs, ours have handles. What lovely wall-paper you've got here!

handle ['hændl] *klamka*
wall-paper ['ᵘo:l'pejpə] *tapeta*
paper ['pejpə] *tapetować*

Daphne: This room was newly papered when we were married and it was decided that we should stay with my parents for the time being.

Angela: When do you hope to move into a new house?

for the time being *na razie*
hope [houp] *nadzieja, mieć nadzieję*

Daphne: I don't know yet. We're on the

waiting list, but families with children come first.

Angela: But your parents don't mind your staying with them, do they?

Daphne: Certainly not. But they're looking for a house too. The landlord has raised the rent terribly.

Angela: My fiancé and I hope to make our future home as modern and labour saving as possible.

Daphne: So do we. That's why I'm still working as a shop-assistant. I want to have a new electric washing machine, with a dryer. You can get them on the hire purchase system. But first we must pay the last instalment for Harry's motor-bike.

Angela: It's great fun to ride on a motor-bike.

Daphne: It saves Harry's railway and bus fares. The garage he works at is quite a distance from here.

labour ['lejbə] *praca*
labour saving *oszczędzający pracę*
machine [mə'szi:n] *maszyna*
dryer ['drajə] *suszarka*
hire ['hajə] *wynająć*
purchase ['pə:czəs] *zakupić*
hire purchase system *system ratalny*
instalment [yn'sto:lmənt] *rata*
distance ['dystəns] *odległość*
lining ['lajnyŋ] *podszewka*
motor-bike ['mout.ɔ 'baik] *motocykl*

Quotations, proverbs and jokes

Every cloud has its silver lining.
You can't eat your cake and have it.

OBJAŚNIENIA

the laundry	*brudna bielizna posłana do pralni*
laundry	*pralnia*
her husband is away on business	*mąż jej wyjechał za interesami*
on time	*punktualnie*
a lecture on Shakespeare	*wykład o Szekspirze*
to congratulate a person on something	*gratulować komuś czegoś*

on fire	*pali się*
on guard	*strzec się*

on z czasownikiem wyraża ruch dalej, jak: **go on, read on, the time is getting on** itd.

a row [rou]	*szereg, rząd*
to row [rou]	*wiosłować*
row [rau]	*hałas, zamieszanie, awantura, kłótnia*
to make a row	*zrobić awanturę*

County Council house dom, który jest własnością rady hrabstwa
sash windows [sæsz] — okna otwierane przez opuszczanie i podnoszenie, umocowane w ramie okiennej na sznurach

Angela: **I like best wood fires** — *najlepiej lubię kominek opalany drzewem*

Daphne: **Most expensive, though** — *bardzo kosztowne, bądź co bądź!*

Znaczenie wyrazu **though** i jego miejsce w zdaniu patrz l. 13.

to face a fireplace	*frontem do kominka*
to face danger	*przeciwstawić się niebezpieczeństwu*
to be placed against the wall	*być umieszczonym przy ścianie*

They don't mind your staying with them	*Oni nie mają nic przeciwko temu, że u nich mieszkacie*
do you mind my smoking?	*czy przeszkadza ci, jeśli zapalę? czy mogę zapalić?*
mind the step!	*uważaj na schodek!*
mind your own business!	*pilnuj swoich spraw!*
mind you!	*zauważ proszę!*

my fiancé [fy'o:ŋsej]	*mój narzeczony*
my fiancée	*moja narzeczona*

Bardzo często używa się również innego słowa, mianowicie **betrothed** [by'trouðd] mającego to samo znaczenie. Jest to wyraz angielski, podczas gdy **fiancé** jest pochodzenia francuskiego.

GRAMATYKA

1. Konstrukcja imiesłowowa

Their work having been done, the girls went upstairs.   *Po skończonej pracy dziewczęta poszły na górę.*

W powyższym zdaniu **having been done**, imiesłów czasu teraźniejszego (forma dokonana, strona bierna, nie istniejąca w jęz. polskim), dosł. „*będąca zrobiona*" wraz ze swoim podmiotem wyrażonym przez rzeczownik **work** tworzy konstrukcję imiesłowową, która zastępuje zdanie czasowe:

When they had done their work.   *Kiedy skończyły (zrobiły) pracę.*

a. Present Participle użyty w powyższej konstrukcji nie ogranicza się do czasu teraźniejszego i może wyrażać czynność teraźniejszą, przeszłą jak i przyszłą.

Przykłady:

Shops being open in the morning, Daphne has to work on Saturdays too.   *Wobec tego, że sklepy są otwarte rano, Daphne musi pracować również w soboty.*

being — imiesłów czasu teraźn., strona czynna

Having found her toy, the child will stop crying.   *Gdy dziecko znajdzie swą zabawkę, przestanie płakać.*

having found — imiesłów czasu teraźn., forma dokonana, strona czynna

The soldier had to lie down, being heavily wounded.   *Żołnierz musiał się położyć, ponieważ był ciężko ranny.*

being wounded — imiesłów czasu teraźn., strona bierna

The plates having been washed up, the girls are watching the TV.   *Wobec tego, że talerze już są pozmywane, dziewczęta oglądają telewizję.*

having been washed up — imiesłów czasu teraźn. forma dokonana, strona bierna

U w a g a : Jeżeli w zdaniu złożonym są dwa różne podmioty, podmiot związany z imiesłowem musi stać przed nim, np.:

shops being open, the plates having been washed up itd.

Jeżeli podmiot jest ten sam i stoi tuż przed imiesłowem, oddziela się imiesłów przecinkami, np.:

The soldier, being heavily wounded, had to lie down.

b. Past Participle stosuje się również, choć rzadziej, w konstrukcji imiesłowowej, np.:

The lesson once begun, he didn't feel so shy any more.
Skoro tylko zaczęła się lekcja (lekcja raz rozpoczęta), *nie czuł się już tak nieśmiały.*

begun — imiesłów przeszły, bierny.

2. Użycie zwrotów: *I wish, If only*

I wish we had more fireplaces in Italy.
Chciałbym, abyśmy mieli (szkoda, że nie mamy) *więcej kominków we Włoszech.*

Zwroty **I wish, if only** wyrażają nie spełnione lub będące nie do spełnienia życzenia, patrz użycie Subjunctive l. 21.

Inne przykłady:

I wish (that) I spoke Spanish.
Chciałbym mówić po hiszpańsku (ale nie mówię).

If only I knew her better.
Gdybym tylko znał ją lepiej (szkoda, że nie znam).

Gdy życzenie odnosi się do przeszłości, używa się po zwrotach tych Past Perfect, np.:

I wish I had known her in 1970.
Szkoda, że nie znałem jej w 1970 r.

U w a g a : Po **I wish** opuszcza się zwykle spójnik **that.**

3. Collective nouns

An English family usually prefers to live in a house of its own.
Angielska rodzina woli raczej (zwykle) mieszkać we własnym domu.

Rzeczowniki zbiorowe, **collective nouns** [kə'lektyw] jak: **family** *rodzina*, **crew** [kru:] *załoga*, **team** [ti:m] *zastęp, drużyna*, **army** ['a:my] *armia*, **flock** [flok] *stado*, **wood** ["ud] *las* itp. oznaczają pewną ilość osób, zwierząt lub rzeczy, ale mają formę liczby pojedynczej. Czasownik, którym rządzą, może być w l. poj. lub mn., zależnie od tego, czy podkreśla się całość pojęcia zbiorowego, czy jego poszczególne człony, ewentualnie ich liczebność, np.:

Has the police been called? Oh, here   *Czy wezwano policję? O, już tu są*
they are...   *(policjanci).*

Niektóre rzeczowniki zbiorowe nie mają formy l.mn., np.: **police, cattle**, ale większość ją ma, np.: **teams, armies**.

Niektóre rzeczowniki, jak **coal, hair** oraz nazwy zwierząt można użyć w sensie zbiorowym w formie l. poj., np.:

to fetch coal	*przynosić węgiel* (pewną ilość)
to shoot duck	*polować na kaczki*
to catch fish	*łowić ryby*

ale:

He painted three ducks.	*Namalował trzy kaczki.*
an article on fishes	*artykuł o rybach*
two coals	*dwa węgielki*

Por. **hair** i **hairs** l. 29.

ĆWICZENIA

Read aloud:
['"en dju: ,houp tə 'mu:w yntu ɔ 'nju: haus?
aj dount 'nou ,jet.
"iə on ðə '"ejtyŋ ,lyst, bət 'fæmylyz "yð 'czyldrn kam 'fə:st.
,bat jo: 'peərnts 'dount 'majnd jo: ,stejyŋ '"yðəm, 'du: ðej?
'sə:tnly 'not.]

LEARN BY WRITING AND READING

I. Wstaw brakujące wyrazy:

What struck me was rows and rows of — little houses in the suburbs of your big towns. Wouldn't it be more economical to build big blocks of —

with — and large gardens? Well, there are such — blocks of flats too. But an English family usually — to live a house of its own — a little garden. But then you have all those — to climb up and —, bedrooms upstairs, kitchens and living-rooms — And in so many houses, — this one, the stairs are — and steep. Think of the miles my — must walk to — coal in winter.

II. Zamień na pytania następujące zdania:

1. In Poland cars keep to the right. 2. Daphne wants to have gas-fires in her future flat. 3. English sash windows have single panes. 4. In Italy winters can be cold too, though milder than in England. 5. In my country sofas are usually placed against the wall. 6. Harry must pay the last instalment for his motor-bike. 7. Angela would like to have a labour saving kitchen. 8. An electric washing machine costs a lot of money.

III. Przetłumacz i naucz się na pamięć wierszyka:

> *If you your lips*
> *Would keep from slips,*
> *Five things observe with care:*
> *Of whom you speak,*
> *To whom you speak,*
> *And what, and when, and where!*

lip [lyp] *warga*; **slip** [slyp] *poślizgnięcie się, omyłka*

IV. Ułóż po 3 zdania według wzorów:

a. Stanley has **already** noticed that the cars kept to the left.
b. Have they moved into a new flat **yet?**

P r z y k ł a d y : *Daphne has **already** washed up the cups and saucers.*
*Have you fetched the coal **yet?***

V. Dokończ następujące zdania:

P r z y k ł a d : *The plates having been washed up **Angela dried them with a cloth.***

1. The coal having been fetched by my husband I...
2. The room having been papered with pink paper...
3. The central heating having been turned off...
4. The rents having been raised...
5. The motor-bike having been paid for...
6. The sofa having been placed against the wall...

VI. Wymień kraje, w których żyją następujące narody:
The French, the English, the Dutch, Poles.

VII. Przetłumacz na język angielski: „Piłka nożna" z l. 27 na podstawie własnego tłumaczenia.

LESSON THIRTY-THREE   THE THIRTY-THIRD LESSON

Przymiotniki z przyimkami
Przymiotniki użyte w funkcji przysłówka
Użycie *since*

AN EVENING CHAT

II

Angela: In my country a refrigerator is a must.

Daphne: Mother was saving money for a new one much larger and then Father went and bought a TV instead!

Angela: Was your mother very upset?

Daphne: At first yes, very. But then she found that Daddy stayed more at home in the evenings, instead of going to the pub to play darts or drink beer. — Gosh, I'm tired! The weekly washing is my biggest headache. Harry's shirts get so dirty at the garage.

Angela: I thought that Monday was the washing day all over England.

Daphne: So it is, on the whole. But Wednesday is early closing day in my firm,

save [sejw] *oszczędzać*

upset tu: *zdenerwowana*

gosh [gosz] *przebóg! do licha!*

gosh, I'm tired! *Ależ jestem zmęczona!*

headache ['hedejk] *ból głowy,* tu: *kłopot*

shirt [szə:t] *koszula męska*

firm [fə:m] *firma*

so I often do my washing on Wednesday afternoon. Most women who work in factories and offices can do theirs on Saturdays, since they're free, but shops being open on Saturday morning, I can't; usually Harry helps me a lot.

since [syns] *wobec tego, że*

Angela: Do you know that at the camp the girls were paid less than the boys simply because they're women?

Daphne: I know. Women get lower wages in many professions. Most unfair I must say.

The two girls prepare their beds. The pillows are much smaller than the huge Polish ones, the sides of the blankets and the sheets are slipped deep under the mattress, so that you seem to sleep in a bag.

pillow ['pylou] *poduszka* (w łóżku)
blanket ['blæŋkyt] *koc*
sheet [szi:t] *prześcieradło*
mattress ['mætrys] *materac*

Angela: Your linoleum has a nice pattern and it's well kept.

Daphne: My husband looks after the lino. I'd like to have one of those huge carpets in one colour, covering the whole floor. I say, would you like a nightcap?

linoleum, skrót: **lino** [ly'nouljəm 'lajnou] *linoleum*
look after *dbać o*

Angela: A nightcap? I didn't know you wore nightcaps in England, how old-fashioned!

nightcap ['najtkæp] *czepek nocny,* tu: *trunek na noc*

Daphne: Oh dear, no, we don't. A "nightcap" means also a bed-time drink. I'd suggest milk or cocoa.

Angela (laughs): No thanks. I'm going to have a wash now.

cocoa ['koukou] *kakao* (napój); **cacao** [kə'ka:ou] *kakao* (roślina)
put out [put 'aut] *wystawić na zewnątrz*

Daphne: I forgot to put out the empty milk bottles — and the cat. And I'll make myself a cup of cocoa.

Back in the kitchen Daphne hears An-

back in the kitchen *wróciwszy do kuchni*

gela's voice from upstairs: "Daphne, does   **from upstairs** z góry (z
your husband really fetch coal in win-   górnego piętra)
ter?"
Daphne: Yes, he does.
Angela: Does he do part of the shop-
ping?
Daphne: Yes, regularly.
Angela: Does he water the garden in   **water** [ˈʷoːtə] *podlewać*
summer?
Daphne: He loves it.
Angela: And does he help you to wash
up?
Daphne: Certainly, he does.
Angela: Then I must send my fiancé to
England for some time. I want him to be
as good at housework as an Englishman!   **housework** [ˈhausʷəːk]
                                                  roboty domowe

Quotations, proverbs and jokes

Easy reading is damn hard writing.
                            (Hemingway)   **damn** [dæm] *przeklinać,*
                                                  potępiać
The weather was so bad it was only fit   **damn hard** tu: *wściekle*
for conversation.   (cholernie) *trudny*
                            (Safford)

OBJAŚNIENIA

a refrigerator, an icebox (amer.)   *lodówka*
In my country a refrigerator is a   *W moim kraju lodówka jest rzeczą*
must.   *nieodzowną.*

Must jako rzeczownik w znaczeniu *rzecz nieodzowna* jest amerykanizmem
spotykanym w Anglii.

to save money for years   *oszczędzać latami*
upset   *przewrócić, wytrącić z równowagi,*
                                            naruszyć spokój; pokrzyżować; zi-
                                            rytować
to upset one's stomach   *zepsuć sobie żołądek*

to find	*stwierdzić*
to find fault with	*narzekać, krytykować*
to find one's way in (out, up, back, home etc.)	*znaleźć drogę do środka (na zewnątrz, w górę, z powrotem, do domu itd.)*
to find something easy (difficult, impossible etc.)	*stwierdzić, że coś jest łatwe (trudne, niemożliwe itd.).*

The weekly washing is my biggest headache.	*Tygodniowe pranie jest moim największym zmartwieniem.*
weekly	*tygodniowy, tygodnik*
daily	*codzienny, dziennik*
quarterly	*kwartalnik*
monthly	*miesięcznik*
gosh!	*przebóg! do licha!*

Inne wykrzykniki:

Bother!	*to bardzo źle!*
rats!	*nonsens!*
hear! hear!	*doskonale!, brawo!*
holy smoke!	*nie do wiary!*
rubbish!	*śmiecie! bzdura!*
my boot!	*nie wierzę temu!*
my hat!	*jestem zaskoczony!*
Saints above!	*Wszyscy Święci!*
Well, I never!	*fantastyczne!*
my giddy [ˈgydy] aunt!	*co za niespodzianka!* (**giddy** *roztrzepany, oszołomiony*)

all over England	*w całej Anglii*
it's all over	*wszystko skończone*
Come over and see me next Sunday.	*Przyjdź (zajdź) zobaczyć się ze mną w następną niedzielę.*
turn over in bed	*odwrócić się w łóżku*
over and over again	*ustawicznie*
I'll look it over	*zbadam to*

early closing day	*dzień, w którym wcześniej zamyka się (sklep). W Londynie w pewnych dzielnicach zamyka się sklepy od południa w określonych dniach tygodnia*

I thought that Monday was the washing day all over England. So it is.	Myślałam, że poniedziałek jest dniem prania w całej Anglii. Tak jest.

Krótkie zdania potwierdzające — patrz l. 29.

Shops being open on Saturday morning ...	Ponieważ sklepy są otwarte w sobotę rano ...

Konstrukcja imiesłowowa — patrz l. 32.

a pillow	poduszka do spania (w łóżku)
a cushion	poduszka (kolorowa na kanapie, fotelu)
to be good at	być dobrym do
a good turn	dobry uczynek
good Friday	Wielki Piątek
good-for-nothing	bezużyteczny, zły
good-will	dobra wola; reputacja firmy
goods	towary

GRAMATYKA

1. Przymiotniki z przyimkami

I want him to be as good at housework as an Englishman.	Chcę, aby on był taki dobry (zdolny, przydatny) w gospodarstwie, jak Anglik.

Użycie właściwego przyimka po przymiotnikach sprawia tyleż kłopotu, co używanie przyimków po czasownikach: **good at** *dobry do, zdolny do.*

Oto wybór często używanych przymiotników wraz z przyimkami, którymi rządzą:

afraid of	bojący się czegoś	cruel to	okrutny dla
annoyed with	zirytowany na	delighted at	zachwycony czymś
angry with	rozgniewany na	devoid of	pozbawiony czegoś
bound for	jadący do	disappointed in	rozczarowany
characteristic of	charakterystyczny dla		czymś
		divided into	podzielony na
clever at	zręczny, zdolny do	easy for	łatwy dla
convenient for	odpowiedni dla	engaged to	zaręczony z

enthusiastic over (about)	entuzjastyczny na temat	obliged for	zobowiązany za coś
experienced in	doświadczony w	pleased with	zadowolony z kogoś, czegoś
famous for	słynny z		
favourite with	popularny wśród	pleased at	zadowolony z czegoś
fit for	odpowiedni do		
fond of	rozmiłowany w	provided with	zaopatrzony w
friendly with	przyjacielski dla	ready for	gotów do
good at	zdolny do	safe from	bezpieczny od
grateful for	wdzięczny za	sick of	zmęczony, znudzony czymś
identical with	identyczny z		
ignorant of	nie wiedzący o	surprised at	zdumiony na (widok)
lucky at	szczęściarz w		
made of	zrobiony z	true to	wierny komuś, czemuś
obliged to	zobowiązany komuś	united in	zjednoczony w (sprawie)
		wet with	mokry od

2. Przymiotniki użyte w funkcji przysłówka *

The sides of the blankets and the sheets are slipped deep under the mattress.

Boki koców i prześcieradeł są wsunięte głęboko pod materac.

W zdaniu tym użyto przymiotnika **deep** a nie przysłówka **deeply** w znaczeniu przysłówka *głęboko*.

Przymiotniki występują często w angielskim w funkcji przysłówka, gdy są orzecznikami, szczególnie przymiotniki wyrażające doznania zmysłów, np.:

You speak very loud.
This tea tastes good.
That tree smells sweet.

Do you feel cold?
Her carpet feels soft.

The wind blows hard.
The writer died young.

Mówisz bardzo głośno.
Ta herbata smakuje dobrze.
To drzewo ma miły zapach (pachnie miło)
Czy jest ci zimno?
Jej dywan jest miękki (czuje się go miękko).
Wiatr dmie mocno.
Pisarz umarł młodo.

---

* patrz l. 26.

3. Użycie *since*

a.

Most women can do their washing on Saturday since they are free.	*Większość kobiet może robić pranie w sobotę, ponieważ są wolne* (mają czas wolny).

Spójnik **since** użyty tu został w znaczeniu *ponieważ, wobec tego, że.*

Inny przykład:

Since you asked for it, I shall tell you the whole truth.	*Wobec tego, że poprosiłeś mnie o to, powiem ci całą prawdę.*

Two weeks have passed since you bought the bicycle

b. Używa się **since** jako przyimka lub spójnika w znaczeniu *od, odkąd, od czasu jak,* gdy mowa jest o sprecyzowanym momencie w przeszłości, nie o okresie czasu, np.:

I have stayed in the country since October.	*Przebywam na wsi od października.*
Two weeks have passed since you bought the bicycle.	*Dwa tygodnie minęły od czasu, jak kupiłeś rower.*

Gdy mowa jest o okresie czasu, używa się przyimka **for**, np.:

for three months	*od trzech miesięcy*

c. Since może być również przysłówkiem w znaczeniu *odtąd potem,* np.:

I had breakfast early in the morning and have not eaten since.	*Zjadłem śniadanie wcześnie rano i odtąd nic nie jadłem.*

That church was burnt down du-   Ten kościół został spalony podczas
ring the war and has since been   wojny i potem został odbudowa-
rebuilt.

ĆWICZENIA

Read aloud:

['dæfny, 'daz jo: ,hazbənd 'riəly fecz ,koul yn /ᵘyntə?
'jes, hi: 'daz.
'daz hi: du: ,paːt əw ðə 'szopyŋ?
'jes, 'regjuləly.
'daz hi: /ᵘoːtə ðə 'gaːdn yn 'samə?
hi: 'lawz yt.
ɔnd 'daz hi: 'help ju: tu ᵘosz 'ap?
'səːtnly, hi: 'daz.
ᵘðen aj mast 'send maj fy'oːŋsej tu 'yŋglənd foːrə manθ.]

LEARN BY WRITING AND READING

I. Odpowiedz na pytania:

1. Did Daphne's father buy a new refrigerator? 2. What is Daphne's biggest headache? 3. Which is the early closing day in her firm? 4. Do women get the same salaries as men in England? 5. What is the difference between a Polish and an English pillow? 6. Why did Angela like the linoleum in Daphne's home? 7. What is a nightcap? 8. Where do you put the empty milk bottles? 9. Is Angela married? 10. Is Harry a good husband?

II. Ułóż listę rzeczy typowych dla bardzo nowoczesnego domu, których nie mogło posiadać domostwo 1000 lat temu:

P r z y k ł a d y : a lift, window panes, etc.

III. Uzupełnij zdania za pomocą pytań rozłącznych według wzoru dla zdań przeczących:

P r z y k ł a d y :   You can't finish your washing now, can you?
                        Your sister is not at home, is she?

1. You don't earn as much as men do, —
2. You haven't saved much money, —
3. My grandfather wasn't too much upset, —
4. A "nightcap" doesn't mean only a "cap", —
5. He won't make himself a cup of cocoa, —

23 Język ang. dla zaawansowanych

6. Women don't get the same wages as men, —
7. I can't get a cheap washing machine with a dryer, —

IV. Wstaw *for* lub *since* w następujących zdaniach:

1. He has worked as a bank clerk — three years. 2. I have known that lawyer — 1970. 3. He has shown a talent for music — he was a child. 4. She has not tried any other job — four months. 5. The winds have destroyed all our fruit trees — October. 6. He has been a well-known politician — he left the University. 7. Daphne's mother has thought about a refrigerator — several years. 8. I have had a headache — two hours. 9. The linoleum hasn't been cleaned — Friday.

V. Dobierz odpowiednie zwroty z rzeczownikiem odsłownym (gerund) z b. do wyrażeń i zwrotów·w a.:

a.

1. He is tired of ...	4. They warned me against ...
2. Eve is fond of ...	5. We are looking forward to ...
3. You must stop ...	6. Freddie was shocked at ...

b.

A. ... my coming late for the lecture.
B. ... smoking so much.
C. ... going to the cinema.
D. ... working late at night.
E. ... seeing you again next week.
F. ... trying to pass the examination now.

VI. Dokończ następujące zdania:

Being very busy on Saturday Angela ...

P r z y k ł a d : *Being very busy on Saturday Angela* **couldn't go to the meeting.**

Their work being done the girls ... The rents being raised Daphne's parents ... Harry's garage being so far from his home he ... Your friend, being a kind-hearted girl, ...

VII. Przetłumacz na język polski:

An English Pub

London, 2nd July, 19 ...

Dearest Pamela,

Just a few lines to show you that I haven't forgotten you. Last Saturday we went to a little place on the way to Oxford. We had lunch — strictly speaking bread, cheese and cider — in a most attractive pub. You know what a pub is, don't you? A "public house" is just a place where you can have a drink. English pubs have a character of their own, some of them are really historical buildings, like a great many English inns. We went there again at night and saw quite a crowd of people. I had a look round and noticed pictures of horses and sportsmen on the dark walls. There was also a large glass fish and some dried exotic animal. There was a notice "Betting strictly prohibited" but people were talking a lot about football and cricket results, races and the weather.

We had excellent cider but more people were having beer. Don't think we stayed at the pub the whole time. I won't describe the view, the river — I'll send you lots of pictures I've taken with my new camera.

> Kind regards to your mother,
> and love from
> *Angela*

LESSON THIRTY-FOUR   THE THIRTY-FOURTH LESSON

> Użycie *used to*
> Użycie czasownika *to be* z następującym
>   bezokolicznikiem
> Przyimki na końcu zdań
> Przymiotnik użyty w funkcji rzeczownika

OVER THE COFFEE CUPS *

A conference of industrial foremen was going on at Fenton. The men had just had their morning lecture and had come out of the lecture room into the hall where they were to have mid-morning coffee. Ann was serving coffee, and it was not

over the coffee cups *przy kawie*
conference ['konfərəns] *konferencja, narada*
Fenton ['fentən] — nazwa miejscowości
industrial [yn'dastriəl] *przemysłowy*
mid-morning coffee [myd 'mo:nyŋ] *kawa przedpołudniowa*

---

* Adapted by permission of Longmans, Green and Co London.

long before she had a group of men round her. She took her duties as hostess rather seriously, and asked each of them about his job.

One said he came from Runacars of Reading. He was a foreman in the press shop. When Ann asked what on earth he meant by "press shop", he explained that this was a huge department of the factory where groups of large machines pressed out the sheet metal into the shapes for the bodies of motor cars. He said it was an extremely noisy place but that you grew so used to the noise that you could carry on a conversation without shouting.

She asked whether it was a very big factory.

"One of the biggest," he said. "We produced 30 000 cars, 10 000 trucks, and 5000 tractors last year. And don't tell anybody, because it's supposed to be a secret, but we have plans for quite a new model later this year. It is jet-propelled."

not long before *wkrótce*
duty ['dju:ty] *obowiązek, służba*
Runacars ['ranəka:z] — nazwa
Reading ['redyŋ] — nazwa miejscowości
what on earth! *co u licha!*
press shop *hala fabryczna, gdzie wytłacza się blachę*
sheet metal *blacha w arkuszach*

tractor ['træktə] *traktor*
it's supposed to be a secret *to ma być rzekomo tajemnica*
jet-propelled [dżet prə-'peld] *o napędzie odrzutowym*

*And where
do you come from?*

"I like your idea of a secret," laughed one of the other foremen. "And where do you come from — let me see, it's Mr. Murgatroyd, isn't it?" asked Ann.

"That's right, Miss Gartner. Well I come from a factory right up on the North--West coast. We are producing plutonium, and I expect you know that that is very important in the production of atomic energy. It's a very big place, I can tell you, and we have plenty of noise too. It's made by some large fans that are used to cool the atomic piles."

"Isn't it awfully dangerous?"

"It would be if they didn't take proper measures. There's a lot of heat and radio--activity. But everything is done behind thick walls of concrete and we all wear very heavy clothes made of rubber or plastic."

"Well, my job is quite different from either of those," said a dark-eyed Welsh-man called Evans. "I come from a valley in Glamorganshire. In the old days we used to have nothing but coal-mining there. But the coal began to run out, and besides, there wasn't any work for our wives and daughters, so a fine new factory was set up for making watches. We make a million of them every year and employ a thousand people, seven hundred women and three hundred men. You know, miners very often get disease of the lungs through breathing dust. Well, now in this watch factory we must make sure there is no

Murgatroyd ['mə:gə-trojd] — nazwisko
Gartner ['ga:tnə] — nazwisko
right up on the North--West coast *na samym płn.-zach. wybrzeżu*
coast [koust] *wybrzeże*
plutonium [plu:'toun-jəm] *pluton* (chem.)
fan [fæn] *wentylator, wachlarz*
cool [ku:l] *chłodzić*
atomic pile *stos atomowy*
radio-activity ['rejdjou æk'tywyty] *radioaktywność*
concrete ['konkri:t] *beton*

dark-eyed Welshman *ciemnooki Walijczyk*
Evans ['ewənz] — nazwisko
I come from *ja pochodzę*
Glamorganshire [glə'mo: gənsziə] — *hrabstwo w Walii*
coal-mining ['koulmaj-nyŋ] *górnictwo węglowe*
set up [set'ap] *założyc, rozpocząć* (jakieś przedsiębiorstwo)
miner ['majnə] *górnik*
disease [dy'zi:z] *choroba*
dust [dast] *kurz, pył*
make sure *zabezpieczyć się*

dust. So it's a very good place for fellows, who have had to leave the mining industry because they were ill."

Now a man with a strong London accent spoke up.

"My job's different too," he said. "I'm a foreman in charge of track maintenance men on the Underground Railway in London. We're fellows that walk along the tunnels all night after the last train has gone home to bed."

"I hope they switch the current off first," said Ann.

The foreman laughed.

"But I think the toughest part of the job is where the railway comes out of the tunnel and runs in the open. Whenever there may be any frost we have to go out and spray the rails with anti-freeze mixture. You see, if the conductor rail gets covered with ice it won't make proper electrical contact. With all those millions of people going to work the following morning, we can't afford to run any risks."

"With me," said the fifth man in the group" it's exactly the other way round. We try to make ice, not get rid of it."

"How's that?" asked the other man.

"I work in an ice-cream factory. As a matter of fact I'm in charge of a night shift too, but I dare say I have a different crowd to work with from your maintenance men. We have people of every nationality — Russians, Poles, Czechoslovaks, Italians — as well as plain English-

spoke up *odezwał się*
in charge of *odpowiedzialny za, kierujący*
maintenance ['mejntynens] *utrzymanie, konserwacja*
track maintenance men *robotnicy służby drogowej*
tunnel [tanl] *tunel*
current ['karənt] *prąd, strumień*
tough [taf] *twardy,* tu: *ciężki*
frost [frost] *mróz*
spray [sprej] *spryskiwać*
anti-freeze mixture ['ænty fri:z 'myksczə] *mieszanka zapobiegająca zamarzaniu (szyn)*
the conductor rail *szyna — przewód jezdny*
ice [ajs] *lód*

contact ['kontækt] *kontakt*
I dare say *że tak powiem, sądzę*
Russian ['raszən] *Rosjanin*
Pole [poul] *Polak*
Czechoslovak ['czekou-'slouwæk] *Czechosłowak*
Italian [y'tæljən] *Włoch*

men. They all look much the same as they all wear white clothing, red rubber gloves and gumboots. None of the ice-cream is ever touched by human hand, we pay great attention to cleanliness. Most of the work is mechanised, but quite often something goes wrong with the machines and ice-cream gets spread all over the place. A wonderful thing for schoolboys but a nightmare for us."

"And I work in a bed-and-breakfast-and-lecture factory," said Ann, who had just seen Mrs. Gaskill waving to her from the door, "and I can see the foreman making signs at me to get on with my work. I'll see you at lunchtime, gentlemen!"

Quotations, proverbs and jokes

A colonel asked about his plans for the next day said to the inquisitive person:
"Can you keep a secret?"
"Yes," answered the man eagerly.
"Well, so can I!" said the colonel.

clothing ['klouðyŋ] o-dzież, ubranie
gumboots ['gam'bu:ts] buty gumowe
none... ever żaden... nigdy
cleanliness ['klenlynys] czystość
something goes wrong with the machines maszyny psują się
spread, spread, spread [spred] rozpościerać (się)
gets spread tu: wylewa się
nightmare ['najtmeə] zmora
Gaskill ['gæskyl] — nazwisko
to get on with work dalej pracować

colonel ['kə:nl] pułkownik

OBJAŚNIENIA

mid [myd]
  mid-morning coffee
  in mid-Atlantic
  midsummer

środek (czegoś)
  kawa ok. godz. 10 rano
  na środku Atlantyku
  środek lata

to grow used to	przyzwyczajać się do
to grow old	starzeć się
to grow dark	ściemniać się
to grow wise	mądrzeć

Wales [/ᵘejlz]   *Walia*
Welshman   *Walijczyk*
Welsh [/ᵘelsz]   *walijski*
the Welsh   *Walijczycy*
to take proper measures   *przedsięwziąć właściwe środki*
a proper noun   *rzeczownik oznaczający imię własne*

Japan proper [dżə/pæn]   *Japonia właściwa* (bez wysp)
proper licking   *porządne lanie*
come in (up, down, out, back, home etc.)   *wejść (iść w górę, w dół, wyjść, wrócić, przyjść do domu itd.)*
to come from   *pochodzić z*
come to an end   *zakończyć się*
come to an agreement   *osiągnąć porozumienie*
come to oneself   *przyjść do siebie*
come out   *wyjść* (o książce)
come down   *obniżyć się, spaść* (o cenach)
come into force   *wchodzić w życie* (ustawa)
come into use   *wejść w użycie*
come into fashion   *wejść w modę*
come of age   *osiągnąć pełnoletność* (21 lat w Anglii)

come to blows   *rozpocząć bójkę*
come to a decision   *zdecydować*
come true   *okazać się prawdą*
come to nothing   *spełznąć na niczym*
come about   *zdarzyć się*
come across   *napotkać*

---

speak out (up)   *mówić głośno i jasno, bez wahania*
speak for   *mówić za, w imieniu, na korzyść*
so to speak   *jeśli wolno tak powiedzieć*
not to be on speaking terms with a person   *nie rozmawiać z kimś* (z powodu nieporozumień itp.)
to speak one's mind   *powiedzieć otwarcie, co się myśli*
speaker   *mówca; przewodniczący Izby Gmin* (nie spiker radiowy!)

---

after the last train has gone   *potem, jak ostatni pociąg odjechał* (na noc)
home to bed   *do remizy*
a single bed   *łóżko na jedną osobę*

a double bed	*łóżko dwuosobowe*
to make the bed	*posłać łóżko*
bed and board	*mieszkanie z utrzymaniem*
bed and breakfast	*mieszkanie ze śniadaniem*
take to one's bed	*pozostać w łóżku (z powodu cho-*
	roby)
a flower bed	*grządka kwiatów*
life today is far from being a bed	*życie dzisiaj jest dalekie od tego,*
of roses	*aby można je było nazwać ło-*
	żem róż
river bed	*łożysko rzeki*
we can't afford to run any risk	*nie stać nas na ryzyko*
the other way round	*zupełnie inaczej, odwrotnie*

they all look much the same	*oni wszyscy wyglądają zupełnie*
	jednakowo
the same day	*tego samego dnia*
the same to you	*wzajemnie, nawzajem*
at the same time	*niemniej jednak; równocześnie*
all the same	*niemniej jednak; wszystko je-*
	dno

a bed-and-breakfast-and-lecture	*fabryka dająca nocleg, śniadanie i*
factory	*naukę (wykłady)*

Wyrazy połączone łącznikiem **hyphen** ['hajfen], **bed-and-breakfast-and-lecture** występują w funkcji przymiotnika określającego fabrykę.

I'll see you at lunch time	*do zobaczenia w czasie lunchu*
see you later	*do zobaczenia później*

GRAMATYKA

1. Użycie *used to* *

He said it was an extremely noisy place but that you grew so used to the noise...	*Powiedział, że to było ogromnie hałaśliwe miejsce, lecz człowiek tak się przyzwyczaja do hałasu...*
In the old days we used to have nothing but coal-mining.	*Za dawnych czasów (nie) mieliśmy tu (nic) tylko kopalnie węgla.*

---

* ['ju:st tə]

W pierwszym zdaniu **used** jest przymiotnikiem i znaczy *przyzwyczajony*, podczas gdy w drugim zdaniu jest on czasownikiem ułomnym i wyraża czynność lub stan, który istniał w przeszłości.

Gdy **used** jest przymiotnikiem, wówczas następuje po nim przyimek **to** oraz rzeczownik, a poprzedzony jest zwykle czasownikami **to grow, to be, to become.**

Gdy **used** jest czasownikiem ułomnym, następuje po nim bezokolicznik z **to.** Formę pytającą i przeczącą tworzy bez czasownika posiłkowego **do,** np.:

Used we to have anything but coal-mining there?	*Czy zwykliśmy tam mieć coś oprócz kopalni węgla?*
We used not to have anything but coal-mining there.	*Nie zwykliśmy tam mieć nic innego, jak tylko kopalnię węgla.*

Należy unikać czasownika posiłkowego **to do** przy tworzeniu pytań i przeczeń z czasownikiem **used.** Formy te są używane w Anglii, ale tylko przez ludzi niewykształconych, np.:
Nie należy mówić:

Did she use to sit here?
She didn't use to sit here.

Należy powiedzieć:

Used she to sit here?	*Czy ona tu zwykle siadywała?*
She usedn't to sit here [ju:snt].	*Ona nie zwykła tu siadywać.*

U w a g a : Nie ma zwrotu **she uses to...,** tj. odpowiednika w czasie teraźniejszym.

Ponadto **used** [ju:zd] jest imiesłowem czasu przeszłego regularnego czasownika przechodniego **to use** [ju:z] *używać.*

Ma on te same formy co zwykłe czasowniki, np.:

She used a red pencil to write her letters.	*Używała czerwonego ołówka do pisania listów.*
She didn't use any of these towels to clean the floor.	*Nie używała żadnego z tych ręczników do czyszczenia podłogi.*
Did she use any of these papers to make a fire?	*Czy użyła którejś z tych gazet do rozpalenia ognia?*
I shall use your pencil.	*Użyję twego ołówka.*

2. Użycie czasownika *to be* z następującym bezokolicznikiem *

a.

They were to have mid-morning coffee.   *Mieli pić przedpołudniową kawę.*

Pamiętamy, że czasownik **to be** w połączeniu z bezokolicznikiem oznacza zobowiązanie do wykonania czynności wyrażonej bez-okolicznikiem.

Zdanie powyższe sugeruje, że w regulaminie kursu przewidziany był lekki posiłek w postaci kawy. Sugestię tę można wyrazić nie tylko czasem przeszłym **were**, lecz również czasem teraźniejszym, np.:

they are to have   *mają pić*

Po **were** lub **are** w tym znaczeniu następuje czasownik w pełnym bezokoliczniku.

b. Jeśli po czasie przeszłym czasownika **to be** następuje bezokolicznik przeszły, oznacza to, że czynność, która miała nastąpić, nie odbyła się, np.:

They were to have had mid-morning coffee.   *Mieli pić kawę* (ale nie pili).

Por. Perfect Infinitive z **should** l. 6.

3. Przyimki na końcu zdań **

a.

And where do you come from?   *A pan skąd pochodzi?*
I have a different crowd to work with.   *Mam innych ludzi do pracy* (z którymi pracuję).

Ogólną zasadą jest, że przyimek powinien stać przed wyrazem, którego dotyczy. Zdania powyższe mogłyby zatem brzmieć:

And from where do you come?
I have a different crowd with which I have to work.

---

* patrz l. 21.
** patrz I, l. 34.

W tej drugiej postaci zdania te są gramatycznie poprawne, ale brzmią pedantycznie. Jednakże w mowie potocznej Anglik stawia przyimki na końcu pytania i zdania względnego. Dawniej puryści zwalczali, bezskutecznie oczywiście, stawianie przyimków na końcu zdania, ale zwyczaj ten zakorzeniony jest już od dawna i utrwalony w tekstach dialogowych wielu wielkich pisarzy. Jest on dowodem giętkości języka.

b. Przyimek stawia się zazwyczaj na końcu pytań, jeżeli dotyczy zaimka pytającego, np.:

Who are you speaking to?   *Z kim rozmawiasz?*
What did he open it with?   *Za pomocą czego on to otworzył?*

c. Przyimek stawia się na końcu zdania podrzędnego przydawkowego, zaczynającego się od **that** lub **what**, np.:

This is the school that I used to go to.   *Oto szkoła, do której uczęszczałem* (dosł.: *zwykłem chodzić*).
I know what you are thinking of.   *Wiem, o czym myślisz.*

d. Przyimek stawia się na końcu zdania podrzędnego przydawkowego, w którym zaimek względny został opuszczony, np.:

This is the school I used to go to.   *Oto szkoła, do której zwykłem chodzić.*
It was Mary I spoke to.   *To była Maria, z którą rozmawiałem.* (To z Marią rozmawiałem).

W mowie potocznej opuszcza się zaimek względny z zasady, jeżeli występuje w bierniku.

U w a g a. Tendencję do stawiania przyimka na końcu zdania można zauważyć i w innych zdaniach, np.:

I hope they switch the current off.   *Spodziewam się, że najpierw wyłączają prąd.*

Ale mówi się również:

I hope they switch off the current.

4. Przymiotnik użyty w funkcji rzeczownika

a.

The toughest part of the job is where the railway comes out of the tunnel and runs in the open.	*Najcięższa część pracy jest tam, gdzie pociąg wychodzi z tunelu i biegnie w otwartą przestrzeń.*

Przymiotnik **open** spełnia tu funkcję rzeczownika w wyrażeniu **in the open**.
Przymiotniki wyrażające pojęcia oderwane, kolory, języki, mogą być użyte w funkcji rzeczownika w l.poj., np.:

the good dobro, **the beautiful** piękno

I like the blue and the brown in your carpet.	*Podobają mi się kolory niebieski i brązowy w waszym dywanie.*
She speaks Dutch.	*Ona mówi po holendersku.*

b. Na ogół przymiotniki użyte rzeczownikowo oznaczają całą grupę ludzi, zwierząt itp., ale nie przybierają końcówki -s w l.mn., np.:

I am sure that the sick don't like noisy music.	*Jestem pewna, że chorzy nie lubią hałaśliwej muzyki.*
Come and see my rabbit and its young.	*Chodź, zobacz mojego królika i jego młode.*

c. Sporadycznie używa się przymiotnika w funkcji rzeczownika na określenie jednej osoby, np.:

He is a dear!	*Poczciwiec!* (On jest bardzo poczciwy, kochany)
My dear!	*Kochanie!*
No, you silly, you're wrong.	*Nie, głuptasie, nie masz racji.*

Normalnie, gdy mowa jest o jednostce, używa się przymiotnika z rzeczownikiem lub zaimkiem, np.:

He, a poor man? I'm sure he is a rich one!	*On — biedny? Pewien jestem, że jest bogaczem* (bogaty)!

ĆWICZENIA

Read aloud:
[ənd /ᵘeə dju: kam /from ˌlet mi /si: — yts ˌmystə /mə:gətrojd, /yznt yt?
/ðæts rajt, mys /ga:tnə.
ᵘel /aj kam frəm ə /fæktry /rajt /ap on ðə /no:θ/ᵘest ˌkoust.
ᵘiə prə/dju:syŋ plu:/tounjəm.
ənd aj yks/pekt ju: /nou ðət ˌðæts wery ym/po:tənt yn ðə prə/dakszn əw
ə/tomyk /enədży.]

LEARN BY WRITING AND READING

I. Zamień na czas przeszły, uważając na następstwo czasów, następujące zdania:

1. A conference of industrial foremen is going on.

Przykład: *A conference of industrial foremen* **was going** *on.*

2. The men have just come out of the lecture room into the hall where they are to have some refreshments. 3. Ann takes her duties as hostess very seriously. 4. She asks each of them what his job is. 5. One says he comes from a motor car factory. 6. Another foreman says that his job is rather important too. 7. He says he works in a place producing atomic energy. 8. Ann learns from him that that factory is extremely noisy as there are large fans there used to cool the hot rooms where they work. 9. A Welshman speaks about his job which is making watches. 10. He tells Ann that the new factory in which he works employs a thousand people.

II. Wstaw *as* (jako, w charakterze) **lub** *like* (podobny do, jak), **gdzie należy.**

1. She looks — her mother.

Przykłady: *She looks* **like** *her mother. He works there* **as** *a foreman.*

2. The second speaker worked in a watch factory — a foreman.
3. I was told that Ann had a job — a hostess at a conference.
4. He took his duties — manager of the department rather seriously.
5. When he had guests he used his bed — a sofa.
6. I came to talk to you — a friend, not — a teacher.
7. He spoke quite — a Scotsman does, rolling his "r's".
8. The passage from one building to the other looked — a tunnel.
9. In his white suit he looked — a tennis player.
10. At home he is a nice fellow, but — a schoolboy he is a terrible nuisance.
11. He works there — a foreman.
12. She looks — a sheep.

III. Zestaw wyrazy w a. i b. kojarzące się według znaczenia:
P r z y k ł a d y : *Shoes and stockings. Far and near.*

a.

Adam and —	Shoes and —	Cup and —
Fire and —	Pen and —	East and —
Army and —	Bread and —	Soap and —
Light and —	Collar and —	First and —
Far and —	Stars and —	Cat and —

b.

water	saucer	West
Eve	water	navy
ink	dark	butter
near	last	tie
dog	stockings	stripes

IV. Ułóż 5 zdań o dawnych czasach, stosując zwrot *used to* w znaczeniu zwykli byli:

P r z y k ł a d y : *In the old days people* **used to drink** *beer for breakfast.*
They **used to fight** *with swords.*

V. Zamień poprawne, lecz pedantyczne pytania z przyimkami poprzedzającymi zaimki na zdania potoczne z przyimkami na końcu zdania. Zamiast *"whom"* **użyj bardziej potocznego** *"who"*:

1. About what were they talking?

P r z y k ł a d : **What** *were they talking* **about?**

2. From where did the foremen come? 3. To what did the workmen get used? 4. With what did Ann open her tin? 5. For whom did they prepare the rubber gloves and the white clothing? 6. To whom has Mrs. Gaskill been waving? 7. With whom do the maintenance men work?

VI. Wypisz 7 wyrazów, w których litera "s" wymawiana jest [s] i 7, w których wymawiana jest [z],

P r z y k ł a d y : insist [s],   please [z].

VII. Przetłumacz na język angielski „Mówi Warszawa" z l. 30 z własnego polskiego tłumaczenia.

LESSON THIRTY-FIVE   THE THIRTY-FIFTH LESSON

> Użycie *no* nikt, ani jeden, żaden, nie
> Użycie łącznika
> American English

AUNTIE CLAIRE FROM USA

The trouble started the day after Claire, Margaret's American sister-in-law, came to stay with them for a fortnight. Dick asked his mother:

"Mummy, doesn't Aunt Claire like it here? She said she had a flat somewhere on the way from London."

Margaret looked a little puzzled for a moment, but George, her husband, laughed and said:

"Don't worry, Dick. Aunt Claire meant that her friend's car had a puncture. In America they call it a flat."

Dick: I thought they spoke English in USA.

George: Yes, Dick, they do. But it's American English, not British. Didn't you notice that Aunt Claire pronounced many words in a different way?

Dick: Yes, I've noticed she pronounces the "r's" quite distinctly, almost like the Scots do. And she says "can't" [kænt].

The next Tuesday Claire took her nephew and niece to London and there were more misunderstandings. When she asked the children the nearest way to the "railroad", they guessed she meant the rail-

auntie ['a:nty] *ciocia*
Claire [kleə] — *imię*
USA [juə'sej] **The United States of America** [ju:'najtyd stejts əw ə'merykə] *Stany Zjednoczone Ameryki*
Margaret ['ma:gəryt] *Małgorzata*
sister-in-law ['systərynlo:] *szwagierka, bratowa*
flat [flæt] *mieszkanie* (ang.) *przekłucie opony* (amer.)
puzzle ['pazl] *intrygować, zdziwić*
Margaret looked a little puzzled *Małgorzata wyglądała na nieco zdziwioną*
British ['brytysz] *brytyjski*
distinct(ly) [dys'tynkt(ly)] *wyraźny(-nie)*

niece ['ni:s] *siostrzenica, bratanica*
railroad ['rejlroud] *kolej* (amer.), ang.: **railway** ['rejlᵘej]

way, but they couldn't tell her where the "ticket-window" was. She found by herself that in England tickets were sold at the booking-office. Having got the tickets she said:

"We must ask a conductor about the track."

Joan whispered to her brother: "Dick, why a conductor?"

Dick: I think Aunt Claire means a railway guard.

So she did. When the guard told them: "Your train is on platform two" — Claire guessed that the English called a "track" a platform.

There was no more trouble on the train, they started again when they left the station in London.

Claire: Wait a moment, kids. I'd like to drop into that post-office, I won't be long. Wait for me on the sidewalk, at the entrance to the subway.

The children were left puzzled.

Joan: Dick, where do we have to wait? There is no subway here, it's a quiet street. And what is a "sidewalk"?

Dick: I think that a "sidewalk" is the pavement. But I don't see any subway either.

So they stayed where they were, in front of the post-office till Claire came back. Having found out why they had not moved, she explained that in America the "subway" was the underground electric train. Walking along the streets, the children learned that shops were "stores"

she found by herself tu: *zobaczyła sama*
booking-office ['bukyŋ ˌofys] *kasa biletowa*
having got tu: *kupiwszy*
conductor [kən'daktə] *konduktor, kolejarz* (amer.), ang.: **railway guard** [ga:d]
track [træk] *peron* (amer.), **platform** ['plætfo:m] *tor* (ang.)

they started again tu: *kłopoty rozpoczęły się znów*
they left the station *wyszli ze stacji*
drop into *wpaść do, zajść do*
sidewalk ['sajdᵘo:k] *chodnik* (amer.), ang.: **pavement** ['pejwmənt]
subway ['sabᵘej] *przejście podziemne pod bardzo ruchliwymi ulicami* (ang.), *kolej podziemna* (amer.)
not... either *też nie*

the children learned tu: *dzieci dowiedziały się*
store [sto:] *skład, wielki magazyn* (ang.), *sklep* (amer.)

I can't make myself understood

in the States, an English pram was a "baby carriage", a lorry — a "truck." When they reached a huge building, a department store, Claire asked an attendant: "Where is the elevator?", he answered immediately: "The lift is right across the hall, ma'm." He must have been used to American English. On the fourth floor the children wanted to stop at the toy department. Claire agreed:

"O.K., you can stay here. I've got to buy something for your uncle over there."

But she was back in a moment.

"Oh, Dick. Do come and help me. I can't make myself understood. I want to buy suspenders for my husband but the shop assistant keeps on giving me something else."

Feeling very proud and grown up Dick followed her to the men's department.

Dick: What do you want to buy, Auntie?

Claire: "Suspenders", dear. I hope Englishmen wear them, too. You know, straps that hold up trousers.

pram [præm] *wózek dziecięcy*
truck [trak] *ciężarówka* (amer.), **lorry** ['lory] (ang.)
department store [dy-'pa:tmənt sto:] *dom towarowy*
elevator ['elywejtɔ] *winda* (amer.), **lift** [lyft] (ang.)
right across the hall *wprost przez hall*
ma'm [məm] skr.: **madam** *pani (proszę pani)*
O. K. ['ou'kej] *w porządku* (amer.). **all right** (ang.)
I've got to buy *muszę kupić*
do come *chodź* (z naciskiem) *proszę! chodź no!*
suspenders [sɔs'pendɔz] *szelki* (amer.). *podwiązki* (ang.)

Dick: I see, you mean braces. We say suspenders for the things that hold up stockings.

Claire: I see, we call those "garters."

Having done their shopping they all went upstairs to the cafeteria on the top floor.

Claire: What would you like, children? Some sweet drink and a cracker, or coffee and a hamburger?

Joan: But Auntie, they don't sell crackers any longer. Only at Christmas time!

Dick: I'd like a hamburger, please, Joan, an American "cracker" must be different from an English one.

Both children had a good meal while Claire had only a biscuit, which she found was the same as the American "cracker." She is watching her weight, and wants to keep slim.

In the evening, back at home, Dick showed off his new American words.

Dick: You know, Daddy, Aunt Claire says "gas" for petrol, and "bill" for a note, and...

George: Good. You'll find more differences between English and American. I thought you had picked up some Americanisms already, watching Westerns.

Joan: Mummy, American cars must be very strange. Aunt Claire says that they have a "hood" where the bonnet should be and instead of the hood they've got something else, I forget what, and, oh, they call cars "automobiles."

Margaret (laughing): You've got it all

braces ['brejsyz] *szelki* (ang.)

garter ['ga:tə] *podwiąz-ka*

I see tu: *rozumiem*

cafeteria [ˌkæfy'tiəriə] *bar samoobsługowy*

top floor *najwyższe piętro*

cracker ['krækə] *cukie-rek z petardą popularny w okresie gwiazdkowym* (ang.), *biszkopt* (amer.)

hamburger ['hæmbə:gə] *bułka z siekanym sznyclem wołowym* (tatarem) *popularna w USA*

they don't sell crackers any longer *już nie sprzedają cukierków z petardą*

biscuit ['byskyt] *biszkopt*

a good meal *obfity posiłek*

she is watching her weight *dba o linię*

back at home tu: *po powrocie do domu*

show off [szou 'of] *popisywać się*

gas [gæs] *gaz* (ang.), *mieszanka benzynowa* (amer.)

bill [byl] *banknot* (amer.), **note** [nout] (ang.)

you had picked up tu: *nauczyłeś się*

wrong. American cars are built the same way ours are. Don't you remember Mr. Brown's Ford? Only the names of the parts are sometimes different.

Claire: I guess I've learned something from the children, too. They've taught me what an English cracker is.

Dick: Auntie Claire, what do cowboys have for breakfast?

George: Now, now, children. It's rather late for you. Don't ask any more questions, say good night to everybody, and off you go to bed!

Dick and Joan: O.K., Daddy.

Americanism [ə'merykə-nyzm] *amerykanizm*
hood [hu:d] (amer.),
bonnet ['bonyt] (ang.) *maska silnika samochodowego*
automobile ['o:təməbi:l] *samochód* (amer.)
guess [ges] *zgadywać* (ang.), *sądzić* (amer.)
cowboy ['kauboj] *kowboj*

off you go to bed! tu: *zmykajcie do łóżka!*

Quotations, proverbs and jokes

England and America are two countries separated by the same language.

(Shaw)

OBJAŚNIENIA

I think aunt Claire means a railway guard.

Sądzę, że ciotka Claire ma na myśli konduktora kolejowego.

I can't make myself understood.

Nie mogą mnie zrozumieć (Nie mogę się dać zrozumieć).

The shop assistant keeps on giving me something else.

Ekspedient upiera się, aby dać mi coś innego.

O. K. you can stay here.   *Dobrze, możecie tu zostać.*

O. K. jest amerykańskim wykrzyknikiem wyrażającym zgodę na coś. Jest on fonetycznym brzmieniem dwu początkowych liter słów **all correct** *wszystko w porządku*. Anglicy używają w tych wypadkach wyrażenia **all right**.

She had a flat somewhere on the way from London.   *Miała gdzieś mieszkanie pod Londynem* (na drodze z Londynu).

W powyższym przykładzie wyraz **flat** znaczy *mieszkanie*. Tak jest on używany przez Anglików. Natomiast **flat** w Stanach Zjednoczonych oznacza, w sensie wypowiedzianym przez ciotkę Claire, *przedziurawienie dętki od samochodu*. Poza tym wyraz ten w obu krajach ma wiele innych znaczeń, między innymi: *płaski, równy, gładki, stanowczy* (odmowa, zaprzeczenie), *bezduszny, nudny* i szereg innych.

She explained that in America...   *Wyjaśniła, że w Ameryce...*

Czasownik **to explain** znaczy *wyjaśniać*. Pochodny rzeczownik brzmi **explanation** *wyjaśnienie*.

Inne przykłady:

The situation was explained.   *Sytuacja została wyjaśniona.*
Explain that to me, please.   *Wyjaśnij mi to, proszę.*
Would you explain that to me?   *Czy byłbyś łaskaw mi to wyjaśnić?*

Nie można powiedzieć **explain me**, jak w języku polskim *wyjaśnij mi*, lecz **explain to me.**

a biscuit she found was the same as...   *biszkopt, zobaczyła, był tym samym co...*

a Western — amerykański film z Dzikiego Zachodu, tj. ze stanów zachodnich, gdzie życie osadników kształtowało się w prymitywnych warunkach, przy dzikiej przyrodzie i tak samo „dzikich" ludzkich charakterach.

You've got it all wrong.   *Wszystko ci się pokręciło.*

GRAMATYKA

1. Użycie *no*

There was no trouble on the train.   *Nie było żadnych nieporozumień w pociągu.*
There is no subway here.   *Nie ma tu żadnego przejścia podziemnego.*

W powyższych przykładach **no** jest zaimkiem przymiotnym, gdyż określa rzeczownik, przed którym stoi.

No *nie* może również stać na początku zdania będącego przeczącą odpowiedzią na uprzednio postawione pytanie. Poza tym może być:

a. Rzeczownikiem, np.:

Her "no" surprised him.   *Jej „nie" zaskoczyło go.*

Jako rzeczownik może być użyte w liczbie mnogiej **noes.**

b. Przysłówkiem, zwykle w stopniu wyższym — **no better, no worse, no more** *nie lepiej, nie gorzej, nie więcej* itp.

2. Użycie łącznika

Margaret's sister-in-law   *bratowa* (lub *szwagierka*) *Małgorzaty*
booking-office   *kasa biletowa*

Uczący się zauważył zapewne brak konsekwencji, z jaką w języku angielskim używa się łącznika **hyphen.** Można pisać **to-day** lub **today, fountain-pen** lub **fountain pen.**

W języku polskim w sprawach pisowni obowiązują uchwały Komitetu Językoznawczego Polskiej Akademii Nauk. W W. Brytanii i w USA żadna instytucja naukowa nie jest oficjalnie uprawniona do opracowania zasad poprawnej pisowni. Istnieje jedynie tendencja do wzorowania się w Anglii na słowniku Concise Oxford Dictionary, w USA na słowniku Webstera. Ale wzory te nie są bynajmniej obowiązujące. Istnieją liczne warianty w pisowni, a zwłaszcza wahania przy łączeniu kilku wyrazów w jeden wyraz. I tak można pisać:

story lub **storey** — **French window** lub **french window** — **mechanize** lub **mechanise** — **organize** lub **organise** — **businessman** lub **business man** — **headmaster** lub **head-master**

W l. 34 mamy liczne przykłady, niektóre z nich mają ustaloną formę, inne nie:

Piszemy: **jet-propelled, dark-eyed, coal-mining, ice-cream, anti-freeze**

ale: **mid-morning** choć istnieje **midnight; radio-activity** lub **radioactivity; a bed-and-breakfast-and-lecture** factory jest przykładem żartobliwego tworzenia skomplikowanych wyrazów złożonych.

3. American English

We must ask a conductor about the track. (American English) **We must ask a guard about the platform.** (British English) | *Musimy zapytać konduktora o peron.*

W bieżącej lekcji poznajemy szereg różnic leksykalnych między brytyjską i amerykańską angielszczyzną.
Oto kilka innych przykładów:

a.

British English	American English	
he is ill	he is sick	*on jest chory*
he is sick	—	*jest mu niedobrze*
to queue up	to stand in line	*stać w kolejce*
pillar-box	letter-box	*skrzynka do listów*
tramway	street-car	*tramwaj*
picture, film	movie [ˈmuːwy]	*film*
a billion (10^{12})	—	*milion milionów*
—	a billion (10^9)	*tysiąc milionów*

b. W objaśnieniach przy lekcjach spotykaliśmy sporadycznie uwagi o różnicach w pisowni.
Oto inne przykłady:

British	American
programme	program
theatre, centre etc.	theater, center etc.
colour, humour etc.	color, humor etc.
travelled, travelling etc.	traveled, traveling etc.

c. Istnieją różnice i w gramatyce. Amerykanie używają jedynie czasownika **will** w czasie przyszłym, **to have** jest odmieniany stale jako czasownik zwykły z **to do,** znacznie częściej używa się subjunctive itd.

Różnice między angielszczyzną brytyjską i amerykańską występują silniej w mowie potocznej, w wymowie, intonacji oraz w licznych, odmiennych idiomach. W piśmie natomiast, zwłaszcza w języku naukowym, technicznym, różnice te nie uwydatniają się zbytnio.

ĆWICZENIA

Read aloud:
[ou ˈdyk ˈdu: kam ənd ˈhelp mi: aj ˈka:nt mejk majˈself andəˈstud.
aj ˌⁿont tə baj səsˈpendəz fə maj ˈhazbənd bət ðə ˈszopəˌsystnt ki:ps ˈon
szouyŋ mi: samθyŋ ˈels.
ˈⁿot yz yt ðət ju: ˈⁿont ˈanty?
səsˈpendəz ˌdiə ju: nou ˈstræps ðət hould ˈap ˈtrauzyz]

LEARN BY WRITING AND READING

I. Odpowiedz na pytania:
1. Who is Claire? 2. Does she speak English? 3. Where did she go with her
nephew and niece on Saturday? 4. What is a booking-office? 5. Where did
the children wait when Claire went to the post-office? 6. Where was the
toy department? 7. What is the English word for the straps that hold up
trousers? 8. What is the English word for the straps that hold up stockings?
9. What did Dick eat at the cafeteria? 10. How do you call films about the
Wild West, cowboys and their adventures? 11. What is the English for the
American word 'elevator'? 12. Is "O. K." an English idiom or an American
one?

II. Naucz się na pamięć wierszyka:

> *There was a young man of Calcutta* [kælˈkatə]
> *Who had a most terrible stutter* [ˈstatə]*
> *At breakfast he said,*
> *"Give me b-b-b-b-b-bread*
> *And b-b-b-b-b-butter."*
>   *(Anonymous)*

**III. Ułóż a. 4 zdania ze zwrotem *"no more"* i b. 4 zdania ze zwrotem *"there
is no"* według wzorów:**

a.

I shall see no more pictures this week.	*Nie zobaczę więcej filmów w tym tygodniu.*

b.

There is no time for a cup of tea.	*Nie ma czasu na filiżankę herbaty.*

Przykłady: a.   b.

We had **no more** *classes after the first of July.*	**There is no** snow *in our garden.*

---

* jąkanie się

IV. Napisz następujące zdania w czasie przyszłym zastępując *"must"* **czasownikiem** *"to have to".*

1. We must ask Aunt Claire about her flat.

P r z y k ł a d : **We shall have to ask** *Aunt Claire about her flat.*

2. We must buy the tickets as soon as possible. 3. My nephew must go to the booking-office. 4. You must wait for me near the entrance to the tube. 5. Mary must get a new pram for her baby. 6. You must stand in a queue in the cafeteria. 7. The driver must think about filling his tank with petrol. 8. You must take the kids to the toy department.

V. Wstaw *"say, tell, speak"* **lub** *"talk"* **we właściwym czasie w odpowiednich zdaniach:**

1. Ann and the foremen — about many things. 2. She — that she wanted to know more about their jobs. 3. She asked them to — her where they worked. 4. One of them — that he was in a big factory producing cars. 5. He even — how many cars they produced in a year. 6. Another foreman, who was from Wales, — English with a Welsh accent. 7. During the meal they — about the conditions of work. 8. "— me, please," — Ann, "whether your job is dangerous". 9. She was — with a man who — that he had to do with atomic energy. 10. There was a great deal of noise for everybody — loud.

VI. Podziel następujące wyrazy według wymowy litery *"g"* **na 2 grupy** [g] **i** [dż]:

P r z y k ł a d y : *group* [g], *energy* [dż],

get, guard, carriage, finger, large, forget, dangerous, charge, huge, go.

VII. Przetłumacz na język polski:

At table

Would you mind passing the salt?
Sorry, here it is.
Would you like some more meat?
No, thank you.
Would you like some more vegetables?
Yes, please.
Do you always use both a spoon and a fork when you eat your pudding?
Well, usually we do.
Help yourself to those biscuits.
Could I have some more coffee?

There isn't any more sauce.
Do you take tea with milk and sugar?
I never take sugar in my tea.

LESSON THIRTY-SIX   **THE THIRTY-SIXTH LESSON**

> *Do* i *make* — różnice
> Słowa pokrewne
> Użycie *to* (bez bezokolicznika)
> Użycie czasownika *need*
> Perfect Gerund
> Transkrypcja fonetyczna i jej systemy

A FOREIGNER IN WARSAW

Robin Stanford, a foreign journalist, has just met Stanley in a Warsaw street.

Robin: I say Stanley, I want to ask you a favour. Are you free this afternoon?

Stanley: I felt like doing some shopping, but if you've got a better suggestion...

Robin: I don't know whether you'll call it better. You see, I'm in a fix.

Stanley: What about?

Robin: There's a girl who'd like to know more about Poland and my interpreter is ill...

Stanley: And you want me to show her the town and answer her questions. Where does she come from?

Robin: I'm not quite sure. She looks Italian, her mother is English, her father an American of French origin or a French-

Robin Stanford ['robyn 'stænfə:d] — imię i nazwisko

suggestion [sə'dżesczən] *sugestia, pomysł*
I'm in a fix *jestem w kłopocie*
what about? *jakim? o czym?*
interpreter [yn'tə:prytə] *tłumacz*
you want me... *chce pan abym ja...*

she looks Italian *wygląda na Włoszkę*

man brought up in the States, she has got a Russian grandmother...

Stanley: She sounds like the UNO.

Robin: She's very nice. I'm sure you'll make friends in no time. Could you help me?

Stanley: I'd like to. Let's go to your hotel.

Robin: Jean, this is Stanley, my friend, I've told you about.

Stanley: How do you do?

Jean: How do you do? How kind of you to do me this favour. You must have been very busy since you came back to Warsaw. Robin, is your interpreter very ill?

Robin: Yes, I'm afraid he's worse now. He'll have to go to the hospital.

Jean: Poor chap. Can he afford it? I mean, can his family stand the expense? Two years ago I had an operation and it cost my father a lot of money he could hardly afford.

Stanley: It won't cost him a penny. The Health Service provides everything. The only thing he'll pay is... compliments to the nurses if they're pretty.

They all laugh.

Stanley: Have you been here long? Have you seen much of the city?

Jean: Robin was so kind as to take me to see the sights yesterday. I've seen the Łazienki Palace, a few churches, the Old and the New Town squares, some parts of the Palace of Culture...

Robin: But I'm sure I made mistakes. I don't remember which houses and streets

bring up [bryŋ'ap] *wychować*
sound [saund] *brzmieć*
UNO ['ju:nou] **The United Nations Organization** *ONZ*
in no time *bardzo szybko*
I'd like to tu: **I'd like to help**
Jean [dżi:n] — *imię*

to do me this favour *zrobić mi tę przysługę (łaskę)*
he's worse *on ma się gorzej*

expense [yks'pens] *wydatek*

health [helθ] *zdrowie*
provide [prə'wajd] *dostarczyć, zaopatrzyć*

to see the sights *zwiedzać*

culture ['kalczə] *kultura*

have been rebuilt since the war or which have survived both the siege in 1939 and the Warsaw Rising of 1944.

Stanley: It's quite easy — most of them have been rebuilt. Only a few outlying districts were spared during the war.

Jean: I'd like to sit down and have a talk about what I've already seen or will see to-morrow.

Stanley: Let's go and have coffee in the International Book Club.

Jean: I'd like to see the ruins of the Jewish Ghetto.

Stanley: They've been cleared away. Instead of it there are blocks of flats, shops, schools etc. And the new streets are now modern and wide. But you can see a monument to the defenders of the Ghetto.

Jean: I remember having seen an enormous monument on my way from the airport, perhaps that was it?

Stanley: No, it wasn't. I'm sure it was the monument in honour of the Soviet soldiers who died here. Do you want to visit a factory?

Jean: No, I don't want to. You see, next week, my boss and I are going to spend a few days in some chemical works where they make dyes. And we'll also see some mills in Łódź. I'd rather see how people live in your country. Learn something about reconstruction work...

Robin: You must see the Royal Castle and the Vistula.

Jean: Does the Vistula freeze in winter?

rebuild [ri:'byld], **rebuilt rebuilt** *odbudować*
survive [sɔ'wajw] *przeżyć (nie zginąć)*
siege [si:dż] *oblężenie*
Rising ['raizyŋ] *powstanie*
rise, rose, risen [raiz, rouz, ryzn] *wstawać, powstawać*
outlying ['aut,lajyŋ] *odległe*
have a talk *porozmawiać*

Jewish ['dżu:"ysz] *żydowski*
Ghetto ['getou] *getto*
clear away [,kliɔrɔ'"ej] *uprzątnąć*
defender [dy'fendɔ] *obrońca*
airport ['eɔpo:t] *lotnisko*
honour ['onɔ] *honor. cześć*

boss [bos] *szef*
chemical works *zakłady chemiczne*
mill [myl] *fabryka*
I'd rather *wolałabym*
reconstruction ['ri:kɔn-'strakszɔn] *odbudowa*
The Vistula ['wystjulɔ] *Wisła*
freeze, froze, frozen [fri:z, frouz, frouzn] *marznąć, zamarzać, mrozić*

It's time to be off

Stanley: Oh yes, we can have severe frost sometimes, and then it is covered all over with ice.

Robin: You must see the stadium too.

Stanley: And some new thoroughfares. They're a great help in solving the traffic problem, which is still rather serious in this town.

Jean: I'd like to go to the pictures to see a Polish film although I won't understand a word.

Robin: I've started learning Polish, but Slavonic languages are so different from English! I've seen some of your excellent documentaries though. Jean has already been to a concert given by the Philharmonic Orchestra.

Jean: And I was struck by the great number of young people present. At home our audiences are much older.

Stanley: Quite a number of them are attending music schools, learning to play some instrument.

stadium [ˈstejdiəm] *stadion*

thoroughfare [ˈθarəfeə] *trasa, główna ulica*

serious [ˈsiəriəs] *poważny*

Slavonic [slæˈwonyk] *słowiański*

documentary [ˌdokjuˈmentəry] tu: *film dokumentalny*

philharmonic [ˌfyla:ˈmonyk] *należący do filharmonii*

audience [ˈo:djəns] *publiczność*

Jean: It's hard work on top of their going to a primary or secondary school.

Stanley: They needn't go to two schools. The art schools provide general education as well. It's like that in all the people's democracies.

art [a:t] *sztuka*
democracy [dy'mokrɔsy] *demokracja*

Jean: Those kids are lucky. As a child I dreamt of becoming a violinist but I couldn't afford it — learning to become a secretary is less expensive, so here I am... Well, I've enjoyed our talk very much, as well as the coffee, but it's time to be off. (Getting up with a smile) Thank you very much, both of you...

dream, dreamt, dreamt [dri:m, dremt] lub **dream, dreamed, dreamed** [dri:md] *marzyć*
violinist ['waiəlynyst] *skrzypek, skrzypaczka*
competition [ˌkompy'tyszɔn] tu: *konkurs*

Robin: If you like music so much, come here for the next Chopin Competition.

Stanley: Or the Wieniawski Violin Competition.

Robin: That's in Poznań, isn't it? Where the annual International Fair is held.

annual ['ænjuəl] *coroczny*
fair [feə] *targi*
organization [ˌo:gənaj'zejszən] *organizacja*

Jean: Perhaps I'll come, you never know. My boss is fond of music too and he was very pleased with the organization of the Fair.

Stanley: But I hope we'll meet again before you leave... And will you do me a favour? Here's a magazine that will tell you something about Poland, I'd like you to take it home... It's in English.

Jean: Oh thanks very much. How kind of you.

Robin: We'll give you a ring, Jean, and meet again.

Jean: I'd love to. Cheerio.

They all part with a friendly smile.

Quotations, proverbs and jokes

Happiness is like a kiss: you must share it to have it.

(Santoro)

share *dzielić, brać u-dział*

OBJAŚNIENIA

But if you've got a better suggestion...

Ale jeśli masz lepszy pomysł...

She has got a Russian grandmother. Have got patrz 1. 19.

Ona ma babcię Rosjankę.

I'm in a fix

jestem w kłopocie (kropce), mam zmartwienie

   a fix [fyks]

niezręczna lub trudna sytuacja

   to fix

przymocować; zaaranżować; postanowić, ustalić

   to fix a day

ustalić dzień

   to fix one's eyes on something

utkwić w czymś oczy

the UNO

ONZ

United Nations Organization [ju:-ˈnajtyd ˈnejszənz: o:gənajˈzejszɔn]

Organizacja Narodów Zjednoczonych

---

you'll make friends in no time	*od razu się zaprzyjaźnicie*
take your time over it	*nie śpiesz się w tej sprawie*
we are pressed for time	*jesteśmy zmuszeni do pośpiechu*
now's your time	*właśnie masz okazję*
to bide [bajd] **one's time**	*być cierpliwym, czekać na odpowiedni moment*
Time is up!	*Czas (przeznaczony) skończył się! Zamykamy!*

---

to stand the expense [yksˈpens]

dosł.: wytrzymać wydatek, móc pozwolić sobie na wydatek

   an expense

wydatek

   at the expense of

ze stratą dla

   at his (her, our etc.**) expense**

jego (jej, naszym itd.) kosztem

   We had a good laugh at his expense.

Uśmieliśmy się jego kosztem.

The Health Service [helθ 'sə:wys]   *służba zdrowia*
the Ministry of Health   *Ministerstwo Zdrowia*
to drink a health to   *wypić czyjeś zdrowie* (toast)
I'm afraid he is worse now.   *Obawiam się, że teraz mu się pogorszyło.*

Worse, w tym wypadku, jest stopniem wyższym od przymiotnika **ill** [yl] *chory,* stopień najwyższy — **worst** ["ɔ:st].

It's hard work on top of their going to a primary, or secondary school.	*To jest ciężka praca, gdy jeszcze muszą chodzić do szkoły podstawowej lub średniej.*
I slept like a top	*spałem jak suseł*
tip-top	*doskonały, najwyższy gatunek*
top	*najwyższa część lub punkt, szczyt, górny koniec, część lub powierzchnia*
the top of the hill	*szczyt wzgórza*
the top of the page	*góra stronicy*
the top of the table	*blat stołu* itd.
come to the top	osiągnąć sławę, stanowisko itp.
from top to toe	od stóp do głów
from top to bottom	z góry na dół; całkowicie
to shout at the top of one's voice	krzyczeć jak można najgłośniej
at top speed	z najwyższą szybkością
a top-hat	cylinder

Robin: We'll give you a ring, Jean,   *Zadzwonimy do ciebie, Jean, i spotkamy się znów.*
and meet again.
Jean: I'd love to.   *Chciałabym bardzo (z przyjemnością).*

GRAMATYKA

1. *Do* i *make* — różnice

I felt like doing some shopping.   *Chciałem porobić trochę zakupów.*
How kind of you to do me this favour.   *Jak to uprzejmie z pana strony, że zrobi mi tę przysługę.*

I'm sure you'll make friends.   Jestem pewien, że zaprzyjaźnicie się.
But I'm sure I made mistakes.   Jestem pewien, że narobiłem omy-
                                 łek.

W powyższych przykładach czasowniki **do** i **make** mają znaczenie *czynić, robić,* z tym, że drugi oznacza raczej *wytwarzać coś,
produkować.* Znany jest powszechnie napis na towarach eksporto-
wanych, np.: **made in Poland** czy **made in England,** tj. *wykona-
ne w Polsce, Anglii.*
Inne przykłady:

make		do	
make a noise	*hałasować*	**I do my best**	*robię co mogę*
make money	*robić pieniądze*	**to do a lot of**	*robić wiele intere-*
make peace	*zawrzeć pokój*	**business**	*sów*
make a speech	*wygłosić mowę*	**Will it do?**	*Czy to wystarczy?*
make fun of	*żartować z kogoś*	**I don't want to**	*Nie chcę mieć nic*
someone		**have anything**	*do czynienia*
make love to	*zalecać się do*	**to do with ...**	*z ...*
make certain	*upewnić się*	**She has nothing**	*Ona nie ma dziś*
She will make	*Z niej będzie*	**to do today.**	*nic do roboty.*
a good wife.	*dobra żona.*	**It won't do you**	*To ci nie zaszko-*
make up one's	*zdecydować się*	**any harm.**	*dzi (nie zrobi*
mind			*krzywdy).*
		Have you done it?	*Czy ty to zrobi-*
			łeś?
		to do exercises	*wykonywać (ro-*
			bić) ćwiczenia
		it does me good	*to mi służy,* dosł.:
			to robi mi do-
			brze
		to do a favour	*wyświadczyć (zro-*
			bić) przysługę
		nothing doing	(slang) *nic z tego*

2. Słowa pokrewne

journal, journalist, journalism, journalistic, journalize
journal ['dżə:nl] *żurnal, czasopismo, dziennik (handlowy, pamiętnik)*
journalist ['dżə:nəlyst] *dziennikarz, autor dziennika*
journalism ['dżə:nəlyzm] *dziennikarstwo*
journalistic [ˌdżə:nə'lystyk] *dziennikarski*
journalize ['dżə:nəlajz] *wpisywać do dziennika, prowadzić dziennik*

relate, relative, relation, relatively, relationship, related
to relate [ry'lejt] *opowiadać ze szczegółami; odnosić się do*
relative ['relətyw] *względny, stosunkowy; kuzyn, krewny*
relation [ry'lejszyn] *kuzyn, krewny; stosunek*
relatively ['relətywly] *stosunkowo*
relationship [ry'lejsznszyp] *stosunek, pokrewieństwo*
    (**degrees of relationship** [dy'gri:z] *stopnie pokrewieństwa*)
related [ry'lejtyd] *spokrewniony*

3. Użycie *to* (bez bezokolicznika)

Could you help me?	*Czy mógłbyś mi pomóc?*
I'd like to.	*Bardzo chętnie (chciałbym).*

I'd like to jest skrótem zdania **I'd like to help you.** Często stawia się samą partykułę **to** (bez bezokolicznika) po czasownikach, przymiotnikach i rzeczownikach, po których może nastąpić bezokolicznik z **to.**

Inne przykłady:

He would like to dance but he's afraid to.	*Chciałby potańczyć, ale boi się* (domyślne: *tańczyć* **afraid to dance**)
Do you want to visit a factory? No, I don't want to.	*Czy chce pani zwiedzić fabrykę? Nie, nie chcę* (dom.: *zwiedzić* **to visit**).
She will go to see the bridge because we told her to.	*Pójdzie zobaczyć most, ponieważ powiedzieliśmy jej* (dom.: *żeby zobaczyła* **go to see it**)
I can't stay any longer, I haven't time to.	*Nie mogę zostać dłużej, nie mam czasu* (dom.: *żeby zostać* **to stay longer**).

4. Użycie czasownika *need* *

a. Jako czasownik ułomny

They needn't go to two schools.	*Nie muszą (nie potrzebują) chodzić do dwóch szkół.*

---

* Por. analogiczne użycie **dare** w l. 8.

Czasownik **need** *musieć* wyraża konieczność wynikającą z obowiązku moralnego, z przymusu wewnętrznego lub zewnętrznego. Może on być czasownikiem ułomnym lub zwykłym, bez różnicy znaczenia.

Jako czasownik ułomny używany jest w pytaniach i przeczeniach, ma tylko zwykły czas teraźniejszy z 3. os. l.poj. bez **-s**. Następuje po nim bezokolicznik bez **to**.

Inny przykład:

Need you wait so long? *Czy musisz czekać tak długo (czy konieczne jest, abyś tak długo czekał)?*

Użyty z Perfect Infinitive wyraża czynność, która, zdaniem mówiącego, odbyła się w przeszłości niepotrzebnie — wbrew zakazom, obowiązkom, logice itp., np.:

They needn't have sold their house. *Nie powinni byli sprzedawać swego domu* (nie musieli, ale sprzedali) *.

b. Jako czasownik zwykły

W tym samym znaczeniu **need** *musieć* może być czasownikiem zwykłym ze wszystkimi czasami i formami, np.:

I shall need to read this exercise once more. *Będę musiał przeczytać to ćwiczenie jeszcze raz.*
He doesn't need to worry. *Nie potrzebuje (musi) martwić się* (niepotrzebnie martwi się).

c. Ponadto istnieje zwykły czasownik **need** w znaczeniu *potrzebować, odczuwać brak*, np.:

She needs a new hat. *Ona potrzebuje nowego kapelusza.*

5. Perfect Gerund **

I remember having seen an enormous monument. *Pamiętam, że widziałam ogromny pomnik.*

---

* por. wręcz odwrotne znaczenie **ought** z Perfect Infinitive, 1. 2.
** tworzenie i użycie Gerund patrz 1. 6 oraz I, 1. 27, 35.

Perfect Gerund spełnia zupełnie tę samą funkcję co zwykły Gerund (tu byłby: **seeing**). Będąc formą dokonaną podkreśla on jedynie fakt, że czynność przezeń wyrażona odbyła się wcześniej aniżeli czynność wyrażona przez czasownik rządzący tym Perfect Gerund, np.:

Excuse my having forgotten your	*Wybacz, że zapomniałem o twoich*
birthday.	*urodzinach.*

6. Transkrypcja fonetyczna i jej systemy

a. Uczący się z niniejszego podręcznika z pewnością dobrze opanował stosowany tutaj system transkrypcji fonetycznej.

Jednakże przy lekturze trudniejszych, oryginalnych tekstów angielskich, beletrystycznych czy fachowych, trzeba będzie korzystać z większych słowników dwujęzycznych i jednojęzycznych. Czytelnik napotka wtedy różne systemy oznaczania wymowy języka angielskiego.

Obecnie istnieją 2 podstawowe sposoby transkrybowania wymowy angielskiej, mianowicie:

1. Za pomocą znaków diakrytycznych, tj. kropek, kresek, apostrofu itp. umieszczanych nad lub pod literami, przy czym literom pozostawia się ich najpospolitsze brzmienie angielskie, np. symbol ē oznacza dźwięk (głoskę) [i:], symbol ā — dźwięk [ej] itd.

2. Za pomocą specjalnych symboli zapożyczonych z alfabetu greckiego, ze znaków matematycznych, wynikających z odwrócenia liter itp.

Pierwszy sposób stosowany jest przez kilka systemów transkrypcji w powszechnie używanych słownikach angielskich i amerykańskich, drugi posłużył za podstawę dla transkrypcji ustalonej przez Międzynarodowe Stowarzyszenie Fonetyczne w tzw. International Phonetic Alphabet (skrót: IPA). IPA zastosowały słowniki wymowy: D. Jones, *An English Pronouncing Dictionary* oraz J. S. Kenyon i T. A. Knott, *A Pronouncing Dictionary of American English*. Powstała również uproszczona transkrypcja IPA (Simplified IPA), którą Jones poleca szczególnie cudzoziemcom.

b. Oto zestawienie symboli oznaczających te same dźwięki języka angielskiego w najczęściej stosowanych systemach transkrypcji fonetycznej:

	I	II	III	IV
	Transkrypcja stosowana w podręczniku	**IPA uproszczona**	**IPA**	**Transkrypcja wg Webstera**

Samogłoski

	I	II	III	IV
see	i:	i: ii	i:	ē
sit	y	i	i	i ĭ
egg	e	e	e	e ĕ
cat	æ	æ a	æ	a a
father	a:	a: aa	a:	ä
not	o	o	ɔ	ō ŏ
all	o:	o: oo	ɔ:	ô
put	u	u	u	oo ŏo
food	u:	u: uu	u:	oo
cut	a	ʌ	ʌ	ʌ ŭ
her	ə:	ə:	ə:	ū ûr
away	ə	ə	ə	ə ȧ
they	ej	ei	ei	ā
go	ou	ou	ou	ō
my	aj	ai	ai	ī
out	au	au	au	ou
boy	oj	oi	ɔi	oi
here	iə	iə	iə ĭə	ēr
where	eə	eə	ɛə	ār
poor	uə	uə	uə	our

Spółgłoski

	I	II	III	IV
boy	b	b	b	b
day	d	d	d	d
five	f	f	f	f
go	g	g	g	g
hair	h	h	h	h
yes	j	j	j	y
key	k	k	k	k
lamp	l	l	l	l
my	m	m	m	m
no	n	n	n	n
pipe	p	p	p	p

red	r	r	r	r
horse	s	s	s	s
take	t	t	t	t
give	w	v	v	v
zoo	z	z	z	z
pleasure	ż	ʒ	ʒ	zh
she	sz	ʃ	ʃ	sh
catch	cz	tʃ	tʃ	ch
George	dż	dʒ	dʒ	j
three	θ	θ	θ	th
that	ð	ð	ð	th
we	u	w	w	w
long	ŋ	ŋ	ŋ	ng

U w a g a. Znaki stosowane w systemach I—III są różne, ale wymowa ta sama. W systemie IV wymowa jest amerykańska.

c. Uproszczony system IPA stosują: słownik wymowy i podręczniki MacCarthy'ego, słownik *An English-Reader's Dictionary* i podręcznik języka angielskiego A. S. Hornby'ego, słownik K. Bulasa i F. J. Whitfielda *The Kościuszko Foundation Dictionary*, podręcznik wymowy Jassema, Jones w niektórych podręcznikach, Scott i Tibbitts w ćwiczeniach wymowy itd. System ten posłużył za podstawę do odmian stosowanych przez podręczniki szkolne wydawnictwa PZWS, A. Reszkiewicza w *English for Polish Students* oraz do transkrypcji w naszym podręczniku. Ta ostatnia różni się od niej przede wszystkim symbolami spółgłosek. Skorzystaliśmy mianowicie ze znanych Polakowi symboli oznaczających dźwięki [sz], [cz], [ż] i [w] oraz wprowadziliśmy znak ["] na dźwięk, który inne systemy transkrypcji wyrażają przez [w].

Nie uproszczony system transkrypcji IPA stosują: wspomniane w pkt a. słowniki wymowy angielskiej i amerykańskiej, słownik A. S. Hornby'ego *The Advanced Learner's Dictionary of Current English*, niektóre podręczniki fonetyczne i gramatyczne D. Jones'a, H. E. Palmera, podręczniki do nauki języka angielskiego C. E. Eckersleya (z drobnymi zmianami), słownik angielsko-polski T. Grzebieniowskiego oraz radzieckie podręczniki języka angielskiego. Warianty IPA stosują inni fonetycy, jak I. C. Ward, W. Ripman, L. E. Armstrong itd.

System oznaczania wymowy za pomocą znaków diakrytycznych stosują słowniki jednojęzyczne angielskich wydawnictw Oxford University Press i Routledge oraz słowniki amerykańskie oparte na słownikach Webstera.

Zupełnie indywidualną transkrypcję stosują niektórzy autorzy słowników, np.: M. West i J. G. Edincortt: własną transkrypcję, w której cyfry są symbolami samogłosek.

Bogactwo odmian transkrypcji nie powinno przerażać uczącego się, który osiągnął już stopień zaawansowany w nauce. Przy korzystaniu z nowego tekstu, czy słownika, powinien tylko zaglądać sporadycznie do klucza wymowy umieszczonego zwykle na pierwszych stronach książki, lub nawet u dołu każdej strony.

ĆWICZENIA

Read aloud:
[yf ju: lajk ˈmjuːzyk souˈmacz kam hiə fə ðə nekst ˈszopæŋ ˌkompyˈtyszn. oː ðə wjeˈnjafski ˌwaiəˈlyn kompyˈtyszn. ˌðæts yn ˈpoznan, ˈyznt yt? ˈᵘeə ði: ˈænjuəl yntəˈnæesznl ˈfeəz held.]

I. Wstaw brakujące wyrazy:

1. Robin has just — Stanley in a Warsaw street. 2. "I want to — you a favour", he said. 3. My interpreter — ill. 4. In my hotel there's a girl, a foreigner, who would — to know more about Poland. 5. She's nice, you'll — friends with her in no time. 6. Could you show her Warsaw or — her questions about the place? 7. Stanley's friend did not remember which streets had been rebuilt — the war. 8. Robin's interpreter must have an —. 9. It won't cost him a penny as the — Service provides everything. 10. They decided to have coffee in the — Book Club.

II. Zamień następujące zdania na mowę zależną, stawiając przed nimi zwroty *He said that, She said that, They said that* **itp.**

Uważać na następstwo czasów!

1. He will have to go to the hospital.

P r z y k ł a d : **He said** *he would have to go to the hospital.*

2. Her family cannot stand the expense. 3. Most probably the girl has got

relatives in this country. 4. Few districts were spared during the war. 5. We are going to see a few mills in Łódź. 6. The Vistula freezes in winter. 7. I'm afraid the frost will be severe to-night. 8. Slavonic languages seem rather difficult. 9. They like our documentaries very much. 10. She will attend a music school.

III. Wstaw *do* **lub** *make* **w odpowiednim czasie, osobie itd.:**

1. Will you — me this favour? 2. I'm sure I — many mistakes. 3. How do you —? 4. My son hasn't — up his mind yet about his future career. 5. Have you — all your exercises? 6. Mary can help you, she has nothing to — to-day. 7. I shall try to find the address, I shall — my best.

IV. Ułóż 3 zdania z *everybody* **(każdy, wszyscy) i 3 z** *all* **(wszyscy) według wzorów:**

a.
Everybody knows this film star.   *Wszyscy znają tę gwiazdę filmową.*

b.
All the people in our house have   *Wszyscy ludzie w naszym domu ma-*
TV sets.   *ją telewizory.*

P r z y k ł a d y : **Everybody** *likes Saturday.* **All** *the shop-assistants in our shop wear dark clothes.*

V. Wypisz odpowiednie określenie wyrazów:

1. a tea-shop   a. a Chinese box
                     b. a grocer's shop
                     c. a place where you can drink tea

2. legendary   a. reckless
                     b. not historical, invented
                     c. written in capital letters

3. a sandwich   a. two pieces of bread with meat, cheese etc. between them
                     b. fine sand
                     c. a flower

4. a path   a. a kind of bird
                     b. a hot drink
                     c. a way

5. a statue   a. a small railway station
                     b. a figure made of wood, stone etc.
                     c. a song

VI. Przetłumacz na język angielski:

Różne odmiany języka angielskiego

Myślę, że nie jest tak bardzo trudno nauczyć się czytać po angielsku. Główna (main) trudność to mówienie. A ja uważam (znajduję), że pisownia jest równie trudna. Czy amerykańska angielszczyzna (English) ma własną pisownię (of its own)? Nie, nie ma. Tylko niektóre wyrazy pisze się (użyć strony biernej) odmiennie, np.: "color, center, traveler, program itd.". Ale wymowa jest trochę odmienna i intonacja ... I mówiono mi (strona bierna), że Amerykanie używają innych idiomów. Czy Walijczycy mówią po angielsku? Tak, mówią. Ale mają też własny język (a language of their own), podobny do irlandzkiego i gaelickiego. Pamiętam, gaelicki to (jest) język, którym mówi się (strona bierna) w niektórych częściach Szkocji. Mój Boże (My goodness lub Good Heavens), tyle języków na małych wyspach brytyjskich (British Isles)! Nie zapominaj o innych odmianach angielskiego: w Kanadzie, Australii, Południowej Afryce. Mój Boże! — Nie martw się. Jeżeli będziesz się uczyć pilnie (hard),* twoja brytyjska angielszczyzna będzie wystarczająco (will do) dobra wszędzie.

Canada ['kænədə] *Kanada*
South Africa [ˌsauθ 'æfrykə] *Południowa Afryka*
British Isles ['brytysz 'ajlz] *Wyspy Brytyjskie*

---

* uważaj na czasy w zdaniach warunkowych

KLUCZ DO TEKSTÓW I ĆWICZEŃ

LEKCJA PIERWSZA

Zamiast przedmowy

Pokój szkolny. Nauczyciel. Uczniowie
Lekcja odbywa się w październiku 19 ... r.

Nauczyciel: Panie i panowie, skończyliśmy właśnie pierwszą część (książkę) naszego angielskiego podręcznika dla początkujących, wydanego przez „Wiedzę Powszechną" w Warszawie, w Polsce, pod tytułem „Język angielski dla początkujących".

Obecnie, po opanowaniu słownictwa i gramatyki tej książki, postanowiliśmy kuć żelazo póki gorące (zbierać siano, póki słońce świeci) i uczyć się dalej nowych słów, idiomów i gramatyki. W tym celu wydawnictwo (wydawcy) wydało drugą książkę, która jest jakby dalszym ciągiem pierwszego podręcznika, oto ona.

1. uczeń: Czy mogę (o coś) zapytać?

Nauczyciel: Proszę (co takiego)?

1. uczeń: Czy nowa książka jest ilustrowana i czy ma dużo ćwiczeń? Większość z nas uczy się w domu bez nauczyciela.

Nauczyciel: Tak, jest opracowana (napisana) na tych samych zasadach co pierwsza książka. Uważam, że ma więcej ilustracji i ćwiczeń. Celem tej książki jest bliższe (szersze) poznanie różnych aspektów (stron) życia angielskiego, bogatszego słownictwa, które pomoże uczniowi w użyciu i rozumieniu trudniejszych (wyrazów) zwrotów.

2. uczeń: Czy słownictwo w nowej książce jest bardzo trudne? To znaczy, czy jest dużo idiomów do zapamiętania?

Nauczyciel: Nie przypuszczam (nie myślę), aby wam od tego włosy na głowie stanęły. Jesteście już dosyć zaawansowani, ponieważ pracowaliście pilnie przez długi czas i jestem pewny, że z powodzeniem dacie sobie radę (w nowej sytuacji). Opanowaliście już podstawy gramatyczne tak, że nie powinniście się zniechęcać, ale musicie śmiało podejść do nauki (tego) (musicie przybrać śmiałą twarz).

3. uczeń: Pan do nas mówi dosyć trudnym językiem. Czy będziemy mieli także słownik w tej książce i czy tam będzie trochę slangu? Chcę go chętnie (bardzo) stosować, ponieważ myślę, że Anglicy używają slangu w potocznej mowie, prawda?

Nauczyciel: A tak. Wykaz nowych wyrazów znajdziecie w lekcji na tej samej stronie, a objaśnienia za (pod) tekstem do czytania. Oddzielny słownik (alfabetyczny) będzie dołączony na końcu książki. Przed czytaniem tekstu powinniście przeczytać nowe słówka, a natychmiast po przeczytaniu tekstu powinniście przerobić wszystkie ćwiczenia. Co do slangu, nie radziłbym wam go używać, ponieważ zmienia się on bardzo szybko.

4. uczeń: Czy zechciałby pan dać nam krótką definicję slangu i kilka przykładów?

Nauczyciel: Hm, (to) nie jest łatwo dać jasną definicję slangu (co to jest slang). Zgodnie z opinią niektórych językoznawców jest to język popularny i pospolity (będący poniżej poziomu mowy osób wykształconych). Używa się go, aby nadać czemuś specjalny sens, czasami (część) brzmi dziwacznie i śmiesznie i wyraża ekstrawagancki humor albo myśli. Jest czymś niższym (stoi raczej niżej) od popularnego, potocznego języka, ale weźmy jakieś przykłady, ponieważ one najlepiej ilustrują jego użycie: mężczyzna w języku potocznym "chap" człowiek, a w slangu „człek" albo „chłop", pić nad miarę jest „chlać" (to booze), twarz staje się „facjatą", policjant jest „polikier" albo „glina", nadzwyczajny „cudo" lub „morowy" i „w dechę", opowiadać jest „plędzić", odejść czy odjechać jest „odwalić się". Widzicie państwo (panie i panowie), co to jest. Wolałbym, abyście go nie używali. Niektórzy Anglicy uważają, że slang przynosi wstyd ich językowi (jest hańbą).

4. uczeń: Dziękuję panu.

5. uczeń: Bardzo mi się podobał humor zawarty w pierwszej książce. Chciałbym, żeby pan nam coś powiedział o humorze w drugiej książce.

Nauczyciel: A więc, jeżeli chodzi o ścisłość, humor w drugiej książce jest typowo angielski, bardzo często tego typu, który nazywamy czystym nonsensem. Czasami jest mieszaniną śmiechu i uczucia. Weźmy kilka przykładów:

Brak szansy

Dobra przyjaciółka: A jakie były ostatnie słowa twego biednego ojca, moja droga?

Dziewczynka: Wątpię, czy on wypowiedział jakieś ostatnie słowa (nie myślę, żeby on miał...), widzisz, matka była przy nim (z nim), gdy umierał.

I jeszcze jedna bardzo zabawna historyjka:

Dwóch przyjaciół jechało na rowerach. Nagle jeden z nich zatrzymał się, zeskoczył i wypuścił (całe) powietrze z tylnej opony.

„Dlaczego to robisz?" — zapytał drugi.

„Za wysokie siodełko" — powiedział jego towarzysz.

„Pożycz mi klucz" — poprosił drugi cyklista. Przekręcił kierownicę tyłem do przodu.

„Co ty robisz?" — zapytał pierwszy (ten drugi).

„Wracam, nie jadę z takim głupcem, jak ty".

6. *uczeń*: Czy gramatyka jest bardzo trudna? Czy jest tam coś nowego, czy też tylko powtórzenie reguł gramatycznych z pierwszej książki?

Nauczyciel: Teraz, gdy już znacie najważniejsze reguły gramatyki angielskiej, chciałbym, abyście spojrzeli na nią przychylniej i trochę z innego punktu widzenia niż przedtem. Słyszałem kiedyś, jak pewien angielski nauczyciel powiedział, że gramatyka nie jest zbiorem reguł, ale jest jak kodeks dobrego wychowania (maniery), rejestruje, jak postępują kulturalni ludzie, i tak jak obyczaje, ciągle się zmienia (jest w stanie ciągłej zmiany). Bardzo mi się podoba ta definicja i wydaje mi się, że ona we właściwy sposób określa, czym jest rzeczywiście gramatyka.

W tej książce znajdziecie gramatykę trochę trudniejszą. Znajdziecie tam wszystkie reguły wyjaśnione i zaopatrzone w przykłady, ile tylko pragniecie. Ponadto będziecie mieli kontrolne ćwiczenia stosowania gramatyki.

No, to jest prawie wszystko, co chciałem powiedzieć. Sądzę, że pod koniec maja zakończymy nasz kurs.

Czy są jeszcze jakieś pytania? Jeżeli nie, to myślę, że zakończę tę pierwszą rozmowę, życząc wam wszystkim (z najlepszymi moimi życzeniami dla was wszystkich), abyście pomyślnie pokonali trudności na waszej drodze do samodzielnego i dobrego opanowania języka angielskiego.

Dobry, lepszy, najlepszy,
nie spocząć,
aż dobry będzie lepszy,
a lepszy — najlepszy.

Ćwiczenie I. 1. Wiedza Powszechna published the first book of English for the Beginners. 2. Yes, the second book is illustrated. 3. No, I haven't read the second book yet. 4. Yes, it will teach me a richer vocabulary. 5. Yes, there are very many idioms on page... 6. I have learned English for two years (three, four itd.). 7. No, I don't know much slang. 8. I think that the tenses are the most difficult thing in English grammar (lub inne odpowiedzi). 9. The Present Perfect of "to lie" is: I have lain.

Ćwiczenie II. 1. — have issued, 2. — have found, 3. — have mastered, 4. — has written down, 5. — has given, 6. — has left out, 7. — has told, 8. — has been built, 9. — have played.

Ćwiczenie V. Sprawdzić według tekstu czytanki.

Ćwiczenie VI.

[d]

mastered	died	explained
issued	turned	supplied
enjoyed	cultured	

[t]	[yd]
depressed	ended
stopped	educated
attacked	illustrated
jumped	wanted
asked	
finished	

Ćwiczenie VII. 1. By the end of the year, 2. At eight o'clock, 3. tomorrow, 4. by 4 p. m., 5. On Tuesday, 6. By the end of April.

Ćwiczenie VIII. Hello George. What have you got here? An English book? Are you interested in languages? Yes, a little. I don't want to be a teacher but I am studying English. You see, in my job I ought to read English technical books. Do you want to speak English, too? Oh, yes, I do. I should like to master living English speech as well as it is possible. How can you cope with the difficulties of English pronunciation? Well, the essential thing is to do what this book advises me to do. For instance: I learn by heart simple sentences and questions. I look for the pronunciation of difficult words in the dictionary. When I have time, I listen to English lessons on the radio. I see, you are a very diligent pupil. I am working hard as I want to write and speak correct English.

LEKCJA DRUGA

Wyglądasz dziś bardzo ładnie

Pani Moore i inne kobiety w Livingston kochają bardzo swoich mężów, ale często skarżą się, że ich mężowie nigdy nie prawią (mówią) im żadnych komplementów.

Pewnego dnia pani Moore powiedziała do pani Blodgett: „Franek jest dobrym mężem i nie powinnam się skarżyć. Kupuje wszystko, co dzieci i ja potrzebujemy. Nigdy nie pije za wiele. Nigdy nawet nie spojrzy na inną kobietę. Pomaga mi zawsze zmywać, kiedy nie ma dzieci. Zawsze jest dla mnie bardzo dobry i naprawdę nie powinnam się skarżyć. Ale przez siedemnaście lat nie powiedział mi ani jednego komplementu."

„Wiem dobrze, co masz na myśli" — zgodziła się pani Blodgett. „Ben jest również zupełnie taki sam. Gdy mam na sobie nową suknię albo nowy kapelusz, pytam go, jak mu się podoba, a on tylko mówi: „O, nowe?" Nigdy nawet tego nie spostrzega. Wtedy ja go znowu pytam, czy mu się podoba, a on tylko mówi: „Moim zdaniem wygląda dobrze."

„Wiem, co masz na myśli, Małgorzato" — powiedziała pani Moore. „Ciężko się napracuję, aby ugotować dobry obiad dla Franka, tak jak on najbardziej lubi. A czy on kiedykolwiek to zauważy? Zawsze muszę go pytać, czy mu smakuje, a on tylko mówi: „Gdyby mi nie smakował, to bym ci powiedział, że mi nie smakuje." Gdyby Franek Moore powiedział mi kiedykolwiek jakiś komplement, nie wiem, co bym zrobiła."

W kilka dni po tej rozmowie pan Moore i pan Blodgett jedli razem lunch w restauracji, w śródmieściu. Profesor Kendall jadł razem z nimi. Pan Moore zaprosił (zabrał) profesora Kendall'a na lunch, aby się poradzić w sprawie szkoły dla swej córki, Shirley.

Trzej panowie jedli befsztyk w restauracji, nie byli zadowoleni ze swego posiłku.

„Ten befsztyk jest okropny" — powiedział pan Blodgett. „Z trudem go kraję."

„Z trudnością znaleźć można w mieście restaurację, gdzie można by dostać przyzwoity befsztyk" — powiedział pan Moore. „Nie można przyzwoicie zjeść (dostać przyzwoitego posiłku) w żadnej restauracji w Livingston."

„Wiem, co pan ma na myśli" — powiedział profesor Kendall.

„Nigdy nie jadłbym w restauracji, gdybym nie musiał" — powiedział pan Blodgett. „Powinien pan zjeść jeden z befsztyków mojej żony. To nawet nie musi być befsztyk. Ona umie ugotować wszystko tak, że można by pomyśleć, że to jest danie pięciodolarowe (posiłek za pięć dolarów)."

„Edna potrafi tak samo" — powiedział pan Moore. „Mogłaby nauczyć tych ludzi z restauracji wielu rzeczy, które powinni sami wiedzieć."

„No, wy panowie jesteście szczęśliwi" — powiedział profesor Kendall. „Gdybyście nie byli żonaci, musielibyście jeść to okropne jedzenie trzy razy dziennie. Ja tak jadam. Nie wiecie, jakie macie szczęście."

Gdy profesor Kendall ich opuścił, pan Blodgett powiedział do pana Moore: „Sądzę, że my jesteśmy szczęśliwi, Franku, gdy się zastanowimy (o tym pomyśli). Czy kiedykolwiek mówisz coś Ednie o jej posiłkach?"

Pan Moore powiedział: „Nie, myślę, że nigdy. Ale ona wie, że powiedziałbym jej, gdyby mi jedzenie nie smakowało."

„No, ale ja sądzę, że powinniśmy im mówić, kiedy jedzenie jest dobre" — powiedział pan Blodgett. „Przypuszczam, że trochę komplementów dobrze robi kobietom. W każdym razie tak piszą gazety."

Tego wieczoru państwo Moore jedli kurczę na obiad. Gdy pan Moore zjadł kawałek kurczaka, położył nóż i widelec na talerzu i powiedział głośno: „Edno, ten kurczak jest najlepszy, jaki kiedykolwiek jadłem."

Pani Moore była zdziwiona, ale nie wyglądała na specjalnie zadowoloną. „Właśnie myślałam, że nie jest tak dobry, jak zwykle" — powiedziała.

„Kartofle są także dobre" — powiedział pan Moore. „Jerzy, czy nie uważasz, że te kartofle są szczególnie dobre?"

Żona jego zdziwiła się jeszcze bardziej niż przedtem.

„Franku" — powiedziała — „to są po prostu zwyczajne kartofle i ty o tym wiesz."

Pan Moore pomyślał: „Spróbuję jeszcze raz." Spojrzał na żonę i powie-

…ział: „W każdym razie ty ładnie dziś wyglądasz, Edno. Czy to jest nowa suknia? Zawsze najbardziej mi się podobają niebieskie sukienki."

Pani Moore położyła nóż i widelec na talerzu i spojrzała na męża. Naprawdę nie wyglądała na zadowoloną.

„Franku Moore" — powiedziała — „ta suknia ma trzy lata i wcale nie jest niebieska, ona jest zielona."

Cytaty, przysłowia i żarty

Zbyteczna gramatyka to rozpaczliwa plaga

Ćwiczenie I. 1. — never, never, 2. — never, 3. — ever, 4. — never, 5. — ever, 6. — never, 7. — ever, 8. — never.

Ćwiczenie III. 1. Why had they asked Prof. Kendall? 2. Why did the professor take his meals in a restaurant? 3. Why was Mrs. Moore not pleased with her husband? 4. Why was their lunch terrible? 5. Why did Mr. Moore decide to pay his wife a compliment? 6. Why was she surprised? 7. Why did he speak about the potatoes? 8. Why did he say that his wife's dress was blue?

Ćwiczenie VII.

[k]	[s]
difficult	face
cope	chance
dictionary	disgrace
second	advice
according	notice
cultured	decent
correct	once
chicken	certainly
college	nice
cook	cycle

lub inne.

Ćwiczenie VIII. English Meals

The English eat four times a day. Their meals are usually: breakfast, lunch, tea and dinner. Some people have a cup of tea or coffee at eleven. That meal has a funny name "the elevenses". Dinner is a bigger meal than lunch and it is taken in the evening. Now more and more people give up dinner and have supper or "high tea" instead of it. "High tea" is like afternoon tea but richer — you often get meat, or fish, or eggs. In English factories, offices and schools they usually stop work for lunch. Very many people do their shopping during the lunch hour as English shops close rather early. Lunch is served in most schools — it is paid for by the parents, of course. English table manners are different from ours. Every nation has its own way of holding a knife, a fork, of using a spoon or drinking tea.

LEKCJA TRZECIA

Nowa szkoła

Panie: Poot, Dill, Crabb, Trout, Blunt, Fripp, Tosh, Rigg.
Pan Tom Fripp.

Panie Poot i Dill spotykają się na ulicy w miasteczku Amberside. Zarówno one, jak i wszystkie kobiety, które przychodzą później, są w średnim wieku, mają (noszą) torby i idą (są w drodze) do sklepów. Jest sobota rano.

p. *Poot*: O, dzień dobry pani Dill. Właśnie myślałam o pani.

p. *Dill*: A co pani (właśnie) o mnie myślała, pani Poot?

p. *Poot*: Mniejsza o to. Czy pani widziała ostatnio ten budynek Relf? Co ci ludzie w nim robią?

p. *Dill*: Czy pani ma na myśli ten duży, stary budynek (to duże stare miejsce) biurowy?

p. *Poot*: Tak, właśnie przechodziłam obok niego. Widziałam tam dużo robotników i słyszałam wewnątrz hałasy. Czy mają zamiar go zburzyć, jak pani myśli?

p. *Dill*: Zburzyć go? Nie wiem, pani Poot. Ale to jest bardzo stary budynek, prawda? No, no, nie mogę w to uwierzyć. Ilu robotników pani tam widziała?

p. *Poot*: Pięciu czy sześciu. O, jest i pani Crabb. Ona zawsze opowiada o swoim ramieniu. Nie chcę się z nią teraz spotkać. Zobaczymy się później.

(Gdy ona odchodzi, nadchodzi pani Crabb)

p. *Dill*: Pani dziś nie wygląda na bardzo zadowoloną z życia. Czy jest jakiś powód?

p. *Crabb*: Jak mogę być zadowolona, gdy cały czas ramię mnie boli. Nie daje mi w nocy spać. A mój syn ma iść do szkoły w przyszłym miesiącu. On już jest coraz starszy. Ale szkoła jest (oddalona) o dwie mile od naszego domu. Jak on będzie chodził codziennie tam i z powrotem? Czy pani mi to może powiedzieć, pani Dill?

p. *Dill*: Ja (wcale) nie wiem. Ale czy pani słyszała nowinę? Rozbierają budynek Relf.

p. *Crabb*: Rozbierają? Dlaczego?

p. *Dill*: Nie wiem. Ale pani Poot widziała (zobaczyła) tam robotników. Bardzo dużo. Myślę, że trzydziestu czy czterdziestu ludzi. Mają więc zamiar budować tam coś innego, przypuszczam. Być może wybudują nową szkołę.

Wtedy pani syn będzie mógł do niej chodzić. Będzie znacznie bliżej dla niego, prawda?

p. *Crabb*: Nową szkołę? To jest dobra wiadomość. O, pani odchodzi?

p. *Dill*: Tak, muszę iść teraz do sklepu. (Odchodzi)

p. *Crabb*: (sama) Nowa szkoła.

(Nadchodzi pani Trout)

p. *Trout*: Dzień dobry. Dzień dobry. Jak się pani miewa? Jak się pani miewa? Nie mogę się zatrzymać. Jestem dziś bardzo zajęta. Co słychać dziś nowego?

p. *Crabb*: Pani nie słyszała? Budują nową szkołę w miasteczku. Około stu ludzi pracuje. To ma być duża szkoła. Przypuszczam, że dla chłopców i dla dziewcząt. A jaki hałas będą oni wszyscy robili! Mam zamiar posyłać do niej mojego chłopca.

p. *Trout*: A ile chłopców i dziewcząt tam będzie? Ile?

p. *Crabb*: Nie wiem. Ale jeżeli to będzie duża szkoła, to tam będą setki i setki. Może tysiąc. O, jest i pani Blunt. (Nadchodzi pani Blunt). Czy pani słyszała nowinę? Właśnie blisko pani domu akurat. No, muszę iść do doktora z tym ramieniem.

(Odchodzi)

p. *Blunt*: O czym ona mówi? Co jest blisko mego domu?

p. *Trout*: O, budują nową szkołę dla tysiąca chłopców i tysiąca dziewcząt, koło pani domu. Pani nie będzie mogła tam mieszkać w tym (całym) hałasie. Gdzież jest ten banknot funtowy? (Otwiera swoją torbę) Gdzież on jest? Włożyłam go do torby dziś rano, przed wyjściem. Gdzie on jest? Tu go nie ma. Co ja zrobię? Nie mogę go znaleźć. Zapewne został na stole w saloniku (musi jeszcze być na moim stole w salonie). Muszę wrócić do domu i poszukać go. (Wybiega)

p. *Blunt*: (zostaje sama i zaczyna płakać) Będziemy musieli wyprowadzić się do innego domu! Do innego domu! Mieszkamy w naszym domu dopiero jeden miesiąc. (Zbliża się pani Fripp)

p. *Fripp*: Dlaczego pani płacze, pani Blunt? Z jakiego powodu?

p. *Blunt*: Dużo jest powodów. Musimy natychmiast sprzedać nasz dom i przeprowadzić się do innego domu. A ja wciąż przenoszę łóżka i zawieszam obrazki i jestem taka bardzo, bardzo zmęczona.

p. *Fripp*: Dlaczego musi pani przeprowadzić się do innego domu?

p. *Blunt*: Budują nową wielką szkołę blisko naszego domu. Wszyscy chłopcy i dziewczęta będą przychodzili do naszego ogrodu i skakali po kwiatach. A jeden z robotników zranił sobie ramię. (Nadchodzi panna Tosh) O, jest panna Tosh.

p. *Fripp*: Pani brat sprzedaje domy, prawda panno Tosh?

p. *Tosh*: Tak. Dlaczego, co się stało?

p. *Fripp*: Pani Blunt chce kupić nowy dom.

p. *Blunt*: Tak. Możliwie jak najprędzej. Budują nową szkołę na dwa tysiące chłopców i dziewcząt koło naszego domu. Chodźmy teraz razem zobaczyć się z pani bratem. (Nadchodzi panna Rigg).

p. *Rigg*: Dzień dobry wszystkim. Co słychać?

p. *Tosh*: Budują nową szkołę dla czterech tysięcy chłopców i dziewcząt.

p. *Rigg*: Dla czterech tysięcy? A kto będzie za to płacił? Ile to będzie kosztowało? Przypuszczam, że pół miliona funtów, jeżeli będzie taka duża.

p. *Blunt*: Pół miliona! Ile rodzin mieszka (jest) w tym miasteczku?

p. *Tosh*: Mój brat to wie. Jest tu około tysiąca rodzin. A część ich to złodzieje.

p. *Fripp*: Złodzieje? Dlaczego?

p. *Tosh*: Przed chwilą spotkałam na ulicy panią Trout. Zginął jej z torebki banknot pięciofuntowy dziś rano.

p. *Rigg*: Jeżeli tu jest tysiąc rodzin, a koszt budowy szkoły wynosi (jest) pół miliona funtów, to każda rodzina będzie musiała zapłacić za nią pięćset funtów. Jadę do Kanady. Nie zostanę tutaj, żeby płacić pięćset funtów. Ja nie mam dzieci. A do tego jeszcze złodzieje zabiorą wszystkie pieniądze, jakie mam. Idę teraz kupić bilet.

p. *Blunt*: Pojadę z panią do Kanady. Nie chcę drugiego domu w tym miejscu. (Odchodzą razem)

p. *Fripp*: Gdzie będzie nowa szkoła?

p. *Tosh*: Budują ją na miejscu (zamiast) budynku Relf.

p. *Fripp*: Pan Fripp pracował tam dziś rano.

p. *Tosh*: Pracował tam? Kanada to miły kraj (jest miłym miejscem), prawda? Zaraz pójdę i zapytam o cenę biletu. (Odchodzi, a dwóch robotników przechodzi ulicą, jeden z nich to pan Fripp.)

p. *Fripp*: Tomku, co robiłeś dziś rano w budynku Relf?

p. *Fripp*: Herbert i ja zakładaliśmy nową lampę w jednym z pokoi.

p. *Fripp*: Czy zaczęli już rozbierać budynek?

p. *Fripp*: Rozbierać? Na pewno nie. Herbert i ja byliśmy tam sami (jedynymi ludźmi) i zakładaliśmy lampę. To wszystko.

Ćwiczenie I. 1. She speaks English. 2. No, she does not. 3. She is going to town. 4. Because she is going to do her shopping. 5. Mrs. Trout has. 6. At home, on her sitting-room table. 7. Because she is afraid that the children will spoil her garden and make a lot of noise. 8. No, they aren't. 9. Mrs. Dill was the first to speak about it. 10. Mrs. Crabb is. 11. He sells houses. 12. They were putting up a lamp.

Ćwiczenie II. Met, come, been, thought, seen, done, meant, seen, heard, gone, known, hurt, kept, had, got, built, made, sent, put, found, run, begun, sold, put up, bought, let, paid, cost, lost, taken.

Ćwiczenie III. 1 — a sailor, 2. — a dressmaker, 3. — the new building,

4. — Mrs. Trout, 5. — Miss Tosh's brother, 6. — Mr. Fripp, 7. — Miss Rigg, 8. — a grocer.

Ćwiczenie VI. Nine pounds, fourteen zlotys, thirteen shillings, sixty-eight dollars. The tenth of March (lub: March the tenth), nineteen fifty-two, the second of May (May the second), eighteen eighty-eight, the fourth of July (July the fourth), seventeen seventy-six, the first of May (May the first), nineteen sixty.

Ćwiczenie VII. 1. — I am selling 2. — is coming 3. — they are building 4. — we are going 5. — is leaving 6. — are returning.

Ćwiczenie VIII. A Wonderful Fish
"The New School" is about women, here is a story about men. Mr Black and Mr. Brown are having a glass of beer at the bar near the office. Mr. Black: Hello, Brown. How did you enjoy the week-end in the country? Mr. Brown: It was fine, I caught a huge fish on Sunday. Mr. Black: How big? Mr. Brown: Oh, about four pounds. Well, I must be off. I'll see you at the office. Mr. Grey comes near Mr. Black. Mr. Gray: I have never seen Brown so gay. Where was he during the week-end? Mr. Black: You know, he spends all his free time on the river. He caught a huge fish, about seven pounds. Mr. Green joins them. Mr. Green: What did Brown catch? Mr. Gray: A magnificent fish. Mr. Green: That's my hobby, too. Last Saturday I caught one, more than ten pounds. Mr Grey: It seems that Brown's fish was about twelve pounds. Mr. White who was listening to the conversation: I thought that he said fourteen pounds. The barman: Excuse me, gentlemen, but I am quite sure Mr. Brown said forty pounds, not fourteen. It was a wonderful fish indeed.

LEKCJA CZWARTA

Piknik

Maria: Czy pojedziemy na cały dzień (całodzienny) na piknik z państwem Abercrombie w niedzielę rano? Już ich zaprosiłam.

Wilhelm: Już? Naturalnie, że tak (pojedziemy), to są tacy interesujący i towarzyscy ludzie.

Maria: Wydaje mi się, że zawsze lubiłeś pikniki, a szczególnie teraz, kiedy mamy nowe auto, do którego można zabrać dużo rzeczy uprzyjemniających kilkugodzinny pobyt poza domem, będziesz je jeszcze bardziej lubił.

Wilhelm: Nie tylko dlatego, ale dlatego, że dzięki nowoczesnemu wyposażeniu możemy zabierać ze sobą jedzenie i przygotowywać je tak wygodnie, jak by się to robiło w naszej jadalni.

Maria: Więc postanowione, kochanie, w najbliższą niedzielę rano przygotuję na lunch gorący posiłek dla czterech (osób), który zabierzemy w termosach, zaś herbatę i kanapki (umieścimy) w podręcznej torbie z butelką, w pudełku do kanapek i butelkę na mleko, a...

Wilhelm (uśmiechając się): Dobrze (wszystko w porządku), Mario, to twoja sprawa, prawda? Kiedyś pan Abercrombie powiedział, że potrafisz przyrządzić dobry posiłek. Wobec tego będę mógł (swobodnie) myśleć o moich ptaszkach i nie zapomnę wziąć płóciennych krzesełek oraz składanej parasolki od słońca, na wypadek gdybyśmy jedli lunch na plaży.

Maria: Dobrze. To bardzo rozsądne z twojej strony, Willy, że myślisz o wszystkim, co nam będzie potrzebne w niedzielę.

W niedzielę rano państwo Wilhelm i Maria Molyneux wstali dosyć wcześnie. On poszedł do garażu przygotować auto. Włożył składane płócienne krzesełka do bagażnika. Następnie umieścił tam także składany stolik, na wypadek gdyby woleli jeść na nim swoje posiłki. Tymczasem pani Molyneux wkładała gorące potrawy do termosów.

Wilhelm: O niech że cię! (Błogosław moją duszę). Gdzie jest moja fajka? Muszę ją zabrać, jak również i tytoń, aby zapalić po lunchu.

Maria: Zawsze myślałam, że wolisz papierosy.

Wilhelm: Tak, ale palę także kilka fajek dziennie.

Wyjechali z domu o godzinie jedenastej i w kwadrans później zatrzymali się przed domem państwa Abercrombie. Pan Molyneux prowadził wóz. Pani Molyneux również umiała prowadzić, ale zwykle przy tego rodzaju okazjach oddawała kierownicę mężowi.

Pan Brian Abercrombie był z pochodzenia Szkotem, wysoki, miły i serdeczny. Zaznaczał w specjalny sposób (rolował) swoje *r* wszędzie, gdzie tylko mógł, nawet i tam, gdzie *r* w ogóle nie było. Pani Irena Abercrombie, jego żona, była polskiego pochodzenia. Umiała doskonale gotować i uważała swego męża za wspaniałego człowieka. Byli gotowi i czekali na przyjazd swych przyjaciół. Cieszyli się bardzo z powodu pikniku, ponieważ oboje byli ludźmi ciężko pracującymi i lubili towarzystwo Molyneuxów.

Abercrombie: Piękny dzień, prawda?

Maria: Wspaniały. Wczoraj wieczorem widziałam, że niebo było czerwone, zgodnie z naszym przysłowiem: Czerwone niebo wieczorem jest radością pasterza, powinniśmy mieć bardzo ładny dzień.

Wilhelm: Dokąd pojedziemy?

Abercrombie: Czy nie moglibyśmy pojechać gdzieś na południe od Londynu, powiedzmy w kierunku Brighton? Nigdy jeszcze tam nie byłem (przedtem).

Zgodzili się i jechali około dwóch godzin w kierunku południa (od Londynu) do lasu Ashdon. Pogoda była niezwykle ciepła i ładna, słońce świeciło jasno. Obydwa małżeństwa były bardzo zachwycone podróżą.

Wilhelm: O tam jest las!

Abercrombie: A tam widzę (jest) bardzo przyjemne miejsce do zatrzymania się.

Maria: Willy, postaw wóz w cieniu tego dużego drzewa.

Pani Abercrombie: A może byśmy zrobili mały spacer?

Maria: Doskonała myśl!

Poszli na spacer. Pan Molyneux miał lornetkę zawieszoną na pasku wokół szyi i książkę o ptakach pod pachą. Od czasu do czasu przystawał, przykładał lornetkę do oczu i obserwował jakiegoś ptaka.

Wilhelm: Patrzcie, patrzcie. (Czyta w książce) To jest białorzytka. Zawsze można ją poznać po białym ogonku. To jest śliczny ptaszek z niebieskim grzbietem, czarnymi plamami po obu stronach dzioba i skrzydeł.

Maria: Naprawdę, Willy! Pokaż go nam (proszę).

Na nieszczęście w tym momencie ptaszek odleciał.

Wilhelm: Czy widzicie tego małego czerwonogardła?

Maria: Gdzie?

Wilhelm: O patrzcie, patrzcie. Na tamtej gałęzi.

Pani Abercrombie: O, widzę, jaki ładny, mały ptaszek.

Wilhelm: A tam jest kos.

Maria: Proszę cię, daj mi lornetkę, nie mogę go dojrzeć.

Abercrombie: A co to jest na szczycie tego drzewa?

Wilhelm: Momencik! (Zagląda do książki) To jest na pewno sójka. O, psiakość (na moją duszę), odleciała.

Po prawie godzinnym spacerze, wrócili do auta i panie zaczęły pracowicie wszystko przygotowywać (nakrywać) do lunchu, który zjedli z wielkim apetytem.

Wilhelm: Jaki piękny dzień dziś mamy. Ani chmurki na niebie.

Pani Abercrombie: Co teraz będziemy robili?

Wilhelm: Proponuję godzinny odpoczynek w cieniu tego klonu, po takim obfitym i doskonałym lunchu.

Abercrombie: Hm, z pewnością (jestem pewien) to jest bardzo dobry pomysł, przychylam się do niego.

Maria: Nie mam nic przeciwko temu (wyciągając się wygodnie na zielonej trawie).

Pani Abercrombie: To jest bardzo dobrze tak leżeć i wdychać pachnące, leśne powietrze.

Maria (po cichu do pani Abercrombie): O, Willy usadowił się już wygodnie na płóciennym krześle.

Pani Abercrombie: I delektuje się swą fajką.

Wilhelm nie zapomniał również o ptaszkach. Od czasu do czasu wskazywał na jakiegoś, podając jego nazwę i cechy charakterystyczne.

Maria: Wszystko bardzo ładnie, ale słońce tak świeci, że proponuję pojechać do Brighton i wykąpać się.

Abercrombie: Doskonale, ale po krótkiej drzemce.

Wilhelm: O, krótka drzemka to właśnie to, czego potrzebuję.

A zatem mężczyźni ucięli krótką drzemkę, a panie gawędziły wiele o sukniach, przyjaciółkach, nowych książkach itd.

Maria (patrząc na zegarek): A teraz wszyscy wstawać! Jest już trzecia godzina, jeżeli mamy jechać do Brighton, musimy ruszać.

Obie panie przynaglały swoich mężów do pośpiechu i wkrótce potem jechali wesoło nad morze.

Spędzili tam całe popołudnie i wieczorem powrócili do Londynu.

Abercrombie: Mieliśmy ładną wycieczkę i piknik.

Wilhelm: A ja jestem zadowolony, że widziałem tyle różnych ptaków. Zobaczyłem nad morzem specjalny gatunek mewy, o wiele większej, niż widuje się normalnie.

Maria: Czy to nie był orzeł łowiący ryby, kochanie?

Pan Molyneux spojrzał na nią i próbował coś powiedzieć, ale zrezygnował i ostatecznie wszyscy roześmieli się z jego powagi.

Cytaty, przysłowia i żarty

„Byłam jedyną kobietą w życiu twego dziadka" — chwali się starsza dama — „prawda, kochanie?"

„Ostatnią" — przyznał dziadek z uśmiechem.

Ćwiczenie I. It is best to have a picnic in summer. 2. The Molyneuxes did. 3. She had containers, bottles, plates, cups, spoons etc. 4. Because he wanted to observe birds. 5. He saw a bluejay, a blackbird and others. 6. A blackbird is pretty large and black, it has a yellow beak. 7. Yes, I have lub No, I haven't. 8. They like to be very comfortable, they take chairs to a picnic, they take naps after lunch. 9. I know the proverb: In Rome do as Rome does (lub inne).

Ćwiczenie II. 1. — a container 2. — a shepherd 3. — field-glasses 4. — wings 5. — lungs 6. — an eagle 7. — a strap 8. — Canada.

Ćwiczenie V. immediate, time, late, tea, let, meal, deal, my, day, lay, date, daily, team, tidy, aid, eat, lead itp.

Ćwiczenie VII. 1. Who got up early? Who likes picnics? 3. Where shall we put the folding chairs? 4. Why has Mrs. Abercrombie a Scottish name? 5. Has Mr. Abercrombie ever been in Brighton? 6. Why did he put his glasses to his eyes? 7. Was the lunch good? 8. What did they do after lunch?

Ćwiczenie IX.

| I remember | I don't know | you don't think |
| I have opened | you were | do you know? |

I have met
don't forget
I shall prepare
lock
to shine
working

I would go
suggested (proposed)
to talk
look
to spend
I shall have

LEKCJA PIĄTA

Strajk

Słuchaj, wyglądasz na zmęczonego. Już czas, żebyś wziął (miał) urlop. Moja żona i ja byliśmy właśnie trzy tygodnie za granicą.

Nie wiesz, jakie miałeś szczęście. Trzy tygodnie temu wszystkie żony w naszym sąsiedztwie zastrajkowały.

Niemożliwe. One nie mogą zorganizować (zwołać) oficjalnego strajku. Nie mają związku zawodowego.

Utworzyły go, miały zebranie, po czym wybory, a rezultatem była decyzja zorganizowania strajku.

Okropność! Ale to nie dotyczyłoby mnie. Moja żona potępia (nienawidzi) strajki.

Tak samo moja. Tak samo one wszystkie. Właśnie częściowo dlatego wywołały ten strajk. Mogę ci powiedzieć, że to nie były żarty, kiedy strajk się rozpoczął i one złożyły narzędzia pracy. Musiałem się sam budzić rano, przyrządzać własne posiłki, a nawet sam sobie machać ręką na pożegnanie, gdy rano wychodziłem z domu.

Bardzo nierozsądnie z twojej strony. Gdyby moja żona zastrajkowała, po prostu chodziłbym jeść do mojej matki.

Nie chodziłbyś. Ustawiły pikiety przed domami wszystkich mężowskich matek, ciotek, a nawet sióstr, a co więcej, pilnowały wszystkich miejscowych restauracji.

Ale mogłeś zatrzymać się w hotelu, dopóki to się nie skończyło.

Jeden czy dwóch mężów tak postąpiło i kosztowało ich to wiele pieniędzy. Żony odmówiły oddania choćby jednego pensa z pieniędzy na utrzymanie domu, powiedziały, że potrzebują ich na zasiłek strajkowy.

Ale dlaczego zastrajkowały?

Jak zwykle zażądały wyższych płac, zmniejszenia godzin pracy (krótszych godzin pracy), zapłaty za godziny nadliczbowe za gości proszonych bez uprzedzenia i co rok dwutygodniowego urlopu...

Nie mów dalej. Co za szczęście, że tego uniknąłem! (miałem zadziwiającą ucieczkę). Ale czy uniknąłem? Czy to już zostało załatwione?

Więc ostatecznie zwołaliśmy zebranie wszystkich zainteresowanych mężów, wyznaczyliśmy delegata, żeby się spotkał z ich przedstawicielką i spróbował znaleźć jakąś płaszczyznę porozumienia. Oczywiście to zawiodło. Pertraktacje zostały zerwane i strajk trwał nadal. Ale później obydwie strony zgodziły się oddać sprawę (kłótnię) pod arbitraż.

To było jedyne rozwiązanie (jedyna rzecz do zrobienia). Ale kto mógł być wyznaczony na arbitra?

Po tygodniu sprzeczek została wyznaczona komisja arbitrażowa, złożona z trzech nieżonatych mężczyzn i trzech niezamężnych kobiet.

I cóż oni zdecydowali?

Trzy niezamężne kobiety postanowiły poślubić trzech nieżonatych mężczyzn.

Ćwiczenie I. 1. — how 2. — came 3. — wake 4. — had come 5. — hotel 6. — hand back 7. — for 8. — delegate 9. — agreed 10. — decided.

Ćwiczenie III. A strike — workers stopping work to get better conditions of work. A dispute — a quarrel. A fortnight — fourteen nights (2 weeks). Unmarried — people who have not married. Negotiations — talking over a matter, trying to agree.

Ćwiczenie VI. 1. — isn't she? 2. — couldn't you? 3. — mustn't she? 4. — hasn't he? 5. — isn't it? 6. — can't you? 7. — mustn't you?

Ćwiczenie VII. Strikes

Have you ever seen a strike? No, I haven't. I'm too young to remember how it was before the war. What is it, really, "to strike"? To refuse to work in order to win some changes in the conditions of work. What is a general strike? It is a strike of all or almost all the workers of a country. What do workers strike for? Usually they strike for higher wages, sometimes for shorter hours. What is a "picket"? A worker on strike watching the entrance to a factory where there is a strike. What is strike pay? Money given to workers on strike by the trade unions. Now, you know everything about strikes. No, I should like to know what you call a man who works during a strike. You mean a worker brought in the place of the workers on strike? We call him a blackleg.

LEKCJA SZÓSTA

Truskawki i nauka języków

W pokoju Ronalda jest prawdziwe zebranie. Betty, Freddie, Angela (ich nowa przyjaciółka Włoszka) już tam są i oczekują jeszcze więcej osób.

Angela: Kto jeszcze przyjdzie, Freddie?

Freddie: Jim Collins, Amerykanin i Stanley z przyjacielem Polakiem.

Angela: Czy masz na myśli Andrzeja?

Freddie: Tak, zapomniałem, że poznałaś ich na obozie.

Angela: Ja nie byłam z nimi. Oni byli na obozie truskawkowym. U nas niestety był agrest. Ale w każdą sobotę ludzie ze wszystkich obozów dookoła spotykali się razem, żeby tańczyć, śpiewać i uprawiać sporty. Gdzie poznałeś Stanleya?

Ronald: Był w Londynie dwa lata temu. Byliśmy wszyscy razem w szkole handlowej. O, oto i oni.

Dwóch młodych Polaków i student Amerykanin wchodzą do pokoju.

Stanley: Jak się macie wszyscy?

Freddie: Jak się masz, stary?

Stanley: Dziękuję, doskonale, a ty?

Wszyscy witają się (wzajemnie).

Betty (do Andrzeja): Czy przyjechałeś do Anglii na stypendium? Czy też, jak Stanley, przyłączyłeś się do obozu studenckiego, żeby zbierać truskawki?

Andrzej: Pojechałem na obóz, żeby zarobić trochę pieniędzy i doskonalić mój angielski.

Angela: I przekonałeś się (znalazłeś), że większość uczestników obozu to (byli) Francuzi, Szwedzi, Hiszpanie itd.

Jim: Było także kilku Anglików.

Ronald: O, ty byłeś tam także, prawda?

Angela: Widzisz Betty, przyjeżdżasz na obóz, spodziewając się, że będziesz wśród Anglików cały czas, a znajdujesz międzynarodowy tłum, w którym każda grupa narodowościowa mówi swym własnym językiem. Spodziewasz się delikatnych truskawek, a posyłają cię do obozu, gdzie się zbiera agrest. Szkoda, że nie widziałaś (powinnaś była zobaczyć) mojego roboczego ubrania pod koniec dwóch tygodni — całe w strzępach (w kawałkach).

Betty: A czy miałaś podrapane ręce?

Angela: Nie, przywiozłam ze sobą grube rękawiczki.

Andrzej: Ale wiesz, nie zgadzam się z tobą w sprawie języków. Stwierdziłem (znalazłem), że musiałem cały czas mówić po angielsku na obozie, ponieważ nie mówię po francusku, włosku, hiszpańsku, czy też po szwedzku, a Stanley nie chciał (odmówił) mówić ani słowa po polsku.

Stanley: Ja myślę. Nie po to wydałem pieniądze na bilet z Polski, na paszport i wizy, aby w Anglii rozmawiać po polsku. Zaprzyjaźniłem się z Anglikami we wsi, koło obozu. Jim i ja chodziliśmy zwykle wieczorami do miejscowej gospody napić się jabłecznika albo piwa oraz rzucać grotami do tarczy i zapoznać się z farmerami lub robotnikami rolnymi.

Jim: Stanley zaoszczędził trochę pieniędzy, za które może pozostać w Anglii kilka tygodni dłużej. Jest on specjalistą od zbierania, zbierał więcej truskawek (napełniał truskawkami więcej koszyków), niż wymagała norma. Ja nie byłem taki zręczny (dobry), mogłem zarobić zaledwie na życie i mieszkanie.

Ronald: Jesteś więc rozczarowany tym wszystkim, co?

Jim: Wcale nie. Nie pojechałem na obóz, żeby robić pieniądze. Interesuję się ogromnie tymi wszystkimi eksperymentami we współżyciu międzynarodowym. W zeszłym roku brałem udział w międzynarodowym obozie młodzieżowym w Kazimierzu, w Polsce, to było (fascynujące) szalenie ciekawe.

Freddie: Czy z jakiegoś specjalnego powodu?

Jim: Jestem studentem socjologii i poznawanie ludzi wszelkich narodowości jest moim konikiem. Nie macie pojęcia, jak każda mała grupa na obozie wykazywała swoje cechy narodowe w życiu codziennym.

Angela: A jak (było) z wyżywieniem? Lubię kuchnię taką, jaką się spotyka w angielskich domach, ale w moim obozie była ona po prostu okropna.

Jim: Ja osobiście nie dbam o to, co jem, byle tego było dużo.

Ronald: A jakie było zakwaterowanie?

Stanley: Spaliśmy w namiotach. Jeden (namiot) dla (nas) trzech. Wszystko było w porządku, gdy pogoda była ładna.

Angela: W zeszłym roku deszcz padał prawie bez przerwy (większość czasu) i często musieliśmy brnąć przez błoto, aby dojść do pól truskawkowych.

Betty: Co było powodem, że opuściłaś Włochy i znów przyjechałaś do Anglii, jeżeli nie możesz znieść naszego klimatu?

Angela: Chcę być stewardesą lotniczą, a żądają dobrej znajomości angielskiego. Przy moich zarobkach (pensji) maszynistki to jest najtańszy sposób odwiedzenia (wybrania się do) Anglii. Teraz, kiedy obóz skończył się, chciałabym otrzymać pracę na miesiąc — jako kelnerka, albo przychodząca (osoba doglądająca chwilowo) do dzieci.

Jim: Z Angeli będzie ładna stewardesa. Kiedyś, gdy będę już bogaty, polecę samolotem, w którym Angela będzie na pokładzie, i będę udawał, że się boję. Będzie musiała stać przy mnie i trzymać mnie za rękę.

Ronald: Myślę, że chętnie pojechałbym na jeden z tych obozów i przyłączył do grupy francuskiej, aby doskonalić mój francuski.

Stanley: Nie sądzę, żeby ci się podobała ta praca. Czasami 10 godzin dziennie. I pamiętaj, żadnych dodatkowych pieniędzy za godziny nadliczbowe.

Angela: I długie kolejki po lunch i do mycia. Ale w soboty i w niedziele będziesz mógł flirtować, mówiąc po francusku, ile tylko zechcesz.

Freddie: Jeżeli francuskie dziewczęta będą mogły zrozumieć twoją francuszczyznę (twój sposób mówienia po francusku).

Angela: O Boże, jest pół do ósmej, żałuję, że muszę was wszystkich opuścić, ale muszę już iść. Siostra Roberta była tak uprzejma i obiecała zatrzymać mnie u siebie przez kilka dni, nie mogę pozwolić jej czekać (trzymać ją czekającą).

Stanley: Odprowadzę cię do domu i pomogę ci nieść torbę. Niedługo wrócę, Ronaldzie.

Angela: Dobranoc wszystkim.

Ćwiczenie I. 1. — learning, 2. — smoking, 3. — playing, 4. — earning, 5. — picking, 6. — speaking, 7. — living, 8. — lodging, 9. — meeting.

Ćwiczenie II. 1. She has met him at a dance. 2. There are two girls in Ronald's room. 3. Yes, I have lub: No, I haven't. 4. Because he wants to improve his English. 5. The campers were of many nationalities, some were French, Spanish, Swedish etc. 6. No, she picked gooseberries. 7. For he wanted to speak English all the time. 8. He drank beer or cider, played darts and talked to English people. 9. No, he wasn't. 10. For he likes to meet people of all nations.

Ćwiczenie III. France, Sweden, Spain, England, Italy, Russia (the Soviet Union).

Ćwiczenie IV. National, international, problem, passport, farm, norm, experiment, sociology, group, character, climate etc.

Ćwiczenie VII. A Stewardess
What do you want to be when you leave school, Jane? I'd like to be an airline stewardess. Is it easy to get a job there? I think so. You must be good-looking — I know I am — and speak foreign languages. Well, that's not all. Do they want anything more? Certainly. You must be healthy. You must know a lot about airplanes, timetables, geography, look after the passengers... Be kind and explain everything to men who travel by air for the first time. And women, too. Don't forget about the children. You must be nice but firm when they're naughty. Must I? Children shouldn't travel by plane. You must know something about medicine, how to cook meals... What, cook? I suppose so. Anyway you'll take an exam. An exam? Geography, medicine, cooking, looking after babies! No, I won't be a stewardess. I'll simply marry an airman or fly as a passenger.

LEKCJA SIÓDMA

Uważaj na ogłoszenia (napisy)

Pan Algernon Goodman jedzie do Londynu. Zazwyczaj nie lubi podróżować, ale zdaje sobie sprawę, że jego osobista obecność w stolicy jest pożądana. Więc narzekając, wstał wcześnie tego dnia i udał się na przystanek autobusowy, przy głównej drodze, niedaleko swego domu.

Nie czekał długo i zobaczył zbliżający się autobus, podniósł rękę, aby go zatrzymać, ponieważ był to przystanek na żądanie.

Był to dalekobieżny (szybki) zielony autobus, który szedł do Londynu tą drogą. Autobus był bardzo wygodny.

„Zwykły bilet do Londynu", powiedział do konduktora, „o której godzinie tam będziemy?"

„O 10-tej godzinie, nie jesteśmy opóźnieni, proszę zająć miejsce," odpowiedział konduktor.

Pan A. Goodman usiadł przy oknie i położył swoją teczkę na siatce, nad głową. Natychmiast przeczytał ostrzeżenie, akurat przed nim. — „Przy wstawaniu proszę pochylać głowę (wstając ze swego siedzenia)."

Pan Goodman mruknął:

„Nie martwcie się o moją głowę, ja wiem, co mam robić" i usiadł.

Chciał otworzyć okno. Aby to zrobić, musiał przesunąć szybę wzdłuż okna. Chwycił rączkę i próbował pociągnąć ją do tyłu. Zlekceważył napis, który mówił: „Przed uruchamianiem okna sprawdź, czy rączka (dźwignia) jest w pozycji zwolnionej."

Próbował pociągnąć za rączkę jeszcze raz i w końcu przeczytał instrukcję, ponieważ miał dosyć rozsądku i nie chciał się ośmieszać (nie wyglądać głupio) w oczach innych pasażerów. Swoje niezadowolenie wyraził jednak sam do siebie:

„Czy zawsze muszą robić wszystko, aby dręczyć spokojnych ludzi? Na co jest ta rączka? Byłoby o wiele prościej otwierać okno bez niej."

Pan Goodman spieszył się. Nie podobało mu się, że autobus często zatrzymywał się. Patrzył na ludzi, którzy wsiadali, albo wysiadali, jak gdyby to oni zatrzymywali wóz umyślnie, żeby go gniewać.

W końcu autobus przybył do (swego) ostatniego przystanku. Pan Goodman wstał szybko i uderzył głową o żelazną siatkę, i ujrzał tysiące gwiazd (przed oczami). Zaklął pod nosem, następnie przypomniał sobie ostrzeżenie. Teraz wolno i ostrożnie wysiadł i poszukał innego autobusu. Tym razem był to czerwony, miejski, piętrowy autobus. Nie lubił jeździć kolejką podziemną (metrem).

Dość dużo ludzi jechało tym autobusem. Pan Goodman przeczytał wszystkie napisy, na które się natknął (które mu weszły w drogę). Jeden z nich poinformował go, że było miejsc dla 56 pasażerów, 26 w środku, a 30 na górze. Nikomu nie wolno było stać.

Autobus zatrzymywał się bardzo często, zwalniał również przy przejściach przez jezdnię, oznaczonych białymi pasami, gdzie zgodnie z przepisami ruchu ulicznego, ludzie idący pieszo mieli pierwszeństwo (przechodzili pierwsi). Gdy wszystkie miejsca były zajęte, konduktor poinformował (ludzi) stojących w kolejce, że autobus jest już pełny.

Teraz pan Goodman zaczął się interesować (tym) wszystkim, co się działo dokoła niego. Zobaczył, że przy wszystkich przejściach przez jezdnię, oznaczonych pasami, znajdowały się latarnie zakończone dużymi, żółtymi kulami (na czubku), które cały czas mrugały. Zawsze je przedtem krytykował, ale teraz przyznał, że w nocy mogą one stanowić dobre ostrzeżenie dla kierowców.

Doświadczywszy już kilku nieprzyjemnych momentów w pierwszym autobusie, pan Goodman był posłuszny wszystkim przepisom dla pasażerów.

Wręczył (dał) dokładnie należną (żądaną) ilość pensów konduktorowi i wymienił ulicę, dokąd jechał, stosownie do napisu: „Pasażerowie pomogą bardzo konduktorowi, podając wyraźnie, dokąd jadą i wręczając dokładnie odliczoną opłatę za przejazd."

Ponieważ było już późno, zły był na pewną młodą matkę, która wsiadała do autobusu z małym dzieckiem w spacerowym wózku i zatrzymała autobus przez pewien czas. Ale nic nie powiedział, ponieważ znajdował się tam inny napis: „Wózki spacerowe przewozi się na ryzyko właścicieli i według uznania konduktora", a konduktor sam dopomógł kobiecie wsiąść.

Istotnie, w Londynie jest wszędzie tyle napisów i ostrzeżeń, które należy czytać, żeby nie przysporzyć sobie kłopotu, że czasami kręci się w głowie. Na przykład, jeżeli przychodzi się na stację kolei podziemnej, to znajduje się takie napisy, jak „Wyjście", „Nie wolno palić", „Nie ma wejścia", „Tędy wyjście", „Trzymaj się z dala od drzwi", „Nie wyskakuj podczas biegu pociągu", „Stój z daleka od drzwi (bramy)", „Tędy nie ma wyjścia", „Plucie wzbronione" i tak wiele, wiele innych, które, prawdę mówiąc (to jest prawda), bardzo ludziom pomagają. Na ogół (mówiąc ogólnie) ludzie (uważają na nie) stosują się do nich. Psy także są im posłuszne.

Czy przypominacie sobie mądrego psa z „Klubu Pickwicka"?

Było to na polowaniu, gdzie pewien myśliwy, idąc za swym psem Ponto, wszedł za ogrodzenie i zobaczył, że pies stanął jak wryty, patrząc na ostrzeżenie.

„... pies zatrzymał się — gwizdnąłem znów — Ponto — nie chciał poruszyć się — pies, jak przykuty do miejsca — patrzył na tabliczkę — spojrzałem do góry — zobaczyłem napis — „Dozorca ma polecenie strzelać do każdego psa, który znajdzie się w tym ogrodzeniu" — nie chciał przejść — cudowny pies — to bardzo cenny pies — bardzo."

Ćwiczenie II.

Way Out 7
No Smoking 4
No Entry 10
Stand Clear of the Gate 1
No Exit this Side 2
Spitting Prohibited 9

Please Lower Your Head when Leaving
Your Seat 3
Seats for 56 Passengers 6
No Standing Room 5
Push-chairs Are Carried at Owner's
Risk 8

Ćwiczenie III.
a. 1. — supply, 2. — criticize, 3. — find out, 4. — assist, 5. — warn, 6. — smoke.
b. 1. — have had, 2. — have found, 3. — have happened, 4. — have grumbled, 5. — have forgotten, 6. — have been.

Ćwiczenie IV. ['ə:ly, y'mi:djətly, 'kʰykly, 'slouly, 'ko:szəsly, y'gzæktly, 'grejtly, 'kliəly, 'dżenərəly]

Ćwiczenie V. 1 — b, 2 — a, 3 — b, 4 — c, 5 — a.

Ćwiczenie VI.

in the capital	to the bus stop
in front of him	to London
in released position	to himself
in the eyes	to its last stop
in a hurry	according to traffic regulations
in a queue	a warning to drivers
interested in all the things	to the conductor
in the first bus	pay attention to them

Ćwiczenie VII. You Are Facing It

Notices and signs should be neither too small nor too large. I remember once I talked about it with a Dutch girl at Crewe station. She said: Don't you think that it's very hard to find the names of English railway stations when you approach them by train? Crewe is such an important station and yet, look, what small letters have been used for the sign. I looked up and saw a really very small sign "Crewe" above the door. But suddenly we noticed a huge "R" hanging above the platform. It was part of an enormous sign CREWE. One was too small, the other too big to be noticed. In the streets of large towns there are so very many notices, signs and advertisements that you often miss the one you are looking for. Many a time, having looked in vain for a particular shop, post office, bank etc. I asked a policeman or a stranger to help me to find the building. The answer was usually: You're facing it.

LEKCJA ÓSMA

Daniel Defoe pod pręgierzem

„Piotrze, chodźmy dziś zobaczyć, jak stawiają pisarza pod pręgierzem".
„Nie mam zamiaru tam iść, wolę raczej pójść na ryby".
„Wolisz? Ależ to (jest) rzadka okazja. To jest właśnie ten (ten sam) człowiek, który napisał tę znaną rzecz o walczących (ludziach kłócących się) z dostojnikami anglikańskiego kościoła."
„Masz na myśli dysydentów, no wiesz! Czy oni ośmielą się postawić go pod pręgierzem jak zwykłego handlarza albo łotra? Pamiętam, że jeszcze za życia króla Wilhelma, napisał ten poemat o pochodzeniu (drzewie genealogicznym) Anglika, „Czystej rasy Anglik". Ha, ha, ha, jak ja się uśmiałem.

Ja, wnuk jakiegoś francuskiego żołnierza. To dobry kawał (żart). To jest coś! Ci arystokraci byli tacy źli na niego."
„Więc pójdziesz, dobrze, Piotrze?"
„Zgoda, człeku."
Rozmowa odbyła się 29 lipca 1703 r. na Cornhill street między dwoma czeladnikami londyńskimi. Piotr pracował u piekarza, a drugi chłopiec, Tom — u szewca. Obydwaj nie mieli więcej niż po 18 lat, niezbyt silni, ubogo ubrani, ale jak na swój wiek obaj posiadali niemało fantazji i odwagi.
„Gdzie się zatem spotkamy?" zapytał Piotr.
„Myślę, że przed Giełdą Królewską, widziałem, że pręgierz jest tam ustawiany na podium", odpowiedział Tom, „koło południa."
Chłopcy rozstali się, ponieważ była godzina 8-rano i musieli wrócić do swoich majstrów, aby otrzymać pozwolenie (na wyjście).
Majster Toma, szewc, miał warsztat (sklep) niedaleko, na ulicy Grace Church. Gdy wszedł do warsztatu, zauważył (zobaczył) podniecenie Toma i spytał o powód. Tom powiedział, że spotkał kogoś (człowieka), który mu opowiadał, iż słynny pamflecista, niejaki Daniel Defoe, będzie dziś postawiony pod pręgierzem przed Giełdą Królewską. Majster czytał już kilka pamfletów tego pisarza i uważał go za odważnego człowieka.
„Wiem" — powiedział, „że wsadzili go do Newgate za to, co napisał i wobec tego, człowiek ten będzie jechał na wózku (przez całą drogę) z więzienia."
„Czy pan pozwoli mi tam pójść i zobaczyć go?" zapytał Tom.
„No pewnie, chłopcze, możesz iść i ja także tam będę", zgodził się majster.
Około pół do dwunastej Tom pobiegł do Giełdy Królewskiej, która była wtedy miejscem spotkań kupców, gdzie załatwiali interesy.
Było tam bardzo dużo ludzi. Na środku dużego placu, przed Giełdą, stało wysokie kwadratowe podium, na którym była ustawiona drewniana rama na słupie (mająca otwory) z otworami na głowę i ręce. Ludzie krzyczeli i pytali, gdzie jest więzień.
Tom szukał swego przyjaciela Piotra i po krótkiej chwili znalazł go stojącego blisko podium i patrzącego na pręgierz.
„Piotrze, jesteś, jak tam (idzie)?" — powitał go Tom.
„Ach, to jest okropne. Ale słuchaj, jak ludzie krzyczą na Cheapside. Pewnie wiozą tu Defoe'go."
Chłopcy stanęli na palcach i usiłowali coś zobaczyć na ulicy. Jednakże nie mogli wiele zobaczyć z powodu tłumów dokoła nich. Ponieważ jeszcze było trochę czasu, odwrócili się, przyglądając się ludziom zebranym z okazji tego widowiska.
„Patrz, powiedział Piotr, jakie mnóstwo ludzi można tu zobaczyć: kupców, handlarzy, zakonników, żołnierzy ..."

„Tak, tak, a także moc czeladników, elegantów i żebraków, widzę tam woziwodów, mleczarki ..."

„Wszyscy są tacy zaciekawieni, a niektórzy z nich przyprowadzili swoje kobiety, żony i dzieci."

„Nawet dworzanie tu są", zakończył Tom.

Wreszcie oddział straży, z więźniem na wózku, przybył wśród okrzyków ludzi. Był to człowiek lat około czterdziestu, ponad pięć stóp i osiem cali wysoki, o śniadej cerze, ciemnobrązowych włosach, haczykowatym nosie, spiczastym podbródku, szarych oczach i dużym znamieniu koło ust.

Wszedł na podium, spojrzał śmiało dokoła, a po chwili podszedł do pręgierza i włożył głowę i ręce w otwory. Następnie rama została zaciśnięta tak, że nie mógł ich wyjąć. Przez cały czas oczy jego spoglądały dookoła, jak gdyby oceniał tłum. Nagle twarz zmieniła mu się. Usłyszał, że niektórzy (ludzie) śpiewają.

„Co to jest?" powiedział Piotr.

„Nie wiem", odpowiedział Tom, „zapytajmy kogoś".

„Patrz, patrz, ktoś coś rozdaje. Co to jest?"

„Panie i panowie", ktoś wykrzykiwał, gdy śpiew ustał na chwilę, „to jest utwór człowieka, który stoi pod pręgierzem, to jest jego, Defoe'go „Hymn do pręgierza", weźcie to, przeczytajcie i śpiewajcie."

Stopniowo coraz więcej ludzi śpiewało hymn, w którym autor śmiał się ze swych sędziów i ze swej kary. Pręgierz, zamiast wystawić człowieka na pośmiewisko ludzi, zyskał mu ich sympatię (współczucie). Bukiet kwiatów, rzucony przez kogoś, upadł u jego stóp. Wkrótce tuziny bukietów i pęki kwiatów rzucano na niego.

„Ciekaw jestem, o czym ten człowiek teraz myśli", pomyślał Tom.

Mężczyzna stężał z podniecenia (stał naprężony). Okrzyki ludzi wnikały (wchodziły) głęboko do jego serca. Nie odczuwał żadnego wstydu. Był pewien, że postąpił słusznie. Śmiał się ze swych wrogów i sprawił, że ci ludzie śmieli się z nich.

Patrząc na wykrzykujących i śpiewających ludzi, myślał:

„Przyrzekam, że uczynię z was bohaterów i bohaterki. Będę o was pisał. Pokolenia będą znały to miasto z tego, co o was napiszę i co włożę w wasze usta. Zrobię was bohaterami i bohaterkami moich książek... nie wielkich ludzi, ale was, zwykłych, prostych mieszkańców Londynu... was żebraków, mleczarki, czeladników, handlarzy, kaleki, was „książąt" i „pułkowników" londyńskich ulic..."

Zamiast obrzucać przestępcę błotem i brudem, jak to było zwykle (robione) przy takich okazjach, rzucano na niego kwiaty. Zamiast gwizdów i drwin widzów, brzmiały jego własne wiersze satyryczne (były czytane przez nich i śpiewane).

Następnego dnia, to jest 30 lipca, Defoe został jeszcze raz postawiony pod pręgierzem, tym razem na Cheapside niedaleko słynnej katedry Św.

Pawła. 31 lipca stał przy Temple Bar, w miejscu gdzie (obecnie) Strand zmienia swą nazwę na Fleet Street.

Za każdym razem (obydwa razy) tłum wznosił okrzyki na jego cześć, śpiewał jego „Hymn do Pręgierza", pił jego zdrowie, rzucał kwiaty w dowód podziwu i uznania dla jego dowcipu.

Ćwiczenie I. Sprawdź według tekstu czytanki.

Ćwiczenie II. 1. The Master said (that)* he had already read two pamphlets written by that man. 2. The manager said that he could not give them his permission. 3. They told the unphappy man that he had their deepest sympathy. 4. Mother said (that) she could give them a handful of nuts, but not more. 5. The heroine of the play said (that) she did not know that apprentice. 6. The colonel said (that) he had heard they had put the writer in a prison called Newgate. 7. The foreman said to the workers that that part of the roof was not safe. 8. The conductor said that that passenger had to leave the bus.

Ćwiczenie IV. 1. What is the weather like today? 2. What is your younger brother's wife like? 3. What is a zebra crossing like? 4. What is a summer camp for students like? 5. What is this chicken like? 6. What are the Houses of Parliament like?

Ćwiczenie V.

to go away from	exit	pleasant, nice
uncommon	to spend	to lose
always	far	empty
many	an answer	the end

Ćwiczenie VIII. The Fifth of November

Well, I've already written all the exercises from lesson 8. I think (that) I'll go to bed early. I'm tired, I'll have a good night's rest. I beg your pardon? Did you say you would have a good night's rest? Yes, why not? Don't you remember that today it's the fifth of November? The 5th of November is a special day for English children and this night won't be quiet. My goodness, how awful. But why? In 1605 (sixteen hundred and five) a man called Guy Fawkes tried to blow up the Parliament but he was caught in time, hiding in the cellars of the building. Since that time generation after generation of English children have kept the 5th of November as a kind of holiday, Guy Fawkes's day. Boys and girls make Guy Fawkes dolls of paper, old clothes, sticks and straw, and at night they burn them with a lot

---

* patrz 1. 10

of smoke and noise. They make fires, enjoy letting off rockets all over the country. I see ... Well, if I can't go to bed early, let us go and see the fires, the rockets and all the fun.

LEKCJA DZIEWIĄTA

Kto to zrobił?

I

„Słuchajcie, co się stało?"
Jones, młody robotnik, odsunął się od tokarki, przy której pracował.
„Dlaczego przerwaliście pracę?" — zapytał.
Jeden z mężczyzn wybiegając, krzyknął: „Ktoś zabił Browna. Właśnie znaleziono go leżącego przed spawalnią."
„Co, Brown zabity?" — wykrzyknął Jones i pośpieszył za innymi do hali montażowej, gdzie tłum robotników szeptał, stojąc koło ambulatorium.
„Czy to nie był wypadek?" — zapytał jeden z nich.
„Nie sądzę, został uderzony czymś ciężkim w głowę (jego głowa została uderzona czymś ciężkim)."
„Czy nie żyje?" — zapytał jakiś robotnik.
„Nie wiem", odpowiedział inny, który stał blisko drzwi i patrzył na lekarza pochylającego się nad Brownem (nad ciałem Browna).
Ludzie rozmawiali dalej: „Brown był porządnym człowiekiem, ale potrafił być ostry." „Zrobił sobie trochę wrogów na ostatnim zebraniu związku zawodowego." „Był zwariowany na punkcie godzin nadliczbowych." „Głupstwo, to nie było aż tak poważne."
Usłyszano, jak pewien majster skarżył się: „Ta awantura (kłopot) musiała wypaść (przyjść) akurat teraz, kiedy chcemy wprowadzić dodatkowe zmiany w sobotę rano. Powinniśmy przyśpieszyć produkcję nowego wozu, a ja myślałem, że zrobimy robotę przed terminem."
„Czy wezwano policję (czy policja została wezwana)?"
„O, oto jest..." (oni).

II

Inspektor: Więc to pan jest tokarzem? Pan rozmawiał z Brownem w warsztacie mechanicznym o pół do jedenastej. Co pan robił w tym czasie?
Black: Właśnie puściłem w ruch moją tokarkę, gdy wszedł Brown i zapytał, gdzie jest Cummings.
Inspektor: A kto to jest Cummings?
Black: To jest jeden z robotników (inny człowiek), który pracuje w warsztacie mechanicznym. Powiedziałem do Browna: „To nie twoja rzecz." Widzi pan, Brown jest majstrem i jest bardzo formalistyczny w sprawach bumelanctwa (absencji). Ale on pracuje w stolarni, nie w moim dziale i ja wiem, że Cummings jest na zwolnieniu (urlopie) chorobowym.

Inspektor: Co się stało następnie?

Black: Wtedy Brown spojrzał tylko na mnie i wyszedł.

Inspektor: Były jakieś zadrażnienia (było trochę mocnych słów) między Brownem i kilku innymi ludźmi. Czy pan był świadkiem którejś z tych kłótni?

Black: Jednej z nich w stołówce. Ale to nie było nic poważnego. Jeden człowiek powiedział, że dwa fabryczne koty sprawiają za dużo kłopotu. Powiedział, że te stworzenia powinny być wyrzucone. Koty są ulubieńcami Browna, a on pozwala im biegać po całym terenie (miejscu). Więc obydwaj (ci dwaj ludzie) pokłócili się o to.

III

Inspektor: Panie Needman, jako urzędnik personalny pan powinien wiedzieć coś o stosunkach między pańskimi ludźmi. Czy pan sądzi (powiedziałby), że Brown miał wielu wrogów?

Needman: To byłoby za silnie powiedziane. Ale on jest aktywistą związku zawodowego i ma tak samo przyjaciół, jak i wrogów. Na ostatnim zebraniu był atakowany za zaniedbywanie przepisów bezpieczeństwa pracy. Odpowiedział ostro (gorąco) i kilku robotników było wściekłych.

Inspektor: Pan ma na myśli Blacka, Cummingsa i Downe'a, przypuszczam.

Needman: Widzę, że panu bardzo dużo powiedziano.

Inspektor: Kto to jest Robert Downe? Podobno kłócił się z Brownem z poważniejszych powodów (na poważniejszym gruncie).

Needman: Downe jest także członkiem związku zawodowego. Jest naszym mężem zaufania. Pewnie, że się kłócą. Downe jest członkiem Partii Komunistycznej, a Brown jest konserwatystą, skrajnie reakcyjnym (najbardziej reakcyjnego typu).

Inspektor: Kiedy pokłócili się po raz ostatni?

Needman: Jakiś czas przedtem, zanim zaczęliśmy pracę przy nowym wozie. Dyrektor chciał zwolnić około 50 ludzi i Downe skłonił robotników, żeby walczyli o wprowadzenie niepełnej ilości godzin pracy, zamiast (tego) zwolnienia ludzi. A potem znowu wczoraj, ale to było tylko w sprawie opłat związkowych.

Inspektor: No, chciałbym porozmawiać z Downem, (do policjanta robiącego notatki) przyprowadź tego człowieka, dobrze? (do Needmana) Jakie jest jego zajęcie?

Needman: Pracuje w wiertarni. Ale jestem pewien, że nie ma nic wspólnego z tym wypadkiem. On jest doskonałym robotnikiem, na którym można polegać. Jest u nas już od pięciu lat.

Nagle drzwi otwierają się i policjant wchodzi do pokoju, gdzie prowadzone jest dochodzenie.

Inspektor: O, jesteś już (znów). Czy znalazłeś broń (narzędzie)?

Policjant: Tak, panie inspektorze (proszę pana). W kieszeni jakiegoś człowieka, który mówi, że nic nie wie o morderstwie. (d.c. w l. 10)

Cytaty, przysłowia i żarty
Kobiety są mądrzejsze od mężczyzn; wiedzą mniej, ale rozumieją więcej.

Ćwiczenie I. 1. — has heard 2. — have found 3. — has been hit 4. — has happened 5. — has been 6. — has been called.

Ćwiczenie III.

old	to lose	cold
to go on	weak	old, used
friend	little	silence
light, gay	few	shut
night	under	to mend

Ćwiczenie IV. to move, tu rush, to follow, to bend, to go, to start, to speed up, to come, to run, to bring in, to throw, to turn, to jump, to fall, to land, to fly i inne.

Ćwiczenie V. Somebody has found Brown lying on the ground. Nobody knew what had happened. One of the workers thought that somebody had killed his fellow-worker. Happily there was a physician in the first-aid room. They say that the man had many enemies. But I think that he had a great number of friends, too. At the last T. U. meeting some people agreed with him, others quarrelled with him. The meeting was very long, it ended at eleven p. m. Do you know that we have started the production of a new make of car? We must try to get extra shifts working on Saturday. Well, I must go back to my job.

LEKCJA DZIESIĄTA

Kto to zrobił?

Inspektor: Nie o morderstwie, powiedziałbym raczej o napadzie. Brown żyje (jest żywy) i, mam nadzieję, będzie żył. Wprowadź tego człowieka.

Wchodzi młody człowiek o strapionym wyglądzie. Needman drgnął (rusza się), jak gdyby zdziwiony i wstrząśnięty.

Inspektor: Jak pan się nazywa?

Młody człowiek: Robert Downe.

Inspektor: Więc pan dowiedział się o wypadku dopiero od tego policjanta (oficera). Jak to się stało, że pan nie zauważył. że było jakieś zamieszanie (kłopot) w fabryce?

Downe: Pilnowałem wiertarki, a ona robi dużo hałasu.

Inspektor: A nie zauważył pan, jak ludzie biegali i kręcili się?

Downe: Tak, ale myślałem, że mieli jakiś kłopot (był jakiś kłopot) w spawalni, jak w zeszłym tygodniu, z transporterem.

Inspektor: A skąd pan wziął ten młotek, który znaleziono w pańskiej kieszeni?

Downe: Leżał (sobie) w korytarzu, więc podniosłem go. Lubię porządek (lubię, żeby rzeczy były w porządku). Żałuję, że to zrobiłem.

Inspektor: Co pan robił na korytarzu?

Downe: Szedłem do biura projektów. Jeden człowiek przy wiertarce miał jakieś wątpliwości (pytania) co do rysunku, tam był jakiś błąd, zdaje się (myślę). Widzi pan, to jest nowy rodzaj wozu, jaki teraz robimy.

Inspektor: Niech pan (idzie i) pokaże mi, gdzie pan znalazł młotek.

IV

Dawne: Był tu, akurat pod górnym oknem.

Inspektor (patrząc do góry): Ach, tak... Ktoś musiał rzucić go przez otwarte górne okno. Ono jest dość wysoko. Biedaczysko mógł być zabity na miejscu. Przypuszczam, że ludzie, idący (do środka) na pomoc Brownowi, nie zauważyli młotka na podłodze.

Policjant obrócił się w stronę Downe'a i otworzył usta, żeby coś powiedzieć, gdy nagle głośny, dziwny hałas doszedł ze szklanego dachu. Po nim nastąpił dziki wrzask.

„Hej, panie, uwaga" — krzyknął do inspektora i odskoczył w bok, podczas gdy jakieś ciężkie przedmioty wpadły przez górne okno. Najpierw para szczypiec, a potem kilka gwoździ, które o mało nie trafiły (ledwie ominęły) inspektora, a następnie dwa olbrzymie koty wylądowały przed nim. Zwierzęta wystraszone tak samo jak ludzie wybiegły na dwór.

Inspektor: Więc to są przestępcy! Koty bawiące się na dachu! Ale kto jest aż tak niedbały, żeby zostawiać takie przedmioty w pobliżu otwartego okna?

Downe: Ja wiem, kto to zrobił, proszę pana. Brown powiedział, że naprawi górne okno. Musiał tam zostawić młotek i szczypce.

Doktor (wychodząc z hallu): O, tu pan jest, inspektorze. Mam dobrą wiadomość. Brown będzie zdrów. Właśnie przychodzi do siebie. Myślę, że to tylko lekki wstrząs.

Inspektor: Ja mam także dobrą wiadomość. To był wypadek, a nie zbrodnia. Nikt nie próbował zabić Browna. Ten człowiek sam zlekceważył przepisy bezpieczeństwa i jego własne, ulubione koty spowodowały wypadek (muszą być odpowiedzialne za napad). Ale ja nie będę aresztował kota.

Cytaty, przysłowia i żarty

Człowiek umiera tylko raz.

Śmierć ma 1000 drzwi, którymi daje ujść życiu.

Ćwiczenie I. 1. Jones is a young turner. 2. A physician (a doctor) works in the first-aid room. 3. Because he is a personnel officer. 4. Downe was a regular member of the Communist Party. 5. Brown had to, lub: It was Brown's job. 6. It was a hammer. 7. It was found in Downe's pocket, and he found it in the passage. 8. The inspector might have been hit too, and the policeman. 9. It's a small window in the roof. 10. Because they let more light into the factory.

Ćwiczenia II.

[g]	[dż]	[—]
disgrace	generation	might
extravagant	page	according
gate	passenger	night
forget	generally	light
regulation	stranger	though
lub inne.		

Ćwiczenie IV. The lady gave us the knives immediately.
He must have left the heavy hammer there yesterday.
Two huge cats landed in front of him.
The children played in the garden the whole afternoon.

Ćwiczenie V. 1. — have run, 2. — have been, 3. — have eaten, 4. — have quarrelled, 5. — have observed, 6. — have won, 7. — have joined.

Ćwiczenie VII. Zebranie Związku Zawodowego
W zeszły poniedziałek o 8-ej wieczorem mieliśmy zebranie związkowe w naszej fabryce w Benham. Musieliśmy dać sobie radę z bardzo poważną sytuacją, ponieważ pewna liczba robotników obawiała się stracić posady. Zebranie było tylko dla członków, żadni obcy nie byli dopuszczeni. Jedynym wyjątkiem był Henryk Wood, delegat Związku Pracowników Kolejowych. Poprosiliśmy go o radę, gdyż jest starym aktywistą związkowym i jego słowa mają duże znaczenie (wagę) dla nas. On popierał wprowadzenie zmniejszonej ilości godzin (pracy). Niektórzy mówcy byli przeciwni temu poglądowi, inni byli za radą Wooda. Downe, który był przewodniczącym zebrania, mówił entuzjastycznie o śmiałej walce związku, do którego Wood należał, o wyższą płacę. W końcu, potem gdy kilku jeszcze robotników przemówiło, zebranie zakończono (po nim nastąpiło) głosowaniem. Większość ludzi skłaniała się ku temu, co Wood zaproponował. Tylko dwie czy trzy osoby (ludzie) były rozczarowane. Zebranie zostało zakończone o wpół do jedenastej.

LEKCJA JEDENASTA

Świat bez snu

Willy: Janku, spójrz na to ogłoszenie: „Już po kilku dniach zażywania naszych nowych, cudownych pigułek „Vita" poczujesz się mocniejszy i szczęśliwszy niż kiedykolwiek. Każda pigułka zawiera podwójną minimalną dawkę witaminy C, odpowiednią ilość wszelkich minerałów, jakich codziennie potrzebuje twój organizm (twoje ciało) przy tak pracowitym życiu, jakie wszyscy teraz prowadzimy". Czy sądzisz, że ludzie wierzą, iż szczęście zależy od zażywania pigułek?

Jan: Prawdopodobnie te rzeczy mają popyt (dobrze się sprzedaje), inaczej nie produkowaliby nadal coraz to nowych. A tak właśnie czynią.

Willy: Słuchaj Ivor, ty jesteś chemikiem. Dlaczego nie wymyślisz pigułek, które spowodowałyby, że uczyłbym się prędzej. W następnym tygodniu mam egzamin z fizyki jądrowej, a w głowie pustka (a mój mózg jest pusty).

Betty: Nie ucz się fizyki. Skończysz na produkowaniu bomb atomowych i innych okropnych broni.

Willy: Wszyscy przypuszczacie, że fizycy jądrowi myślą tylko o niszczeniu (mają tylko do czynienia z niszczeniem). Nie macie pojęcia, jak wiele uczyniono dla pokojowego zastosowania energii atomowej.

Sylwia: Wiem. Była i jest stosowana w wielu gałęziach techniki do napędu (w poruszaniu) okrętów i łodzi podwodnych, istnieją elektrownie o napędzie atomowym itd. A propos, Ivorze, jaka jest twoja specjalność?

Ivor: Chcę być chemikiem i specjalizować się w chemii spożywczej (mającej do czynienia z żywnością).

Betty: Świetnie. Dopilnujesz, żeby sardynki, które kupuję, nadawały się do jedzenia.

Sylwia: Jesz za dużo konserw (pożywienia z puszek).

Betty: Cóż innego mogę robić? Biorąc pod uwagę moją pracę i wieczorowe kursy, jestem tak zajęta, a puszki oszczędzają czas.

Willy: Czas... tak, to jest to, czego my wszyscy potrzebujemy. A pomyślcie, jak bardzo dużo czasu marnujemy na sen, na przykład. Sześć do ośmiu godzin dziennie. To jest (czyni) około czterdziestu pięciu godzin na tydzień, a w ciągu miesiąca cztery razy po czterdzieści pięć. O Boże! Byłbym migiem przygotowany do egzaminu, gdybym nie musiał spać.

Jan: Masz rację. To byłoby cudowne, gdyby było jakieś lekarstwo, narkotyk albo coś, co utrzymywałoby nas bez snu (rozbudzonych). Nie kawa, coś, dzięki czemu wypoczywalibyśmy dostatecznie w ciągu minuty (co sprawiłoby, że bylibyśmy wypoczęci po jednej minucie), coś, co zajęłoby miejsce snu.

Ivor: Zabrałbym się znowu do muzyki. Musiałem zrezygnować z gry na fortepianie.

Betty: Ja czytałabym więcej i być może, znowu zaczęłabym się uczyć włoskiego.

Jan: Miałbym więcej czasu dla dzieciaków (do spędzania z dziećmi). Małgorzata skarży się, że je zaniedbuję. Mielibyśmy więcej wolnego czasu, więcej radości w życiu.

Betty: Jednak zastanowiwszy się, nie jestem zupełnie pewna, czy mielibyśmy więcej wolnego czasu, gdybyśmy pozbyli się snu. Myślę, że musielibyśmy także więcej pracować.

Ivor: Dlaczego? Oszczędzalibyśmy pieniądze. Widzisz, nie potrzebowalibyśmy łóżek, piżam, koszul nocnych itd.

Betty: Ale jedlibyśmy więcej (ja jadłabym na pewno), niszczylibyśmy szybciej naszą odzież, potrzebowalibyśmy więcej elektryczności, więcej aut, pociągów. Jeżeli chcecie więcej przyjemności, książek, sportu, teatrów, kin, musicie więcej płacić za to, a ktoś musi tego dostarczać. To jasne.

Willy: Nie miałbym nic przeciwko dodatkowej pracy.

Jan i Ivor śmieją się i krzyczą brawo, ponieważ Willy nie był nigdy pracowitym chłopcem.

Willy: Mówię serio. To przyśpieszyłoby moje studia. Ludzie pracowaliby trochę więcej, przemysł produkowałby więcej towarów. A przypuszczam, że rolnicy mogliby używać tego samego narkotyku przy hodowli bydła. Zwierzęta nie spałyby, rosłyby szybciej, rozmnażałyby się szybciej. Mielibyśmy więcej świń, wołów, owiec itd. do spożycia.

Jan: Można by wprowadzić narkotyk do rur wodociągowych. I tak stopniowo można by cały świat uwolnić od snu i prowadzić pełniejsze i bogatsze życie.

Ivor: Zapominasz, że zwierzęta potrzebują paszy, człowiek potrzebuje owoców, jarzyn, a także zbóż. A rośliny całkowicie różnią się od zwierząt. Gdybyśmy tak nagle zwiększyli hodowlę bydła o jedną trzecią, zabrakłoby nam wkrótce zboża, trawy, ziemniaków itp. To zachwiałoby (obaliłoby) całą równowagę naszego życia ekonomicznego.

Willy: Dochodzę do wniosku, że gdyby wszystkie zwierzęta rodziły się szybciej, muchy, pchły (owady), pluskwy mnożyłyby się najprawdopodobniej dziesięciokrotnie (więcej).

Betty: Co za ponury obraz (rysujesz).

Jan: A ty, Sylwio, milczałaś przez cały czas. Czy chciałabyś zrezygnować ze snu i zyskać osiem godzin dziennie?

Sylwia: Nie, nie sądzę (żebym chciała). Przede wszystkim lubię sny. Następnie lubię spokój (rzeczy spokojne). Lubię odprężyć nerwy i cieszyć się nocną ciszą. Zwłaszcza w mieście, po hałasie ulicznym w ciągu dnia. Lubię widok ptaków, siedzących na gałęzi, przytulonych do siebie, patrzeć wieczorem na kota, drzemiącego szczęśliwie przed kominkiem, na dziecko śpiące w łóżeczku. Pomyśl o tym, Janku, troje twoich dzieci nigdy, nigdy nie poszłoby spać, nigdy nie miałbyś spokoju i ciszy.

Jan: Mój Boże! Wcale nie pomyślałem o tym. Dzieciaki krzyczałyby, śpiewały, skakały, zadawały tysiąc pytań przez dwadzieścia cztery godziny. Nie, nie, nie wytrzymałbym tego. Ivorze, zapomnij o tym pomyśle, nie wymyślaj żadnych narkotyków pozbawiających nas snu (utrzymujących w rozbudzeniu). Niech żyje kochany, dobry sen! Do widzenia (wszystkim), dobranoc (wszystkim). Idę do domu i — jak Pepys mówi, „a zatem spać".

Ćwiczenie I. 1. No, he doesn't. 2. Ivor is a chemist. 3 Atomic energy is used in moving ships, submarines, in producing power in power stations, in breaking ice. 4. Ivor is going to specialize in chemistry dealing with food. 5. Because she hasn't much time to cook meals. 6. She would read more books or start Italian lessons. 7. For sleeping we need a bed, a quiet room, pyjamas, night-gowns and sometimes sleeping pills. 8. Cattle i. e. cows, oxen, and sheep, some wild animals e. g. the elephant. 9. No, she wouldn't. 10. Because suddenly he remembered how quiet his home was when his children were asleep.

Ćwiczenie II. W zdaniach 1—4 w części dodanej czasownik powinien być w Present Conditional; w zdaniach 5—8 w Simple Past.

Ćwiczenie III. 1. — don't they? 2. — don't they? 3. — doesn't he? 4. — won't I? 5. — didn't they? 6. — didn't she? 7. — hasn't it? 8. — won't they? 9. — wouldn't they? 10. — doesn't she?

Ćwiczenie IV.

unhappy	— nieszczęśliwy	unboiled	— nie gotowany
unusual	— niezwykły	unexpected	— niespodziewany
unfavourable	— niekorzystny	unattractive	— niepociągający
unlike	— niepodobny	unchanged	— nie zmieniony
uninterested	— nie interesujący się		

Ćwiczenie V.

Brave as a lion	Fat as a pig
Bright as a new penny	Green as grass
Brown as a nut	Poor as a church mouse
Deep as the ocean	Safe as the Bank of England

Ćwiczenie VI. 1. — a few, 2. — a little, 3. — a little, 4. — a few, 5. — a little, 6. — a little, 7. — a few, 8. — a little.

Ćwiczenie VII. An American Drugstore.
Jim, have you got any sleeping pills? I'm sorry, I haven't got any. But, look here, I need some cigarettes, I'll go out and buy the pills too. — Here

they are. I got them at the chemist's in the square. Isn't there any drugstore nearer? No, there isn't any. "Drugstore" is American for a chemist's shop, I suppose. Not quite. Our drugstores in the States differ from yours in Europe. Don't they sell medicine, soap, shaving cream, brushes etc.? Yes, they do. But they sell a great number of other things too — newspapers, magazines, paper, pens. And also food: sandwiches, cakes, ice-cream, coffee, milk, mineral waters, soda-water. The part of the store where you get food is called a "soda-fountain". I see. And sometimes you take ice-cream with soda-water and fruit.

LEKCJA DWUNASTA

Nauka jazdy

I

Pani Jones: Nie zapomnij zapytać o naukę jazdy. Bądź energiczny (twardy) w stosunku do tych ludzi, nie bądź nieśmiały, lekcje muszą zacząć się jutro.

Pan Jones: Nie zapomnę. Do widzenia, kochanie.

Mąż zamknął starannie furtkę i skręcił w stronę głównej drogi. Nagle zatrzymał się. „Lepiej, żebym poszedł tam teraz", pomyślał, „w drodze powrotnej mogłoby być za późno. Musiałbym łapać wczesny pociąg". Wszedł do bramy obok ogromnego plakatu, reklamującego naukę jazdy.

„**Możesz nauczyć się prowadzić samochód w ciągu kilku godzin! Fachowe szkolenie na 12-, 6- lub 4-godzinnych kursach, w godzinach (czasie), które ci będą najbardziej odpowiadały, z sobotami i niedzielami włącznie.**

Przygotowanie do egzaminu na prawo jazdy".

Gdy (tylko) wszedł do biura, jakiś młody człowiek zerwał się z miejsca i zapytał żywo: „Czym mogę panu służyć?"

Pan Jones: Hm,... chciałbym zapytać o naukę jazdy. Przede wszystkim, w jakich godzinach uczycie.

Młody człowiek: Najbardziej odpowiada nam rano, ze względu na światło, ale jeżeli...

Pan Jones: To mi w zupełności odpowiada. Czy uczycie codziennie?

Młody człowiek: To wszystko zależy od uczącego się. Możemy uzgodnić tyle godzin, ile pan sobie życzy (ile pan chce).

Pan Jones: Czy macie własne auta do szkolenia kierowców? Widzi pan, nie chciałbym ryzykować mojego nowego Morrisa.

Młody człowiek: Mamy samochody różnych marek. (Wstaje raźno) Proszę, niech pan pójdzie ze mną na dziedziniec. Pokażę panu naszego Morrisa.

Pan Jones: Ależ wierzę panu.

Młody człowiek: Chodźmy, niech pan idzie i obejrzy go. Lubię, kiedy ludzie okazują zainteresowanie dla wozów.

Na obszernym dziedzińcu szkoły znajdowało się kilka samochodów, każdy z dużą czerwoną literą „L" (L — od słowa learner) wymalowaną na białej płycie z przodu i z tyłu. Czarny Morris stał niedaleko
Młody człowiek: Widzi pan to piękne podwozie?
Pan Jones: Tak, widzę.
Młody człowiek: Teraz niech pan zajrzy do środka. Oto tablica rozdzielcza ze wszystkimi wyłącznikami do reflektorów, a to szybkościomierz pokazujący szybkość jazdy (jak szybko się jedzie). Zbyt wielu ludzi przekracza obecnie (dozwoloną) granicę szybkości.
Pan Jones: Tak, widzę. Ale chciałbym...
Młody człowiek: Chciałby pan zobaczyć, jak on chodzi. Wiem, wielu ludzi pragnie (są gorliwi) zacząć jazdę od razu.
Pan Jones: Nie, nie miałem tego na myśli. Obawiam się...
Młody człowiek: Niech pan się nie obawia. Będę cały czas na pana uważał. (Siada przy kierownicy). Proszę wejść, proszę wejść.
Pan Jones: Dobrze, jeśli pan nalega. Ale ostrzegam pana, że to (jest) dla pana strata czasu. (Wsiada i zamyka drzwiczki)

Ćwiczenie I. 1. What does Mrs. Jones tell her husband? 2. Where did he stop? 3. What did the man say? 4. Where are the switches for the headlights? 5. Why are there so many accidents on the roads? 6. What does a red L on a white plate mean? 7. What did the young man do?

Ćwiczenie II. carefully — starannie, shyly — nieśmiało, perfectly — doskonale, funnily — śmiesznie, firmly — stanowczo, brightly — żywo, jasno, bystro, eagerly — gorliwie, beautifully — pięknie.

Ćwiczenie IV. 1. — Who, 2. — Why, 3. — Where, 4. — What, 5. — Which, 6. — How, 7. — When.

Tłumaczenie. You know, darling, I went to inquire about the lessons before I went to the bank. The driving school is quite close to our station. In front of it there was a large poster. You can learn whenever you like, including Saturdays and Sundays. It all depends on the learner and on the weather. Behind the school there is a yard with cars of all makes. That man tried to explain to me what a headlight was and where the switches were.

LEKCJA TRZYNASTA

Nauka jazdy

II

Młody człowiek: Niech pan nie będzie taki nieśmiały. Skromni ludzie często stają się doskonałymi (fachowcami) kierowcami. Teraz proszę mi się przyglądać. Uruchamia pan silnik włączając rozrusznik — tu... Naciska pan pedał gazu prawą stopą, widzi pan?

Pan Jones: Tak, tak, widzę.

Młody człowiek: Włącza pan sprzęgło przez naciśnięcie stopą pedału z lewej strony, aby zmienić bieg. Pierwszy bieg przy ruszaniu, najwyższy bieg, żeby jechać szybko.

Pan Jones: Wiem to wszystko. Mówię panu...

Młody człowiek: Pan czytał o tym w podręczniku do nauki jazdy. To wszystko jest bzdura, moim zdaniem. W praktyce (jest) to o wiele trudniejsze. Mogę się założyć (zakładam się), że wszystko, co pan naprawdę umie, to (jest jak) dać sygnał klaksonem. Teraz zamieńmy się miejscami i niech pan sam spróbuje. Proszę pamiętać, pierwszy bieg przy ruszaniu, potem...

Pan Jones: Wiem, wiem.

Siada przy kierownicy i z fantazją uruchamia silnik.

Młody człowiek: Powoli, powoli. Nie tak szybko. Niech pan nie naciska pedału tak mocno. Tak lepiej. Teraz proszę skręcić w lewo, skręcić w prawo. Nieźle, jak na początkującego, tylko trochę jednak zbyt nerwowo. Teraz niech pan włączy drugi bieg.

Pan Jones: Widzi pan, ja umiem prowadzić...

Młody człowiek: Jeszcze nie, jeszcze nie, ale wkrótce pan będzie umiał. Teraz niech pan naciśnie pedał z lewej strony i włączy na luz, aby wóz zatrzymać. Teraz niech pan włączy tylny bieg, aby wóz cofnąć. Niech pan uważa, żeby nie uderzyć tego Austina. Teraz niech pan naciśnie hamulec. Dobrze.

Pan Jones: Mam wrażenie, że jedna z tylnych opon wymaga napompowania.

Młody człowiek: To tylko pana nerwy. Wszystko jest w porządku. Teraz wracajmy do biura.

Pan Jones: Mam nadzieję, że pan uczy swoich uczniów, jak naprawiać przebite dętki, zakładać zapasowe koło, napełniać zbiornik do benzyny itd.

Młody człowiek: Naturalnie. Nauczy pan się wszystkiego w odpowiednim czasie. Nauczymy pana, jak się skręca bez porysowania (zadrapania) błotników czy rozbicia latarni. Będzie pan musiał przestudiować kodeks drogowy.

Po powrocie do biura młody człowiek usiadł przy (swoim) biurku i podał panu Jonesowi formularz do wypełnienia.

Młody człowiek: Niech pan siada i poda mi wszystkie szczegóły. Najpierw nazwisko i adres.

Pan Jones: Róża Jones, Park Street 5.

Młody człowiek: Róża? Czy to znaczy, że pan ma na imię Róża?

Pan Jones: Mój Boże! Nie. To jest imię mojej żony.

Młody człowiek: Więc to pańska żona ma się uczyć prowadzenia, nie pan... Zmarnowałem czas, pokazując panu pierwsze kroki...
Pan Jones: Mówiłem to panu. Zdałem egzamin na prawo jazdy piętnaście lat temu.

Cytaty, przysłowia i żarty
Doświadczenie jest najlepszym nauczycielem.

Ćwiczenie I. 1. — metal, 2. — glass, 3. — cloth, 4. — rubber, 5. — wood, 6. — paper.

Ćwiczenie III. 1. When he sees her approaching, he stops working. 2. He knows the first-aid room quite well, he goes there pretty often. 3. He must join the night shift. 4. He is going to finish his job ahead of schedule. 5. The foreman in his factory is very pleased with him. 6. They said he'd get his leave in August. 7. What does he do about absenteeism? 8. Nothing, he is neither a foreman nor a personnel officer.

Tłumaczenie. A Telephone Conversation
I'm so glad you've rung up, Mrs. Banks. I thought it might be you. I was sure you would be at home by now. Have you started your driving lessons? You said the lessons would start right away. Yes, I'm beginning to-morrow. My husband says that the people at the course are very good teachers. Are you glad you will be able to drive the car yourself? Oh, yes. But I'm afraid I'll be very nervous. Don't worry. I thought I would never be a good driver. Henry said the young man from the school talked too much but he knew his job well. It must be Mr. Brown. My daughter says that he's good-looking. How should I dress for the first lesson? Henry says I ought to put on some old clothes. Certainly not. Put on your red coat. Everybody says it suits you perfectly.

LEKCJA CZTERNASTA

Księżycowe rojenia

Nie mogę zrozumieć (myślę), dlaczego ktoś chce (chciałby) pojechać na Księżyc, na Marsa lub na Jowisza.
Ponieważ tak niewielu ludzi było na Księżycu, a nikt nigdy nie był na innych planetach. Ale czy to jest wystarczająca przyczyna? Ja nie byłem nigdy w bardzo wielu miejscach, ale to nie znaczy, że koniecznie muszę (chcieć) tam jechać.
Ale inni ludzie tam byli i ty wiesz, jak te miejsca wyglądają. Dotychczas prawie wszystko (niewiele), co się wie na pewno o innych planetach to to, że dni i noce trwają znacznie dłużej i że nie ma żadnego dowodu na istnienie jakiegoś życia na Księżycu, na Marsie lub na Wenus.

Poeci, autorzy powieści fantastycznych i autorzy piosenek wiedzą o wiele więcej (niż to). W każdym razie jeżeli tam nie ma życia, to po co się martwić.

Zapominasz o niezaspokojonej ciekawości człowieka. Bez niej nigdy byśmy nie odkryli rzeczy tak ważnej (czegoś tak ważnego) jak ogień, nie mówiąc już o kole. Pomyśl tylko o wszystkich rzeczach, które uważasz za oczywiste i bez których nie możesz się obyć, jak światło elektryczne, gaz, auto, lodówka, radio, telewizja. Gdyby uczeni nie robili doświadczeń i nie posuwali się dalej, odkrywając coraz więcej nowych rzeczy (o rzeczach), pomimo sprzeciwu ze strony ludzi, takich jak ty, nie miałbyś ani jednej z nich.

Możliwe, że nie, ale teraz, ponieważ mamy te wszystkie rzeczy, czemu nie zatrzymać się na chwilę i nie cieszyć się nimi.

Nie sądzę, aby jakiekolwiek pokolenie miało prawo decydować, kiedy jest czas, (aby) zatrzymać się. Bez wątpienia twoja prababka była przerażona, kiedy wprowadzono światło elektryczne i wielu ludzi bardzo się bało (było przerażonych) pierwszych pociągów i aut. Ale powróćmy do Marsa.

Jeszcze tam nie dotarliśmy.

Ale niewątpliwie dotrzemy i niewątpliwie pojedziemy także na Wenus i Jowisza. Osobiście nie widzę nic, co by się sprzeciwiało temu, aby podróże kosmiczne stały się rzeczą codzienną. Pomyśl tylko o świętach (wakacjach) na Księżycu albo na Marsie, albo na Jowiszu i o okrężnych wycieczkach na jakieś pół tuzina planet.

Pomyśl o tych wszystkich nowych możliwościach, jakie powstaną dla biur podróży kosmicznych, dla załóg pojazdów kosmicznych, międzynarodowych przewodników i stewardes kosmicznych i międzynarodowych urzędników celnych.

A pomyśl tylko, tam może być życie na Marsie i na innych planetach. Pomyśl o spotkaniu zupełnie nowych ludzi, być może ludzi o zupełnie innych ciałach, innych umysłach, o innych nowych pojęciach (ideach), innym poziomie życia, innych językach...

A pomyśl tylko, że życie na innych planetach jest zupełnie takie samo jak tu. Przypuśćmy, że kiedy się tam dostaniemy, spotkamy ludzi zupełnie podobnych do naszych najbliższych sąsiadów, o takich samych twarzach, ideach, poziomie (życia), wszystkich mówiących po marsjańsku, lub jakkolwiek byśmy te języki nazwali, zupełnie o tych samych sprawach (rzeczach), o których my mówimy.

Nie chcę wyobrazić sobie (nie przypuszczam) nic podobnego. Jestem optymistą.

Cytaty, przysłowia i żarty

Chciałbym spędzić całe życie na podróżowaniu (podróżując), gdybym mógł gdzieś pożyczyć inne życie, ażeby spędzić je w domu.

Ćwiczenie I. I can't think why anybody should want to go to the Moon or Mars or Jupiter. Because so few people have been to the Moon and nobody has ever been to the other planets. There's no evidence of any life on the Moon. Without it we should never have discovered anything so important as fire, let alone the wheel. I don't see that any one generation has the right to decide when it's time to stop. Personally I see nothing to prevent space-travel from becoming an everyday thing. I shall suppose nothing of the kind.

Ćwiczenie II. 1. a, 2. the, 3. —, 4. a, —, —, —, 5. a, —, 6. a, — (lub: the), a, 7. a, a, 8. the (lub: a), a.

Ćwiczenie III. Poet, electric, gas, television, experiment, planet, idea, standard, optimist.

Ćwiczenie IV. homeless — bezdomny, landless — bez ziemi, colourless — bezbarwny, lifeless — bez życia, heartless — bez serca, endless — nie kończący się, classless — bezklasowy, formless — bezkształtny, faultless — bezbłędny.

Ćwiczenie VI. The first of March, nineteen sixty, the eleventh of May, nineteen sixty-four, the fourth of July, nineteen sixty-nine, the fifth of December, eighteen fourteen.

Tłumaczenie. Man's Insatiable Curiosity

For ages and ages man has looked at the pale face of the Moon. Modern scientists have taken its photographs wondering all the time what the other side looks like. Hidden from man's eye it has finally been discovered. Lunik III has taken a photograph of the Moon and sent it back to earth by radio. Three American astronauts reached the Moon, and then safely returned to earth. Man's curiosity is insatiable. Without it we should never have discovered fire, would not have invented a wheel, would not have found electricity, built radio, a car or spacecrafts. Man desires to reach the tops of the highest mountains, know all about deep oceans. There is no limit to man's wish to know more and more about the world.

LEKCJA PIĘTNASTA

Pokaz mody

Betty i jej mąż Colin przyszli odwiedzić Annę, która miała wypadek i musi przez pewien czas pozostać w domu.

Anna: O, jak to miło z waszej strony, że przyszliście mnie odwiedzić w taki deszczowy dzień.

Betty: Jak twoja kostka? Przypuszczam, że jeszcze nie możesz chodzić?

Anna: Nie, jeszcze nie. W każdym razie jestem zadowolona, że jest tylko zwichnięta, a nie złamana. Gdzie byliście oboje, moi państwo, wyglądacie tak elegancko...

Betty: Nigdy nie zgadniesz. Byliśmy na pokazie mody.

Anna: Na pokazie mody? A to dopiero! (wyobraźcie sobie!). Jak zostaliście zaproszeni?

Colin: Betty dostała zaproszenie od dawnej szkolnej przyjaciółki, która zrobiła karierę jako projektantka mody.

Betty: Słuchaj, Colin opowie ci, jak to było (wszystko o tym), a ja pójdę do kuchni i przygotuję herbatę.

Betty wychodzi z pokoju, a Anna zwraca się do szwagra.

Anna: Przypuszczam, że to musiało być nudne dla mężczyzny.

Colin: Wcale nie. To było fascynujące, chociaż powietrze w salonie wystawowym było trochę za duszne od dymu i zapachu perfum. Bardzo dużo ładnych kobiet, wszystkie nieprawdopodobnie szczupłe i pięknie ubrane.

Anna: A jaka jest najnowsza moda? Czy spódnice są dłuższe?

Colin: Nie wiem. Ale zauważyłem, że nylonowe pończoszki były prawie niewidoczne, a obcasy bardzo wysokie.

Anna: Jakie kolory (odcienie) są modne?

Colin: Wiesz, ja prawie nie rozpoznaję kolorów (znam się na kolorach). Ale pamiętam jedną dziewczynę w jaskrawo czerwonej sukni z czymś czarnym z przodu.

Anna: Co to było to czarne (czarnego)? Pasek czy co?

Colin: Nie pamiętam. To była wysoka brunetka z uczesaniem à la rzymska bogini. A potem jedna modelka była ubrana w czarny i zielony zimowy płaszcz. Przypominała mi Pamelę, ze swoimi ślicznymi dołeczkami.

Anna: Modelka z dołeczkami? Nie wierzę ci, one są aż za szczupłe.

Colin: Ta nie była. Miała przemiłą (słodką) dziecinną twarzyczkę.

Anna: Założę się, że ona jest twarda jak kamień (kuta na cztery nogi).

Colin: Miała piękne kasztanowate włosy i brązowe oczy.

Anna: Widzę, że miałeś oczy tylko dla dziewcząt, a nie umiesz powiedzieć ani słowa o sukniach...

Colin: Mylisz się. Pamiętam bardzo dobrze wspaniałe futro.

Anna: Jaki rodzaj futra?

Colin: Nie mam pojęcia, może farbowane jagnię albo królik. Było w kształcie doniczki, a cena była wprost niewiarygodna.

Anna: Na pewno (najprawdopodobniej) norki.

Colin: A dziewczyna chodziła zamyślona, jak żona mojego poprzedniego szefa (z głową w obłokach).

Wchodzi Betty.

A oto kanapki.

Colin: Świetnie! Ser śmietankowy i ogórek, moje ulubione kanapki.

Anna: Pożywne (sycące), ale nie tuczące.

Betty: Colin, bądź tak dobry, pobiegnij do kuchni i zobacz, czy woda się gotuje.

Anna: (śmieje się zaraz po wyjściu Colina) Teraz, Betty, opowiedz mi, jaki był pokaz. Colin nie umiałby odróżnić koszuli nocnej od wieczorowej sukni.

Betty: Szkoda, że nie mogłaś zobaczyć (powinnaś była zobaczyć) miny, jaką (on) zrobił, słysząc ceny kosztowniejszych pozycji. Teraz do rzeczy: długość sukien na szczęście (dla nas) nie zmieniła się. Szerokie spódnice są jeszcze modne, tak samo szerokie rękawy.

Anna: Czy widziałaś rzeczywiście coś niezwykłego?

Betty: No, śliczną czerwoną suknię popołudniową, z dużym dekoltem (głęboko wyciętą), uszytą (zrobioną) z ciężkiego jedwabiu z oryginalnym (niezwykłym) czarnym paskiem.

Anna: Czy było tam coś, co zwykła kobieta, jak ja, mogłaby nosić?

Betty: Niewiele. Bardzo mi się podobał czarny, aksamitny płaszcz z zielonymi guzikami.

Anna: Na rudej (noszony przez) modelce, którą Colin tak bardzo podziwiał.

Betty: Nie patrzyłam na modelkę. Jednakże pamiętam zielone kieszenie. I był wełniany klasyczny kostium, który bardzo chciałabym mieć.

Colin: (wchodząc z tacą) No, omówiłyście już wszystko? Wiecie, co mi się naprawdę najbardziej podobało, to jedna skromna (spokojna) kobieta, ubrana w czarny jedwab. Nie pamiętam fasonu sukni, ale była bardzo elegancka, bardzo prosta (spokojna) i dopasowana (obcisła) jak rękawiczka. A ona poruszała się normalnie, nie tak jak tamte (pozostałe).

Betty: Była średniego wzrostu, prawda? Stała koło drzwi prawie przez cały czas (większość czasu).

Colin: Tak, to ona. Jedyna modelka, która wyglądała jak ludzka istota a nie lalka.

Betty: Och, Colin, to nie modelka. To była dziewczyna wprowadzająca modelki do salonu.

Wszyscy się śmieją.

Betty: Ale wiesz, Anno, Colin ma rację, co do jej ubioru. Ona była bardzo elegancka i chciałabym mieć taką suknię.

Cytaty, przysłowia i żarty

Jeden ścieg zrobiony w porę uchroni przed dziewięcioma (tj. przed większą dziurą do cerowania).

Ćwiczenia I. Because she has sprained her ankle. 2. An old school friend of hers, a fashion artist. 3. He thought it was fascinating. 4. He said nothing about the new fashion. 5. A tall brunette with a hair-do like a Roman goddess. 6. For she had dimples like Pamela. 7. Betty made cream cheese and cucumber sandwiches. 8. Because Colin does not know much about women's clothes. 9. Yes, some were. 10. She had a nice frock and she moved in a normal way.

Ćwiczenie II. Fascinating, expensive, black, red, old, new, woollen, evening, cocktail, low cut, ordinary itp.

Ćwiczenie IV. He had eyes only for the lovely models. 2. I am glad your watch cost only eight pounds. 3. Anne's ankle was not broken, it was only sprained. 4. Who's coming to-night? Only you? Nobody else? 5. George is an only son, he has neither brothers nor sisters. 6. I've asked only five people to tea. I haven't room for more. 7. There was only one dress I should have liked to have.

Ćwiczenie V.

[ej]
way, tray, sprained, tailor-made, shade, fascinating, baby, face, shape, rainy.

[i:]
leave, heel, believe, sweet, cream, cheese, evening, being, she, tea.

Ćwiczenie VI. 1. brother-in-law. 2. mother-in-law, 3. son-in-law, 4. sister-in-law, 5. daughter-in-law, 6. father-in-law.

Tłumaczenie. Dziewczęta, psy i trawniki.

Jakie śliczne włosy mają te Angielki! O żywych barwach (żywe), błyszczące, pięknie wyszczotkowane. Muszę przyznać, że dbają należycie o swoje włosy. To nie jest tylko sprawa częstego mycia ich, ale raczej szczotkowania ich regularnie. Ależ ja szczotkuję swoje włosy co rano i co wieczór (każdego rana i ...) także. Tak, ale jak to robisz? Powinnaś zrobić sto ruchów szczotką, tak wieczorem, jak i rano. Ach rozumiem (widzę)... Ale psy angielskie też mają niezwykle delikatne i gęste włosy. Czy ich właściciele (panowie) szczotkują ich sierść również sto razy? Może tak robią, może ich uwłosienie rośnie tak delikatne i gęste z powodu wilgotnego klimatu Anglii? Popatrz na owce w Wielkiej Brytanii. We wczesnych miesiącach lata wydają się dźwigać stos wełny na (swoich) grzbietach. Popatrz na nogi angielskich koni, mają tam pierścienie włosów. Tylko trawie nie pozwala się rosnąć, żeby była za długa (za długo) w parkach angielskich. Pewien cudzoziemiec zwiedzający Anglię powiedział kiedyś: Tylko angielski trawnik i angielski dżentelmen golą się (są goleni) codziennie.

LEKCJA SZESNASTA

Cień wieży

I

Jest pewne miejsce w Londynie bardzo interesujące z powodu (jego) historycznych skojarzeń. Pierwotnie zostało ono wybudowane dla celów obronnych, z biegiem dziejów stało się raczej ponurym więzieniem dla niejednego porządnego człowieka. Jest nim Wieża Londynu.

Dwoje ludzi chciało pojechać i zobaczyć osobiście, jak ona wygląda. Przyjechali do Londynu z Północnej Anglii, on załatwić interesy, a ona, żeby pomóc, aby sprawy potoczyły się łatwiej. Byli to państwo Clifford, inteligentne małżeństwo w średnim wieku. Zatrzymali się w jednym z hoteli w West End (Zachodniej Dzielnicy).

„Jak się dostaniemy do wieży, kochanie? Czy kupiłeś plan londyńskiej kolei podziemnej, czy też sądzisz, że moglibyśmy dowiedzieć się na stacji?" — zapytała pani Clifford.

„Hm, istotnie (rzeczywiście) nie kupiłem jeszcze planu. Ale myślę, że nie jest nam potrzebny, bo przecież na wszystkich stacjach kolei podziemnej jest tylu ludzi, których można zapytać..."

„O patrz, tu jest wejście. To jest Piccadilly Circus, ładnie tu, co?"

„Chodźże, chodź, kochanie, nie mamy czasu do stracenia, ponieważ wiele jest do obejrzenia w wieży."

Zeszli jedną kondygnację schodów i wkrótce znaleźli się na stacji kolei podziemnej. Pan Clifford rozglądał się dokoła i po chwili zobaczył na ścianie plan wszystkich pociągów londyńskich.

„Patrz, Klaro, tam jest plan."

Podeszli do planu. Nietrudno było znaleźć na nim Piccadilly Circus, ponieważ wskazywała go strzałka. Ale nie było żadnej stacji o nazwie Wieża (dla Wieży).

„Musimy kogoś zapytać... poczekaj chwilę, zapytam biletera, rzekła pani Clifford i odeszła. Po chwili powróciła i powiedziała:

„Musimy kupić bilety do Tower Hill, kochanie, na linię "District" lub "Circle", proszę cię, chodź no tędy, wiem już wszystko."

Kupili bilety, zeszli w dół ruchomymi schodami i weszli na peron. Najpierw pojechali do Charing Cross, gdzie musieli się przesiąść w kierunku Tower Hill. Wreszcie, po kilkunastu minutach, przyjechali do Tower Hill i wyszli (ze stacji) na ulicę Tower, skąd mogli zobaczyć wieżyczki Wieży Londynu.

„Spójrz Harry, nie wygląda wesoło, prawda?"

„Rzeczywiście, ale chodźmy tędy, przez plac. O, tam jest wejście. Świetnie. Więc już jesteśmy."

Kupili bilety, a następnie poszli w kierunku głównej bramy.

Wieża jest otoczona czymś, co było kiedyś fosą.

„Przypominam sobie", powiedział Harry, „że gdzieś o niej czytałem i tam było napisane (powiedziane), że budowę Wieży przypisuje się Wilhelmowi Zdobywcy, to jest jedenasty wiek, o ile się nie mylę. Czy ty pamiętasz coś więcej na ten temat, Klaro?"

„Niewiele", odpowiedziała, „mój nauczyciel w szkole mówił, że Szekspir w jednym ze swych dramatów przypisuje ją Juliuszowi Cezarowi, co później potwierdził profesor historii w Cambridge w XVIII wieku — sławny poeta angielski Tomasz Gray. Zawsze kojarzyłam ją z więzieniem i śmiercią, wymienię choćby tylko dwie żony (królowe) Henryka VIII, Annę Boleyn i Katarzynę Howard."

Ćwiczenie I. 1. They came from the North of England. 2. No, they aren't, they are a middle-aged couple. 3. They want to see the Tower of London. 4. By tube. 5. They'll find it in the Piccadilly Circus underground station. 6. He will buy two tickets to Tower Hill. 7. At Charing Cross. 8. No, they must buy tickets. 9. In the 11-th century. 10. He was an English poet and a professor of history at Cambridge.

Ćwiczenie II. January, February, March, April, May, June.

Ćwiczenie III. Sprawdź czasy za pomocą gramatyki z l. 7.

Ćwiczenie V. np.: Tower, historical, stay, station, turret, teacher, intelligent, state, tight, terrible itd.

LEKCJA SIEDEMNASTA

Cień wieży

II

„Chodźmy tym chodnikiem. Teraz na lewo. Patrz, ot tam stoi (jest) grupka ludzi."

Zbliżyli się do grupy ludzi, stojących koło kwadratowej płyty (tablicy), wmurowanej w trawie, na której były wypisane imiona kilku osób tam ściętych (które zostały tam ścięte), między innymi wyżej wspomniane imiona dwóch angielskich królowych.

Poszli na lewo, do innej wieży. To była Wieża Beauchamp. Weszli w górę po bardzo wąskich schodach do skąpo (mrocznie) oświetlonej komnaty.

„Spójrz, Harry, ile napisów (znajduje się) na ścianach. Dlaczego wszystkie one przykryte są szkłem?"

„Nie wiem, ale pewnie, aby uchronić je przed zniszczeniem przez atmosferę (pogodę), a nawet przez ludzi."

„To są nazwiska osób, które były tu więzione, wyryte przez więźniów. Jakie to okropne . . ."

Spędzili jakiś czas przyglądając się napisom i odczytując je, a potem wyszli z Wieży Beauchamp i poszli zobaczyć klejnoty koronne (królewskie) umieszczone w Wakefield Tower. Insygnia składają się z koron, bereł, łyżki do namaszczania, ampułki itd.

Po obejrzeniu klejnotów koronnych państwo Clifford udali się do Białej Wieży, centralnie położonej.

„Przypuszczalnie ta wieża została zbudowana najpierw w 1078", wyjaśniał przewodnik, oprowadzając małą grupkę młodzieży. „Obecnie znajduje się w niej (ona zawiera) kolekcja starej zbroi. Można tu zobaczyć mężczyzn, odzianych w zbroje, siedzących na koniach, i wiele innych rzeczy, jak hełmy, strzelby, szable, pnie, na których ścinano ludzi i rozmaite przedmioty związane z tragicznymi wspomnieniami."

Państwo Clifford przechodzili z izby do izby.

„Spójrz, Harry", powiedziała pani Clifford, zatrzymując się przed zbroją z XIV wieku, „jaki to musiał być wielki mężczyzna, aby mógł nosić tę wielką zbroję."

„No, ja jestem dużym mężczyzną, ale sięgam mu tylko do ramienia," odpowiedział.

Byli bardzo zmęczeni, gdy wyszli z Białej Wieży.

„Może byśmy poszli tam, do tamtej wieży? Potem sobie odpoczniemy (będziemy mieli dobrze zasłużony odpoczynek) na brzegu Tamizy," zaproponował pan Clifford.

„Dobrze, ale co to jest?"

„To się nazywa Krwawa Wieża, i Walter Raleigh, sławny angielski podróżnik i poeta, był w niej więziony za panowania królowej Elżbiety I. Ścięto mu głowę po około trzynastu latach więzienia" poinformował ich jeden z przypadkowych gości, rozglądając się wokoło z podziwem i grozą.

Weszli do tej właśnie izby, w której Raleigh był więziony.

„Czy pan mógłby nam powiedzieć coś więcej o tej wieży?" zapytała pani Clifford.

„Więc, w Krwawej Wieży zostali zamordowani dwaj młodzi książęta z rozkazu ich wuja, późniejszego króla Ryszarda III, którego Szekspir tak żywo przedstawia (portretuje) w jednym ze swych historycznych dramatów."

„Może byśmy poszli teraz nad Tamizę odpocząć trochę (chwilę)", powiedziała Klara.

„Naturalnie (na pewno), że pójdziemy", zgodził się jej mąż, kiedy wychodzili powoli... „Spójrz, jaka rzeka jest piękna i jakie świeże jest tutaj powietrze. Jaki wysoki (wygląda) stąd most Tower."

Zatrzymali się i popatrzyli na most. W tym momencie przepływał (mijał) pod nim jakiś statek, most rozdzielił się w środku na dwa ruchome pomosty, które uniosły się ku bocznym wieżom, a następnie opadły znów na swoje miejsce.

„Wspaniała maszyneria (ładny kawałek mechanizmu), prawda?" — zauważył pan Clifford.

Ćwiczenie I. 2. Henry VIII imprisoned two English queens, his wives. 3. A guide standing near the entrance mentioned the names of famous people. 4. Another guide led a group of sailors into the Bloody Tower. 5. Men sent by King Richard III murdered two young princes. 6. Shakespeare presented that terrible murder in one of his plays. 7. A very small lamp lit dimly the narrow staircase.

Ćwiczenie III. 2. Who had some enemies? 3. When will the extra shifts start? 4. What did the inspector ask the personnel officer? 5. Why was the foreman attacked? 6. Who has our shop-steward quarrelled with? 7. What did we want to introduce in our branch of industry? 8. Where did the policeman find the weapon?

Ćwiczenie VI. [k] — school, chemist, christen, characteristic. [cz] — chair, charm, chat, chess, chocolate, watch, branch, rich.

Ćwiczenie VII. Would you mind . . .
Come this way, children. There are only two people here and the train is so crowded . . . Jane, sit here, Michael, don't open that parcel . . . Young man, would you mind helping me put my luggage on the rack? Thank you very much. Would you mind opening the window, it's very hot here. — Mummy, look what's on this notice: "To stop the train pull the chain" — Michael, don't touch it! Jane, come here, it's too cold near the window. Would you mind closing the window? Very kind of you. Michael, leave the gentleman's paper. Would you mind lending the children your magazine? Thanks, now children, keep quiet and look at the pictures. It's a long way to London, isn't it? What? Are you sure this train doesn't go to London? Thanks Heaven, there's still time to get out . . . Hurry up, children . . . Would you mind handing me the parcel, the little basket, the box . . . Would you mind closing the door . . . Thank you very much!

LEKCJA OSIEMNASTA

Rzut oka na Tate Gallery

Nasze przyjaciółki, Anna i Betty, wchodziły po schodach do Tate Gallery w Londynie. W hallu Anna podeszła do kiosku z kolorowymi pocztówkami, książkami itd.

„Przepraszam", powiedziała do kobiety za kontuarem, „czy pani może mi powiedzieć, w której sali mogę znaleźć malarzy prerafaelitów?"

„O, jest specjalna sala, gdzie są wystawione prace tych malarzy. Numer XI za salą VII."

„Dziękuję bardzo. Myślę, że jakoś tam trafimy."

„Jestem pewna, że tak. Tam są woźni (obsługa), którzy pomogą. Czy pani interesuje się prerafaelitami? Jeżeli tak, to tu sprzedajemy reprodukcje ich obrazów."

„Dziękuję. Najpierw chcę obejrzeć oryginały. Gdzie jesteś, Betty?"

„Tutaj jestem, kochanie, musimy zostawić (nasze) parasolki i płaszcze przeciwdeszczowe w szatni."

Siostry przeszły przez wiele sal, aby się dostać do sali prerafaelitów.

„Jestem prawie ignorantką (nieświadoma), jeżeli chodzi o prerafaelitów Widziałam jeden czy dwa ich obrazy, ale nie mogę więcej o nich powiedzieć, jak to, że mi się podobały", powiedziała Betty.

„No, ja wiem trochę, chociaż interesuję się nimi raczej ze szczególnego (innego) punktu widzenia. Zawsze pamiętam o tym, że niektórzy z nich pisali poezje."

„Kto?" zapytała Betty.

„Och, pamiętasz autora „Błogosławionej Panienki," prawda?"

„Mój Boże! Naturalnie, że pamiętam. Czy to nie było o kobiecie wychylającej się z niebios w tęsknocie za kochankiem, który ma przyjść?"

„Właśnie to. Ten poemat był bardzo sławny i (popularny) lubiany (przez ludzi)", zawołała Anna. „Poeta nazywał się Dante Gabriel Rossetti, (który) razem z Johnem Millais i Holmanem Huntem założył P. R. B."

„Co? Co oznaczają te litery?" zdziwiła się Betty.

„Bractwo prerafaelitów, kochanie. Ci trzej malarze ustanowili nowy kierunek w malarstwie, który nazwali kierunkiem (ruchem) prerafaelickim."

„Co to było?"

„Widzisz", odpowiedziała Anna, „nie podobał im się (nie byli zadowoleni) styl ogólnie przyjęty w malarstwie w latach 1840-tych, który sztucznie opierał się na Rafaelu i późnych malarzach weneckich. Jednakże nie było żadnej jednomyślnej decyzji co do tego, kto albo co przed Rafaelem miało być ich wzorem. Ich malarstwo przedstawia jednak ciekawą mieszaninę idealizmu i realizmu."

„Jakie to dziwne. Spójrz, Anno, jaki pełen wyrazu jest ten obraz, o tam. Ciekawa jestem, kogo on przedstawia. Piękna kobieta z zamkniętymi oczami, pełna jakiegoś niezwykłego, duchowego oddania, jakby w jakiejś ekstazie czy śnie..."

„To jest „Beata Beatrix", imię wzięte z „Vita Nuova" Dantego. Obraz ten jest symbolicznym wcieleniem śmierci Beaty Beatrix, ukochanej Dantego. Ale spójrz, tam jest Ofelia, nieszczęsna ukochana Hamleta, namalowana przez Johna Millais. Modelką była Elizabeth Siddal, żona Rossetti'ego. A ten obraz Edwarda Burne'a Jones'a, to sławny „Król Cophetua i żebraczka". Historia, którą przedstawia, (dotyczy) jest o królu afrykańskim, który poślubił żebraczkę. Ta historia jest także treścią poematu Tennysona „Żebraczka”."

„Piękny. Ale wymieniłaś tylko trzy nazwiska, a teraz mówisz, że był także Burne Jones", zauważyła Betty.

„Powiedziałam, że trzech z nich zapoczątkowało ruch, ale przyłączyło się do tej grupy znacznie więcej. Oni wszyscy stworzyli szereg (zbiór) arcydzieł, który stawia ich na poczesnym miejscu w historii malarstwa brytyjskiego.

Dziewczęta obeszły salę i obejrzały jeszcze kilka obrazów.

„Mamy jeszcze jednego malarza w historii brytyjskiego malarstwa, który był jednocześnie i malarzem, i poetą", powiedziała Anna.

„Kto to taki?" zapytała Betty.

„W XVIII wieku żył William Blake, którego obrazy powinnyśmy znaleźć w tej galerii. Był czymś w rodzaju wizjonera, poetą-mistykiem, pokazują to jego obrazy i poematy. Między innymi ilustrował on Boską Komedię Dantego", ciągnęła Anna.

„Nie zdawałam sobie sprawy, że mieliśmy takich utalentowanych ludzi, a jak ty myślisz, który był największym z angielskich (brytyjskich) malarzy?" zapytała Betty.

„Hm, to (jest) bardzo trudne pytanie. Zależy oczywiście, co cię w malarstwie interesuje. Patrz, teraz jesteśmy w sali Turnera, który żył w XIX wieku i (który) jest uważany za jednego z największych. Co ty powiesz o jego obrazach? Czy ci się podobają?"

„Owszem, podobają mi się. Chociaż wydają się bardzo dziwne. Przedstawiają przyrodę, jak zapewne rzeczywiście (ona) wygląda i oddają efekty światła i koloru w niezwykle wspaniały sposób. Spójrz na ten obraz, okręt na pełnym morzu w burzy śnieżnej. Jakie to oryginalne, dramatyczne i głębokie!"

„Tak", przyznała Anna, „a teraz spójrz, jesteśmy w sali z arcydziełami Gainsborough'a. Był jednym z najlepszych portrecistów i żył w XVIII wieku."

„O, popatrz, jaki śliczny jest ten obraz, ot tam. Jaki barwny i piękny."

„Podobają ci się, prawda? A teraz gdybyś tylko zechciała zobaczyć coś Hogartha, którego nazywają powieściopisarzem w obrazach, ponieważ namalował całe serie obrazów, przedstawiających życie współczesne, Reynolds'a portrecisty, Constable'a pejzażysty i wielu, wielu innych, to z pewnością nie mogłabyś powiedzieć, który z nich był największy."

Ćwiczenie I. 1. exhibited, 2. reproductions, 3. umbrellas, 4. leaning, 5. movement, 6. mixture, 7. same, 8. century.

Ćwiczenie II. Polish, German, Dutch, Spanish, Swedish, Russian, Danish.

Ćwiczenie IV. [ry'membə, ˌri:prə́dakszn, ˌrepry'zent, ry'ma:k, ry'majnd ry'kᵘajə, ry'li:s, ry'æksznəry, ry'tə:n]

Ćwiczenie VI. 1 — b, 2 — a, 3 — c, 4 — c, 5 — b.

Ćwiczenie VII. A Dispute in the Factory Yard

Brown says that my lorry has run into his car. — Well, if it has, you must repair the damage or pay for it. — But it wasn't my fault. If he hadn't turned left without warning, I wouldn't have bumped into him. — If you watch properly what's going on in front of you, you won't have accidents. — If I didn't look at what's behind the lorry when I'm driving backwards, I would smash the lamp-post. — If you smashed the lamp-post, it wouldn't be the first time. — If I drove as recklessly as you do, I'd be in the hospital. You've been too lucky till now. — Listen Jones, if you had as much experience as I, you wouldn't need to be lucky to avoid running into things. — Now, look here, both Brown and Jones. If you go on quarrelling like that, we'll never start our trip. I insist on peace and quiet. — All right, all right. Brown, forget it. — Good. I'm sorry, perhaps it was my fault.

LEKCJA DZIEWIĘTNASTA

Zamieńcie się teściami

Pogoda była okropna, rano mgła, a potem drobna, ciągnąca się bez przerwy listopadowa mżawka. Stanley i Andrzej z postawionymi kołnierzami. z rękami w kieszeniach, szli dość szybko szeroką ulicą.

Żaden nie miał ochoty do rozmowy, ponura pogoda była zbyt przygnębiająca. Nagle Andrzej zatrzymał się.

Andrzej: Co to jest, Stanley?

Wskazał na miejsce na chodniku, gdzie można było zobaczyć ślady jakichś rysunków kolorową kredką, powoli zmywane przez deszcz.

Andrzej: To nie może być dziełem dziecka.

Stanley: Nie. Nie widziałeś jeszcze „artystów chodnikowych" (malujących na trotuarze)?

Andrzej: Nie przypominam sobie. Co to za jedni? (kim oni są). Dlaczego rysują na ziemi?

Stanley: To jest ich sposób zarabiania pieniędzy. Rysują obrazki na chodniku kolorowymi kredkami. Ludzie przystają po to, aby podziwiać je, albo litować się, i wielu rzuca datek (monetę) do kapelusza, umieszczonego koło rysunków. Widzisz, prawo zabrania żebraniny.

Andrzej: Patrzcie państwo! Widzę tu krajobraz... tu resztki portretu. A co to jest? Butelka?

Stanley: Prawdopodobnie butelka koniaku i talerz z kaczką czy indykiem,

ze słowami „Obiad bogatego człowieka". Zwykle są dwa. Drugi obrazek to (jest) „Obiad biednego człowieka" — mała rybka na dużym talerzu.
Andrzej: Aha... Ale wiesz, ten (człowiek) potrafi nieźle rysować, prawda?
Stanley: Niekoniecznie. Słyszałem raz, że rysunki są często robione przez kogoś innego, nie przez tego (człowieka), co zbiera pieniądze. O, serwus! Jak się masz, Robercie?
Robert i jego kuzyn, Jack, wyszli nagle zza rogu.
Stanley: Co się stało, Robercie? (Wyglądasz zmartwiony) masz minę przygnębioną.
Robert: Znasz (poznałeś) mego kuzyna, prawda? Jesteśmy przygnębieni, ponieważ Jack jest w kłopocie. Jego rodzicom powiedziano, że będą musieli wyprowadzić się ze swego domu (opuścić swój dom).
Andrzej: Ale dlaczego? Czy gospodarz może wyrzucić ich w ten sposób?
Robert: Komorne zostało zanadto podwyższone (dla nich), nie stać ich na nie. Będą musieli szukać nowego mieszkania.
Jack: Mieszkamy w nim od dwudziestu lat. To bardzo wilgotny dom, chociaż dach był ostatnio naprawiony.
Andrzej: Mówiono mi, że bardzo trudno jest znaleźć nowe mieszkanie.
Jack: Najważniejsza rzecz (główna) to to, że są droższe. Większość gospodarzy może żądać tak wysokiego komornego od nowych lokatorów, jakiego zechce.
Stanley: A co z miejskimi domami?
Robert: Mówią, że ich komorne ma być także podniesione.
Jack: Ja nie widzę, jak można z tego wybrnąć (co można zrobić w tej sprawie). Ani też moi rodzice.
Stanley: A czy nie możecie walczyć przeciwko podnoszeniu czynszu? Robert powiedział mi, że jesteś kierowcą autobusu, Jack, więc po ostatnim strajku kierowców (komunikacji) powinieneś wiedzieć, co może zdziałać solidarność.
Robert: Stanley ma rację. Czy nie słyszałeś, że lokatorzy protestowali przeciwko podwyżce?
Andrzej: Niedawno czytałem w gazetach, że ruch lokatorów bardzo się rozwija (jest szerzej znany).
Stanley: Czy nie pamiętasz ludzi idących w pochodzie i niosących transparenty „W slumsach żąda się komornego godnego Mayfair", „Dosyć podwyższania komornego" i inne. Pełno (pań domu) gospodyń, trochę młodzieży, śpiewającej i tańczącej dla zwrócenia uwagi.
Andrzej: Ach, to byli lokatorzy miejskich domów, prawda?
Jack: Mój ojciec powiedział, że podwyżka komornego po prostu obniży naszą stopę życiową. Czy wiecie, że chcą nam narzucić "means test" (wgląd w warunki materialne petentów).

Andrzej: Co to znaczy, "means test"?

Robert: Podwyżka komornego w domach miejskich będzie zależała od dochodu lokatorów. A mówiono mi, że dochód obojga, męża i żony, będzie brany w rachubę.

Jack: Ale na co się zda protestowanie? Co to może pomóc?

Robert: I jedno, i drugie może być wielką pomocą. Ruch lokatorów zdobywa więcej członków. Czy nie czytałeś, że w niektórych częściach Londynu lokatorzy już uzyskali pewne ustępstwa?

Jack: Być może masz rację. Właściwie (ogółem biorąc) nie będzie mi przykro porzucić stary dom. Jest nie tylko wilgotny, ale także pełen (nękany przez) myszy. (Do Andrzeja) Wiesz, to jest w nędznym zaułku, niedaleko składów w doku. Czego się boję, to komornego w nowych mieszkaniach.

Robert: Widzisz, Jack ma się żenić i oni będą mieszkali u rodziców jego przyszłej żony, zanim będą mogli przejść na swoje. On bierze (pracuje) nadgodziny, żeby odłożyć pieniądze na umeblowanie, a teraz mówi, że (będą musiały iść na pomoc) będzie musiał z tego pomóc teściom w opłacaniu podwyższonego komornego.

Andrzej: Nie uważam, żeby to był dobry pomysł, aby młode małżeństwo mieszkało ze swymi rodzicami.

Jack: Ja również. Ale cóż innego możemy zrobić? Blackwood, mój najlepszy przyjaciel, robi zupełnie to samo. Będzie mieszkał ze swymi teściami.

Robert: Słuchaj Jack. Mam myśl. Dlaczego ty i twój przyjaciel nie zamienicie się teściami?

Jack: Co ty rozumiesz przez zamianę teściów?

Robert: Zamieńcie ich. Wy moglibyście zamieszkać u teściów Blackwooda, a młody Blackwood i jego żona mogą zamieszkać u twoich. Naturalnie, dopóki oboje nie zaoszczędzicie dosyć, aby się wyprowadzić. Wiesz, takie rzeczy zdarzały się (to już było przedtem robione). Jestem pewien, że wy będziecie traktowani jak mili sublokatorzy, a teściowie (starsi) będą uważani za starszych przyjaciół. Będzie mniej wtrącania się, mniej sprzeczek tak pospolitych, kiedy się ma dwa małżeństwa w jednej rodzinie, jedno starsze i jedno młode, mieszkające razem w tym samym domu. Jedno (pierwsze) nie lubi zmian, drugie (ostatnie) jest spragnione wszystkiego, co nowe i odmienne. Mówię wam, posłuchajcie mojej rady, zamieńcie się teściami.

Cała czwórka młodych zaczyna się śmiać.

Stanley: Co za pomysł!

Jack: Muszę powiedzieć Jance o twoim pomyśle. Muszę przyznać, że nie jest zły. Coś w tym jest.

Cytaty, przysłowia i żarty

Kiedy Adam kopał, a Ewa przędła, któż był wtedy „panem"?

Ćwiczenie I. 1. Because there was a steady November drizzle. 2. For he saw something on the pavement. 3. They use coloured chalk. 4. For they want people to drop money into it. 5. It's a picture of a bottle of brandy and a plate with a duck or a turkey. 6. Sometimes the fellow collecting the money, sometimes another man. 7. For his parents were told they would have to leave their house. 8. Yes, they have. 9. He's a bus driver. 10. Yes, there is. 11. They have marches, meetings etc. 12. A great many people, very many housewives and some teenagers too.

Ćwiczenie II. 2. She told me that near the picture there was a crowd of people. 3. ... that her parents were (lub: had been) in low spirits for several reasons. 4.... he had known the whole truth already in 1972. 5.... he (lub: she) would join the tenants' movement too. 6. ... that rent increase would certainly lower their standard of living. 7. ... he had saved enough money to buy the furniture for his flat. 8.... the meeting was starting then. 9. ... the young couple had to live there, with his parents (lub: with the man's parents). 10. ... his (lub: her) friend was there in that building. 11. ... if we lived in different flats there would be less interference. 12. ... he (lub: she) treated them as friends of his (lub: hers), not as strangers.

Ćwiczenie VI. 2. Betty hasn't either. 3. She doesn't either. 4. Your coat isn't either. 5. I can't either. 6. Her sister won't either. 7. You can't either. 8. My old hat doesn't either.

Ćwiczenie VII. 2. Her nylon stockings were almost invisible. 3. You can bet those cheap furs are usually dyed. 4. His boss always walks with his head in the clouds. 5. I never watch the kettle boil. 6. In spring the length of our old dresses is seldom right. 7. She often wears clothes that fit her like a glove.

Ćwiczenie VIII. Pogoda
Jaką straszną pogodę mieliśmy (lub: miałyśmy, też w następnych zdaniach) w tym tygodniu, prawda? Wczoraj wieczorem mówili w radiu, że z powodu mgły pociągi przyjeżdżające do Londynu były opóźnione aż do dwóch godzin, a wyjeżdżające opóźnione aż (prawie) godzinę i kwadrans. Mój brat musiał odłożyć swój lot do Edynburga i samochodem też nie pojedzie. Powiedziano mu, że było kilka wypadków drogowych. — Wczoraj słyszałem, że wielu kierowców pozostawiło swe auta na drodze. — Nie dziwię się. Nie chcą się zabić. Co mówili w radiu o pogodzie na jutro? — Powiedzieli, że spodziewać się należy zimna i mgły na południu Anglii i w całej Walii. — A jak jest w Szkocji? Chciałabym wiedzieć, jaką pogodę Robert będzie miał w czasie swej podróży. — Spiker radiowy powiedział, że drogi w Szkocji są pokryte śniegiem od 6 do 12 cali. Drogi nie będą bardzo bezpieczne. — Mój Boże! W listopadzie! Ciekaw jestem, jak będzie wyglądała pogoda w styczniu.

LEKCJA DWUDZIESTA

Kwiaty w moim ogródku

„Wczoraj byłam na wystawie kwiatów w Chelsea. Widziałam tam piękne kwiaty. Mówią, że tegoroczna wystawa jest bardziej ekscytująca, wspanialsza i olśniewająca niż kiedykolwiek przedtem", powiedziała Anna.

„Naprawdę?" — zapytała Betty, „jak długo będzie otwarta?"

„Wszystkiego cztery dni. Pierwszy dzień, 20 maja, dla Królewskiego Towarzystwa Ogrodniczego, a następne trzy dni dla publiczności."

„Muszę iść ją obejrzeć", zdecydowała Betty. „Czy są tam jakieś specjalne kwiaty?"

„O tak, i (tam są) nie tylko z Anglii, ale także z kilku innych krajów, (które biorą) biorących udział w wystawie. Widziałam piękne kwiaty i rośliny wystawione przez Holandię i inne kraje. Były tam również rozmaite jarzyny; widziałam mnóstwo pięknych truskawek, aż mi szła ślinka."

„Bardzo kocham wszystkie kwiaty, ale najbardziej róże. Mają tyle różnych kolorów i tak ładnie (słodko) pachną."

„Tak, to prawda, nic dziwnego, że wielu poetów pisało o nich wiersze."

„Przede wszystkim podoba mi się wiersz Roberta Burnsa zaczynający się od słów:

„O, moja miłość jest jak czerwona, czerwona róża,
Która świeżo zakwitła w czerwcu.
O, moja miłość jest jak melodia,
Słodko grana w piosence."

„Jakie to ładne i pamiętasz to jeszcze tak dobrze!" — zawołała Betty.

Lubię Roberta Burnsa i jego poematy, są takie naturalne i tak bardzo odzwierciedlają jego naturę", odpowiedziała Anna. „Burns napisał również poemat o innym kwiecie: „Do Górskiej Stokrotki", która została zgnieciona pługiem."

Maleńki, skromny (czerwono-czuby) kwiatku z pąsową kryzą,
Spotkałeś mnie w złej godzinie...

„Przypominam sobie, że William Cowper pisał także o różach", powiedziała Betty. „Chwileczkę, to w „Zimowym bukiecie" mówi:

Wdzięki późno rozkwitłej róży
Zdają się wabić żywszą barwą ...

i również śliczny jest wiersz „Lilia i Róża", o sprzeczce między tymi dwoma kwiatami, który z nich ma panować jako królowa.

Wkrótce róża poczerwieniała z oburzenia
I wydęła pogardliwie swe płatki (wydęła się pogardliwie)
Prosząc poetów, aby w swoich wierszach (Zwróciła się do stronic poetów, aby)
Dowiedli jej królewskich praw ... (prawa do panowania)

Sąd bogini pogodził je. Zadecydowała, że obydwa kwiaty powinny być królowymi angielskich kwiatów."

„Naprawdę bardzo ładne", przyznała Anna, „ale patrz, kochanie, zaczęłyśmy od wystawy w Chelsea, a doszłyśmy do kwiatów w poezji angielskiej. Mów dalej, spróbuj przypomnieć sobie coś więcej."

„Tylu było poetów piszących o kwiatach, a zwłaszcza o różach, liliach i żonkilach. Weźmy na przykład T. Moore'a „Piękne Drzewko Różane", w którym poeta znużony miłością „Ponieważ serca na tym świecie są puste...", wybiera na swą ukochaną (panią) drzewo różane.

Piękne różane drzewo,
Ty będziesz mą ukochaną,
I będę czcił każdy (twój) pączek,
Który zrodzisz...
a dalej mówi, ty będziesz
...tą jedyną teraz, do której będę wzdychał."

„Jakie to śliczne!" — zawołała Anna, „jak okrutna musiała być ta istota „z tego świata", żeby doprowadzić człowieka do szukania miłości wśród kwiatów. Ale to przypomina mi innego poetę i poemat, mianowicie Roberta Herricka, którego wiersz o pączkach róż stał się dobrze znany w naszym kraju."

„O, znam go bardzo dobrze", przerwała Betty.

Zbierajcie, gdy możecie, pączki róż,
Czas stary wciąż ucieka...
Jutro ten kwiat uwiędnie już,
Co dzisiaj się uśmiecha...
Wiersz mówi, że jeśli nie potrafisz wykorzystać swej młodości, na nic się nie zda próbować, gdy młodość przeminie."

„Jest inny wiersz Roberta Herricka o kwiatach, tj. „Do Żonkili", które są bardzo wczesnymi i bardzo popularnymi kwiatami, ale które nie trwają długo, zjawiają się na wiosnę, a znikają przed latem", ciągnęła Anna.

„Och, Anno, Wordsworth także napisał wiersz o żonkilach, które napotkał podczas (jakiegoś) spaceru:

...zastęp złocistych żonkili
nad jeziorem, u stóp drzew,
trzepoczących się i tańczących na wietrze...
„Czarujące! Słuchaj, Betty, nie powiedziałyśmy nic o Szekspirze, który, o ile wiem, nie napisał żadnego specjalnego poematu do jakiegoś wybranego (szczególnego) kwiatka, ale wymienił znaczną ich liczbę w swoich sztukach, że wspomnę tylko „Sen nocy letniej" z jej pierwiosnkami, pąsowymi różami, bratkami itd.

„To prawda", przyznała Betty, „powinnyśmy o tym pamiętać. Przypominam sobie słowa Szekspira, które (być może) są dotychczas w użyciu: „jeść por" to znaczy zlekceważyć obrazę."

„Ale por nie jest kwiatem! Jest jarzyną, która dodaje smaku rosołowi", powiedziała Anna, „i figuruje jako godło Walii, tak jak róża jest narodowym godłem Anglii, oset godłem Szkocji, a koniczynka — Irlandii."

„Właśnie", odpowiedziała Betty, „ale wracając do kwiatów ... te czerwone ... jakże one się nazywają? — Maki! Niektórzy (ludzie) mówią, że maki rosną na polach bitew i mamy Dzień Maku na pamiątkę bohaterów poległych w I Wojnie Światowej, który przypada na sobotę najbliższą 11 listopada. Więc, jak już powiedziałam, idę jutro na wystawę obejrzeć wszystkie te piękności. Mam nadzieję, że wrócę do domu świeża jak stokrotka."

„A propos", poprosiła Anna, „jak będziesz wracała, może kupisz trochę lawendy do włożenia między bieliznę?"

Cytaty, przysłowia i żarty

Jaka jest liczba mnoga od "Forget-me-not" (niezapominajka)? Odpowiedź. Forget-me-nots a nie: forget-us-not (nie zapomnij o nas).

Ćwiczenie I. 1. What is exhibited at the Flower Show? 2. Is it more exciting this year? 3. What must we do at once? 4. How long will it be open? 5. Has Shakespeare written any particular poem about any particular flower? 6. What is the national emblem of Wales? 7. Does everybody speak English in Wales? 8. Have they got a language of their own? 9. Is it similar to the language spoken in Ireland? 10. Is the leek a flower? 11. Do thistles grow in Poland? 12. Do people say that poppies grow on battlefields?

Ćwiczenie II.

Był sobie pewien stary człowiek na (w) drzewie,
Którego bardzo dręczyła (jakaś) pszczoła (był dręczony).
Kiedy zapytali (powiedzieli): „Czy ona brzęczy?"
Odpowiedział: „Owszem! (brzęczy)
To prawdziwa bestia z tej pszczoły!"

Ćwiczenie III.

goodness — dobroć softness — miękkość thickness — grubość
kindness — uprzejmość mildness — łagodność strangeness — dziwność
cleverness — bystrość freshness — świeżość vividness — żywość
blindness — ślepota shyness — nieśmiałość correctness — poprawność

Ćwiczenie IV. June, July, August, September, October, November, December.

Ćwiczenie V. 1. brighter, 2. gloomier, 3. more expensive, 4. more ignorant, grimmer, 6. milder, 7. fresher, 8. more amazing, 9. better, 10. pleasanter.

LEKCJA DWUDZIESTA PIERWSZA

Freddie a historia

I

Małgorzata: Freddie, dziś po południu był do ciebie telefon. Zapisałam na kawałku papieru, jest tu na kredensie. Nie, nie ma, nie mogę go znaleźć. W każdym razie pamiętam, że od Ronalda. Powiedział, że idziecie do teatru dziś wieczorem, nie jutro. Zadzwonił na wypadek, gdybyś nie zauważył daty na bilecie.

Frieddie: Ładna historia, wcale nie spojrzałem na bilet (wyjmuje go z kieszeni). O jest . . . Tak, (on jest) to na dzisiejsze przedstawienie. O Boże, dochodzi siódma (jest prawie siódma)! Chciałbym tam już być.

Małgorzata: Pośpiesz się. Ronald powiedział coś jeszcze, ale zapomniałam, co to było. Weź taksówkę.

Freddie wybiega na ulicę, mówiąc do siebie: „wystarczy mi metro" (metro jest dość dobre dla mnie) i skręca w kierunku najbliższej stacji kolei podziemnej. Wkrótce (bardzo szybko) jest w pociągu, stojąc w tłumie pasażerów. Sztuka, którą ma zobaczyć, jest sceniczną adaptacją powieści Walter Scotta· "Ivanhoe". Kiedy Freddie był w szkole, rzadko dostawał dobre stopnie z literatury angielskiej (był zdolniejszy do matematyki), ale lubił historię i powieści historyczne. Ronald miał się postarać o bilety dla towarzystwa, (włączającego) w skład którego wchodziła Mary, oraz Ewa, jej gość ze Szwecji.

Freddie: Leicester Square to moja stacja. Boże! (jest) Już dwadzieścia pięć po siódmej.

Ludzie na peronie patrzyli ze zdziwieniem, kiedy Freddie biegł w górę po ruchomych schodach, a potem rzucił się w małą, boczną uliczkę. Wpadł na biedaka, prawdopodobnie inwalidę wojennego, sprzedającego sznurowadła i zapałki.

„Przepraszam bardzo!" — wykrzyknął i pobiegł dalej. Kiedy się już znalazł w hallu teatralnym, minął biletera, który wziął od niego bilet, szatniarza i przyłączył się do kilku innych spóźnionych widzów, biegnących w górę, na balkon drugiego piętra. Freddie miał szczęście, że orientował się nieźle (znał dość dobrze drogę) w tym teatrze. Wiedział, gdzie jest wejście do pierwszych miejsc na parterze, wejście na parter czy balkon pierwszego piętra. Światła właśnie gasły, gdy wreszcie dostał się na swoje miejsce obok Mary.

„Cieszę się, że przyszedłeś (mogłeś przyjść)", szepnęła.

„Dlaczego zmieniliście dzień?" — zapytał.

Dźwięki hymnu narodowego „Boże, zachowaj królową" i hałas, który ludzie robili przy wstawaniu, położyły kres wszelkiej dalszej rozmowie. Kiedy hymn się skończył, podniesiono kurtynę.

Dobrze oświetlona scena była raczej pusta, po lewej stronie znajdowało się ozdobne krzesło i kilka schodków, trzy filary, oddzielające je od otwartej przestrzeni na prawo, która wyglądała jak brzeg morza z błękitną wodą gdzieś w głębi (z tyłu), na malowanym tle. Grupka aktorów, we wspaniałych historycznych kostiumach, weszła na scenę. Jeden z nich, bardzo bogato ubrany, melancholijny arystokrata, usiadł na krześle. Chłopiec, wyglądający na pazia, grał na staroświeckim instrumencie. Przestał grać, kiedy inni uplasowali się wokół krzesła w malowniczej (wdzięcznej) grupie, jedni siedząc na stopniach, inni stojąc i udając, że gawędzą. (Ten) Melancholijny aktor zaczął mówić przyjemnym głosem:

„Jeżeli muzyka jest pokarmem miłości,
Graj dalej. ."
Freddie był trochę zdziwiony. „Ja to gdzieś czytałem. Gdzie to było?"

Ćwiczenie I. 1. Margaret did. 2. She thought she had left it on the sideboard. 3. No, he did not. 4. He went by tube. 5. A stage adaptation of Walter Scott's novel. 6. Historical novels. 7. Because he was late. 8. Yes, he did. 9. Mary. 10. Because it was the National Anthem. 11. It represented a room on one side and the seaside on the other. 12. He was playing an old-fashioned instrument.

Ćwiczenie II. Freddie runs into the street saying to himself, "The tube is good enough for me" and turns into the nearest underground railway station. In no time he is on the train, standing in a crowd of passengers. The play he is going to see is a stage adaptation of Walter Scott's novel "Ivanhoe". When at school, Freddie seldom got any good marks in English literature (he was better at mathematics) but he liked history and historical novels. Ronald was to get tickets for the party including Mary and Eve, her guest from Sweden. The young man was sure that both he and the friends he was going to meet would be pleased with the play.

Ćwiczenie III.

Meduza

Chciałbym być meduzą (Szkoda, że nie jestem meduzą),
Która nie może spaść na dół.
Ze wszystkich rzeczy, których chciałbym sobie życzyć,
Chciałbym być meduzą,
Która nie ma żadnych trosk
I nie potrzebuje nawet życzyć sobie:
„Chciałbym być meduzą,
Która nie może spaść na dół."

Ćwiczenie IV. Some time ago: 1, 2, 4, 6. Sometimes: 3, 5, 7.

Ćwiczenie V. There's no evidence of any life on the Moon. Just think of round trips to half a dozen planets! Freddie was going to see a stage adaptation of a historical novel. The National Anthem is played before every concert or show.

Ćwiczenie VI. 1. The wireless is out of order. 2. I can't wait a fortnight. 3. Science fiction writers know more about the Moon than scientists. 4. I have no time for television. 5. I am never tired of London. 6. I don't know who hit Brown.

Ćwiczenie VII.

pretty often	almost always	almost never
usually	twice a week	perhaps to-morrow
very seldom	whenever	some time ago
perhaps sometimes	rather seldom	at four o'clock
from time to time	when?	once a day
in the morning	perhaps never	by day
then	while	at night
before noon (a. m.)	a quarter past three	the whole day

LEKCJA DWUDZIESTA DRUGA

Freddie a historia

II

Nastąpiła rozmowa o miłości lorda do pewnej dumnej damy. Potem akcja przeniosła się na prawą stronę sceny. Weszło (ukazało się) kilku marynarzy z młodą damą, która rozglądała się dokoła z ciekawością.

„Co to za kraj, przyjaciele?" — zapytała.

„To jest Illyria, pani", odpowiedział jeden, wyglądający (który wyglądał) na kapitana.

Freddie znów się dziwił. Dlaczego Illyria? Gdzie jest Illyria? Anglia powinna stanowić tło dla "Ivanhoe". Nie przypominał sobie dobrze książki, ale wiedział, że to o królu Ryszardzie Lwie Serce i jego przyjaciołach banitach. Czy nie powinny tam być jakieś konflikty między Saksonami, narodem tego kraju, a Normanami, którzy tam rządzili od czasów najazdu Wilhelma Zdobywcy? Coś było nie w porządku. To nie mogła być "Ivanhoe", przerobiona na sztukę sceniczną. Nie było rycerzy, ani słowa o księciu Janie, bracie króla. Prawie wszystkie osoby miały włoskie imiona i mówiły wierszem. Dekoracja wyglądała także raczej na włoską. Freddie pożyczył lornetkę od Mary i przyjrzał się kostiumom. One również (były niewłaściwe) nie pasowały. Zupełnie nieśredniowieczne, raczej z szesnastego wieku, Elżbietańskie. Najprawdopodobniej Ronald pomylił się co do tytułu, być może była to adaptacja innej powieści Scotta, może „Na zamku" ("Kenilworth"). Freddie przypomniał sobie, że opowieść „Na zamku" dotyczyła pewnej tragedii na dworze królowej Elżbiety. Ale w takim razie, dlaczego w sztuce nie było nic o królowej ani (albo) o jej sławnych dworzanach, na przykład o Sir Walterze Raleigh, sławnym żeglarzu i wojaku?

Pierwszy akt sztuki ciągnął się dalej, ukazując romantyczną, miłosną historię o księciu i dwóch ładnych młodych paniach, z których jedna była przebrana za młodego mężczyznę, aby akcję uczynić zabawniejszą i bardziej skomplikowaną.

Kiedy kurtyna opadła przy końcu aktu, Freddie zachwycony był sztuką, ale jeszcze zastanawiał się (coś było niejasnego).

Wreszcie wszystkie światła w teatrze znów się zapaliły. Spojrzał na program sąsiadki, aby zobaczyć tytuł sztuki, to była...„Dwunasta noc, czyli co chcecie" (Wieczór trzech króli) Williama Shakespeare'a!

Freddie zaczerwienił się, wstrząśnięty swoją ignorancją. Ta komedia jest jedną z najbardziej znanych sztuk Shakespeare'a.

„Bardzo tu gorąco", zauważył Ronald, widząc zaróżowioną twarz swego przyjaciela. „Chodźmy do palarni na papierosa."

Całe towarzystwo ruszyło w kierunku wyjścia, potem na dół do palarni, zatłoczonej ludźmi (pełnej ludzi) przybyłymi (wychodzących) z lóż, pierwszych rzędów na parterze itd.

Mary: Jestem zadowolona, że Małgorzata powiedziała ci na czas o zmianie terminu.

Freddie: (Ale) Nie spodziewałem się, że zobaczę Shakespeare'a. Ronald powiedział, że to będzie "Ivanhoe" w przeróbce scenicznej (przerobiony na sztukę sceniczną).

Ronald: Powiedziałem Małgorzacie, że Ewa nie może iść z nami w piątek, więc musieliśmy zrobić to dzisiaj. Mam nadzieję, że nie żałujesz, żeś przyszedł.

Freddie: Nie, na pewno nie. Strasznie mi się sztuka (to) podoba. Obsada jest doskonała, zwłaszcza aktorka grająca Violę. Jak ci się podoba, Ewo? Czy rozumiesz, co aktorzy mówią?

Ewa: No, nie wszystko. Ale gra jest tak dobra, że mogę zgadnąć, co się dzieje. Ciekawa jestem bardzo (cieszę się na to), co będzie dalej. Przypuszczam, że wy Anglicy znacie tę sztukę prawie na pamięć?

Freddie: (skromnie) N... n... niezupełnie. Ściśle mówiąc, nie pamiętam zbyt wiele (z niej). Ja także cieszę się z góry na następne akty.

Cytaty, przysłowia i żarty

Być albo nie być — oto jest pytanie.

Ćwiczenie I 2. What is the place of the action? 3. Were Freddie's tickets for the upper circle? 4. Who was Richard the Lion-Heart? 5. Since when did the Normans rule in England? 6. What names had the people on the stage? 7. What is Scott's novel Kenilworth about? 8. Was Freddie delighted with the play? 9. Why did he look at his neighbour's programme? 10. What was the title? 11. Why did the young man turn red? 12. Where did they go for a smoke?

Ćwiczenie II. author, artist, masterpiece, idealism, realism, talent, novelist, original, poster, painting, film etc.

Ćwiczenie III. 1. He knows ... 2. I learn ... 3. They feel ... 4. Does it hurt you? 5. Where does he come from? 6. What is ... 7. Freddie enjoys ... 8. Sometimes he tries ... 9. Do you know ... 10. He likes ...

Ćwiczenie IV. The boy's bicycle, this author's novel, the young ladies' brother, Henry the Eighth's palace, the great poet's historical play, the economist's questions, Shakespeare's play, Walter Scott's works, your leader's remark, the film star's jewel, your father's words, a fly's legs.

Ćwiczenie V. 2. a cloakroom, 3. silk, 4. a poster, 5. a tyre, 6. a chemist's shop.

Ćwiczenie VII. He is tired of working late at night. Eve is fond of going to the pictures. You must stop smoking so much. They warned me against catching cold by ... itd. We are looking forward to seeing you ... itd. Freddie was shocked at my coming late ... itd. Don't risk trying to pass ... itd. Father was surprised at my speaking ... itd.

Ćwiczenie VIII. The Good Old Times
Would you like to have lived in the "good old times"? Don't you think that those times were more romantic than ours? No, I don't. People were living in magnificent castles and palaces with plenty of people serving them. How do you know you would have been a rich lord? Perhaps you would have been a poor, exploited farmlabourer working hard for his lord? That's true. But think: what beautiful buildings they have created! You forget they had no bathrooms, no glass in their windows. But people had splendid costumes. What colours, what imagination! How much nicer than ours. They wore wonderful hats even in their homes. And do you know why? For they had no proper stoves, no central heating in their palaces and the rooms were extremely cold in winter. You must admit that they had a quieter life. No rushing here and there, no noisy cars, motor-bikes, aeroplanes. Think of it: Your neighbours had no radio sets! Ah, I admit you've got a point there.

LEKCJA DWUDZIESTA TRZECIA

List z Polski

Drogi Janku!

Oto nareszcie długi list, który Ci obiecałem w mojej pocztówce z Zakopanego. Widzisz, odbyłem (podróżowałem) długą drogę z Warszawy, ale jak zapewne wiesz, bilety (opłaty) kolejowe są tu o wiele tańsze niż u nas. Byłem zdziwiony, kiedy się dowiedziałem, że studenci i uczniowie (płacą ulgowe ceny za swoje bilety) mają aż 30% zniżki kolejowej. Szkoda, że nie płacimy mniej (chciałbym, abyśmy płacili mniej) na naszych kolejach w kraju, zwłaszcza że także są upaństwowione.

Jaka szkoda, że nie widziałeś Zakopanego. To bardzo piękna miejscowość kuracyjna (zdrowotna), doskonale położona pośród wysokich, pięknych gór. Są tam czarujące (tereny na) spacery w dolinach, wspinaczki skalne i prawdziwe taternictwo wysokogórskie dla fachowców.

Góry mogą być bardzo niebezpieczne, zwłaszcza dla początkujących. Tej jesieni muszę zaoszczędzić trochę pieniędzy, aby tu przyjechać w zimie na dwa tygodnie na narty albo na saneczkowanie.

Bardzo lubię górali (podobają mi się). Są weseli, towarzyscy i bardzo uzdolnieni. Wielu polskich wybitnych muzyków, malarzy i architektów pochodzi z tej części kraju. Szkoda, że nie możesz zobaczyć (powinieneś) ich rzeźby w drzewie, zarówno w stylu tradycyjnym, jak i w najbardziej nowoczesnym. Kupiłem dla Ciebie prezent: parę pięknie haftowanych pantofli.

Kraków naturalnie znasz. Zupełnie zgadzam się z Tobą, że urok miasta leży w malowniczym charakterze jego ulic, jak i w dużej ilości pięknych starych budynków, murów i bram. Ale widziałem coś, czego Ty nie widziałeś, nową, nowoczesną część Krakowa, Nową Hutę, „stalowe miasto".

Widzisz, pozostali członkowie mojej grupy pojechali na wycieczkę do Wieliczki, żeby zwiedzić kopalnię soli, unikat pewnego rodzaju, ale ja dostałem specjalne zaproszenie od polskiego przyjaciela naszego rodaka. Jest on dyrektorem jednego oddziału Huty im. Lenina w Nowej Hucie. Bardzo uprzejmie polecił jednemu ze swych pracowników, aby wszędzie mnie oprowadził. Trzeba to wszystko zobaczyć, aby (w to) uwierzyć. Niedawno ta miejscowość była biedną wioską — teraz jest to nowoczesne, przemysłowe miasto, produkujące wyroby na użytek wewnętrzny i na eksport. Urządzenia fabryczne, maszyny, urządzenia socjalne, wszystko jest nowoczesne. Tak samo (są) nowe bloki mieszkalne z wygodnymi mieszkaniami.

Wiem, że ty się interesujesz spółdzielniami rolniczymi. Może rzeczywiście winien Ci jestem (przedstawić) obraz życia polskiej wsi, ale — moim zdaniem — powinneś zdobyć się (zrobić) na wysiłek, przyjechać tu na przyszły rok i sam osobiście wszystko obejrzeć.

A propos, smakuje mi tu jedzenie, szczególnie w prywatnych domach. I owoce są doskonałe, szkoda, że nie możesz spróbować wiśni, poziomek albo grzybów. Chciałbym przywieźć do domu trochę grzybów dla ciotki mojej matki (która jest Polką z pochodzenia), jeżeli to nie jest niezgodne z przepisami celnymi.

Teraz, mam nadzieję, już więcej nie powiesz, że moje listy są za krótkie, ten jest chyba za długi. No, do widzenia, zobaczymy się za miesiąc.

Zawsze Twój
Tomasz Bright

Cytaty, przysłowia i żarty

Język jest zwierciadłem (ubiorem) myśli.
Rząd ludu, przez lud, dla ludu.

Ćwiczenie I. 1. From Warsaw. 2. From Zakopane. 3. He was surprised to learn that students and schoolchildren paid reduced prices for tickets. 4. It is very high among hills. 5. For beginners. 6. For a trip to Zakopane in winter. 7. Skiing lub: tobogganing. 8. Because they are gay, sociable and fine artists. 9. Fine old buildings and picturesque streets. 10. Nowa Huta is part of Cracow. 11. An employee of the works. 12. The size of the works and its up-to-date character.

Ćwiczenie II.

communism	national	nationalistic	collective	mechanize
socialism	mechanical	communistic	productive	specialize
mechanism		socialistic		socialize
				collectivize
				nationalize

speciality	communist
productivity	specialist
	socialist

Ćwiczenie III.

North and South	Black and white	Paper and pencil
Right and wrong	Heaven and earth	Gold and silver
Brave and bold	Coat and hat	Knife and fork
Open and shut	Bigger and better	Day and night

Ćwiczenie VI.

Where is the nearest post office? Which is the way to the station? Which is the way to bus No 7? Excuse me, what does this notice say? Excuse me, what is this building? Could you tell me when the train starts? Which bus must I take to the station? How much (do I pay for) is this postcard? How far is it to my hotel? Do you speak English? Do you speak Russian? Do you understand me when I speak slowly?

LEKCJA DWUDZIESTA CZWARTA

Talizman

I

Ralf Barney wracał od swego wuja. Siedział w wagonie kolei podziemnej (idącej) do Hammersmith i myślał o swym wuju.

Rodzice Ralfa Barneya umarli, kiedy był małym chłopcem. Chłopca oddano w opiekę wujowi, który całe swoje życie spędził w podróżach. Obecnie wuj mieszka spokojnie w Londynie, żyjąc ze swych oszczędności.

Siostrzeńcowi swemu wypłacał pensję, która była za mała, aby związać koniec z końcem. Wobec czego młody człowiek wciąż potrzebował (był w ustawicznej potrzebie) pieniędzy.

Dzisiaj był u wuja w nadziei, że stary człowiek da mu trochę więcej pieniędzy, ponieważ z powodu nieoczekiwanych wydatków jego miesięczna (pomoc) pensja zmniejszyła się na tyle, że pozostało mu zaledwie na nędzne utrzymanie do końca miesiąca.

Zamiast tego wuj dał mu coś, co, powiedział, przyniesie mu szczęście we wszelkich (w jakichkolwiek) przyszłych poczynaniach. Był to mały talizman, który (on) otrzymał od pewnego wodza afrykańskiego szczepu i składał się z kości zwierzęcia lub może człowieka, pokrytej jakimiś magicznymi znakami (z magicznymi znakami na niej), wprawionej w kawałek niezwykle twardego, czarnego drzewa.

Ralf Barney wyjął talizman i oglądał go ze wszystkich stron (ze wszystkich kątów). Czy miał naprawdę jakąś nadprzyrodzoną moc niesienia pomocy?

Wzrok jego (powędrował) oderwał się od talizmanu i spoczął na starszej damie, która najwidoczniej wracała lub jechała na jakieś przyjęcie (towarzyską okazję), co zdradzała (pokazywała) jej suknia pod letnim płaszczem. Dama miała błyszczący naszyjnik przykryty dyskretnie przezroczystym szalikiem, a przez jej rękawiczki można było widzieć kilka pięknych pierścionków i złotą bransoletkę, wysadzaną drogimi kamieniami.

Ralf Barney instynktownie pomyślał, że jeżeli wszystkie te klejnoty są prawdziwe, muszą być bardzo cenne.

Dama miała około sześćdziesięciu lat, była dobrze ubrana i gdyby nie klejnoty, wyglądałaby skromnie.

Nagle pewna myśl przeszyła umysł Ralfa — zrabować jej klejnoty. Ukraść je i sprzedać, i nareszcie cieszyć się dostatnim życiem ... ale jak (mógł) to zrobić?

Oczywiście (ona) nie powinna go podejrzewać. Zwrócił (swój) wzrok w innym kierunku i pomyślał. „To będzie moje pierwsze ryzykowne przedsięwzięcie z tym talizmanem, ono się powiedzie. Musi się powieść!"

Włożył rękę do kieszeni spodni, aby się upewnić, że talizman jest tam jeszcze i myślał dalej.

„Będę szedł za nią, zobaczę, dokąd pójdzie, zobaczę, gdzie (ona) mieszka ... jeżeli sama, spróbuję znaleźć jakiś pretekst, aby zastukać do drzwi i przedstawić się jako ... urzędnik magistracki ... albo nie, jako tajny policjant, tak, to będzie najlepiej ... i potem zaknebluję (jej usta), zabiorę wszystko ... wszystkie te cenne pierścionki ... naszyjniki ... nie wyrządzając krzywdy ...".

Kiedy pociąg wyruszył z Gloucester Road, dama przygotowała się do wyjścia ...

„A zatem", pomyślał Ralf Barney, „ona ma zamiar wysiąść w Earl's Court ... ciekaw jestem, dokąd (ona) pójdzie ...".

(Kobieta) Wysiadła z tłumem ludzi na następnym przystanku. Nie wiedziała, że ją śledzono (z bliska obserwowano).

Skręciła na prawo w ulicę Earl's Court i poszła prosto, przeszła wszystkie przejścia dla pieszych na Old Brompton Road i następnie weszła w jedną z ulic, leżącą w okolicy Redcliffe Square. Była to dosyć krótka, cicha uliczka, zamieszkała przez zamożnych ludzi.

Zatrzymała się przed jakimś domem ... przeszła przez mały ogródek kwiatowy, stanęła przed drzwiami ... grzebała w torebce, szukając kluczy ... znalazła je ... włożyła klucz do zamka i otworzyła drzwi. Potem, nie oglądając się za siebie, weszła do domu.

Właśnie wtedy Ralf Barney powoli przechodził. Nie słyszał, aby ktoś witał damę. Zatrzymał się na chwilę, pochylił się i udawał, że poprawia sznurowadła, nasłuchując przez cały czas, czy odezwą się (czy tam były) w domu jakieś głosy. Nie, nie słyszał nic. Na ulicy też nie było nikogo. Podszedł dalej do rogu następnej ulicy, rozejrzał się wokoło i nie widząc nikogo, zawrócił pewnym krokiem do domu nieznajomej damy.

Ćwiczenie I. 1. died, 2. allowance, 3. need, 4. African, 5. signs, 6. train 7. sparkling, 8. rings, bracelet, 9. were, 10. mind, 11. jewels, 12. lived, 13. saw.

Ćwiczenie II. [r] wymawiane: from, rich, present, grow, very, bring, African, tribe, rest.

[—] „r" nie wymawiane: Barney, Hammersmith, more, beggarly, future, venture, hard, power, wander.

Ćwiczenie IV. 1. a baker, 2. a painter, 3. a landlord, 4. a model, 5. a science chemist, 6. a chemist, 7. a customs official, 8. a physicist, 9. a physician, 10. a farmer, 11. an airman, 12. a shoemaker.

Ćwiczenie V. Nineteen twenty-three, seventeen fifty-five, thirteen twelve, eight hundred and ninety-four, fifteen forty.

Ćwiczenie VII. a) he stays — przebywa, he tries — próbuje, he lies — leży, he dries — suszy (się), he supplies — dostarcza, he enjoys — cieszy się (czymś), he fancies — wyobraża sobie, he occupies — zajmuje (się), he multiplies — mnoży, he flies — lata, he ties — wiąże, he marries — żeni się.

b) ways — drogi, flies — muchy, plays — sztuki, skies — nieba, ladies — panie, days — dni, trays — tace, toys — zabawki, turkeys — indyki, sympathies — współczucia, entries — wejścia, pozycje, stories — opowiadania.

LEKCJA DWUDZIESTA PIĄTA

Talizman

II

Zanim podszedł do drzwi (skręcił do drzwi), ostrożnie (nieznacznie) obejrzał się; ani żywej duszy ...

Ralf Barney pchnął drzwi ... co za szczęście! Drzwi były uchylone. Teraz stał w hallu, w którym było dwoje czy troje drzwi, wszystkie otwarte. Schody prowadziły na górę ... nikt nie poruszał się wewnątrz, dom wydawał się opuszczony.

Podszedł do pierwszych drzwi na prawo ... (to był) salon ... pusty ...

Nagle usłyszał, że ktoś chodzi na górze, akurat nad jego głową ... teraz zatrzymał się ... te same kroki ... i żadnych innych ...

„Ona musi być sama tam na górze", pomyślał.

Poszedł więc na górę bardzo szybko i cicho, (biorąc) po dwa ... trzy schodki na raz. Jedne drzwi otwarte ... zrobił krok i oto stał na progu ...

Tak, (ona tam) stała przed lustrem i zdejmowała wszystkie (swoje) klejnoty ...

W dwóch susach znalazł się za nią ... kobieta krzyknęła ... Ralf Barney złapał ją za głowę i wyciągnąwszy chusteczkę usiłował wepchnąć (ją) jej do ust ... Jednocześnie rozglądał się dookoła, aby coś znaleźć, by ją związać ... Ale (ona) krzyknęła głośniej ... upadli na podłogę, koło kominka, walcząc ...

Wiedział, że musi coś zrobić, aby przestała krzyczeć ... nagle coś mu szepnęło:

„Uderz ją w głowę pogrzebaczem, jest tuż pod ręką, ogłusz ją".

Nie wiedział, jak to się stało. Złapał żelazo i uderzył ... osunęła się na podłogę i leżała nieruchomo ...

Ralf Barney skoczył do toaletki, wziął naszyjnik, kilka pierścionków i bransoletkę ... i stał nasłuchując przez chwilę ... cisza w domu była zupełna.

Potem zbiegł po schodach, przez drzwi i na ulicę, nikogo nie było w pobliżu ... Poszedł więc szybko w kierunku stacji kolei podziemnej.

Kiedy Ralf Barney skręcił za rogiem w jednym końcu ulicy, zza rogu drugiego końca wyszedł policjant. Szedł ulicą. Teraz zatrzymał się. Coś tu nie (było) w porządku. Drzwi jednego domu były otwarte i nikt nie wychodził, nikt nie poruszał się wewnątrz ...

Policjant wszedł. Żeby przerwać ciszę domu, powiedział głośno.

„Czy jest tu kto?"

Żadnej odpowiedzi.

„Hallo! Czy jest tu kto?"

Cisza. (żadnego dźwięku)

Policjant wszedł do pokojów na parterze. Wszystkie były puste. Wobec tego poszedł po schodach na górę, pytając jeszcze raz, czy tam kto jest. Wreszcie wszedł do pokoju, w którym znalazł kobietę, leżącą na ziemi. Pochylił się i słuchał, czy oddycha ... nic. Wziął ją za puls ... nie bił. Nie żyła. Była jeszcze ciepła.

Wówczas rozejrzał się dookoła i zobaczył żelazny pogrzebacz, leżący koło ciała i ślady krwi na nim. Ktoś ją zabił. Szukał śladów walki, ale nie zobaczył nic, z wyjątkiem chusteczki do nosa i dziwnie wyglądającego kawałka drzewa z kością w środku. Nie dotykał niczego, tylko cicho zszedł na dół i poszedł do najbliższej budki telefonicznej, żeby zadzwonić do Scotland Yardu.

Zbliżając się (był blisko) do budki, spotkał młodego człowieka, który szybko szedł w przeciwnym kierunku, i patrzył uważnie na chodnik.

„Szuka pan czegoś, prawda?" — zapytał, „czy to coś aż tak cennego?"

„Nie", odpowiedział młody człowiek, „nic takiego".

„Co to było?" — nalegał policjant, widząc, że młody człowiek jest (był) podniecony i przestraszony pytaniami.

„Taka mała i trochę dziwna rzecz, którą dostałem dzisiaj na szczęście (żeby przyniosła szczęście)".

Pod wpływem jakiegoś impulsu policjant zapytał:

„Czy to nie był kawałek kości osadzonej w drzewie?"

„Tak", odpowiedział młody człowiek, zanim miał czas pomyśleć.

Twarz policjanta zmieniła się natychmiast. Szybko położył rękę na ramieniu Ralfa Barneya i powiedział:

„Aresztuję pana za zamordowanie kobiety ..."

Cytaty, przysłowia i żarty

Sprawiedliwość może na chwilę przymrużyć oczy, lecz w końcu przejrzy.

Ćwiczenie I. 2. Where was the living-room? 3. What was the woman doing in front of the looking-glass? 4. Who shouted? 5. What did he snatch? 6. How long did the young man stand there? 7. Where did the policeman find the woman? 8. What was lying near the fireplace? 9. What did the policeman look for? 10. How did he go down? 11. Why did he go to a telephone box? 12. When was the man arrested?

Ćwiczenie II. 1. leaving, 2. remain, 3. left, 4. left, 5. left, 6. left, 7. remained, 8. left, 9. remain.

Ćwiczenie V.

unfaithful — niewierny
unpopular — niepopularny
uncomfortable — niewygodny
unconditional — bezwarunkowy
unintelligent — niereinteligentny

informal — nieformalny, nieoficjalny
inexperienced — niedoświadczony
indecent — nieprzyzwoity
inessential — nieistotny
indelicate — niedelikatny

dishonest — nieuczciwy
disappear — zniknąć
dissimilar — niepodobny
dislike — nie lubić
discontinuous — nieciągły

LEKCJA DWUDZIESTA SZÓSTA

Gród Okrągłego Stołu

I

Winchester City leży około sześćdziesięciu mil na południowy zachód od Londynu. Kiedyś było stolicą królestwa Wessex (ok. 519 r.), dopóki stolicą wyspy nie został Londyn. Stąd król Alfred (871—901) prowadził długą wojnę przeciwko Duńczykom. W jedenastym wieku Kanut rządził z Winchesteru zarówno Anglią, jak i Skandynawią. Miasto było uważane za stolicę jeszcze za panowania Wilhelma Zdobywcy. Zostało (było) ufortyfikowane i otoczone murem.

Państwo Clifford przyjechali tu na wycieczkę autobusem z Londynu.

„Zadowolona jestem, żeśmy tu nareszcie przyjechali", powiedziała pani Clifford, wysiadając z autobusu. „Nie lubię zbyt długich podróży autobusem, zawsze mam skurcze w nogach i mój żołądek nie bardzo umie dostosować się do jazdy."

· „Słusznie, kochanie", przyznał pan Clifford, jej mąż, pomagając żonie wysiąść, „ale, na szczęście, to nie trwało zbyt długo."
Pani Clifford spoglądając w górę:
„Więc to jest Kolegium Winchesterskie, brama jest zupełnie średnio-
wieczna, prawda?"
„A tak!" — zgodził się pan Clifford, „jest bardzo stara. Szkoła została
założona przy końcu czternastego wieku. To jedna z najstarszych szkół publicznych."
Był piękny, lipcowy dzień, słońce świeciło, niebo było błękitne, powietrze
bardzo ciepłe.
Weszli na obszerne tereny szkoły, wolno spacerowali od budynku do budynku, z dziedzińca na dziedziniec, oglądając szczegółowo wszystko, co mogło ich zainteresować. Nigdy przedtem nie byli w Winchesterze, ale bardzo
dużo wiedzieli o mieście i jego historii.
„Uważam, że to (jest) bardzo ciekawe obejrzeć tę szkołę i poznać samemu
miejsce (otoczenie), w którym mieszka nasza młodzież", powiedziała pani
Clifford.
„Rzeczywiście, i biblioteka, w której mają tak dużo starożytnych doku-
mentów, jest bardzo stara", odpowiedział pan Clifford.
Wyszli z powrotem na ulicę.
„Teraz chodźmy do katedry, a potem do centralnej części miasta, gdzie
chciałabym napić się herbaty."
„Dobrze."
Przeszli przez cmentarz przykościelny niedaleko szkoły.
„Co za wspaniała budowla (budynek), to chyba (jest) gotyk, prawda, Har-
ry?"
„Tak, a najbardziej uderzającą cechą katedry jest to, że ma najdłuższą
nawę w Anglii", wyjaśnił pan Clifford.
„To bardzo interesujące, wejdźmy do środka."
Weszli i zaraz przy wejściu pani Clifford przystanęła, aby przeczytać epi-
tafium.
„Pamięci Tomasza Thetchera, grenadiera północnego pułku milicji hrab-
stwa Hants, który umarł na gwałtowną gorączkę, jakiej nabawił się, pijąc
małe piwo, kiedy był zgrzany, 12-go maja 1764 r. w wieku lat 26.
We wdzięcznej pamięci za jego ogromną życzliwość wobec (swych) towa-
rzyszy, ten kamień został tu położony na ich koszt, jako (mały) skromny
dowód ich pamięci i frasunku.
Tu spoczywa w pokoju Grenadier z Hampshire,
Który umarł, pijąc małe, zimne piwo,
Żołnierze, weźcie naukę (bądźcie mądrzy) z jego przedwczesnego
odejścia
I kiedy jesteście zgrzani, pijcie mocne albo wcale.
Ten pomnik został odnowiony przez oficerów garnizonu A. D. 1781.

Uczciwego żołnierza nigdy się nie zapomina,
Czy umrze od muszkietu, czy od kufla."
„Jakie to tragiczne i zabawne", zawołała pani Clifford, „umrzeć od kufla piwa."

Pan Clifford nie zrobił żadnej uwagi, ponieważ nie sądził, aby śmierć od kufla piwa była czymś szczególnym ... zwłaszcza jeżeli to było dobre piwo ... dlaczego nie?

Przeszli lewą nawą, pani Clifford zainteresowała się epitafiami, więc czytała je, idąc powoli. Znowu zatrzymała się zaciekawiona.

„Spójrz, Harry, to (jest) grób Jane Austen, nie miałam pojęcia, że ona jest tu pochowana."

„Hm, tak ... sam nie wiedziałem."

Zatrzymali się chwilę, czytając.

Następnie obeszli dokoła katedrę i w końcu znaleźli się znowu przed głównym wejściem.

Cytaty, przysłowia i żarty

Jeden mężczyzna: „Moja żona to anioł!"

Drugi mężczyzna: „Miło to słyszeć, moja jeszcze żyje."

Ćwiczenie I. 1. lies, 2. city, 3. against, 4. wall, 5. coach, 6. like, 7. medieval, 8. founded, 9. been, 10. deal, 11. knowledge, 12. far, 13. cathedral, 14. idea.

Ćwiczenie II. 2. Did she remember any facts ... 3. Did she have any trouble ... 4. Did they go to see any ... 5. Did they find anything of interest in the courts? 6. Do you know anything about ... 7. Are there any mistakes ... 8. Have you any time?

Ćwiczenie III. 1. never, 2. often, 3. too long, 4. quite, 5. never, 6. always, 7. too, 8. seldom.

Ćwiczenie V. The first, the second, the third, the fourth, the fifth, the sixth, the seventh, the eighth, the ninth, the tenth.

too — also

to point at — to show

depressed — in low spirits

wide — broad

magnificent — splendid

to start — to begin

probably — perhaps

to repair — to mend

a party — a meeting

teenagers — young people

steady — regular

to collect — to gather

recent — latest

damp — wet

to forbid — to prohibit

Ćwiczenie VIII. Oto droga do...
Dworzec jest zupełnie blisko; niech pan idzie dalej prosto, a potem skręci na lewo. Niech pan weźmię autobus nr 8, a on zawiezie (zabierze) pana do pańskiego hotelu. Najpierw niech pan skręci na prawo, potem niech pan idzie wzdłuż rzeki przez kilka minut i most będzie po pana lewej stronie. Przykro mi, ale nie wiem, gdzie jest opera. Proszę zapytać policjanta. Niech pan idzie ze mną, pokażę panu pocztę. Ta droga (jest) wiedzie do parku, a tamta (jest drogą) do morza. Hotel będzie na trzeciej ulicy na lewo. Rozumiem pana zupełnie dobrze, ale nie wiem, gdzie jest ta ulica.

LEKCJA DWUDZIESTA SIÓDMA

Gród Okrągłego Stołu

II

„Może przejdziemy teraz przez cmentarz kościelny do miasta?" — zapytała pani Clifford.

„Owszem, kochanie, widzę tam miłą (przyjemnie wyglądającą) herbaciarnię, chodźmy (tam)", zgodził się pan Clifford.

Poszli wolno ścieżką cmentarną i wyszli na ulicę.

W herbaciarni wypili herbatę wraz z mnóstwem różnych gatunków kanapek. Potem udali się do centralnej części miasta, którą jest High Street. Najpierw skręcili w prawo.

„Co (to) tam stoi?" — pani Clifford wskazała na (jakiś) pomnik, stojący na środku ulicy.

„Podejdźmy bliżej. To (jest) jakiś rycerz, ponieważ trzyma tarczę w ręku. To król Alfred. Co za wspaniały posąg!" — powiedział pan Clifford.

„Bardzo piękny, jak dobrze jest tutaj umieszczony, w sercu swego miasta, nikt chyba nie może nie zauważyć go."

Zatrzymali się i przez chwilę podziwiali posąg, potem zawrócili ulicą High Street w kierunku starego zamku.

W hallu zamkowym zobaczyli legendarny Okrągły Stół Króla Artura.

„Patrz, Harry", odezwała się pani Clifford, „to jest Okrągły Stół, dokoła którego, jak mówią, zasiadało stu pięćdziesięciu rycerzy, a ich imiona są tam wypisane, aby wskazać ich własne miejsca."

„Nie do wiary! W takich miejscach musi się być trochę romantycznym. Czy pamiętasz wszystkie te opowiadania o rycerzach Okrągłego Stołu?"

„No pewnie, pamiętam wiele (z nich)! Prawdopodobnie Winchester jest tym właśnie legendarnym miastem, które nazywało się Camelot i które było rezydencją króla Artura i jego dworu. Jakie opowiadanie pamiętasz Harry?"

„No, najbardziej mi się podobało albo raczej największe wrażenie zrobiło na mnie opowiadanie o Zielonym Rycerzu."

„O, tak, (ono było) okropne. Niemal słyszę i widzę wszystko, co się tam wydarzyło... Patrz! Zielony Rycerz jechał tędy na koniu i strasznym głosem rzucił wyzwanie Rycerzom Okrągłego Stołu, aby któryś z nich uciął mu głowę i dwanaście miesięcy później zniósł takie samo uderzenie na własnej szyi. Możesz sobie wyobrazić, że słyszysz w (tym) hallu jego okropny śmiech, kiedy zobaczył, że nie było nikogo, kto by podjął wyzwanie", opowiadała pani Clifford.

„Mów dalej, Klaro, mów dalej", zachęcał pan Clifford, „masz bujną wyobraźnię (z łatwością możesz wyobrażać sobie rzeczy), w przeciwnym razie nie mogłabyś przedstawić tej sceny tak żywo."

„Było niemożliwością dla Rycerzy Okrągłego Stołu nie odpowiedzieć na takie wyzwanie. Z początku byli zdumieni zuchwalstwem Zielonego Rycerza. Rycerz Gawain zerwał się i jednym ciosem ściął mu głowę. Widzę, jak toczy się po podłodze. Widzę, jak Zielony Rycerz pochyla się, podnosi ją, wkłada pod pachę, wskakuje na konia i galopuje, jak wicher, bez głowy!". — ciągnęła pani Clifford.

„Co za wyobraźnia!" — wykrzyknął pan Clifford ze zdumieniem, „musiałaś grać to w szkole. Teraz uspokój się trochę, moja droga, ja opowiem ci resztę."

„Dobrze, kochanie. Ale nie przybieraj tych (wszystkich) min i póz średniowiecznego bohatera."

„Cicho, cicho... teraz słuchaj! Pamiętam dobrze szlachetną postać rycerza Lancelota, który był bardzo zakochany w królowej Giniwrze, małżonce swego króla. Te dwa czyste serca nie mogły się oprzeć namiętności, która je ogarnęła... była przyczyną wszystkich późniejszych nieszczęść, które spadły (przyszły) na Camelot..."

„Och, wy mężczyźni!" — przerwała pani Clifford. „Zawsze musicie wszystko zepsuć (z westchnieniem), ale to nie byłoby takie romantyczne..."

„Ale" ciągnął pan Clifford, „musiała być bardzo piękną kobietą. Przypomnij sobie inną nieszczęśliwą parę, która należała także do dworu — rycerza Tristana i Izoldę. I rycerza Parsifala, Galahada, świętego rycerza, któremu dane było podjąć się poszukiwania i znaleźć Świętego Grala, i Merlina, starego cudotwórcę i czarodzieja."

„Tak się cieszę, że przyjechaliśmy tutaj", powiedziała pani Clifford. „Teraz zapamiętam to miejsce na zawsze."

To powiedziawszy wyszli i poszli ulicą w kierunku stacji autobusów.

Cytaty, przysłowia i żarty

To duża różnica (dużą różnicę stanowi), czy fabuła opowiadania jest strasznie prosta, czy po prostu straszna.

Ćwiczenie I. 1. No, it wasn't. 2. They had tea and plenty of various kinds of sandwiches. 3. High Street. 4. In the heart of the city. 5. In the castle hall. 6. One hundred and fifty knights. 7. Yes, I do. lub: No, I don't. 8. The Green Knight. 9. Yes, she has. 10. The Green Knight picked up his head, jumped on his horse and galloped out headless. 11. Queen Guinevere. 12. She was the wife of King Arthur.

Ćwiczenie II. 1. themselves, 2. each other, 3. myself, 4. each other, 5. himself, 6. myself, 7. each other, 8. herself.

Ćwiczenie III. Half past two, three o'clock, half past three, four o'clock, half past four, five o'clock, half past five, six o'clock, half past six, seven o'clock.

Ćwiczenie IV. 2. The king can hear them enter the hall noisily. 3. All the terrified knights watched him pick up his head. 4. We all heard him laugh loudly. 5. I can see her point at a monument with her right hand. 6. From her windows the queen could observe the knights (lub: them) ride on their horses near the residence of the king.

Ćwiczenie VII.

Piłka nożna (tutaj mowa jest o rugby)

Winchester, 13 sierpień 19...

Kochany Piotrze,

Właśnie przyjechałem do Winchester na weekend (sobota, niedziela). Kilka dni temu wybrałem się (poszedłem) zobaczyć mecz futbolowy i ogromną mi to sprawiło przyjemność. Miałem doskonałe miejsce. W swoim liście ze wsi pytasz mnie o różnice między brytyjską a amerykańską piłką nożną, rugby. Myślę, że są pewne różnice (kilka).

Przypuszczam, że wiesz, że piłka jest jajowatego kształtu, że jest 15 graczy na polu. Każda drużyna usiłuje przekroczyć linię gola z piłką. Gracze mogą biec z piłką w rękach, mogą rzucać lub kopać ją. Człowiek niosący piłkę może być zatrzymany, nawet rzucony na ziemię przez członków drugiej drużyny. Gracze z jego drużyny nie mogą używać rąk, ażeby obronić go, ale mogą wpadać (wbiegać) na swych przeciwników swymi ciałami. Przepisy są inne, kiedy piłka została kopnięta.

Oczywiście jest sędzia sportowy, który gwiżdże, żeby zatrzymać grę lub zacząć ją na nowo, który decyduje, czy był to faul, czy nie.

W przyszłym tygodniu wybieram się do Walii na kilka dni, a potem do domu do Chicago, ponieważ nasze wykłady i ćwiczenia zaczynają się we wrześniu.

Pozdrów ode mnie, proszę, swą siostrę,

Twój (przyjaciel)

Jim

LEKCJA DWUDZIESTA ÓSMA

Z wizytą u Piotrusia Pana

Ilekroć Muriel pragnie samotności, idzie do parku Kensington, (tego) czarującego miejsca zabaw dla dzieci, albo do Hyde Parku, gdzie może w spokoju spacerować sama po alejach wysadzanych drzewami tak długo, jak długo ma ochotę.

Te dwa parki, połączone (razem) Serpentyną, tworzą dobrze znaną promenadę Londynu (miejsce do spaceru). Serpentyna jest rozległą wodą, która kiedyś była rzeką Westbourne, (biegnącą) spływającą z okolicznych wzgórz do Tamizy.

To miejsce będzie zawsze związane ze wspomnieniami Muriel o jej dzieciństwie, ponieważ zwykle bawiła się tam prawie codziennie.

W zeszłą sobotę spotkała tam swoją dawną przyjaciółkę Louizę.

„Jak się masz, Muriel", zawołała zaskoczona Louiza.

„A, jak się masz Louizo! Ileż czasu minęło, odkąd widziałam cię po raz ostatni, co tu robisz sama?"

„Spaceruję i próbuję przypomnieć sobie te miejsca, gdzie miałyśmy zwyczaj bawić się razem w dzieciństwie", odpowiedziała Louiza.

„Czy byłaś już przy posągu Piotrusia Pana?"

„Tak, naturalnie, pamiętam, że chodziłyśmy do posągu za każdym razem, kiedy tu byłyśmy."

„Chodźmy tam teraz razem popatrzeć na uroczego (chłopca) flecistę. Kto to napisał tę piękną sztukę i książkę o Piotrusiu Panie, właśnie umknęło mi z pamięci."

„Zaczekaj, kochanie", powiedziała Louiza. „Mam to na końcu języka. (To był) James Barrie, a książka była ślicznie ilustrowana. Właściwie (jest) była cała seria jego książek o Piotrusiu Panie, wszystkie zachwycające i czarujące."

Po chwili panienki podeszły do posągu Piotrusia Pana i jego towarzyszy ze świata baśni. Jest on dosyć wysoki. Chłopiec stoi wysoko na piedestale, wyrzeźbionym w kształcie sękatego drzewa. Wygląda zupełnie jak żywy, ze (swymi) zwichrzonymi włosami i kurteczką, jak gdyby poruszał się w takt melodii (za melodią) wygrywanej na flecie. Wygląda na chłopca (w wieku) około dziesięcioletniego, bardzo wdzięcznego i pełnego uroku. Wokół drzewa — ptaki i zwierzątka, jak króliki, myszki itd., gnieżdżą się wewnątrz i między jego korzeniami. Wszystkie są zaciekawione muzyką (graną przez chłopca), którą chłopiec wygrywa i słuchają jej zachwycone.

Wróżki bawią się w chowanego wokół pnia drzewa, a jedna (z nich) ze skrzydłami motyla wspięła się do góry, trochę wyżej od innych, i patrzy na chłopca oczarowana.

Całość jest umieszczona na placyku, porośniętym trawą, nad wodą. Rozległe trawniki i cieniste gaje tego pięknego miejsca są doskonałym domem dla Piotrusia Pana.

„Spójrz, jaki to uroczy (jest) posążek", powiedziała Muriel, „i jak zwykle (jakie mnóstwo) ile dzieci dokoła niego."

Rzeczywiście można tam było zobaczyć matki popychające wózki z dziećmi i uszczęśliwione dzieci ze skakankami, kółkami i piłkami.

Obie przyjaciółki przystanęły i patrzyły na ów obrazek (przed nimi) z przyjemnością. O czym myślały? Jestem pewien, że (myślały) o swym dzieciństwie, o tym, jak przychodziły tu i odchodziły (o swoich przyjściach i odejściach), o czasie dziecięcego szczęścia, nie zamąconego przez wojnę, kłopoty codziennego życia, szczęścia nieświadomości — wszystkich tych przywilejów dziecięcej osobowości.

„Chodźmy wzdłuż ogrodzenia parku obok Bayswater Road do Hyde Park Corner i Marble Arch", zaproponowała Muriel, „możemy się tam chwilę zatrzymać i posłuchać kilku mówców."

„To miejsce było dla mnie zawsze najdziwniejsze. Ciekawe (dziwne), że są ludzie, którzy czują potrzebę przemawiania i głoszenia swoich idei w publicznym parku."

Rozmawiały dalej na różne tematy, aż podeszły do kilku grupek ludzi, którzy stali i słuchali jakichś mówców i wymieniali z nimi poglądy. Słuchały przez pewien czas i potem rozstały się, obiecując spotkać się znów na pogawędkę.

Cytaty, przysłowia i żarty

Mowa, właściwie, nie tyle służy do wyjawienia naszych (braków) potrzeb, ile do (umiejętnego) ukrycia ich.

Ćwiczenie I. 1. In the middle of London. 2. The Serpentine, a stretch of water which was once the Westbourne river. 3. She played there almost every day. 4. Her old friend, Louise. 5. James Barrie. 6. In Kensington Gardens. 7. He looks a boy of about ten. 8. Birds and small animals like rabbits, mice. 9. Children look at it and admire it. 10. Yes, I have. It has been translated into Polish and its Polish title is "Piotruś Pan". 11. About their childhood. 12. Several groups of people standing and listening to some orators speaking in the open air. 13. About various things. 14. Yes, for some time.

Ćwiczenie III. 1 — B, 2 — G, 3 — H, 4 — F, 5 — E, 6 — C, 7 — D, 8 — A.

Ćwiczenie VII. Sunday in England

I've read somewhere that Sunday in England is a terrible day for foreigners; no food, no pleasures, no proper transport. — Well, that's not quite true.

That's a picture of an English Sunday fifty years ago. First of all some restaurants and snackbars are open. — A friend of mine said that in Edinburgh the only place where you can dine on Sunday is the restaurant at the railway station. — Oh, yes, in Scotland you're still in a difficult position if you're a traveller. — But don't people travel on Sundays? — Certainly, they do. You've heard of English week-ends, haven't you? — And what about rainy weather? In winter or autumn I'd rather seé a show or a match. — Cinemas are open, but theatres aren't. And no sport events either. — What did you do in England when the weather was bad? — I used to go to museums and art galleries. My favourite was the Science Museum with all the inventions man has made during centuries.

LEKCJA DWUDZIESTA DZIEWIĄTA

Skandal w salonie fryzjerskim

I

Frieddie: Serwus, Ronnie, od wieków nie miałem od ciebie wiadomości. (Jak upływa życie?) Co słychać?

Ronald: Doskonale, dziękuję. Przyjechałem do miasta tylko na jeden dzień. Przebywam w Kent, na farmie Karola.

Freddie: Nie wiedziałem, że twój brat jest farmerem, myślałem, że jest chemikiem.

Ronald: Rzeczywiście tak jest. Jest szczególnym farmerem. On eksperymentuje na zwierzętach...

Freddie: Mam nadzieję, że nic bolesnego.

Ronald: Nie bądź niemądry. Wiesz, że Karol nie skrzywdziłby muchy. On robi doświadczenia z farbami.

Freddie: Z czym?

Ronald: Farbami. F — A — R — B — Y. Sztuczne barwienie.

Freddie: Czy maluje kurczęta na niebiesko?

Ronald: Nie kurczęta. Kto by chciał jeść niebieskie mięso? Ja na przykład (co do mnie) nigdy bym go nie tknął. Nie, owce, lisy, króliki, wszystkie rodzaje zwierząt futerkowych.

Freddie: O Boże! Czy chcesz powiedzieć, że on rzeczywiście „produkuje" rude owce i zielone króliki?

Ronald: Tak, robi to. To jeszcze wielki sekret i byłby bardzo niezadowolony (zirytowany), gdyby wiedział, że gadałem o tym. Więc, proszę cię, (trzymaj) buzię na kłódkę.

Freddie: No, no. To zrobi rewolucję w przemyśle futrzarskim.

Ronald: Nie tylko w przemyśle futrzarskim. Tak samo w produkcji wełny, wyrobach skórzanych itd.

II

Dzwoni telefon. Pan Lotion, fryzjer damski, podnosi słuchawkę.
„Tu Nowoczesny Salon Fryzjerski (Piękności)".
Głos kobiecy: Tu mówi pani Coogan. Dzień dobry, panie Lotion. Chciałabym przyjść się uczesać (mycie szamponem i ułożenie) we wtorek. Czy to
będzie możliwe (panu odpowiada)?
Pan Lotion: Żałuję, pani Coogan, ale cały wtorek mamy zajęty. Czy nie
mogłaby pani przyjść w środę, jak zwykle?
Pani Coogan: No, jak trzeba, to trzeba (jak muszę, to muszę). Moje włosy
robią się takie bezbarwne, trzeba je rozjaśnić.
Pan Lotion: Mam zdumiewającą nowinę dla pani. Mamy zupełnie nowy
sposób farbowania włosów. Nie potrzeba kremów ani płynów. Zażywa pani
kilka pigułek i włosy pani nabierają koloru (wychodzą w odcieniu), jaki pani
sama wybierze. Pani będzie zdumiona, jak pięknie będą wyglądały.
Pani Coogan: Panie Lotion, muszę mieć te nowe pigułki. Złotobrązowy,
wiewiórczy kolor.
Pan Lotion: Oczywiście, proszę pani. Będzie pani miała każdy odcień, jaki
pani sobie życzy.
Pani Coogan: Czy to pan wynalazł tę cudowną rzecz?
Pan Lotion: No... niezupełnie. Otrzymałem to od (jednego) znajomego
z Kent. On ma na razie ograniczone ilości (dostawy) i trzymą je w se-
krecie, ale ja jestem pierwszy, który to wprowadza do branży fryzjer-
skiej.
Pani Coogan: Czy to jest bezpieczne? To znaczy, czy ktoś już to wypróbo-
wał? Nie chciałabym być pierwsza.
Pan Lotion: Zupełnie bezpieczne, proszę pani. Pani powinna zobaczyć nowe włosy mojej żony i księżny ...
Pani Coogan: Muszę to mieć za wszelką cenę. Przyjdę w środę.

III

Zakończenie telefonicznej rozmowy między panią Coogan i jej przyjaciół-
ką Anitą.
Tak, Phyllis, przyrzekam w jakiś sposób dostać zaproszenie na przyjęcie
do księżny także i dla ciebie, ale proszę, powiedz mi koniecznie, kto jest
twoim fryzjerem. Nigdy nie widziałam twoich włosów tak pięknych.

IV

Karol: Jeżeli możesz, przyjedź i pomóż mi. Mam trochę kłopotu z moim la-
borantem. Musiałem go zwolnić.
Freddie: O co chodzi?
Karol: Okazał się zupełnie niemożliwy i obawiam się, że trochę towaru
brakuje.
Freddie: Co! Mam nadzieję, że nie tych farbujących pigułek.
Karol: Tak, obawiam się, że dość dużo pigułek zagubiono lub skradzio-

no. I potrzebuję twojej pomocy przy nowych próbach. Widzisz, nie jestem bardzo zadowolony z ostatnich (najświeższych) wyników.

Freddie: Dlaczego? Pigułki działały dobrze. Zwierzęta stały się czerwone i zielone itd., więc co jest nie w porządku?

Karol: Tak, ale po miesiącu ich sierść (włosy) zupełnie wypadła. Mniejsza o owce, ale czy możesz sobie wyobrazić łyse lisy i króliki!

Freddie: Jakie to śmieszne! Ależ to ładna historia! Więc gdyby ktoś zażył te pigułki, miałby z początku kolorowe włosy, a potem stałby się łysy jak piłka tenisowa.

V

Anita: Mówię ci, sądownie zażądam od tego człowieka odszkodowania, pójdę do najlepszych adwokatów... jestem w rozpaczy.

Pani Coogan: Nie, kochanie, nie zrobisz tego. Wyobraź sobie, co gazety pisałyby o nas. Byłybyśmy pośmiewiskiem całego miasta.

Anita: Ale co ja zrobię? Udaję, że jestem chora i siedzę teraz w domu, ale jak długo to potrwa, nim moje nowe włosy odrosną?

Pani Coogan: Sama przez to przeszłam, kochanie. Moje piękne rude włosy wypadły także. Z początku pojedyncze włoski, potem całe garście. Nowoczesny Salon Piękności musiał wynaleźć jakieś wyjście, produkują peruki.

Anita: Peruki? Nigdy w życiu nie będę nosiła sztucznych włosów! W każdym razie nie latem.

Pani Coogan: A ja już je noszę i (tak samo) wszystkie kobiety, które użyły „cudownego barwnika"! Janka i Kasia, i pani Black, i księżna...

Anita: Więc to tak? No, jeżeli one noszą peruki, to i ja także muszę mieć perukę...

Cytaty, przysłowia i żarty
Człowiek, który nie robi omyłek, zwykle niczego nie dokona.

Ćwiczenie I. I have an amazing piece of news for you. We've got quite a new way of dyeing hair. No need of creams or lotions. You take some pills and your hair grows coloured, it comes out the shade you choose yourself. And you'll be surprised how beautiful it will look. I've got it from a fellow in Kent. He's got limited supplies as yet, and keeps it very secret, but I am the first to introduce it in the hairdressing business. It's quite safe. You should see my wife's new hair.

Ćwiczenie II. 1. So he was. 2. So I did. 3. So I am. 4. So he does. 5. So it does. 6. So he did. 7. So it was.

Ćwiczenie III. chicken, fox, sheep, rabbit, duck, elephant, dog, cat, horse, cow, hare, lion, tiger, cattle, eagle, hen, goose, turkey, fly, flea, bug.

Ćwiczenie IV.

Yellow as gold	Strong as an ox	Black as night
Hot as fire	White as snow	Tall as a tree
Old as time	Quiet as a mouse	Pretty as a picture
Smooth as butter	Bright as a new penny	Fat as a pig

Ćwiczenie V. funny, brainy, hairy, risky, rainy, creamy, lucky, squeaky, furry, dusty, muddy, tasty, bony, filthy, plucky, witty.

Ćwiczenie VIII. Fox Hunting

The English are very fond of animals. — Some animals, you mean. Don't forget that they are fond of all kinds of sports, among them shooting, hunting. Fox hunting is a very English sport. Regular fox hunting is really a kind of race. The riders wear pink coats and gather at some place in the country fixed before. The dogs run after the fox, the riders follow them across fields and meadows, jumping over hedges, streams etc. — You must be a good rider then. — Certainly, it can be quite hard riding. It's a rich man's sport. Most farmers don't care for all that and shoot foxes as the animals cause serious losses on the farm. — What happens to the fox? — When the huntsmen are lucky, the fox is caught and killed by the dogs; when the fox is lucky he "goes to earth", i. e. hides himself in his hole in the ground.

LEKCJA TRZYDZIESTA

Wybór zawodu

Czy to jest twój najstarszy syn? Jest (piękny) duży, jak na dziewięć lat. Czym zamierzasz zostać, kiedy dorośniesz, mój chłopcze?

Obawiam się, że Henryk nie może odpowiedzieć. Albo raczej to jest jego odpowiedź. Dziś rano postanowił zostać (zakonnikiem) trapistą.

Naprawdę! Niezwykły wybór, ale wątpię, czy on długo dochowa ślubu milczenia.

Nie, lecz trzeba także być wdzięcznym i za drobiazgi. W zeszłym tygodniu był rokującym nadzieję politykiem i przez cały dzień wygłaszał mowy.

No, nie ma (nic lepszego), jak spróbować wszystkiego, kiedy jest się jeszcze na tyle (dostatecznie) młodym, że nie musi się decydować (aby uniknąć decyzji), ale wiesz, że to nie jest łatwo decydować o przyszłym zawodzie dziecka.

Chyba, że ma jakiś wyraźny talent albo okazuje wrodzone zamiłowanie do czegoś. Mój najmłodszy syn ma dopiero dwa lata, ale jego przyszłość jest oczywista. Psuje wszystko dokoła siebie.

Przyszły kruszyciel nawierzchni dróg (dosł. łamacz), burzyciel opuszczonych budynków albo może handlarz złomem.

Nonsens, wyraźnie uczony wieku atomowego. A co z twoim synem? Trochę za wcześnie decydować. Ma dopiero sześć miesięcy i jak dotąd jego jedyną rozrywką jest wrzeszczenie.

Aha, przyszły śpiewak radiowy. Ale mówiąc poważnie, jeżeli dziecko okazuje zdolności do którejś z gałęzi sztuki i chce być malarzem, muzykiem lub pisarzem, to zwykle widać to wcześniej i wtedy nie ma problemu.

Jest problem finansowy. Musi się ono uczyć, a nawet jeżeli cudowne dziecko stanie się geniuszem, to prawdopodobnie nie osiągnie sławy, ani majątku wcześniej niż w sto lat po śmierci (aż nie będzie żył od 100 lat).

Ale przynajmniej wiesz, jak postępować (o co chodzi) z młodym geniuszem. Możesz nawet odkryć wczesne zdolności do wykonywania takich zawodów, jak lekarza czy prawnika. Ale chciałbym wiedzieć (co ja chcę wiedzieć to), jak można wykryć dobrze się zapowiadającego urzędnika bankowego, przyszłego dyrektora fabryki lub przyszłego sprzedawcę. Sami młodzi nie wydają się myśleć o tym, że mogą kiedyś później wykonywać jakąś pożyteczną pracę za skromne wynagrodzenie.

Nigdy. Kiedy miałem dziewięć lat, wyobrażałem sobie, że będę (widziałem się) wielkim dyrektorem, siedzącym w bogato umeblowanym biurze, otoczony telefonami, sekretarkami i uwijającymi się urzędnikami. Zamiast tego...

Pamiętam, że moją jedyną trudnością było zdecydować się, czy poprowadzić pierwszą wyprawę na Księżyc, czy zostać przodującym dżokejem, czy po prostu przyjąć nominację na szefa policji. A w rzeczywistości...

Co to, Henryku? Czy przestałeś być trapistą?

Tak, tatusiu. Właśnie dokładnie uświadomiłem sobie, czym chcę być, gdy dorosnę.

Doskonale! Czym będziesz?

Jedynym synem milionera.

Cytaty, przysłowia i żarty
Wiem, z której strony chleb mam posmarowany (Umiem pilnować swoich interesów).

Ćwiczenie II. 1. — L, 2. — E, 3. — F, 4. — C, 5. — G, 6. — J, 7. — H, 8. — B, 9. — I, 10. — A, 11. — K, 12. — D.

Ćwiczenie IV. 1. He couldn't. 2. He said he would come. 3. He kept... 4. The child showed... 5. I thought he was going... 6. They said that even if he turned into a genius he wouldn't be... 7. He sat... who treated... 8. That was the man who led...

Ćwiczenie V. Pamiętać o tym, że w pierwszej części zdań w a) czasownik musi być w czasie Future, w drugiej, po "until" — w czasie Present Perfect (zamiast Future Perfect). W zdaniach b) jest na odwrót: w zdaniu z "when", pierwszym z kolei, stosujemy Present Perfect, a w drugim — czas Future.

Ćwiczenie VI. [ˌekspy'dyszn, yks'kju:z, yks'plejn, yg'zybyt, ˌeksy'byszn, yk'sajtmənt, eg'zotyk, yks'czejndż, 'ekspə:t].

Ćwiczenie VII. Tu mówi Warszawa ...
Program radiowy. Audycje po angielsku. Czas programów w czasie (średnim) Greenwich. Regularne (stałe) programy tygodniowe nadawane o 8.30 po południu i znów o 9.30. Poniedziałek — Sport(y). Wtorek — Fakty i komentarze (polskie) z Polski. Czwartek — Program o znaczkach pocztowych. Piątek — Odpowiedᴢi na listy słuchaczy. Sobota — Tydzień w Polsce. Niedziela — Program z dziedziny kultury. Codzienne koncerty międzynarodowe będą nadawane od 9.30 do 11 po południu na (fali) 42.11 i 249 m (metrów). Polski czas: Czas Greenwich + 1 godzina.

LEKCJA TRZYDZIESTA PIERWSZA

Dość już greki, dość łaciny

„Czy ukończyłeś gimnazjum klasyczne, czy nowoczesne?" zapytał Jerzy, cudzoziemiec studiujący na Uniwersytecie Londyńskim, Andrzeja, swego angielskiego przyjaciela.

„Klasyczne, człowieku! Zwykle ci, którzy chcą studiować dalej na uniwersytecie, uczęszczają do średnich szkół klasycznych, ponieważ one przygotowują do wyższych studiów (one dają wykształcenie według zasad akademickich)" odpowiedział Andrzej.

„Zatem co to jest średnia szkoła nowoczesna?"

„Szkoła nowoczesna daje ogólne wiadomości potrzebne do życia w nowoczesnym świecie. W szkole mówiliśmy (zwykle), że średnia nowoczesna daje wykształcenie na niższym poziomie i średnia klasyczna na wyższym."

Jerzy bliżej zainteresował się tym tematem i (wobec tego) zadawał więcej pytań (stał się bardziej badawczy). Zapytał:

„A gdzie chłopcy chodzą uczyć się takich specjalnych przedmiotów, jak rysunki, maszyny itd.?"

Andrzej zapalił fajkę. Zaczął niedawno palić, jak przystało dorosłemu mężczyźnie. Uśmiechnął się do Jerzego i odparł:

„Widzę, że się bardzo interesujesz naszym systemem szkolnym (nauczania). Jeżeli młody człowiek chce zdobyć wykształcenie (jakieś wiadomości) techniczne, idzie do średniej szkoły technicznej, gdzie uczy się wszystkiego (otrzymuje wszystko), co, jak się spodziewa (sobie wyobraża), będzie mu potrzebne (dobre)."

„Czy byłeś bardzo zadowolony, kiedy opuściłeś (swoją) szkołę?"

„Naturalnie (że byłem). Przy końcu naszego ostatniego letniego kwartału — mieliśmy zwyczaj głośno deklamować w szkole:

„Dość już greki,
dość łaciny,

dość pisków
z powodu trzciny.
    Dość już historii,
    dość francuskiego,
    i dość siedzenia
    bardzo twardego (na bardzo twardej ławce)...
To jest trochę dłuższe, ale nie pamiętam całego. Ale możesz sobie wyobrazić radość bijącą z tych wierszy. Wiersz jest dosyć popularny w całej Anglii, najbardziej w szkołach z internatami."

„Powiedz mi teraz, proszę, ile (długich) wakacji mieliście w waszej szkole", zapytał Jerzy.

„Mieliśmy miesiąc ferii na Boże Narodzenie, miesiąc na Wielkanoc i dwa miesiące w lecie."

„To dobrze! Mieliście więc mnóstwo czasu na odpoczynek i cieszenie się życiem."

„Tak, to było niezłe. Teraz mam o wiele więcej czasu na uniwersytecie, chociaż od czasu do czasu musimy tu także ciężko pracować."

„A jakiego typu stowarzyszenia mieliście w waszej szkole?"

„Bardzo dużo. Zacznijmy od A: stowarzyszenie aeronautyczne, klub artystyczny, klub szachowy, związek Bożego Narodzenia, koło dramatyczne, klub eseistów, koło filmowe, koło geograficzne, koło nowoczesnych języków i dużo, dużo innych, razem około dwudziestu."

„Byliście bardzo zajęci, a czy (dla wszystkich) istniał przymus należenia do tych stowarzyszeń?"

„Nie było przymusu, ale prawie wszyscy byliśmy członkami tego czy innego".

„A jak ze sportem w szkole?"

„Na naszych boiskach sportowych w lecie gramy w krykieta, tenisa i uprawiamy lekką atletykę, w zimie futbol."

Ale, Andrzeju, mówiliśmy cały czas o chłopcach. Czy możemy poprosić którąś z (naszych) koleżanek, żeby powiedziała mi coś o szkołach dla dziewcząt i ich zajęciach? Najlepiej dziewczynę, w której się kochasz, nie będziesz zazdrosny, jeżeli porozmawia ze mną chwilę, prawda?"

„Ja jeszcze się w żadnej nie kocham. Ale wszystkie dziewczęta są zakochane. Jeżeli zaczynasz z którą rozmawiać, natychmiast zakochuje się w tobie, więc ostrzegam cię, bracie."

„Nic nie szkodzi, niech sobie, myślę raczej, że nawet powinny. Przypominam sobie, że ktoś powiedział (czy to nie Priestley?), że „kobieta nie zakochana jest jak pusty dziedziniec, jak gospoda z zaryglowanymi okiennicami, ciemna strona księżyca..."

„Ha, ha, ha, to świetne! Więc napełnijcie, chłopcy, wasze kieliszki za Alma Mater i dziewczęta... cytując na modę edynburską, poprośmy jedną z tych czarujących dziewczyn."

Andrzej podszedł do grupy młodych kobiet i po chwili wrócił z jedną (dziewczyną) o szkockim typie urody. Miała złociste włosy, piegi i miły uśmiech.

„Jessie", (powiedział) zwrócił się do niej, „to jest mój przyjaciel Jerzy."

„Dzień dobry" (Jak się pan ma), powiedziała Jessie.

„Dzień dobry", powiedział Jerzy.

„Jerzy jest po raz pierwszy w Anglii. Zadał mi kilka pytań, dotyczących moich szkolnych czasów. Przyznaję, że nie mogłem mu nic opowiedzieć o szkołach dla dziewcząt, ponieważ wiesz, Jessie, nigdy nie interesuję się tym, co robią kobiety."

„Nie bądź niemądry, Andrzeju, każdy wie, że wytrzeszczasz oczy, kiedy tylko spotykasz Nancy Goodman, tę rudowłosą dziewczynę z Glasgow. O, nie zaprzeczaj, człowieku!"

„Kpisz sobie ze mnie, Jessie, wiesz, że nigdy nie patrzę na żadną kobietę, chyba, że muszę."

„Ty mi to mówisz, hipokryto. Ale, Jerzy, cóż ty chcesz wiedzieć o szkołach dla dziewcząt?"

„Jeślibyś zechciała być tak uprzejma, chciałbym cię bardzo prosić, abyś mi powiedziała, do jakiego rodzaju średniej szkoły uczęszczałaś."

„No, więc chodziłam do średniej szkoły klasycznej dla dziewcząt, która (to szkoła) jest prowadzona na tych samych zasadach, co klasyczne gimnazja dla chłopców. Przy końcu uzyskałam świadectwo maturalne (ogólne świadectwo wykształcenia) konieczne przy wstępowaniu na uniwersytet."

„A jak ze sportem?"

„Zwykle grałam w tenisa, ale miałyśmy w szkole wszystkie rodzaje sportu oraz rozmaite kluby i stowarzyszenia."

„Dziękuję, Jessie, teraz widzę, że wasze szkoły nie różniły się bardzo jedna od drugiej. Obydwie były średnimi szkołami klasycznymi. Słyszałem raz, jak ktoś coś mówił o szkołach publicznych. Myślę, że wasza szkoła była także publiczna, prawda?"

„Nie, Jerzy, słuchaj, tzw. „szkoły publiczne" w Anglii nie są wcale publicznymi. To są szkoły z internatami, gdzie chłopcy otrzymują gruntowne wykształcenie."

„Ale powiedz mi, czy są takie szkoły dla dziewcząt?" — spytał Jerzy.

„Owszem, są. Prowadzone są w podobny sposób jak szkoły dla chłopców i ich kształcenie ma na celu to samo (dąży do tego samego)."

„Dziękuję ci bardzo, Jessie, ty naprawdę wiesz dużo. Ja nigdy nie wiedziałbym tyle (nie byłbym zdolny wiedzieć tyle rzeczy) o szkołach w moim własnym kraju."

Jakaś inna dziewczyna podeszła do Jessie i zaprosiła ją, Jerzego i Andrzeja, żeby przyłączyli się do całej paczki i poszli razem do uroczej, małej herbaciarni, prowadzonej przez Polaka, gdzie podają pyszne ciasto z jabłkami, które nazywa się „szarlotką", doskonałe!

Cytaty, przysłowia i żarty

Sama praca, bez zabawy, otępia Jacka,
sama zabawa, bez pracy, robi z Jacka lekkoducha (tylko zabawkę).

Ćwiczenie 1. 1. He studies at London University. 2. A secondary grammar school. 3. No, I didn't, lub: Yes, I did, lub: Yes, I do etc. 4. Yes, he did. 5. A month's holiday. 6. Two months. 7. I like... best 8. No, it isn't. 9. Cricket, football. 10. My favourite sport is... 11. No, they don't. 12. That she is like an empty court, an inn with bolted shutters, the dark side of the moon. 13. She is a Scottish type of beauty, she has golden hair and freckles. 14. No, she isn't. 15. To tell him something about girls' schools.

Ćwiczenie II. 1. What for? 2. Who with? 3. What with? 4. Who by? 5. What about? 6. Who for?

Ćwiczenie III. to 'graduate, geo'graphical, ˌalto'gether, ath'letic, ac'tivity, 'consequently, 'holiday, so'ciety, dra'matic, com'pulsory, i'mmediately.

Ćwiczenie IV. 1. a vocabulary, 2. an idiom, 3. a dictionary, 4. slang, 5. revision exercises.

Ćwiczenie VI. 1. about, at, 2. at, to, 3. at, by, from, 4. in, 5. for, 6. before 7. of, in, 8. from, to, 9. in, 10. on.

Ćwiczenie VII. Byki (błędy)
(przepisane z ćwiczeń uczniów)
1. Słoń jest kwadratowym zwierzęciem z ogonem z przodu i z tyłu.
2. Koło jest okrągłą prostą linią z dziurką w środku.
3. Czas przeszły od „chcę" jest „dostałem (wziąłem)".
4. Koło to jest okrągła linia połączona tak, żeby nie było widać, gdzie się zaczyna.
5. Różnica między powietrzem a wodą jest ta, że powietrze może stać się bardziej mokre, a woda nie może.

LEKCJA TRZYDZIESTA DRUGA

Wieczorna pogawędka

I

Rodzice Daphne siedzą przy telewizorze (patrzyli na), mąż wyjechał za interesami, sama Daphne i jej gość Angela gawędzą, zmywając po kolacji. Angela ustawia talerze, filiżanki i spodki na suszarce i wyciera szklanki barwną (wesołą) ściereczką.

Daphne: Stanley mówi, że pierwsza rzecz, która go uderzyła w Anglii, to był ruch uliczny, auta jadące lewą stroną. W Polsce jeżdżą prawą stroną.

Angela: Tak samo auta we Włoszech. Co mnie uderzyło, to rzędy i rzędy, ulice i ulice identycznych domków na przedmieściach waszych dużych miast. Czy nie byłoby ekonomiczniej budować duże bloki mieszkalne z pralniami i dużymi ogrodami?

Daphne: No, są także takie nowoczesne bloki mieszkalne. Ale angielska rodzina zazwyczaj woli mieszkać we własnym domu, o ile możliwe, z ogródkiem.

Angela: Ale wtedy macie te wszystkie schody do chodzenia na górę i na dół — sypialnie na górze, kuchnie i wspólne pokoje na dole.

Daphne: I w wielu domach, jak ten, schody są wąskie i strome. Pomyśl o tych kilometrach (milach), które mój mąż musi schodzić, aby nanosić węgla w zimie. Kiedyś, gdy zdobędziemy nasz dom od County Council (od rady hrabstwa), mam nadzieję, że będę miała kominki gazowe. Stanley mówi, że u nas zima jest łagodna, ale we wnętrzach domów jest bardzo zimno.

Angela: Przypuszczam, że jest to także dlatego, że wasze rozsuwane okna (w górę i na dół) mają pojedyncze szyby, a nie podwójne, jak w większości zimniejszych krajów. Szkoda, że nie mamy więcej kominków we Włoszech (chciałabym, abyśmy mieli więcej kominków). Są takie przytulne i wesołe. Najbardziej lubię, jak się pali drzewem.

Daphne: Bardzo kosztowne, bądź co bądź. Harry najbardziej lubi centralne ogrzewanie, ale widzi się je (znajduje się) raczej w hotelach i szkołach. Kominki są nieekonomiczne (marnotrawne), ponadto pieką cię z przodu, a ziębią z tyłu.

Angela: Wasze kanapy i fotele zwrócone są frontem do kominka i stoją na środku pokoju, nawet w lecie, kiedy ogień się nie pali. U nas są one zwykle ustawiane pod ścianą.

Po skończonej pracy dziewczęta poszły na górę do sypialni.

Angela: Wasze drzwi otwierają się za pomocą gałek, nasze mają klamki. Jaką śliczną tapetę masz tutaj!

Daphne: Ten pokój był na nowo tapetowany, kiedy pobraliśmy się i zdecydowano (zostało zdecydowane), że na razie zamieszkamy u rodziców.

Angela: Kiedy macie nadzieję przeprowadzić się do nowego domu?

Daphne: Nie wiem jeszcze. Jesteśmy na liście kandydatów, ale rodziny z dziećmi mają pierwszeństwo.

Angela: Ale twoi rodzice nie mają nic przeciwko temu, że u nich mieszkacie, prawda?

Daphne: Oczywiście, że nie. Ale oni także szukają nowego domu. Właściciel strasznie podniósł komorne.

Angela: Mój narzeczony i ja mamy nadzieję, że urządzimy nasz przyszły dom w sposób jak najbardziej nowoczesny i ułatwiający pracę (oszczędzający pracy).
Daphne: My tak samo. Dlatego jeszcze ciągle pracuję jako ekspedientka (w sklepie). Chcę mieć nową elektryczną pralkę z suszarką. Można je dostać na raty. Ale najpierw musimy zapłacić ostatnią ratę za motocykl Harry'ego.
Angela: To wielka przyjemność jechać na motocyklu.
Daphne: Oszczędza on Harry'emu wydatków na bilety kolejowe i autobusowe. Garaż, w którym pracuje, jest dosyć daleko stąd.

Cytaty, przysłowia i żarty

Każda chmura ma srebrną podszewkę (Nie ma tego złego, co by na dobre nie wyszło).
Nie możesz zjeść ciastka i odłożyć je na później (mieć je nadal) (Z wielu rzeczy można korzystać tylko raz).

Ćwiczenie I. What struck me was rows and rows of identical little houses in the suburbs of your big towns. Wouldn't it be more economical to build big blocks of flats with laundries and large gardens? Well, there are such modern blocks of flats too. But an English family usually prefers to live in a house of its own, with a little garden. But then you have all those stairs to climb up and down, bedrooms upstairs, kitchens and living-rooms downstairs. And in so many houses, like this one, the stairs are narrow and steep. Think of the miles my husband must walk to fetch coal in winter.

Ćwiczenie II. 1. Do cars keep to the right in Poland? 2. Does Daphne want to have gas fires in her future flat? 3. Have English sash windows single panes? 4. Are winters cold in Italy too? 5. Are sofas placed against the wall in your country? 6. Must Harry pay the last instalment for his motor-bike? 7. Would Angela like to have a labour saving kitchen? 8. Does an electric washing machine cost a lot of money?

Ćwiczenie III.
> Jeżeli swe wargi
> Chciałbyś uchronić od pomyłek,
> Pięciu rzeczy przestrzegaj starannie:
> O kim mówisz,
> Do kogo mówisz,
> I co, i kiedy, i gdzie!

Ćwiczenie VI. France, England, Holland, Poland.

LEKCJA TRZYDZIESTA TRZECIA

Wieczorna pogawędka

II

Angela: W moim kraju lodówka jest niezbędna.

Daphne: Matka oszczędzała pieniądze na nową, dużo większą, a potem ojciec poszedł i kupił zamiast niej telewizor!

Angela: Czy twoja matka była bardzo zmartwiona (zirytowana)?

Daphne: Z początku (tak) bardzo. Ale potem żauważyła, że tatuś pozostaje więcej w domu wieczorami, zamiast chodzić do baru rzucać grotami do tarczy albo pić piwo. Ależ jestem zmęczona! Tygodniowe pranie jest moją największą udręką. Koszule Harry'ego tak się brudzą w garażu.

Angela: Myślałam, że poniedziałek jest dniem prania w całej Anglii.

Daphne: Tak jest na ogół. Ale środa jest dniem, kiedy wcześniej zamykają w mojej firmie, więc często robię pranie w środę po południu. Większość kobiet, które pracują w fabrykach i biurach, mogą (prać) w soboty, kiedy są wolne, ale ponieważ w sobotę rano sklepy są otwarte, ja nie mogę. Harry zwykle mi dużo pomaga.

Angela: Czy ty wiesz, że na obozie dziewczętom płacono mniej niż chłopcom tylko dlatego, że są kobietami.

Daphne: Wiem. Kobiety mają niższe płace w wielu zawodach. Muszę powiedzieć, że to bardzo niesprawiedliwe.

Obydwie dziewczyny przygotowują swoje łóżka. Poduszki są o wiele mniejsze niż ogromne polskie, boki pledów i prześcieradeł są wsuwane głęboko pod materace, tak że ma się wrażenie, że się śpi w worku.

Angela: Wasze linoleum ma ładny wzór i jest dobrze utrzymane.

Daphne: Mój mąż dba o linoleum. Chciałabym mieć jeden z tych ogromnych jednokolorowych dywanów, pokrywających całą podłogę. Słuchaj, czy nie chciałabyś "a nightcap"? (czy nie napiłabyś się czegoś na noc?)

Angela: A nightcap — czepek nocny? (gra słów). Nie wiedziałam, że nosicie jeszcze czepki nocne w Anglii? Jakie to staromodne!

Daphne: Ach, kochanie, nie, nie nosimy. "A nightcap" — znaczy także "picie do poduszki". Proponuję mleko albo kakao.

Angela: (śmieje się) Nie, dziękuję. Idę się teraz umyć.

Daphne: Zapomniałam wystawić puste butelki na mleko — i kota. I zrobię sobie filiżankę kakao.

Wróciwszy do kuchni Daphne słyszy głos Angeli z góry: Daphne, czy twój mąż rzeczywiście nosi węgiel w zimie?

Daphne: Tak, nosi.

Angela: Czy on załatwia część zakupów?

Daphne: Tak, regularnie.

Angela: Czy podlewa ogród w lecie?

Daphne: Bardzo to lubi.

Angela: I pomaga ci zmywać?

Daphne: Naturalnie, że pomaga.

Angela: No to muszę przysłać mego narzeczonego do Anglii na jakiś czas. Chcę, aby był taki zręczny w gospodarstwie jak Anglik.

Cytaty, przysłowia i żarty

To, co łatwo się czyta, cholernie trudno się pisze.

Pogoda była tak zła, że nadawała się tylko (jako temat) do pogawędki.

Ćwiczenie I. 1. No, he didn't. 2. The weekly washing is. 3. Wednesday. 4. No, in most jobs they don't. 5. A Polish pillow is much larger. 6. Because it had a nice pattern and it was kept so well. 7. It's a bed-time drink. In old times it was a cap worn at night. 8. Outside the front door. 9. No, she isn't. 10. Oh yes, he is.

Ćwiczenie II. A radio, a TV, a refrigerator, a washing machine, a bathroom, a lavatory, electric light, gas or electric stoves, clocks etc.

Ćwiczenie III. 1. do you? 2. have you? 3. was he? 4. does it? 5. will he? 6. do they? 7. can I?

Ćwiczenie IV. 1. for, 2. since, 3. since, 4. for, 5. since, 6. since, 7. for, 8. for, 9. since.

Ćwiczenie V. 1. — D, 2 — C, 3 — B, 4 — F, 5 — E, 6 — A.

VII. Tłumaczenie. Angielska gospoda (bar)

Londyn, 2-go lipca 19...

Kochana Pamelo!

To tylko kilka wierszy, aby Ci pokazać, że nie zapomniałam o Tobie. W zeszłą sobotę pojechaliśmy do małej miejscowości na drodze do Oxfordu. Zjedliśmy lunch — ściśle mówiąc, chleb z serem i jabłecznik — w ogromnie miłej gospodzie. Wiesz chyba, co to jest "pub"? "Public house" to po prostu miejsce, gdzie można się (czegoś) napić. Angielskie gospody mają własny charakter (of their own), niektóre z nich są naprawdę historycznymi budowlami, tak jak niejeden angielski zajazd. Poszliśmy tam znów wieczorem i zobaczyliśmy niemały tłum ludzi. Rozejrzałam się dokoła i zauważyłam na ciemnych ścianach obrazki z końmi i sportowcami. Była tam również duża szklana ryba i jakieś zasuszone zwierzę egzotyczne. Było tam ogłoszenie:

„Zakładanie się (nielegalny totek sportowy) surowo zabronione", ale, oczywiście, rozmawiano dużo o wynikach w piłce nożnej i krykiecie, wyścigach i pogodzie. Napiliśmy się doskonałego jabłecznika, ale większość ludzi piła piwo. Nie myśl, że siedzieliśmy w gospodzie przez cały czas. Nie opiszę widoku rzeki — poślę Ci moc zdjęć, które zrobiłam moim nowym aparatem. Ukłony i pozdrowienia dla Twojej Matki, uściski od Twojej zawsze Angeli.

LEKCJA TRZYDZIESTA CZWARTA

Przy kawie

Narada majstrów przemysłowych odbywała się w Fenton. Mężczyźni właśnie ukończyli poranny wykład i przeszli z sali wykładowej do hallu, (gdzie mieli) napić się kawy (przedpołudniowej). Anna nalewała (podawała) kawę i wkrótce miała dokoła siebie grupę mężczyzn. Anna traktowała swoje obowiązki gospodyni dość poważnie i wypytywała każdego (z nich) o jego pracę.

Jeden powiedział, że przyjechał z Runacars z Reading. Był majstrem w wytłaczarni. Kiedy Anna zapytała, (co u licha) co rozumie przez „wytłaczarnię", wyjaśnił, że to ogromny oddział w fabryce, gdzie szereg wielkich maszyn wytłacza blachę w kształty karoserii do samochodów osobowych. Powiedział, że jest to ogromnie hałaśliwe miejsce, ale tak się do tego przywyka, iż można prowadzić rozmowę, nie krzycząc.

Zapytała, czy to bardzo duża fabryka. „Jedna z największych", powiedział. „Wyprodukowaliśmy w zeszłym roku 30 000 samochodów osobowych, 10 000 ciężarówek i 5000 traktorów. I nie mów nikomu, bo to rzekomo ma być tajemnica, ale mamy (dalsze) plany zupełnie nowego modelu w tym roku, to jest o napędzie odrzutowym".

„Podoba mi się twoje rozumienie (pojęcie) tajemnicy", roześmiał się jeden z majstrów.

„Skąd pan przybywa, chwileczkę, to pan Murgatroyd, nieprawdaż?" — zapytała Anna. „Zgadza się, panno Gartner. Przybywam z fabryki aż z północno-zachodniego wybrzeża. Produkujemy pluton i spodziewam się, iż pani wie, że jest on bardzo potrzebny do wytwarzania energii atomowej. To (jest) bardzo duży obiekt (miejsce), mogę was zapewnić, i także mamy tam bardzo wiele hałasu. Powodują go duże wentylatory, które służą do chłodzenia stosów atomowych".

„To jest chyba okropnie niebezpieczne (czy to nie jest)?"

„Byłoby, gdyby nie stosowano odpowiednich środków ostrożności. Jest tam bardzo gorąco i znaczna radioaktywność. Ale wszystko robi się za grubymi, betonowymi ścianami, my wszyscy zaś nosimy bardzo ciężkie ubrania, zrobione z gumy albo plastyku".

„No, moja praca jest zupełnie inna niż ich obu (każdego z nich)", powiedział ciemnooki Walijczyk, nazwiskiem Evans. „Ja pochodzę z doliny w Glamorganshire. Kiedyś mieliśmy tam tylko górnictwo węglowe. Ale węgiel zaczął się wyczerpywać, poza tym nie było żadnej pracy dla naszych żon i córek, zbudowano więc (została wybudowana) piękną nową fabrykę do produkcji zegarków. Robimy ich milion rocznie i zatrudniamy tysiąc ludzi, siedemset kobiet i trzystu mężczyzn. Wie pani, górnicy bardzo często chorują na płuca (dostają choroby·płuc) od wdychania pyłu. A w tej fabryce zegarków musimy zabezpieczyć się, żeby nie było pyłu. Jest to więc bardzo dobre miejsce dla ludzi, którzy musieli porzucić górnictwo (opuścić przemysł górniczy) z powodu choroby (ponieważ byli chorzy)".

Z kolei odezwał się mężczyzna z mocnym londyńskim akcentem. „Moja praca także jest inna", powiedział. „Jestem nadzorcą oddziału ludzi (obsługi technicznej), doglądających toru kolei podziemnej w Londynie. Jesteśmy tymi (ludźmi), którzy wędrują tunelami całą noc, wtedy kiedy odszedł ostatni pociąg (poszedł do domu spać)".

„Mam nadzieję, że najpierw wyłączają prąd", powiedziała Anna. Majster roześmiał się.

„Ale ja myślę, że najcięższa część pracy jest tam, gdzie pociąg wychodzi z tunelu i biegnie w otwartą przestrzeń. Ilekroć jest mróz, musimy iść i spryskiwać szyny mieszanką zapobiegającą zamarzaniu. Widzi pani, gdyby przewód jezdny (szyna, służąca jako przewodnik) pokrył się lodem, nie byłby dobrym przewodnikiem. Ze względu na miliony ludzi, jadących do pracy następnego ranka, nie możemy sobie pozwolić na ryzyko".

„Ze mną", powiedział piąty mężczyzna w grupie, „jest akurat odwrotnie. My staramy się wytwarzać lód, a nie pozbywać się go".

„Jak to?" — zapytał inny mężczyzna.

„Pracuję w fabryce lodów. Faktycznie ja także nadzoruję nocną zmianę, ale że tak powiem, pracuję z innego rodzaju ludźmi niż twój personel obsługi technicznej. Mamy ludzi różnych (wszelkich) narodowości, Rosjan, Polaków, Czechów, Włochów i także (zwykłych) Anglików. Wyglądają wszyscy zupełnie jednakowo, ponieważ mają (wszyscy) białe ubrania, czerwone gumowe rękawice i gumowe buty. Lodów nigdy nie dotyka ręka ludzka, bardzo dbamy (przestrzegamy) o czystość. Większość pracy jest zmechanizowana, ale maszyny psują się dosyć często i lód rozpryskuje się dokoła. Cudowna rzecz dla uczniaków, ale zmora dla nas".

„A ja pracuję w fabryce łóżko—śniadanie—wykład", powiedziała Anna, która właśnie zobaczyła panią Gaskill, machającą do niej ręką od drzwi, „i widzę majstra, dającego mi znaki, abym wzięła się do swej roboty (abym pracowała dalej). Do zobaczenia na lunchu, panowie".

Cytaty, przysłowia i żarty

Pewien pułkownik, zapytany o swe plany na następny dzień, powiedział do ciekawej (wtrącającej się) osoby: Czy potrafi pan dochować tajemnicy? — Tak, skwapliwie odpowiedział (ów człowiek). — A ja też! rzekł pułkownik.

Ćwiczenie I. 2. The men had... they were. 3. Ann took... 4. She asked...
his job was. 5. One said he came... 6. Another foreman said... was. 7. He
said he worked... 8. Ann learned... was... there were... they worked.
9. A Welshman spoke... was. 10. He told Ann... he worked employed...

Ćwiczenie II. 2. as, 3. as, 4. as, 5. as, 6. as, as, 7. like, 8. like, 9. like, 10. as,
11. as, 12. like.

Ćwiczenie III. Adam and Eve. Fire and water. Army and navy. Light
and dark. Far and near. Shoes and stockings. Pen and ink. Bread and butter.
Collar and tie. Stars and stripes. Cup and saucer. East and West. Soap and
water. First and last. Cat and dog.

Ćwiczenie V. 1. What were they talking about? 2. Where did the foremen
come from? 3. What did the workmen get used to? 4. What did Ann open
her tin with? 5. Who did they prepare the rubber gloves and the white
clothing for? 6. Who has Mrs. Gaskill been waving to? 7. Who do the maintenance men work with?

Ćwiczenie VI. [s] serve, seriously, used to, so, conversation, see, plastic.
[z] noisy, was, cars, because, is, as, gloves.

LEKCJA TRZYDZIESTA PIĄTA

Ciocia z Ameryki

Nieporozumienia zaczęły się na drugi dzień po tym, jak Klara, szwagierka Małgorzaty, przybyła do nich z Ameryki na dwutygodniowy pobyt. Dick
zapytał się matki:

„Mamusiu, czy ciotce Klarze nie podoba się tutaj? Powiedziała, że ma jakieś mieszkanie, po drodze z Londynu".

Małgorzata zastanawiała się (wyglądała na zdziwioną) przez chwilę, lecz
Jerzy, jej mąż, roześmiał się i odrzekł:

„Nie martw się, Dicku. Ciocia Klara miała na myśli przedziurawioną
oponę samochodu jej przyjaciółki. W Ameryce nazywają to "flat" (flat —
po angielsku — mieszkanie).

Dick: Myślałem, że w Ameryce mówią po angielsku.

Jerzy: Tak, Dicku, po angielsku. Ale to jest amerykański angielski, nie
brytyjski. Nie zauważyłeś, że ciotka Klara wymawia wiele słów inaczej?

Dick: Tak, zauważyłem, że wymawia literę „r" bardzo wyraźnie, prawie
tak jak Szkoci. I wymawia "can't" jak [kænt]*.

---

* brytyjska wymowa jest [ka:nt].

W najbliższy wtorek Klara zabrała swego siostrzeńca i siostrzenicę do Londynu i powstało więcej nieporozumień. Kiedy spytała się dzieci o najbliższą drogę do „drogi żelaznej", zrozumiały, że chodzi jej o kolej, ale nie potrafiły jej powiedzieć, gdzie było „okienko biletowe". Sama się domyśliła, że w Anglii bilety były sprzedawane w kasie biletowej (booking-office). Otrzymawszy bilety, powiedziała:

„Musimy zapytać "conductor" o "track" (peron — amer.). Joanna szepnęła do Dicka:

Dlaczego "conductor"? (w Anglii "conductor" — w tramwajach, autobusach).

Dick: Myślę, że ciocia chce powiedzieć "railway guard".

Tak też było. Kiedy "guard" powiedział im: "wasz pociąg jest na peronie drugim" — Klara zorientowała się, że Anglicy nazywają peron nie "track", ale "platform".

Więcej już nie mieli kłopotu w pociągu. Rozpoczęły się one na nowo, kiedy wyszli ze stacji w Londynie.

Klara: Poczekajcie chwileczkę, dzieci. Chcę wpaść (tam) na pocztę, zaraz wrócę. Poczekajcie na "sidewalk" (chodniku), przy wejściu do „podziemia" ("subway" — kolej podziemna, amer.).

Dzieci stanęły (pozostały) zdziwione.

Joanna: Dicku, gdzie mamy poczekać? Nie ma tu przejścia podziemnego. (gdyż jest) to spokojna ulica. A co to jest "sidewalk"?

Dick: Myślę, że "sidewalk" to trotuar. Ale również nie widzę żadnego przejścia podziemnego.

Wobec tego pozostali, gdzie byli, przed urzędem pocztowym, aż do powrotu Klary. Dowiedziawszy się, dlaczego dzieci nie poruszyły się, wyjaśniła, że w Ameryce "subway" to elektryczna kolej podziemna. Idąc ulicą, dzieci dowiedziały się, że "stores" (sklepy) w Stanach to są sklepy, że wózek dziecinny jest nie "pram", a "baby carriage", a samochód ciężarowy nazywa się "truck". Gdy doszli do ogromnego budynku domu towarowego, Klara zapytała kogoś z obsługi: „Gdzie jest „elewator"? Odpowiedział natychmiast: „Winda jest na wprost, po przeciwnej stronie hallu". Musiał być przyzwyczajony do amerykańskiej angielszczyzny.

Na czwartym piętrze dzieci chciały się zatrzymać przed działem zabawek. Klara zgodziła się:

„O. K. możecie tu zostać, a ja muszę coś kupić, ot tam, dla waszego wuja".

Ale wróciła po chwili.

„Dicku, chodź i pomóż mi. Nie mogą mnie zrozumieć. Chcę kupić szelki dla mojego męża, a ekspedient upiera się, aby dać mi coś innego".

Czując się bardzo dumny i dorosły, Dick poszedł za nią do działu męskiego.

Dick: Co ciocia chce kupić?

Klara: "Suspenders", kochanie. Mam nadzieję, że Anglicy też je noszą, no wiesz, taśmy podtrzymujące spodnie.

Dick: Aha, ciocia mówi o szelkach. My mówimy "suspenders" o tym, co podtrzymuje skarpetki.

Klara: Rozumiem, my je nazywamy "garters".

Skończywszy zakupy, wszyscy poszli na górę do samoobsługowej restauracji na najwyższym piętrze.

Klara: Co chciałybyście, dzieci? Coś słodkiego do wypicia z "crackerem" lub kawę z "hamburgerem" (bułka ze smażonym tatarem)?

Joanna: Ależ, ciociu, teraz już nie sprzedają "crackerów", tylko w czasie świąt.

Dick: Ja bym zjadł hamburgera. Joanno, słuchaj, amerykański "cracker" musi być czymś innym od angielskiego.

Oboje dzieci dobrze sobie podjadły, podczas gdy Klara zjadła tylko jeden herbatnik, który, jak się przekonała, był tym samym, co amerykański "cracker". Ciocia pilnuje swej wagi, chce zachować linię (być wysmukłą).

Wieczorem w domu Dick popisywał się swoimi nowymi amerykanizmami.

Dick: Czy wiesz, tatusiu, że ciocia Klara mówi „gaz" na „benzynę", a „bill" (rachunek) na banknot, a...

Jerzy: Dobrze. Znajdziesz jeszcze więcej różnic pomiędzy angielskim a amerykańskim. Myślałem, żeś już przyswoił sobie trochę amerykanizmów, oglądając filmy z amerykańskiego „Dzikiego Zachodu" (Westerns).

Joanna: Mamo, samochody amerykańskie muszą być bardzo dziwne. Ciotka Klara mówi, że mają one "hood" (am. maska lub ang. składana buda) tam, gdzie powinien być "bonnet" („maska"). A zamiast budy coś innego, zapomniałam co, i nazywają samochody „automobilami".

Małgorzata: (śmiejąc się) Wszystko ci się pokręciło. Samochody amerykańskie są zbudowane w ten sam sposób co nasze. Czy nie pamiętasz „Forda" pana Browna? Jedynie nazwy części są czasami odmienne.

Klara: Myślę, że ja też nauczyłam się czegoś od dzieci. Nauczyły mnie, co to jest angielski "cracker".

Dick: Ciociu Klaro, co kowboje jedzą na śniadanie?

Jerzy: Spokój, dzieci, już jest późno (jak na) dla was. Nie zadawajcie więcej pytań. Powiedzcie wszystkim dobranoc i jazda spać.

Dick i Joanna: O.K. tatusiu.

Cytaty, przysłowia i żarty

Anglia i Ameryka to dwa kraje oddzielone od siebie tym samym językiem.

Ćwiczenie I. 1. She is Margaret's American sister-in-law. 2. Yes, she does. 3. They all went to London. 4. A place where you can buy tickets. 5. In front of the entrance to the tube. 6. On the fourth floor. 7. Braces. 8. Suspenders. 9. He had a hamburger. 10. Westerns. 11. Lift. 12. It's an American idiom.

Ćwiczenie IV. 1. We shall have to ask... 2. We shall have to buy... 3. My nephew will have to go... 4. You will have to wait... 5. Mary will have to get... 6. You will have to stand... 7. The driver will have to think... 8. You will have to take...

Ćwiczenie V. 1. talked, 2. said, 3. tell, 4. said, 5. said, 6. spoke, 7. talked. 8. Tell, said, 9. talking, said, 10. spoke.

Ćwiczenie VI. [g] get, guard, finger, forget, go. [dż] carriage, large, dangerous, charge, huge.

VII. Tłumaczenie. Przy stole

Bądź tak łaskaw podać sól. — O, przepraszam, oto (sól). — Może byś (pan, pani) chciał jeszcze mięsa? — Nie, dziękuję. — Może byś chciał jeszcze trochę jarzyny? — Owszem, proszę. — Czy zawsze używacie i łyżki, i widelca, kiedy jecie leguminę — Tak, przeważnie. — Poczęstuj się tymi herbatnikami (kruchymi ciasteczkami). — Czy mógłbym dostać jeszcze trochę kawy? — Nie ma już więcej sosu. — Czy pijesz herbatę z mlekiem i cukrem? — Nigdy nie biorę cukru do herbaty.

LEKCJA TRZYDZIESTA SZÓSTA

Cudzoziemiec w Warszawie

Robin Stanford, dziennikarz zagraniczny, spotkał właśnie Stanleya na ulicy w Warszawie.

Robin: Słuchaj, Stanley. Chcę poprosić cię o przysługę. Czy jesteś wolny dziś po południu?

Stanley: Chciałem zrobić parę sprawunków, ale jeśli masz lepszą propozycję...

Robin: Nie wiem, czy nazwiesz ją lepszą. Widzisz, jestem w kropce.

Stanley: Z jakiego powodu?

Robin: Pewna młoda kobieta chciałaby dowiedzieć się czegoś więcej o Polsce, a mój tłumacz rozchorował się...

Stanley: I chcesz, abym pokazał jej miasto i odpowiedział na jej pytania. Skąd ona pochodzi?

Robin: Tego nie jestem zupełnie pewny. Wygląda na Włoszkę, matka jej jest Angielką, ojciec — (jest) Amerykaninem francuskiego pochodzenia lub Francuzem wychowanym w Stanach, a ma babkę Rosjankę.

Stanley: To brzmi jak ONZ.

Robin: Bardzo miła. Jestem pewien, że się od razu zaprzyjaźnicie. Mógłbyś mi pomóc?

Stanley: Oczywiście (chciałbym). Chodźmy do twego hotelu.

Robin: Jean, to jest Stanley, przyjaciel, o którym ci już mówiłem.

Stanley: Moje uszanowanie.

Jean: Jak się pan ma? To uprzejmie z pana strony, że wyświadczy mi pan tę przysługę. Musi pan być bardzo zajęty, od powrotu do Warszawy. Robinie, czy twój tłumacz jest jeszcze bardzo chory?

Robin: Tak, obawiam się, że ma się gorzej. Będzie musiał pójść do szpitala.

Jean: Biedak. Czy stać go na to? To jest, czy rodzina jego wytrzyma ten wydatek? Dwa lata temu przechodziłam operację, która kosztowała mego ojca wiele pieniędzy, to był wydatek, na który z trudem się zdobył.

Stanley: Nie będzie go to kosztować ani grosza. Ubezpieczalnia Społeczna (Służba Zdrowia) zapewnia wszystko. Jedyna rzecz, jaką będzie musiał płacić (prawić)... to komplementy siostrom, jeśli będą ładne. Wszyscy się śmieją.

Stanley: Czy pani tu dawno? Czy już dużo (miasta) zwiedziła pani?

Jean: Robin był tak uprzejmy i wczoraj zwiedzał ze mną miasto. Widziałam Pałac Łazienkowski, kilka kościołów, rynki Starego i Nowego Miasta, kilka części Pałacu Kultury...

Robin: Ale jestem pewien, że narobiłem moc omyłek. Nie pamiętam, jakie ulice i domy były odbudowywane po wojnie, a które przetrwały zarówno oblężenie w 1939, jak i Powstanie Warszawskie 1944.

Stanley: To jest bardzo łatwe. Większość była odbudowana, tylko kilka odleglejszych dzielnic oszczędzono w czasie wojny.

Jean: Chciałabym usiąść i porozmawiać o tym, co już widziałam lub zobaczę jutro.

Stanley: Chodźmy na kawę do Klubu Międzynarodowej Książki i Prasy.

Jean: Chciałabym zobaczyć ruiny Getta.

Stanley: Zostały uprzątnięte. Zamiast nich są tam bloki domów mieszkalnych, sklepy, szkoły itd. I nowe ulice są teraz nowoczesne i szerokie. Ale może pani zobaczyć pomnik Obrońców Getta.

Jean: Pamiętam, że widziałam ogromny pomnik po drodze z lotniska, może to ten?

Stanley: Nie, to nie ten. To z pewnością (pewien jestem) był pomnik na cześć żołnierzy radzieckich, którzy tu zginęli. Czy chce pani zwiedzić jakąś fabrykę?

Jean: Nie, nie chcę. Widzi pan, w przyszłym tygodniu mój szef i ja mamy spędzić kilka dni w fabryce chemikalii, w której robią barwniki. I odwiedzimy kilka fabryk, w Łodzi również. Chciałabym raczej zobaczyć, jak u was ludzie żyją (w waszym kraju). Dowiedzieć się czegoś o odbudowie...

Robin: Musisz zobaczyć Zamek Królewski i Wisłę.

Jean: Czy Wisła zamarza w zimie?

Stanley: Owszem, miewamy czasem bardzo ostre mrozy (mróz) i wtedy cała pokryta jest lodem.

Robin: Musisz też zobaczyć stadion.

Stanley: I kilka nowych tras. Są one wielką pomocą w rozwiązaniu problemu komunikacyjnego, który jest nadal poważnym zagadnieniem w naszym mieście.

Jean: Chciałabym pójść do kina, zobaczyć jakiś polski film, chociaż nie zrozumiem ani słowa.

Robin: Zacząłem uczyć się polskiego, ale języki słowiańskie są tak różne od angielskiego! Widziałem przecież niektóre z waszych doskonałych filmów dokumentalnych. Jean była już na koncercie orkiestry Filharmonii.

Jean: Uderzyła mnie tam obecność wielkiej ilości młodzieży. U nas publiczność jest znacznie starsza.

Stanley: Wiele z nich uczęszcza do szkół muzycznych, ucząc się grać na jakimś instrumencie.

Jean: To ciężka praca, zwłaszcza że oprócz tego chodzą do szkoły podstawowej lub średniej.

Stanley: Nie potrzebują chodzić do dwu szkół. Szkoły artystyczne obejmują (dostarczają) również i ogólne wykształcenie.

Jean: Smyki mają szczęście. Jako dziecko marzyłam (o tym), żeby zostać skrzypaczką, ale nie mogłam sobie na to pozwolić, mniej kosztowne było wyszkolić się na sekretarkę, no i widzicie ... Cóż, dużą przyjemność sprawiła mi nasza rozmowa, tak samo jak i kawa, ale czas już iść. (wstając z uśmiechem) Bardzo wam obu dziękuję.

Robin: Jeżeli tak lubisz muzykę, przyjedź tu na następny Konkurs Szopenowski.

Stanley: Albo na Konkurs Skrzypcowy im. Wieniawskiego.

Robin: To w Poznaniu, prawda? Tam gdzie odbywają się Targi Międzynarodowe.

Jean: Może przyjadę, nigdy nic nie wiadomo. Mój szef tak bardzo lubi muzykę, a bardzo był zadowolony z organizacji Targów.

Stanley: Ale mam nadzieję, że spotkamy się jeszcze, zanim pani wyjedzie ... I mam do pani prośbę. Oto czasopismo, które powie coś pani o Polsce, chciałbym, aby je pani wzięła z sobą ... To po angielsku.

Jean: Serdecznie dziękuję. Bardzo to miło z pana strony.

Robin: Zadzwonimy do ciebie, Jean, i spotkamy się jeszcze kiedyś.

Jean: Bardzo bym chciała. Do widzenia.

Rozchodzą się, uśmiechając się po przyjacielsku.

Cytaty, przysłowia i żarty

Szczęście jest jak pocałunek, trzeba dzielić je z kimś, aby je mieć.

Ćwiczenie I. 1. met, 2. ask, 3. is, 4. like, 5. make, 6. answer, 7. since 8. operation, 9. Health, 10. International.

Ćwiczenie II. 2. She said that her family could not... 3. He said that most probably the girl had got relatives in this country. 4. They said that few districts had been spared... 5. We said we were going... 6. He said that the Vistula froze... 7. I said I was afraid the frost would be severe that night. 8. She said that Slavonic languages seemed... 9. They said they liked... 10. She said she would attend...

Ćwiczenie III. 1. do, 2. made, 3. do, 4. made, 5. done, 6. do, 7. do.

Ćwiczenie V. 1 — c, 2 — b, 3 — a, 4 — c, 5 — b.

Various Kinds of English

Ćwiczenie VI. I think that it's not very hard to learn to read English. The main difficulty is in speaking. — And I find the spelling just as difficult. Has American English a spelling of its own? — No, it hasn't. Only some words are spelt differently, e.g.: color, center, traveler, program etc. But the pronunciation is different and the intonation... — And I was told that Americans used different idioms. Do Welsh people speak English? — Yes, they do. But they have a language of their own similar to Irish and Gaelic. — I remember, Gaelic, it's the language spoken in some parts of Scotland. My goodness, so many languages in the small British Isles! — Don't forget the other varieties of English in: Canada, Australia, South Africa. — Good heavens! — Don't worry. If you learn hard, your British English will do everywhere.

SŁOWNIK ANGIELSKO-POLSKI

A

above [ə'baw] *nad, ponad*

absenteeism [æbsn'ti:yzm] *absencja, bumelanctwo*

academic [ækə'demyk] *akademicki*

accelerator [ək'selərejtə] *akcelerator*

according (to) [ə'ko:dyŋ tu] *zgodnie z, stosownie do...*

account [ə'kaunt] *konto, rachunek*

acknowledgment [ək'nolydżmənt] *uznanie*

act [ækt] *akt, ustawa; grać w teatrze*

activity [æk'tywyty] *czynność, działalność*

actor ['æktə] *aktor*

actress ['æktrys] *aktorka*

ad = advertisement *ogłoszenie*

adaptation [ædæp'tejszn] *adaptacja, przeróbka*

adjust [ə'dżast] *dopasować, poprawić*

admiration [ædmə'rejszn] *podziw*

admit [əd'myt] *przyznać, dopuścić*

adorable [ə'do:rəbl] *czarujący*

adore [ə'do:] *uwielbiać, czcić*

advantage [əd'wa:ntydż] *korzyść, pożytek*

advice [əd'wajs] *rada* (tylko w 1. poj.)

advise [əd'wajz] *radzić*

aeronautic [eərə'no:tyk] *lotniczy*

affect [ə'fekt] *obchodzić, dotknąć*

afishing, on fishing [ə'fyszyŋ] *na ryby*

aflying [ə'flajyŋ] *upływający*

African ['æfrykən] *afrykański*

afterwards ['a:ftə"ədz] *następnie, potem, później*

aged [ejdżd] *mający lat...*

agent [ejdżnt] *agent; czynnik*

agitate ['ædżytejt] *podniecać*

ahead [ə'hed] *przed, na przedzie;*

ahead of schedule [ə'hedəw 'szedju:l] *przed terminem*

aid [ejd] *pomoc*

aim [ejm] *cel, zamiar; skierować;* **to aim at** *mieć na celu*

airline ['eəlajn] *linia lotnicza*

airport ['eəpo:t] *lotnisko, port lotniczy*

aisle [ajl] *nawa*

alight [ə'lajt] *wysiadać, zsiąść, zeskoczyć*

allow [ə'lau] *przyznawać, pozwolić*

allowance [ə'lauəns] *suma pieniężna, zwykle okresowa, przyznawana komuś*

Alma ['ælmə] = **Alma Mater** ['ælmə 'mejtə] *nazwa dawana uniwersytetom*

aloud [ə'laud] *głośno*

although ['o:lðou] *chociaż*

altogether [o:ltə'geðə] *razem; zupełnie, całkowicie*

amazement [ə'mejzmənt] *zdziwienie, podziw*

amid [ə'myd] *wśród*

amusing [ə'mju:zyŋ] *zabawny*

ancient ['ejnsznt] *stary, starożytny*

angle [æŋgl] *kąt widzenia*

ankle [æŋkl] *kostka* (u nogi)

annual ['ænjuəl] *roczny; raz na rok; rocznik*

anthem ['ænθəm] *hymn*
anti-freeze ['ænty-'fri:z] *zapobiegający zamarzaniu*
appeal [ə'pi:l] *apelacja; apelować; bardzo prosić*
appointment [ə'pojntmənt] *posada; nominacja; umówione spotkanie z kimś*
appraise [ə'prejz] *ocenić, szacować*
apprentice [ə'prentys] *czeladnik*
approach [ə'proucz] *zbliżyć się*
April ['ejprəl] *kwiecień*
arbitrate ['a:bytrejt] *rozstrzygać przez arbitraż*
arbitration ['a:by'trejszn] *arbitraż, postępowanie polubowne, rozstrzygnięcie sprawy*
arch [a:cz] *łuk, sklepienie łukowe*
architect ['a:kytekt] *architekt*
argument ['a:gjumənt] *argument; kłótnia*
aristocrat ['ærystəkræt] *arystokrata*
around [ə'raund] *dookoła, wokoło*
arrow ['ærou] *strzała*
art [a:t] *sztuka, umiejętność;* **arts** *sztuki; nauki społeczne, humanistyczne*
artificial [ˌa:ty'fyszl] *sztuczny*
as if [əz 'yf] *jak gdyby*
as to *jeśli chodzi o: ale aby*
as well *również*
aside [ə'sajd] *na bok, w bok*
aspect ['æspekt] *aspekt, strona*
assembly hall [ə'semblyho:l] *hala montażowa*
assist [ə'syst] *pomagać*
associate [ə'sousyejt] *łączyć, kojarzyć, obcować*

association [əˌsousy'ejszn] *powiązanie, skojarzenie; stowarzyszenie*
at all [ə'to:l] *zgoła, wcale, w jakimkolwiek stopniu* (w zdaniach przeczących)
athletic [æθ'letyk] *atletyczny, sportowy*
atom ['ætəm] *atom*
atomic [ə'tomyk] *atomowy*
attach [ə'tæcz] *przywiązywać, przyczepiać, dołączyć*
attack [ə'tæk] *atak, napad; atakować*
attend [ə'tend] *uczęszczać*
attribute [ə'trybju:t] *przypisywać* (coś komuś)
auburn ['o:bən] *kasztanowaty, złocistorudy*
audacity [o:'dæsyty] *śmiałość*
audience ['o:djəns] *słuchacze; publiczność*
August ['o:gəst] *sierpień*
auntie ['a:nty] *ciocia;* **aunt** [a:nt] *ciotka*
author ['o:θə] *autor*
authority [o:'θoryty] *autorytet*
authorized ['o:θərajzd] *autoryzowany, oficjalny*
automobile ['o:təmobi:l] *samochód* (amer.)
avenue ['æwənju:] *szeroka ulica, aleja*
awake, awoke, awaked [ə'ᵘejk ə'ᵘouk ə'ᵘejkt] *budzić*
awake *przebudzony, czujny, będący na jawie*
awe [o:] *podziw połączony z szacunkiem; groza*

B

baby sitter ['bejby'sytə] *osoba doglądająca dzieci* (w określonych godzinach)

background ['bækgraund] *tło*
backwards ['bækᵘədz] *do tyłu, w tył, wstecz*

baker ['bejkǝ] piekarz
balance ['bælǝns] równowaga, bilans
bald [bo:ld] łysy
ballot ['bælǝt] tajne głosowanie
barrel ['bærǝl] beczka
base [bejs] bazować, opierać
basis ['bejsys], l. mn. bases ['bejsi:z]
podstawa, baza
battlefield ['bætlfi:ld] pole bitwy
bear, bore, born [beǝ bo: bo:n] rodzić
bear, bore, borne [beǝ bo: bo:n]
znieść, dawać owoce
beat [bi:t] bicie, uderzanie; beat, beat,
beaten [bi:t bi:t bi:tn] bić
bee [bi:] pszczoła
beefsteak ['bi:f'stejk] befsztyk
be getting older stawać się starszym
beggar ['begǝ] żebrak
beggarly ['begǝly] nędzny
beginner [by'gynǝ] początkujący
behave [by'hejw] zachowywać się
behead [by'hed] ściąć głowę
beige [bejż] beżowy (kolor)
being ['bi:yŋ] istota
below [by'lou] poniżej
belt [belt] pas, pasek
beneath [by'ni:θ] pod, poniżej
bent [bent] zamiłowanie (for) do czegoś

be over skończyć się
be pleased być zadowolonym
bewitch [by'ʷy'cz] oczarować
beyond [by'jond] poza, dalej niż
bill [byl] banknot (amer.), ang. note
birth [bǝ:θ] urodziny, urodzenie
biscuit ['byskyt] herbatnik, biszkop-
cik
blackbird ['blækbǝ:d] kos
blackleg ['blɛkleg] łamistrajk
blanket ['blæŋkyt] koc
bless [bles] błogosławić, poświęcić
blind [blajnd] ślepy, ociemniały

block [blok] blok, kłoda
bloke [blouk] człek, chłop, facet
(slang)
blood [blad] krew
bloody ['blady] krwawy
blow [blou] cios, uderzenie; pękać,
rozkwitać
bluejay ['blu:dżej] sójka
board [bo:d] rada; deska; pokład;
wejść na pokład; dać jedzenie goś-
ciom itp.
boast [boust] chełpić się
bold [bould] śmiały
bolt [boult] rygiel, zasuwa
bomb [bom] bomba
bone [boun] kość
bonnet ['bonyt] maska (samochodu)
booking-office ['bukyŋ/ofys] kasa biletowa
bookstall ['buksto:l] kiosk z gazetami, książkami itd.
bore [bo:] nudziarz, nudziarstwo
boss [bos] szef
bound [baund] zobowiązany; I'm
bound to ja na pewno (zrobię)
box [boks] loża; pudełko; boks
bracelet ['brejslyt] bransoletka
braces ['brejsyz] szelki (ang.)
brain [brejn] mózg, l. mn. rozum, u-
mysł
brake [brejk] hamulec
branch [bra:ncz] gałąź
brandy ['brændy] koniak
break down załamać się
breath [breθ] oddech
breathe [bri:ð] oddychać
breeze [bri:z] wietrzyk, podmuch
brighten [brajtn] rozjaśnić
bring przynieść, przywieźć
bring in wprowadzać
bring up [bryŋ'ap] wychować
British ['brytysz] brytyjski
broth [broθ] rosół

brother-in-law ['braðɔrynlo:] szwagier

brunette [bru:'net] brunetka

brute [bru:t] bestia; zwierzę; cham

bud [bad] pąk; pączkować, rozwijać się

bug [bag] robak, pluskwa

builder ['byldɔ] budowniczy

bump [bamp] guz, zderzenie; uderzyć, zderzyć się, wpaść na

bus stop przystanek autobusowy

but ale, lecz; tylko; but for gdyby nie

butterfly ['batɔflaj] motyl

buzz [baz] brzęczeć

bye bye ['baj'baj] do widzenia (poufałe)

C

C. P. (Communist Party) ['si:'pi:, 'komjunyst 'pa:ty] Partia Komunistyczna

cafeteria [,kæfy'tiɔriɔ] bar samoobsługowy

calamity [kɔ'læmyty] nieszczęście

camp [kæmp] obóz; obozować

camper ['kæmpɔ] uczestnik obozu

cane [kejn] laska, trzcina

canteen [kæn'ti:n] kantyna, świetlica, stołówka

canvas ['kænwɔs] płótno żaglowe

career [kɔ'riɔ] kariera, zawód

careful, carefully ['keɔful 'keɔfuly] staranny, starannie

careless ['keɔlys] nieuważny, niedbały

carpenter ['ka:pyntɔ] cieśla

carry on [,kæry'on] posuwać dalej; prowadzić; ciągnąć

cart [ka:t] wóz

cast [ka:st] obsada

casual ['kæżuɔl] przypadkowy, niedbały

cathedral [kɔ'θi:drl] katedra

cattle [kætl] bydło

cause [ko:z] przyczyna, sprawa; powodować, wywołać

cease [si:s] przerwać

cent [sent] cent (moneta amer.) (per cent procent)

central [sentrl] centralny

central heating ['sentrl 'hi:tyŋ] centralne ogrzewanie

cereals ['siɔriɔlz] zboża, przetwory zbożowe

certain [sɔ:tn] pewny, pewien

certificate [sɔ'tyfykyt] świadectwo

chairman ['czeɔmɔn] przewodniczący; lady chairman przewodnicząca

chalk [czo:k] kreda, kredka

challenge ['czælyndż] wyzwanie

chamber ['czejmbɔ] izba, komnata

chance [cza:ns] szansa, możliwość

change [czejndż] zmienić (się); przesiąść się; przebrać się

chap [czæp] chłop, mężczyzna

character ['kæryktɔ] charakter; cecha; typ

characteristic [kæryktɔ'rystyk] cecha

charge [cza:dż] ciężar; piecza (nad); cena; opłata

chassis ['szæsy] podwozie

cheap [czi:p] tani, nędzny

cheek [czi:k] policzek

cheer [cziɔ] wznosić okrzyki na cześć

chemical ['kemykl] chemiczny

chemist ['kemyst] chemik, aptekarz; (science, research, chemist) ['sajɔns ry'sɔ:cz 'kemyst] chemik

chemistry ['kemystry] chemia

cherry ['czery] czereśnia, wiśnia

chicken ['czykyn] kurczę, mięso z drobiu

chief [czi:f] szef, wódz; główny

childhood ['czajldhud] dzieciństwo

childish ['czajldysz] dziecinny, dziecięcy

chin [czyn] podbródek

choice [czojs] wybór; wybraniec, wybranka

Christmas ['krysmᴐs] Gwiazdka, Boże Narodzenie

chum [czam] kolega, bliski przyjaciel (slang)

churchyard ['czᴐːczʹjaːd] cmentarz przykościelny

circle [sᴐːkl] koło; balkon (w teatrze)

cleanliness ['klenlynys] czystość

clear away [kliᴐrᴐʹⁿej] usunąć, sprzatnąć

clerk [klaːk] urzędnik

cloakroom ['kloukrum] szatnia, garderoba; przechowalnia bagażu

cloth [kloθ] ścierka

clothing ['klouðyŋ] odzież

clutch [klacz] sprzęgło

coal-mining ['koulmajnyŋ] wydobywanie węgla, górnictwo węglowe

coast [koust] wybrzeże

cocktail dress strojna suknia popołudniowa

cocoa ['koukou] kakao (napój), roślina cacao [kᴐʹkaːou]

code [koud] zbiór, kodeks; szyfr

collar ['kolᴐ] kołnierz

collect [kᴐʹlekt] zbierać

collective [kᴐʹlektyw] kolektywny, (collective farm spółdzielnia produkcyjna, gospodarstwo rolne)

collection [kᴐʹlekszn] zbiór

collector [kᴐʹlektᴐ] zbierający

college ['kolydż] uniwersytet (amer.); część uniwersytetu (ang.)

colonel [kᴐːnl] pułkownik

coloured ['kalᴐd] kolorowy; Murzyn

colourful ['kalᴐful] barwny

comedy ['komedy] komedia

come on [kaʹmon] nadejść, posuwać się naprzód; chodź

come out [kaʹmaut] wyjść, wychodzić

come round przyjść do siebie (do przytomności)

comment ['koment] komentarz

communist ['komjunyst] komunista, komunistyczny

companion [komʹpænjᴐn] towarzysz

competition [ˌkompyʹtyszn] konkurs; zawody

complete [komʹpliːt] całkowity, kompletny, zupełny

complexion [komʹplekszn] cera

compulsory [komʹpalsry] przymusowy

comrade ['komryd] towarzysz, kolega

concrete ['konkriːt] beton

conceal [konʹsiːl] ukrywać

concern [konʹsᴐːn] frasunek, zmartwienie; przedsiębiorstwo; tyczyć się, obchodzić, niepokoić

concession [konʹseszn] koncesja, ustępstwo

conclude [konʹkluːd] zakończyć

concussion [konʹkaszn] wstrząs

conductor [konʹdaktᴐ] konduktor, kolejarz (amer.); railway guard (ang.)

conductor rail szyna, przewód jezdny

conference ['konfrᴐns] konferencja, narada

confess [konʹfes] wyznać, przyznać się

confirm [konʹfᴐːm] potwierdzić, umocnić

conflict ['konflykt] konflikt

conqueror ['koŋkərə] zwycięzca, zdobywca

consent [kən'sent] zgadzać się

consequently ['konsykᵘəntly] wskutek tego, konsekwentnie, więc

conservative [kən'sə:wətyw] konserwatysta, konserwatywny

consist of [kən'syst əw] składać się z

constant ['konstnt] stały, trwały, wierny

consumption [kən'sampszn] konsumpcja

contact ['kontækt] kontakt

contain [kən'tejn] zawierać, obejmować

container [kən'tejnə] pojemnik

contemporary [kən'tempərəry] współczesny

continue [kən'tynju] kontynuować

cousin ['kazn] krewny

contract ['kontrækt] kontrakt, zobowiązanie, umowa; [kən'trækt] nabawić się (czegoś), ściągnąć, zawrzeć umowę

contribution [ˌkontry'bju:szn] składka, opłata; udział; kontrybucja

conversational [ˌkonwə'sejszənl] konwersacyjny, potoczny

conversely ['kon'wə:sly] odwrotnie

conveyor-belt [kən'wejəˌbelt] transporter

cook [kuk] kucharz, kucharka

cool [ku:l] chłód; chłodzić; chłodny

cooperative [kou'oprətyw] spółdzielnia, spółdzielczy

cope (with) [koup] dać sobie radę z...

correct [kə'rekt] poprawny, dokładny; poprawić

corridor ['korydo:] korytarz

cost [kost] koszt

costume ['kostju:m] kostium

council [kaunsl] rada

council house ['kaunsl ˌhaus] dom należący do rady (miejskiej)

countrified ['kantryfajd] wiejski

countryman ['kantrymən] rodak

county ['kaunty] hrabstwo

court [ko:t] sąd, dwór, podwórze; starać się, umizgać się, kusić

courtier ['ko:tjə] dworzanin

cowboy ['kauboj] kowboj, pastuch konny

cowslip ['kauslyp] pierwiosnek

cracker ['krækə] cukierek z petardą, popularny w okresie gwiazdkowym (ang.); herbatnik (amer.)

cramp [kræmp] kurcz, skurcz

cream-cheese ['kri:m ˌczi:z] ser śmietankowy

creditable, creditably ['kredytəbl 'kredytəbly] zacny, zacnie; zaszczytny, zaszczytnie

crime [krajm] przestępstwo, zbrodnia

criminal ['krymynl] zbrodniczy, kryminalny; przestępca, zbrodniarz

crimson [krymzn] pąsowy

cripple [krypl] kaleka

criticize ['krytysajz] krytykować

crown [kraun] korona; koronować

crush [krasz] rozbicie, łoskot; zdruzgotać, zgnieść

cucumber ['kju:kambə] ogórek

culture ['kalczə] kultura

cultured ['kalczəd] kulturalny

curious ['kjuəriəs] ciekawy

current [karnt] prąd, strumień; bieżący

curtain [kə:tn] kurtyna; firanka

custom ['kastəm] zwyczaj; l. mn. urząd celny, cło

cyclist ['sajklyst] rowerzysta

D

daily ['dejly] *codzienny, dziennik*
dais ['dejys] *podium, podwyższenie*
damage ['dæmydż] *uszkodzenie,* 1. mn. *odszkodowanie*
damn [dæm] *potępiać, przeklinać*
dangerous ['dejndżərəs] *niebezpieczny*
dare [deə] *ośmielić się, śmieć; wyzwać*
dart [da:t] *grot,* 1. mn. *gra w rzucanie grotami; przemknąć, przeszyć (umysł)*
dashboard ['dæszbo:d] *tablica rozdzielcza*
deal [di:l] dealt, dealt [delt] *mieć do czynienia z, zabrać się do*
December [dy'sembə] *grudzień*
declaim [dy'klejm] *deklamować*
decor [dy'ko:] *dekoracja teatralna*
defence [dy'fens] *obrona*
defender [dy'fendə] *obrońca*
defensive [dy'fensyw] *obronny*
delegate ['delygyt] *delegat*
delighted [dy'lajtyd] *zachwycony*
demand [dy'ma:nd] *pytać, żądać*
democracy [dy'mokrəsy] *demokracja*
demolish [dy'molysz] *burzyć, niszczyć*
deny [dy'naj] *zaprzeczać, zapierać się*
depart [dy'pa:t] *odejść, odjechać*
department store [dy'pa:tmənt 'sto:] *dom towarowy*
depend (on, upon) [dy'pend] *zależeć od, polegać na*
depress [dy'pres] *przygnębiać*
derelict ['derylykt] *opuszczony, bezpański*
desert ['dezət] *pustynia, bezludzie;* [dy'zə:t] *opuścić, porzucić, dezerterować*
design [dy'zajn] *zamiar; plan; rysunek; projekt; rysować, projektować*
desire [dy'zajə] *pragnąć*
despair [dys'peə] *rozpacz*
destination [,desty'nejszn] *przeznaczenie, cel*
devastating ['dewəstejtyŋ] *rozpaczliwy, miażdżący* (argument)
differ ['dyfə] *różnić się*
dig, dug, dug [dyg dag] *kopać, ryć*
dim [dym] *ciemny, mroczny*
dimple [dympl] *dołek na twarzy*
direct [dy'rekt, daj'rekt] *kierować, zarządzać*
disabled [dys'ejbld] soldier ['soul dżə] *inwalida wojenny*
disappoint [,dysə'pojnt] *rozczarować*
discover [dys'kawə] *odkryć*
discreet [dys'kri:t] *dyskretny*
discretion [dys'kreszn] *swoboda decyzji;* at discretion *do woli, zgodnie z wolą*
disdain [dys'dejn] *pogarda; pogardzać*
disease [dy'zi:z] *choroba*
disgrace [dys'grejs] *hańba, zakała*
disgust [dys'gast] *obrzydzenie, wstręt*
dish [dysz] *naczynie; potrawa*
dismiss [dys'mys] *oddalać, zwalniać* (z posady)
dispute [dys'pju:t] *sprzeczka, zatarg; sprzeczać się, dowodzić*
dissatisfy ['dys'sætysfaj] *sprawić niezadowolenie*
dissenter [dys'sentə] *dysydent*
distance [dystns] *odległość*
distinct, distinctly [dys'tynkt dys' tynkly] *wyraźny, wyraźnie*
distribute [dys'trybju:t] *rozdawać*
diversion [daj'wə:szn] *dywersja; rozrywka*

do business załatwiać interesy
do without obejść się, obyć się bez
documentary [ˌdokju'mentry] film
dokumentalny
dollar ['dolə] dolar
double-decker ['dabl/dekə] piętrowy
wóz
doubt [daut] wątpliwość; wątpić
doubtless ['dautlys] niewątpliwy,
niewątpliwie
down tools złożyć narzędzia
down-hearted ['daun/ha:tyd] przygnębiony
downtown ['dauntaun] w śródmieściu (amer.)
dramatic [drə'mætyk] dramatyczny
drawing ['dro:yŋ] rysunek; **drawing
office** kreślarnia
dream, dreamed, dreamed [dri:m

**dri:md] lub dream, dreamt,
dreamt** [dremt] marzyć, śnić
drilling machine ['drylyŋ mə'szi:n]
wiertarka; **drilling shop** hala, w
której się znajdują wiertarki
driver ['drajwə] kierowca
drizzle [dryzl] mżawka
drop [drop] upuścić, opuścić (się);
drop into wpaść do, zajść do
drug [drag] lek, narkotyk; **drugstore**
['dragsto:] sklep z rozmaitymi to-
warami, drogeria (amer.)
dryer ['drajə] suszarka
duchess ['daczys] księżna
due (to) [dju] spowodowany; dzięki
(komuś, czemuś); należny
dust [dast] kurz, pył
duty ['dju:ty] obowiązek; służba; cło
dwindle [d"yndl] ubywać
dye [daj] farba; barwić **(dyeing)**

E

eagle [i:gl] orzeł
earn [ə:n] zarobić; zasłużyć
earnest ['ə:nyst] poważny; żarliwy;
gorliwy
earnestness ['ə:nystnys] powaga
Easter ['i:stə] Wielkanoc
economic [i:kə'nomyk; ekə'nomyk]
ekonomiczny; oszczędny
educate ['edjukejt] kształcić; wychowywać
education [ˌedju'kejszn] wykształcenie
effort ['efət] wysiłek
either [ajðə 'i:ðə] jeden z dwu; każdy (i jeden i drugi)
electric, electrical [y'lektryk y'lek
trykl] elektryczny
elevator ['elywejtə] winda (am.), **lift**
(ang.)

Elizabethan [yˌlyzə'bi:θn] elżbietański
emanate ['emənejt] wydobywać się
emblem ['embləm] emblemat, godło
embody [ym'body] ucieleśniać, wcie-
lić
embroider [ym'brojdə] haftować
embryo ['embrjou] zarodek
employee [ˌemploj'i:] pracownik
enchant [yn'cza:nt] oczarować, za-
chwycać
enclosure [yn'kloużə] ogrodzenie
enemy ['enymy] wróg, przeciwnik
energy ['enədży] energia
enquire, inquire [yn'k"ajə] dowiedzieć się, zapytać się
ensure [yn'szuə] upewnić (się),
sprawdzić
enthusiastic [ynˌθju:zy'æstyk) entuzjastyczny

entire, entirely [yn'tajə yn'tajəly] *całkowity, całkowicie*
entrance [yn'tra:ns] *wprawić w zachwyt; porwać;* ['entrəns] *wejście*
entrancing [yn'tra:nsyŋ] *czarujący, zachwycający*
entry ['entry] *wejście*
epitaph ['epyta:f] *epitafium, napis na nagrobku*
equal ['i:k"əl] *równy w liczbie, mierze, stopniu; zrównać*
equip [y'k"yp] *zaopatrzyć, wyposażyć*
equipment [y'k"ypmənt] *wyposażenie*
escape [ys'kejp] *ucieczka; uciekać*
essential [y'senszl] *zasadniczy, podstawowy*
evidence ['ewydns] *dowód, świadectwo*
evil [i:wl] *zły; zło*
exceed [yk'si:d] *przekroczyć (miarę)*
exchange [yks'czejndż] *zamienić*
excitement [yk'sajtmənt] *podniecenie, wzruszenie*

exhibit [yg'zybyt] *wystawiać, pokazać*
exhibition [ˌeksy'byszn] *wystawa*
expect [yks'pekt] *spodziewać się, oczekiwać, sądzić*
expense [yks'pens] *wydatek*
expensive [yks'pensyw] *kosztowny*
experience [yks'piəriəns] *doświadczenie; doświadczyć*
experiment [yks'perymənt] *eksperyment, doświadczenie; eksperymentować, robić doświadczenia*
export ['ekspo:t] *eksport;* [eks'po:t] *eksportować*
expose [yks'pouz] *wystawić, narazić (na coś)*
expressive [yks'presyw] *pełen wyrazu*
extra ['ekstrə] *dodatkowy, dodatkowo; specjalny, specjalnie*
extravagant [yks'træwygənt] *przesadny, ekstrawagancki*
explanation [ˌekspl)'nejszn] *wyjaśnienie*

F

face [fejs] *twarz, mina*
fail [fejl] *zawieść, nie powieść się, nie udać się; nie zdać egzaminu*
fair [feə] *targi, jarmark; jasny; piękny; uczciwy*
fairy ['feəry] *czarodziejka, wróżka; czarodziejski*
fall [fo:l] *upaść* (nier.); **to fall in love with** *zakochać się*
false [fo:ls] *fałszywy*
family tree *drzewo genealogiczne*
fan [fæn] *wachlarz, wentylator*
fancy ['fænsy] *wyobrazić sobie*
farmer ['fa:mə] *farmer, gospodarz wiejski*

farming ['fa:myŋ] *gospodarka rolna*
farmlabourer ['fa:mlejbərə] *robotnik rolny*
fashionable ['fæsznəbl] *modny*
father-in-law ['fa:ðərynlo:] *teść;* **the in-laws** *teściowie*
fatten ['fætn] *tuczyć*
favour ['fejwə] *łaska, przychylność, przysługa;* **in favour of** *przychylny*
favourable ['fejwrəbl] *przychylny*
feature ['fi:czə] *rys, cecha; film fabularny* **feature film**
February ['februery] *luty*

fetch [fecz] *przynieść, przyprowadzić*

fever ['fi:wə] *gorączka, febra*

field-glasses ['fi:ldgla:syz] *lornetka*

fight [fajt] *walka*

figure ['fygə] *figura; cyfra; figurować, wyobrażać*

fill in [fy'lyn] *wypełnić* (formularz itp.)

filth [fylθ] *brud*

financial [faj'nænszl, fy'nænszl] *finansowy*

firm [fə:m] *firma; niewzruszony, twardy*

first aid ['fə:st'ejd] *pierwsza pomoc* (dla chorego)

fish [fysz] *łowić ryby*

fit [fyt] *pasować, dobrze leżeć*

fit in [fyt'yn] *dopasować, włączyć*

fix [fyks] *kłopot; przytwierdzić*

flask [fla:sk] *flaszka*

flat [flæt] *mieszkanie* (ang.) *przekłucie opony* (am.)

flea [fli:] *pchła*

flight [flajt] *lot, ucieczka; kondygnacja schodów*

flourish ['flarysz] *wymachiwanie, fanfara, zakrętas;* **with a flourish** *z fantazją, z fasonem*

flower pot ['flauəpot] *doniczka*

flutter ['flatə] *trzepotać, bić* (o sercu)

fly [flaj] *mucha*

fly away *odlecieć*

fodder ['fodə] *pasza*

fold [fould] *składać; fałda; zagroda*

food [fu:d] *jedzenie, pokarm*

foot-passenger [fut'pæsyndżə] *przechodzień, idący pieszo*

for *dla, na, ponieważ, bo, z powodu*

for a time *przez pewien czas*

for ever [fə'revə] *na zawsze*

for instance [fə'rynstəns] *na przykład*

forbid, forbade, forbidden [fə'byd fə'bejd fə'bydn] *zabronić*

force [fo:s] *siła, przemoc, ważność; zmusić, wyłamać*

foreman ['fo:mən] *majster, nadzorca robotników*

forest ['foryst] *las*

fork [fo:k] *widelec*

form [fo:m] *formularz*

forth [fo:θ] *naprzód* (używane w złożeniach)

fortify ['fo:tyfaj] *fortyfikować, umacniać*

fortunately ['fo:cznytly] *na szczęście*

forward ['fo:"əd] *naprzód, przedni*

foul [faul] *faul*

found [faund] *założyć, ufundować*

foyer ['fojej, 'f"aje] *palarnia* (w teatrze)

fragrant ['frejgrnt] *pachnący, wonny*

frame [frejm] *rama, obramowanie*

freckles ['frekylz] *piegi*

free [fri:] *wolny, bezpłatny*

freeze, froze, frozen [fri:z frouz frouzn] *marznąć, zamarzać, mrozić*

fresh [fresz] *świeży*

frost [frost] *mróz*

full up [fu'lap] *pełny, w komplecie*

fumble ['fambl] *grzebać, macać*

furnish ['fə:nysz] *urządzać; meblować; dostarczać*

furry ['fə:ry] *futrzany, włochaty*

further, furthest ['fə:ðə 'fə:ðyst] *stopień wyższy i najwyższy od* **far** *daleki, daleko*

G

gag [gæg] *knebel, kneblować*
gain [gejn] *zdobyć; zyskać*
gallant ['gælənt] *elegant*
gallop ['gæləp] *galop; galopować*
gamekeeper ['gejm,ki:pə] *gajowy*
garrison ['gærysn] *garnizon*
garter ['ga:tə] *podwiązka*
gas [gæs] *gaz* (ang.), *mieszanka benzynowa* (amer.)
gathering ['gæðəryŋ] *zebranie, zbieranie*
gaze [gejz] *spojrzenie; wpatrywać się*
gear [giə] *bieg* (w samochodzie); **low gear** *bieg dolny*; **top gear** *najszybszy bieg*
gem [dżem] *klejnot*
generation [,dżenə'rejszən] *pokolenie*
genius ['dżi:njəs] *duch; geniusz*
genuine ['dżenjuyn] *prawdziwy, naturalny*
geographical [dżiə'græfykl] *geograficzny*
get off [ge'tof] *wyjść; wysiadać; zejść, zsiąść*
get on [ge'ton] *dawać sobie radę; wsiadać, wejść*
get ready *przygotować*
get rid of [get'rydəw] *pozbyć się* (czegoś, kogoś)
ghetto ['getou] *getto*
giddy ['gydy] *roztrzepany; oszołomiony*
give over *oddawać*
glimpse [glymps] *spojrzenie, rzut oka*
gloomy ['glu:my] *ponury*
gnarled [na:ld] *sękaty*
go back [gou'bæk] *wracać*
go off [gou'of] *odejść; wybuchnąć*
go up to [gou'aptə] *podejść do*
goal [goul] *gol*

God [god] *Bóg*
goddess ['godys] *bogini*
gold [gould] *złoto*; **golden** [gouldn] *złocisty*
good gracious! [,gud'grejszəs] *Na Boga! Mój Boże!*
goodness ['gudnys] *dobroć; Mój Boże!*
gooseberry ['guzbəry] *agrest*
gothic ['goθyk] *gotycki*
gown [gaun] *suknia wizytowa*; **dressing-gown** *szlafrok*; **nightgown** *koszula nocna*
grace [grejs] *łaska; wdzięk; przyozdobić*
gradually ['grædjuəly] *stopniowo*
graduate ['grædjuyt] *absolwent*
graduate ['grædjuejt] *ukończyć studia*
grammar school ['græmə ,sku:l] *gimnazjum klasyczne*
grammatical [grə'mætykəl] *gramatyczny*
grand [grænd] *wspaniały*
grandchild ['grænczajld] *wnuk, wnuczka*
grandfather ['græn,fa:ðə] *dziadek*
grandmother ['græn,maðə] *babka*, **great-grandmother** *prababka*
grant [gra:nt] *nadanie; zasiłek; przyznać, udzielać*
grassy ['gra:sy] *trawiasty*
grateful for ['grejtful fo:] *wdzięczny za* (coś)
Greek [gri:k] *grecki*
grenadier [,grenə'diə] *grenadier*
grim [grym] *ponury*
grow up [grou ap] *dorastać, rosnąć*
grove [grouw] *gaj, lasek*
grumble [grambl] *narzekać*
grunt [grant] *burknąć*

guard [ga:d] *gwardzista; straż; kolejarz*
guardian ['ga:djən] *opiekun*
guess [ges] *zgadywać* (ang.), *sądzić* (amer.)

gumboots ['gam'bu:ts] *buty gumowe*
gun [gan] *rewolwer; strzelba; armata*

H

hair-do ['heədu] *uczesanie*
hairdresser ['heə,dresə] *fryzjer*
hairdressing business ['heə,dresyŋ 'byznys]-*branża fryzjerska*
hamburger ['hæmbə:gə] *bułka zapiekana z tatarem*
hammer ['hæmə] *młotek*
hand [hænd] *wręczyć*
hand back *zwrócić, oddać*
handful ['hændful] *garść, naręcze*
handle [hændl] *klamka*
handlebars ['hændlba:z] *kierownica* (roweru, motocykla)
happen ['hæpən] *wydarzyć się*
happiness ['hæpynys] *szczęście*
harm [ha:m] *krzywda; krzywdzić, szkodzić*
hay [hej] *siano*
headache ['hedejk] *ból głowy*
headless ['hedlys] *bez głowy*
headlight ['hedlajt] *reflektor*
health [helθ] *zdrowie*
health resort ['helθry'zo:t] *uzdrowisko*
hear, hear *brawo!*
hearty ['ha:ty] *serdeczny*
heel [hi:l] *pięta; obcas*
height [hajt] *wysokość; wzrost*
helmet ['helmyt] *hełm*
hence [hens] *od, za* (o czasie)
heroine ['herouyn] *bohaterka*
hide and seek ['hajd ɔn'si:k] *zabawa w chowanego*
hire [hajɔ] *najem, opłata; wynająć*
hold forth [hould 'fo:θ] *wygłaszać*

hollow ['holou] *pusty, wydrążony*
holy ['houly] *święty*
honour ['onə] *honor, cześć*
hood [hud] *buda pojazdu* (ang.), *maska samochodu* (amer.)
hook [huk] *haczyk;* **hooked** [hukt] *haczykowaty*
hoop [hu:p] *obręcz*
hoot [hu:t] *hukać, huczeć; dać sygnał* (o klaksonie); *hukanie*
hope [houp] *nadzieja*
horn [ho:n] *klakson*
horrify ['horyfaj] *przerazić*
horticultural [,ho:ty'kalczrl] *ogrodniczy*
host [houst] *zastęp, poczet; gospodarz, pan domu*
hostess ['houstys] *pani domu, stewardesa*
house [haus] *umieścić, gościć*
housekeeper ['haus,ki:pɔ] *gosposia, pani domu*
housekeeping ['haus,ki:pyŋ] *utrzymanie domu, gospodarstwo domowe*
housework ['haus"ɔ:k] *roboty w gospodarstwie domowym*
however [hau'ewɔ] *jednakże, jakkolwiek*
howl [haul] *wycie; wyć, wrzeszczeć*
howler ['haulɔ] *śmieszny błąd, byk*
hue [hju:] *odcień, barwa*
hunt [hant] *polowanie*
huntsman ['hantsmɔn] *myśliwy*

hurt hurt, hurt [hə:t] *boleć, zranić; skaleczyć*
hymn [hym] *hymn*

hypocrite ['hypəkryt] *hipokryta, obłudnik*

I

ice [ajs] *lód*
idealism [aj'diəlyzm] *idealizm*
identical [aj'dentykl] *identyczny*
ignorance ['ygnərns] *ignorancja*
ignorant ['ygnərnt] *ignorant, nieświadomy*
ignore [yg'no:] *ignorować, lekceważyć*
illustration [yləs'trejszn] *ilustracja*
imagination [y,mædży'nejszn] *wyobraźnia, fantazja, imaginacja*
imagine [y'mædżyn] *wyobrażać sobie*
imperceptible [ympə:'septəbl] *niedostrzegalny, drobniutki*
import ['ympo:t] *import*; [ym'po:t] *importować*
impose on [ym'pouz on] *narzucić*
impress [ym'pres] *zrobić wrażenie; odcisnąć*
impression [ym'preszn] *znak stempla; wrażenie; wydanie (książki)*
imprison [ym'pryzn] *uwięzić*
imprisonment [ym'pryznmənt] *uwięzienie*
impulse ['ympals] *pobudka, impuls, podnieta*
inclination [,ynkly'nejszn] *skłonność*
incline [yn'klajn] *mieć skłonność do; pochylać się; skłaniać się*
inclined [yn'klajnd] *skłonny*
include [yn'klu:d] *włączać*
income ['ynkəm] *dochód*
increase [yn'kri:s] *zwiększyć*
industrial [yn'dastriəl] *przemysłowy*
infant ['ynfənt] *niemowlę; dziecinny*

infest [yn'fest] *naprzykrzać się, dręczyć*
inform [yn'fo:m] *informować; oznajmiać*
in-laws ['ynlo:z] *teściowie*
inquire (about) (patrz: **enquire**) *pytać się o*
inquisitive [yn'kʷyzytyw] *ciekawy*
insatiable [yn'sejszjəbl] *niezaspokojony*
inscription [yn'skrypszn] *napis*
insert [yn'sə:t] *wsadzić, wepchnąć, wprowadzić*
insist [yn'syst] *nalegać*
inspector [yn'spektə] *inspektor*
instalment [yn'sto:lmənt] *rata*
instinctive [yn'stynktyw] *instynktowny, odruchowy*
instrument ['ynstrumənt] *instrument*
insult ['ynsalt] *obelga*
insurrection [,ynsɔ'rekszn] *powstanie*
intelligent [yn'telydżnt] *inteligentny, rozumny*
interest ['yntryst] *zainteresowanie*
interference [,yntɔ'fiɔrns] *wtrącanie się, zakłócenie*
international [,yntɔ'næszɔnl] *międzynarodowy*
interplanetary [,yntɔ'plænytry] *międzyplanetarny*
interpreter [yn'tɔ:prytɔ] *tłumacz (ustny)*
interrupt [,yntɔ'rapt] *przerwać*
introduction [,yntrɔ'dakszn] *wstęp*
introduce [,yntrɔ'dju:s] *wprowadzić, przedstawić*

invasion [yn'wejżn] inwazja
invent [yn'went] wymyślić
investigation [yn,westy'gejszn] badanie, dochodzenie, śledztwo
invisible [yn'wyzəbl] niewidoczny
iodine ['ajodajn 'ajodi:n] jodyna

Ireland ['ajələnd] Irlandia
isle [ajl] wyspa (w nazwach geogra-
  ficznych)
issue ['ysju:] wydać
item ['ajtəm] szczegół; pozycja w
  spisie

J

January ['dżænjuəry] styczeń
jealous ['dżeləs] zazdrosny
jeer [dżiə] szydzenie; szydzić, drwić
jelly fish ['dżelyfysz] chełbia, meduza
jet-propelled [dżet prə'peld] o napędzie odrzutowym
jewel ['dżu:əl] klejnot

Jewish ['dżu:ysz] żydowski
jockey ['dżoky] dżokej
joke [dżouk] żart, dowcip; żartować
judgment ['dżadżmənt] wyrok, sąd
July [dżu'laj] lipiec
jump off, up zeskoczyć, podskoczyć
June [dżu:n] czerwiec
justice ['dżastys] sprawiedliwość

K

key [ki:] klucz
kick [kyk] kopać (nogą)
kid [kyd] smyk; kpić, naciągać

kingdom ['kyŋdəm] królestwo
knight [najt] rycerz, giermek

L

lab, laboratory [læb lə'borətry] laboratorium
labour ['lejbə] praca; labour saving
  oszczędzający pracę
lamp-post ['læmp poust] latarnia
landlord ['lænlo:d] gospodarz (właściciel domu, majątku itp.)
landscape ['lænskejp] krajobraz
lass [læs] dziewczyna
last [la:st] trwać
last ostatni, ostatnio; at last w końcu
lately ['lejtly] ostatnio
lathe [lejð] tokarka
Latin ['lætyn] łacina, łaciński
laundry ['lo:ndry] pralnia

lavender ['læwyndə] lawenda
lawyer ['lo:jə] prawnik
lay, laid, laid [lej lejd lejd] kłaść;
  lay the table nakrywać do stołu
lean, lent, lent [li:n lent lent], lean,
  leaned, leaned [li:nd] pochylać, o-
  pierać się
learner ['lə:nə] uczący się
leather ['leðə] skóra (wyprawiona)
leave [li:w] pozwolenie; urlop; on
  sick leave na urlopie chorobowym
legend ['ledżənd] legenda
legendary ['ledżəndry] legendarny
leek [li:k] por (jarzyna)
length [leŋθ] długość
less [les] mniej

let alone [ˌletə'loun] *nie mówiąc nic o...*

let out [le'taut] *wypuścić*

lever ['li:wə] *dźwignia, lewarek*

lift [lyft] *winda; podnosić*

light-weight ['lajt"ejt] *lekki, lekkiej wagi*

lily ['lyly] *lilia*

limit ['lymyt] *granica*

line [lajn] *wiersz; linia; obrzeżyć, obstawić* (drogę itp.)

lining ['lajnyŋ] *podszewka*

linen ['lynyn] *bielizna, płótno*

linguistic [lyŋ'g"ystyk] *językoznawczy*

linoleum, skrót: **lino** [ly'nouljəm, 'lajnou] *linoleum*

lion ['laiən] *lew*

literature ['lytryczə] *literatura*

lively ['lajwly] *żywy, ożywiony*

living ['lywyŋ] *utrzymanie; współczesny, żyjący*

living-room *pokój do przyjmowania gości*

local [loukl] *miejscowy, lokalny*

lock [lok] *zamek* (u drzwi); *lok* (włosów); *śluza*

lodger ['lodżə] *sublokator*

lodging ['lodżyŋ] *mieszkanie; pomieszczenie*

long [loŋ] *długi; tęsknić, pożądać*

look after [luk aftə] *doglądać, dbać*

look forward to [ˌluk'fo:"əd tə] *cieszyć się* (z góry) *na*

look out [ˌlu'kaut] *uwaga! ostrożnie!*

lotion ['louszn] *płyn* (na rany, do leczenia skóry itp.)

lots of ['lotsəw] *dużo, wiele*

love-in-idleness [ˌlawyn'ajdlnys] *bratek*

lover ['lawə] *kochanek*

low cut z *dużym dekoltem*

low spirits ['louˌspyryts] *przygnębienie*

lower ['louə] *zniżyć, obniżyć*

luck [lak] *szczęście*

lungs [laŋz] *płuca*

M

machine [mə'szi:n] *maszyna*: **machine shop** *warsztat mechaniczny*

mad [mæd] *wściekły*

magic ['mædżyk] *magiczny*

magician [mə'dżyszn] *magik, czarodziej*

maintenance ['mejntnəns] *utrzymanie*

make [mejk] *marka; wyrób*

make tight *zaciskać*

ma'm = **madam**

man of letters *pisarz*

manage ['mænydż] *dać sobie radę, kierować*

manners ['mænəz] *maniery, zachowanie*

manual ['mænjuəl] *podręcznik*

maple-tree ['mejplˌtri:] *klon*

marble [ma:bl] *marmur*

March [ma:cz] *marzec*

mark [ma:k] *znak, stopień; oznaczać, zaznaczać*

marvellous ['ma:wyləs] *cudowny*

master ['ma:stə] *opanować*

masterpiece ['ma:stəpi:s] *arcydzieło*

matter ['mætə] *znaczyć, mieć znaczenie*

mattress ['mætrys] *materac*

May [mej] *maj*

means [mi:nz] *sposób, środek*

meantime ['mi:ntajm] *w tym czasie*

measure ['meżə] *miara; zarządzenie prawne*

mechanism ['mekənyzm] *mechanizm*
mechanize ['mekənajz] *mechanizować*
medicine ['medsyn] *medycyna, lekarstwo*
medieval [ˌmedy'i:wl] *średniowieczny*
melancholy ['melənkəly] *melancholia; melancholijny*
melody ['melədy] *melodia*
member ['membə] *członek*
memory ['memory] *pamięć*
mention ['menszn] *wzmiankować, wymienić*
merchant ['mə:cznt] *kupiec*
mere [miə] *jedyny, zwykły*
merit ['meryt] *zasługa*.
merry ['mery] *wesoły*
metal [metl] *metal*; **sheet metal** ['szi:tmetl] *blacha w arkuszach*
metallurgical works [metə'lə:dżykl "ə:ks] *huta*
mid-morning [myd'mo:nyŋ] *w połowie ranka*
middle-aged ['mydl'ejdźd] *w średnim wieku*
mild [majld] *łagodny, lekki*
militia [my'lyszə] *milicja*
milkmaid ['mylkmejd] *mleczarka, dojarka*
mill [myl] *fabryka; młyn*
million ['myljən] *milion*
millionaire [ˌmyljə'neə] *milioner*
miner ['majnə] *górnik*
mineral ['mynrl] *minerał*
minimum ['mynymən] *minimum; minimalny*
mink [myŋk] *norka* (futro)

miss [mys] *ominąć, odczuwać brak*
miracle ['myrəkl] *cud*
missing ['mysyŋ] *brakujący*
mixture ['myksczə] *mieszanina*
moat [mout] *fosa*
model [modl] *wzór; modelka*
moderate ['modərejt] *łagodzić*; ['mo dryt] *umiarkowany, średni*
modernize ['modənajz] *unowocześniać*
modest ['modyst] *skromny*
mole [moul] *znamię*
monthly ['manθly] *miesięcznie; miesięcznik*
moonshine ['mu:nszajn] *światło księżyca; rojenia; bimber*
mostly ['moustly] *przeważnie, najwięcej*
mount [maunt] *góra; wsiąść na konia, wejść na schody, montować*
mountaineer [ˌmaunty'niə] *góral, taternik*
mountaineering *wspinaczka, taternictwo*
move [mu:w] *ruszać* (się); *przeprowadzać* (się)
move away *odsunąć się*
mud [mad] *błoto; zabłocić*
mudguard ['madga:d] *błotnik*
multiply ['maltyplaj] *mnożyć* (się)
municipal [mju'nysypl] *miejski*
murder ['mo:də] *morderstwo; mordować*
mushroom ['maszrum] *grzyb*
musician [mju'zyszn] *muzyk*
musket ['maskyt] *muszkiet*
mystic ['mystyk] *mistyk*

N

nail [nejl] *gwóźdź*
name [nejm] *nazwać*
nap [næp] *drzemka*
national ['næszənl] *narodowy*

nationalize ['næsznlajz] *upaństwowić*
nature ['nejczə] *natura, przyroda*
nave [nejw] *nawa*
neat [ni:t] *czysty, zgrabny*

necessarily ['nesysəryly] *koniecznie*
necklace ['neklys] *naszyjnik*
neglect [ny'glekt] *zaniedbywać*
negotiations [ny'gouszy'ejsznz] *pertraktacje*
neighbourhood ['nejbəhud] *sąsiedztwo*
neither ['najðə] *lub* [ni:ðə] *ani jeden ani drugi; żaden; też nie*
nerve [nə:w] *nerw*
nervous ['nə:wəs] *nerwowy*
nestle [nesl] *przytulić się, stulić się*
neutral ['njutrəl] *neutralny;* **to put in neutral** *włączyć na luz*
niece [ni:s] *siostrzenica*
nightcap ['najtkæp] *czepek nocny; napój na noc*
nightmare ['najtmeə] *zmora, koszmar*

noble [noubl] *szlachetny*
nobleman ['noublmən] *arystokrata, człowiek utytułowany*
none [nan] *żaden; nikt; nic*
nonsense ['nonsəns] *nonsens, głupstwa*
Norman, Normans ['no:mən] *Normandczyk, Normandczycy*
nosegay ['nouzgej] *bukiet*
note [nout] *banknot*
notice ['noutys] *uprzedzenie; ogłoszenie; napis*
novelist ['nowəlyst] *powieściopisarz*
November [nou'wembə] *listopad*
nuclear ['nju:kljə] *nuklearny, jądrowy*
nylon ['najlən] *nylon*

O

O. K. ['ou'kej] *w porządku* (amer.), **all right** ['o:l'rajt] (ang.)
obey [ə'bej] *słuchać, być posłusznym*
observe [əb'zə:w] *obserwować*
obvious ['obwiəs] *oczywisty*
obviously ['obwiəsly] *oczywiście*
occasion [ə'kejżn] *sposobność, okazja*
October [ok'toubə] *październik*
offender [ə'fendə] *przestępca*
official [o'fyszl] *oficjalny, urzędowy*
on account of [onə' kaunt əw] *z powodu*
once ["ans] *raz; kiedyś*
once more *jeszcze raz*
onlooker ['onlukə] *widz*
opera glasses ['opərəgla:syz] *lornetka*
operate ['opərejt] *uruchomić, operować*
opinion [ə'pynjən] *opinia, pogląd*
opponent [ə'pounənt] *przeciwnik*
opposition [,opə'zyszn] *opozycja; sprzeciw*

opportunity [,opə'tju:nyty] *okazja*
optimist ['optymyst] *optymista*
orator ['orətə] *mówca*
order ['o:də] *polecenie, zarządzenie, rozkaz; rozkazywać, zamawiać*
ordinary ['o:dnry] *zwykły*
organization ['o:gənaj'zejszn] *organizacja*
organize ['o:gənajz] *organizować, urządzić*
origin ['orydżyn] *pochodzenie*
originally [ə'rydżnəly] *początkowo*
outlaw ['autlo:] *banita, wyjęty spod prawa*
outlying ['aut,lajyŋ] *odległy, leżący na uboczu*
overtime ['ouwətajm] *godziny nadliczbowe*
owe [ou] *być winnym; zawdzięczać*
owing to ['ouyŋ tə] *dzięki, zawdzięczaiac*

P

page [pejdż] *paź; chłopiec na posyłki, strona* (książki)
painful ['pejnful] *bolesny*
pamphlet ['pæmflyt] *broszura, ulotka, pamflet*
pane [pejn] *szyba*
panel [pænl] *płyta, tafla*
paper ['pejpə] *papier; gazeta; tapeta; tapetować*
parlour ['pa:lə] *salon;* **beauty parlour** *salon fryzjerski*
part [pa:t] *część; udział; rozdzielać; odjeżdżać*
particular [pə'tykjulə] *szczegół; szczególny*
partly ['pa:tly] *po części, częściowo*
party ['pa:ty] *partia; towarzystwo*
passage ['pæsydż] *korytarz, pasaż*
passenger ['pæsyndżə] *pasażer;* **foot passenger** *piechur, pieszy*
passion [pæszn] *namiętność, zapalczywość*
passport ['pa:spo:t] *paszport*
patch [pæcz] *łata*
pave [pejw] *brukować*
pavement artist *malarz uliczny*
pay [pej] *zapłata*
peace [pi:s] *pokój, spokój*
per cent [pə'sent] *procent*
pedal [pedl] *pedał*
pedestal ['pedystl] *piedestał, postument*
pedlar ['pedlə] *domokrążca, handlarz*
pelt [pelt] *obrzucić kogoś czymś*
pence [pens] *pensy*
permission [pə'myszn] *pozwolenie*
persist [pə'syst] *upierać się, nastawać*
personnel [pə:sə'nel] *personel;* **personnel officer** [pə:sə'nel 'ofysə] *urzędnik personalny*

pet [pet] *ulubieniec* (zwierzę)
philharmonic ['fyla:'monyk] *filharmoniczny*
physicist ['fyzysyst] *fizyk*
physics ['fyzyks] *fizyka*
pick *wynaleźć, wziąć*
pick out [py'kaut] *wybierać, wyróżniać*
picket ['pykyt] *pikieta* (członkowie związków zawodowych nie dopuszczający łamistrajków); *ustawić pikietę*
picnic ['pyknyk] *piknik, majówka*
pill [pyl] *pigułka*
pillar ['pylə] *słup*
pillory ['pyləry] *pręgierz*
pillow ['pylou] *poduszka* (do spania, nie do ozdoby)
pin [pyn] *szpilka; przypiąć*
pipe [pajp] *rura; fajka*
pipe down [pajp 'daun] *uspokoić się* (slang)
piper ['pajpə] *flecista, kobziarz*
pit [pyt] *parter* (w teatrze)
place [plejs] *umieścić*
plague [plejg] *plaga*
plain-clothes ['plejn'klouðz] *po cywilnemu*
plan [plæn] *plan*
plant [pla:nt] *roślina; urządzenie* (fabryki), *instalacja*
plastic ['plæstyk] *plastykowy*
plate [plejt] *płyta; tabliczka; talerz*
plate rack ['plejtræk] *suszarka do naczyń*
play [plej] *sztuka teatralna; igraszka, zabawa; grać, bawić się*
playground ['plejgraund] *miejsce do zabaw, boisko*
pliers ['plajəz] *szezypce płaskie* (do gięcia drutu itp.)
plot [plot] *parcela; fabuła, wątek*

plough [plau] *pług; orać*
pluck [plak] *odwaga*
plutonium [plu:'tounjəm] *pluton* (chem.)
pocket ['pokyt] *kieszeń; schować do kieszeni*
poem [pouym] *poemat, wiersz*
poet [pouyt] *poeta*
poetry ['pouytry] *poezja*
point to (at) *wskazywać na*
poker ['poukə] *pogrzebacz*
police [pə'li:s] *policja*
politician [ˌpoly'tyszn] *polityk*
poppy ['popy] *mak*
portrait ['po:tryt] *portret*
portray [po:'trej] *zobrazować, portretować*
position [pə'zyszn] *pozycja, położenie*
post [poust] *słup; poczta*
poster ['poustə] *plakat*
practice ['præktys] *praktyka*
pram [præm] *wózek dziecięcy*
precious ['preszəs] *cenny*
prefer [pry'fə:] *woleć*
preparation [ˌprepə'rejszn] *przygotowanie*
prepare [pry'peə] *przygotować*
presence [prezns] *obecność*
present [preznt] *obecny, teraźniejszy;* **present at** *obecny przy;* **at present** *teraz*
present [preznt] *prezent;* [pry'zent] *przedstawić, reprezentować*
presently ['prezntly] *po chwili*
press [pres] *tłoczyć, nacisnąć;* **press shop** *wytłaczalnia*
pretend [pry'tend] *udawać*
pretext ['pri:tekst] *pretekst, wymówka*
prevalent ['prewələnt] *powszechny, ogólnie przyjęty*
prevent [pry'went] *zapobiec*

priest [pri:st] *ksiądz*
prince [pryns] *książę*
prisoner ['pryznə] *więzień*
private ['prajwyt] *prywatny*
privilege ['prywylydż] *przywilej, zaszczyt*
probably ['probəbly] *prawdopodobnie, przypuszczalnie*
problem ['probləm] *zagadnienie, problem*
prodigy ['prodydży] *dziwo, cud;* **infant prodigy** *cudowne dziecko*
product ['prodəkt] *produkt, wyrób*
production [prə'dakszən] *wytwórczość, produkcja*
productivity [ˌprodak'tywyty] *wydajność*
profession [prə'feszn] *zawód*
profound [prə'faund] *głęboki*
prohibit [prə'hybyt] *zabraniać*
promenade [ˌpromy'na:d] *miejsce do spaceru*
promise ['promys] *obiecywać, przyrzekać*
proud [praud] *dumny*
prove [pru:w] *udowodnić*
proverb ['prowə:b] *przysłowie*
proverbial [prə'wə:bjəl] *przysłowiowy*
provide (for, with) [prə'wajd] *dostarczyć, zaopatrzyć*
pub, public house [pab 'pablyk'haus] *szynk, gospoda, bar, oberża*
public ['pablyk] *publiczność; publiczny*
publish ['pablysz] *wydać, publikować*
publishers ['pablysz·ɪ] *wydawca, wydawnictwo*
pudding ['pudyŋ] *budyń, legumina, puding*
pull down [pul'daun] *burzyć, rozebrać* (dom)

pulse [pals] *puls*
pump [pamp] *pompa*
puncture ['paŋkczə] *przebicie dętki*
punishment ['panyszmnt] *kara*
purchase ['pə:czəs] *zakupy; zakupić*
pure [pjuə] *czysty, niewinny*
purpose ['pə:pəs] *cel*
purposely ['pə:pəsly] *umyślnie*

push-chair *wózek* (dla dziecka, chorych)
put in [pu'tyn] *włożyć do;* put out [pu'taut] *wystawić na zewnątrz*
put up [pu'tap] *zatrzymać się* (u), *zamieszkać, przenocować; ustawiać*
puzzle [pazl] *intrygować, dziwić*

Q

quantity ['kᵘontyty] *ilość*
queen [kᵘi:n] *królowa*
question ['kᵘesczən] *pytanie; zadawać pytania*

quest [kᵘest] *poszukiwanie*
quiet ['kᵘajət] *spokój, spokojny*
quotation [kᵘo'tejszn] *cytat*
quote [kᵘout] *cytować, przytaczać*

R

rack [ræk] *bagażnik* (w wagonie kolejowym, autobusie itp.)*; stojak*
radio-activity ['rejdjouæk'tywyty] *radioaktywność*
rage [rejdż] *pasja, wściekłość; wściekać się, szaleć*
railroad ['rejlroud] *kolej* (amer.)
railings ['rejlyŋz] *sztachety żelazne*
raise [reiz] *podnieść*
rally ['ræly] *zgromadzenie, wiec*
rare [reə] *rzadki, nieczęsty*
ravenous ['ræwynəs] *wygłodniały*
reactionary [ry'æksznəry] *reakcyjny*
realize ['riəlajz] *zdawać sobie sprawę, uświadomić sobie*
realism ['riəlyzm] *realizm*
reason ['ri:zn] *przyczyna, powód*
rebuild, rebuilt, rebuilt ['ri:'byld 'ri:'bylt] *odbudować*
receiver [ry'si:wə] *słuchawka*
recent, recently [ri:snt 'ri:sntly] *świeży, niedawny, niedawno*
recollect [ˌrekə'lekt] *przypominać sobie*
recognize ['rekəgnajz] *poznać, rozpoznać*

reconstruction ['ri:kəns'trakszn] *odbudowa*
record ['reko:d] *notatka; płyta gramofonowa; rekord;* [ṛy'ko:d] *notować, opisać*
redden [redn] *zaczerwienić się*
reduce [ry'dju:s] *zmniejszyć, obniżyć* (cenę)
reflect [ry'flekt] *odbijać, odzwierciedlać*
refrigerator [ry'frydżərejtə] *lodówka*
regard [ry'ga:d] *dotyczyć; sympatia*
regiment ['redżymənt] *pułk*
regulation [ˌregju'lejszn] *przepisy*
reign [rejn] *panowanie, rządy; panować*
relax [ry'læks] *odprężyć nerwy, zwolnić* (mięśnie)
release [ry'li:s] *zwolnić, rozluźnić, uwolnić*
remains [ry'mejnz] *pozostałości, szczątki*
remark [ry'ma:k] *uwaga, spostrzeżenie; zauważyć, spostrzec*

remembrance [ry'membrəns] *pamiątka, wspomnienie*
reminiscence [‚remy'nysns] *wspomnienie*
rent [rent] *czynsz, dzierżawa*
repair [ry'peə] *naprawiać*
reply [ry'plaj] *odpowiedź; odpowiedzieć*
representative [‚repry'zentətyw] *reprezentant, przedstawiciel*
reproduction [‚ri:prə'dakszn] *reprodukcja, odtworzenie*
request [ry'kʷest] *żądanie, prośba*
research [ry'sə:cz] *badanie; praca naukowa*
reside [ry'zajd] *mieszkać, przebywać*
residence ['rezydns] *rezydencja, miejsce pobytu*
resist [ry'zyst] *opierać się, oprzeć*
rest [rest] *reszta; odpoczynek; odpoczywać*
restore [rys'to:] *odnowić, odzyskać*
result [ry'zalt] *rezultat, wynik, skutek*
reverse [ry'wə:s] *wsteczny, odwrotny*
revision [ry'wyżn] *sprawdzanie, powtórka*

revolution [rewə'luszn] *rewolucja*
rider ['rajdə] *jeździec*
ridicule ['rydykju:l] *śmieszność, pośmiewisko*
ring [ryŋ] *koło; pierścień; ring* (sportowy); *pot. telefon*
rise [raiz] *powstać*
risk [rysk] *ryzyko; ryzykować*
rob [rob] *ograbić, okraść*
robin ['robyn] *czerwonogardł, rudzik*
rock-climbing ['rokklajmyŋ] *wspinaczka*
rogue [roug] *łotr, psotnik*
roll [roul] *rolować;* (mocno wymawiać literę R); *toczyć się, kołysać*
romantic [rə'mæntyk] *romantyczny*
root [ru:t] *korzeń*
rope [roup] *lina, sznur*
Royal Exchange ['rojəl yks'czejndż] *królewska giełda* (w Londynie)
rubbish ['rabysz] *bzdura*
rule [ru:l] *przepis, panować; rządzić*
run *biec; prowadzić, kierować*
run across [ran ə'kros] *natknąć się na, napotkać*
run out [ra'naut] *wyczerpywać się*

S

saddle [sædl] *siodło, siodełko*
safety ['sejfty] *bezpieczeństwo;* **safety measures** ['sejfty'meżəz] *środki bezpieczeństwa, przepisy bezpieczeństwa pracy (bhp)*
salary ['sæləry] *pensja, pobory, wynagrodzenie*
salesman ['sejlzmən] *ekspedient, ekspedientka, sprzedawca*
salt [so:lt] *sól;* **salt-mine** ['so:ltmajn] *kopalnia soli*
satirical [sə'tyrykl] *satyryczny*

saucer ['so:sə] *spodek*
save [sejw] *oszczędzać, ratować; z wyjątkiem*
Saxon [sæksn] *Anglosas, Sas, anglosaski, anglosaksoński*
seagull ['si:gal] *mewa*
scale [skejl] *skala, miara*
sceptre ['septə] *berło*
scholarship ['skoləszyp] *stypendium; uczoność*
schoolboy, schoolgirl, schoolchildren *uczeń, uczennica, uczniowie*

schoolmaster ['sku:lmastə] *nauczyciel*

science fiction [sajens fykszn] *powieści fantastyczne*

scientist ['sajəntyst] *uczony, naukowiec*

score [sko:] *dwadzieścia, moc (dużo)*

scrap [skræp] *resztka, kawałek;* scrap merchant *handlarz złomem*

scratch [skræcz] *zadraśnięcie; podrapać, zadrasnąć*

script [skrypt] *tekst, rękopis*

sculpture ['skalpczə] *rzeźba; rzeźbić*

seashore ['si:szo:] *brzeg morza*

secondary ['sekəndry] *dodatkowy; średni (o szkolnictwie); drugorzędny*

secret ['si:kryt] *tajemnica; tajny, tajemniczy*

separate ['sepryt] *oddzielny;* ['sepə rejt] *rozdzielać (się)*

September [səp'tembə] *wrzesień*

sequel ['si:kʷəl] *następstwo, ciąg dalszy*

series ['siəri:z] *seria, serie*

serious ['siəriəs] *poważny*

servant ['sə:wnt] *sługa, służący*

serve [sə:w] *usługiwać, podawać*

service ['sə:wys] *służba, obsługa*

set [set] *stawiać; układać, ondulować (włosy); ułożenie (włosów)*

set up [se'tap] *założyć, rozpocząć (przedsiębiorstwo)*

settle [setl] *załatwić, rozstrzygnąć sprawę*

settlement ['setlmənt] *ugoda, porozumienie, załatwienie sprawy*

shadow ['szædou] *cień*

shady ['szejdy] *cienisty*

shampoo [szæm'pu:] *myć (głowę, włosy); mycie, szampon*

shamrock ['szæmrok] *koniczyna*

share [szeə] *dzielić, brać udział w*

sheet [szi:t] *prześcieradło; arkusz*

shepherd ['szepəd] *pasterz*

sherry ['szery] *kseres (wino hiszpańskie popularne w Anglii)*

shield [szi:ld] *tarcza*

shift [szyft] *zmiana robotników, szychta; przesuwać*

shirt [szə:t] *koszula męska*

shock [szok] *wstrząsnąć, oburzyć*

shoelace ['szu:lejs] *sznurowadło*

shoemaker ['szu:mejkə] *szewc*

shop-steward ['szopstjuəd] *mąż zaufania (rzecznik interesów pracowniczych w zakładzie)*

short-time ['szo:t 'tajm] *niepełna ilość godzin pracy*

shoulder ['szouldə] *ramię, bark*

shout [szaut] *okrzyk*

show off [szou 'of] *popisywać się*

shutters ['szatəz] *okiennice*

shy [szaj] *nieśmiały*

sick [syk] *chory*

sidewalk ['sajdʷo:k] *chodnik (amer.);* pavement ['pejwmənt] *(ang.)*

sign [sajn] *znak; podpisać, zrobić znak*

silk [sylk] *jedwab; jedwabny*

siege [si:dż] *oblężenie*

silver ['sylwə] *srebro; srebrny*

silvery ['sylwry] *srebrzysty*

since [syns] *wobec tego, że; od czasu*

singer ['syŋə] *śpiewak, śpiewaczka*

sister-in-law ['systərynlo:] *bratowa, szwagierka*

sitter ['sytə] *model, modelka (do obrazu)*

skip [skyp] *skok; skakać, przeskakiwać*

skylight ['skajlajt] *okno dające górne światło*

slang [slæŋ] *żargon, gwara*

Slavonic [slə'wonyk] *słowiański*
sleepless ['sli:plys] *bezsenny, bez snu*
slight [slajt] *nieznaczny, drobny*
slip [slyp] *omyłka, poślizgnięcie się; poślizgnąć się, wysunąć*
slippers ['slypəz] *pantofle ranne*
slow [slou] *zwalniać*
slum [slam] *zagęszczony, zaniedbany dom lub dzielnica, zaułek*
smash [smæsz] *rozbić; strzaskać*
smoke [smouk] *dym; zapalenie papierosa*
snatch [snæcz] *złapać, schwytać*
sociable ['souszəbl] *towarzyski, przyjacielski*
social [souszl] *społeczny, towarzyski*
socialist ['souszəlyst] *socjalista, socjalistyczny*
society [sə'saiəty] *społeczeństwo, towarzystwo*
sociology [sousy'olədży] *socjologia*
so far [sou 'fa:] *dotychczas, tak dalece*
solidarity [soly'dæryty] *solidarność*
song [soŋ] *piosenka, pieśń*
sound .[saund] *dźwięk; brzmieć, dźwięczeć*
soul [soul] *dusza, duch*
space *przestrzeń;* **space liner** *statek kosmiczny;* **space travel** *podróż kosmiczna*
spacious ['spejszəs] *obszerny*
spanner ['spænə] *klucz płaski*
spare [speə] *oszczędzić* (kogoś); *zapasowy*
sparkling ['spa:klyŋ] *świecący, błyszczący*
specialist ['speszəlyst] *specjalista*
specialize ['speszəlajz] *specjalizować się*
species ['spi:szi:z] *gatunek*
speech [spi:cz] *mowa*
speed up [spi:'dap] *przyśpieszać*

speedometer [spy'domytə] *szybkościomierz*
spin, span, spun [spyn spæn span] *prząść*
spirit ['spyryt] *duch*
spiritual ['spyrytjuəl] *duchowy, uduchowiony*
sprain [sprejn] *zwichnąć*
spray [sprej] *spryskiwać, rozpryskiwać*
spread, spread, spread [spred] *rozpościerać* (się), *roztaczać* (się), *szerzyć* (się)
spring, sprang, sprung [spryŋ spræŋ spraŋ] *skakać;* **spring up** *powstać*
squeak [skᵘi:k] *kwik, pisk; kwiczeć, piszczeć*
squirrel ['skᵘyrl] *wiewiórka*
stage [stejdż] *scena* (teatralna)
staircase ['steəkejs] *klatka schodowa*
stalls [sto:lz] *przednie miejsca na parterze* (w teatrze)
stand *stać; znieść, wytrzymać;* **stand for** *oznaczać*
standard ['stændəd] *poziom, stopa, wzór*
stare [steə] *utkwić wzrok, gapić się*
starter ['sta:tə] *starter*
startle [sta:tl] *przestraszyć, wstrząsnąć*
state [stejt] *stan, państwo; określać, twierdzić*
state owned [ound] **farm** *państwowe gospodarstwo rolne, PGR*
stay [stej] *przebywać, pozostać*
steep [sti:p] *stromy*
stewardess ['stjuədys] *stewardesa*
stick, stuck, stuck [styk stak] *przylepić, przytwierdzić*
still [styl] *cichy, spokojny, nieruchomy*

stillness ['stylnys] *cisza*
stitch [stycz] *ścieg*
stock [stok] *zapas, inwentarz*
stomach ['stamək] *żołądek*
stoop [stu:p] *zniżyć się, pochylać*
stop *przystanek;* **stanąć; stop dead** *stanąć nagle* (jak wryty)
store [sto:] *skład, wielki magazyn* (ang.); *sklep* (amer.)
strap [stræp] *pasek, rzemień, taśma*
strawberry ['stro:bəry] *truskawka;* **wild strawberry** *poziomka*
stretch [strecz] *przestrzeń, pasmo; rozciągać się, przeciągać*
stride [strajd] *krok*
strike [strajk] *strajk*
struggle [stragl] *walka*
stud [stad] *wysadzać, nabijać* (gwoździami, ozdobami itp.)
studies ['stadyz] *studia*
stuffy ['stafy] *duszny, ciężki*
stun [stan] *ogłuszyć*
stutter ['statə] *jąkanie się; jąkać się*
subject ['sabdżykt] *temat, podmiot; rzecz, treść*
subject [səb'dżekt] *poddać, podbić*
submissiveness [səb'mysywnys] *uległość*
submit [səb'myt] *przedłożyć, poddać się* (czemuś), *ulec*
substantial [səb'stænszl] *pożywny, zasobny*
subway ['sab^uej] *przejście podziemne dla pieszych pod bardzo ruch-* *liwymi ulicami* (ang.); *kolej podziemna, metro* (amer.)
successful [sək'sesful] *pomyślny, szczęśliwy, udany; z powodzeniem*
sue [sju:] *ścigać sądownie*
suggestion [sə'dżesczn] *propozycja, sugestia*
supernatural [ˌsju:pə'næczrl] *nadprzyrodzony*
supply [sə'plaj] *dostawa, podaż; dostarczyć, zaopatrzyć*
sure [szuə] *pewny;* **sure enough** *oczywiście*
surround [sə'raund] *otoczyć, opasać*
surroundings [sə'raundyŋz] *otoczenie, okolica*
survive [sə'wajw] *przeżyć, żyć dalej*
suspect ['saspekt] *podejrzany;* [səs'pekt] *podejrzewać*
suspenders [səs'pendəz] *podwiązki* (ang.) *szelki* (amer.)
sustain [səs'tejn] *doświadczyć* (na sobie)
swarthy ['s^uo:ðy] *śniady, ciemny*
swear, swore, sworn [s^ueə s^uo: s^uo:n] *kląć, przysięgać*
swell, swelled, swollen [s^uel s^ueld s^uouln] *puchnąć, wzdymać się*
switch [s^uycz] *wyłącznik;* **switch on** *włączać,* **switch off, out** *wyłączać*
swop [s^uop] *zamienić* (slang)
sword [so:d] *szabla, miecz*
symbolical [sym'bolykl] *symboliczny*
sympathy ['sympəθy] *współczucie, sympatia* (rzadziej)

T

tailor-made ['tejləmejd] *kostium damski* tzw. angielski
take for granted ['tejk fə 'gra:ntyd] *uważać za rzecz oczywistą, udowodnioną*
take notes *robić notatki*
take place *odbywać się, nastąpić*
take stock [tejk 'stok] *oceniać, zauważyć*
talisman ['tælyzmən] *talizman*

talent ['tælənt] *talent*; talented ['tæ
ləntyd] *utalentowany*
talk over ['to:k 'ouwə] *omówić*
tank [tæŋk] *zbiornik; czołg*
tasty ['tejsty] *smaczny*
taxi ['tæksy] *taksówka*
tea shop ['ti: szop] *herbaciarnia*
teens [ti:nz] *wiek młodzieńczy 13—
19 lat*
tell something from *odróżnić coś od*
tenant ['tenənt] *dzierżawca*
tender ['tendə] *przedłożyć, ofiarować*
tenfold ['tenfould] *dziesięciokrotny,
dziesięciokrotnie*
tense [tens] *podekscytowany, naprę
żony*
tent [tent] *namiot*
term [tə:m] *termin; okres* (semestr,
kwartał itp.)
terrible ['terəbl] *straszny, okropny*
terrify ['teryfaj] *przestraszyć*
test [test] *test, próba, egzamin*
testimony ['testymony] *świadectwo,
dowód*
text [tekst] *tekst*
thankful ['θæŋkful] *wdzięczny,
dziękczynny*
thistle [θysl] *oset*
thoroughfare ['θarəfeə] *trasa, przejazd*
thou [ðau] *ty* (forma archaiczna lub
poetycka)
though [ðou] (na końcu zdania) *przecież, bądź co bądź, jednakże*
threshold ['θreszould] *próg* (domu)
ticket ['tykyt] *bilet*
ticket-window *kasa biletowa* (amer.);
booking-office (ang.)
tight [tajt] *obcisły, ciasny; pijany*
tin [tyn] *puszka*
tip [typ] *czubek, koniuszek; napiwek*
tiptoe ['typtou] *na czubkach palców*
tobacco [tə'bækou] *tytoń*

toboggan [tə'bogn] *sanki; saneczkować*
tongue [taŋ] *język*
tonight [tə'najt] *dziś wieczór*
tool [tu:l] *narzędzie*
topic ['topyk] *temat, przedmiot*
tough [taf] *twardy*
towards [tə'ºo:dz] *ku, w stronę*
trace [trejs] *ślad, trop, znak*
track [træk] *peron* (amer.); platform
(ang.)
track [træk] *tor;* track maintenance
służba drogowa
tractor ['træktə] *traktor*
trade union, T. U. ['trejd'ju:njən],
['ti: 'ju:] *związek zawodowy*
trade-unionist [trejd'ju:njənyst]
działacz związków zawodowych
tradition [trə'dyszn] *tradycja*
traditional [trə'dyszənl] *tradycyjny*
tragedy ['trædżydy] *tragedia*
tragic ['trædżyk] *tragiczny*
trance [tra:ns] *trans, zachwyt*
transfixed [træns'fykst] *przykuty do
miejsca*
transparent [træns'peərnt] *przeźroczysty*
transport ['trænspo:t] *transport, komunikacja*
traveller ['træwlə] *podróżny*
tray [trej] *taca*
treat [tri:t] *traktować*
tribe [trajb] *szczep*
troop [tru:p] *oddział*
trouble [trabl] *kłopotać się; kłopot*
truck [trak] *ciężarówka* (raczej amer.)
trunk [traŋk] *pień; kufer; telefon zamiejscowy*
tune [tju:n] *melodia; nastroić, nastawić* (radio)
tunic ['tjunyk] *kurtka, górna część
munduru wojskowego*

tunnel [tanl] *tunel*
turkey ['tə:ky] *indyk*
turn [tə:n] *obrót*
turn out [tə:'naut] *wyrzucić; stać się; wyłączyć* (światło itp.)

turn up [tə:'nap] *podwinąć*
turner ['tə:nə] *tokarz*
turret ['taryt] *wieżyczka*
typist ['tajpyst] *maszynistka*
tyre [tajə] *opona*

U

U.N.O. ['junou] = **United Nations Organization** *Organizacja Narodów Zjednoczonych*
unanimous [ju'nænyməs] *jednomyślny*
unbelievable [,anby'li:wəbl] *niewiarygodny*
undisturbed [,andys'tə:bd] *niezamącony; spokojny*
unexpected ['anyks'pektyd] *niespodziewany*
unfair [an'feə] *niesłuszny, niesprawiedliwy*
unfortunate [an'fo:cznyt] *nieszczęśliwy, niefortunny*
union ['ju:njən] *związek*
united [ju'najtyd] *zjednoczony*
universal [,ju:ny'wə:sl] *powszechny*
unless [ən'les] *jeżeli nie, chyba że; poza, prócz*
unmarried ['an'mæryd] *niezamężna, nieżonaty*

unpleasant [an'pleznt] *nieprzyjemny*
unpresuming ['anpry'zju:myŋ] *bezpretensjonalny*
unruffled ['an'rafld] *niezamącony, niezakłócony*
unspoiled ['an'spoilt] *niezepsuty*
until [ən'tyl] *aż, aż do*
untimely ['an'tajmly] *przedwczesny*
unusual [an'ju:ż"əl] *niezwykły*
up-to-date ['aptə'dejt] *nowoczesny, aktualny*
uplift [ap'lyft] *unieść, podnieść do góry*
upon [ə'pon] *na*
upset, upset, upset [ap'set] *przewrócić, obalić; wytrącić z równowagi*
usage ['ju:zydż] *używanie, użytek*
use [ju:z] *używać, stosować*
useless ['ju:slys] *zbyteczny, bezużyteczny*

V

valley ['wæly] *dolina*
valuable ['wæljuəbl] *wartościowy*
various ['weəriəs] *różny*
velvet ['welwyt] *aksamit*
venture ['wenczə] *ryzykowne przedsięwzięcie*
verse ['wə:s] *wiersz*
vestibule ['westybju:l] *westybul, hall wejściowy*
village ['wylydż] *wieś, wioska*
visa ['wi:zə] *wiza*

violin, violinist [,wajə'lyn; 'wajəly nyst] *skrzypce; skrzypek, skrzypaczka*
visionary ['wyżnəry] *wizjoner, marzyciel*
Vistula ['wystjulə] *Wisła*
vitamin ['wytəmyn, wajtəmyn] *witamina*
vivid ['wywyd] *żywy; jasny* (kolory)
vow [wau] *ślub; ślubowanie*

W

wages [/ᵘejdżyz] płaca robotnika (zwykle l. mn.)

Wales [ᵘejlz] Walia

walk [ᵘo:k] spacer; miejsce spaceru; ścieżka; alejka, chodnik

want [ᵘont] potrzeba, brak

warn [ᵘo:n] ostrzegać

warning ostrzeżenie

wash away [/ᵘoszə/ᵘej] zmyć

wash up zmywać (naczynia)

wasteful [/ᵘejstful] marnotrawny

water [/ᵘo:tə] podlewać

water-carrier [/ᵘo:tə kæriə] woziwoda

wave [ᵘejw] falować; pozdrawiać lub żegnać ruchem ręki

way out wyjście

weak-minded [/ᵘi:k/majndyd] słabego charakteru, niemądry

weapon [/ᵘepən] broń

weary [/ᵘiəry] znużony

wee [ᵘi:] maleńki

weight [ᵘejt] waga, ciężar; obciążać

welding-shop [/ᵘeldyŋ szop] spawalnia

well-to-do [/ᵘeltə/du] zamożny

western [/ᵘestən] amer. film z Dzikiego Zachodu

wheatear [/ᵘi:tiə] białorzytka (ptak pokrewny pliszkom)

whenever [ᵘen/ewə] kiedykolwiek

wherever [ᵘeər/ewə] gdziekolwiek

whirl [ᵘə:l] wirować, kręcić się

whisper [/ᵘyspə] szept; szeptać

wide [ᵘajd] szeroki

wig [ᵘyg] peruka

wild strawberry [ᵘajld /stro:bəry] poziomka

will [ᵘyl] wola; good will życzliwość; reputacja (firmy)

wing [ᵘyŋ] skrzydło

wink [ᵘynk] mrugać

wise [ᵘajz] mądry

wish [ᵘysz] życzyć sobie, chcieć

wit [ᵘyt] dowcip, bystrość

wood-carving [/ᵘud,ka:wyŋ] rzeźba, rzeźbienie w drzewie

wool [ᵘul] wełna

workman [/ᵘə:kmən] robotnik

works [ᵘə:ks] warsztat, fabryka

worn out [ᵘo:/naut] zmęczony, wynędzniały, wyczerpany, zużyty

worse, worst [ᵘə:s ᵘə:st] wyższy stopień od bad, ill

worship [/ᵘə:szyp] uwielbiać

Y

yard [ja:d] podwórze, jard

ye [ji:] wy (forma archaiczna lub poetycka)

SŁOWNIK POLSKO-ANGIELSKI *

A

absencja absenteeism
absolwent graduate
adaptacja adaptation
afront affront
agent agent
agrest gooseberry
akademicki academic
akcelerator accelerator
aksamit velvet
akt act
aktor; aktorka actor; actress
aleja avenue; walk (alejka)
anglosaski Anglo-Saxon, Saxon
apelacja, apelować appeal
aptekarz chemist
arbitraż arbitration; decydować
   przez arbitraż arbitrate

architekt architect
arcydzieło masterpiece
argument argument
arkusz sheet
armata gun
arystokrata aristocrat, nobleman
aspekt aspect
atak, atakować attack
atletyczny athletic
atom; atomowy atom; atomic
auto motor-car, car, automobile
autor; autoryzowany author; authorized
autorytet authority
aż, aż do until

B

babka grandmother
badania research
bagażnik rack
balkon balcony, circle (w teatrze)
banita outlaw
banknot note (ang.); bill (amer.)
bar pub, public house, bar
bar samoobsługowy cafeteria, self-
   -service bar
barwa hue, colour

barwnik, barwić dye
barwny colourful, coloured
bawić się play
baza basis
bazować base
bądź co bądź though
beczka barrel
befsztyk beefsteak
berło sceptre
bestia brute

---

* U w a g a : Formy czasowników nieregularnych patrz część angielsko-pol-
ska lub I, zeszyt 10.

beton concrete
bezpieczeństwo safety; **środki bhp** safety measures
bezpłatny free, free of charge
bezpretensjonalny unpresuming
bezsenny sleepless
beżowy (kolor) beige
bić beat (nier.), flutter (o sercu)
bieg (w samoch.) gear
bielizna linen
bilans balance
biszkopt biscuit
blok block
błąd śmieszny (byk) howler
błogosławić bless
błotnik mudguard
błoto mud
błyszczący sparkling, shining
bogini goddess
bohaterka heroine
boisko playground
boleć hurt (nier.)
bolesny painful
bomba bomb
Boże Narodzenie Christmas

Bóg God
ból głowy headache
brakujący missing
bransoletka bracelet
bratowa, szwagierka sister-in-law
brawo! hear, hear...
broń weapon
broszura pamphlet
brud filth
brukować pave
brunetka brunette
brytyjski British
brzeg morza seashore, coast
brzęczeć buzz
brzmieć sound
buda pojazdu hood (ang.)
budowniczy builder
budyń pudding
budzić awake (nier.)
bukiet nosegay
burknąć grunt
burzyć demolish, pull down
bydło cattle
bzdura rubbish, nonsense

C

całkowity, całkowicie entire, entirely; complete, completely
cecha characteristic, feature
cel end, purpose, aim; **mieć na celu** aim at
cenny precious
cent cent (moneta amer.)
centralny central; **centralne ogrzewanie** central heating
cera complexion
charakter character
chełpić się boast, show off (nier.)
chemia chemistry
chemik chemist, science (research) chemist

chłop (mężczyzna) chap, fellow
chłód, chłodzić, chłodny cool
chociaż although, though
chodnik pavement
choroba disease
chory sick, ill
chyba że unless
ciasny tight
ciągnąć dalej (kontynuować) carry on, go on
ciekawy curious, inquisitive
ciemny dim, dark
cienisty shady
cień shadow, shade
cieszyć się na... look forward to...

cieśla carpenter
ciężar weight; charge (ładunek)
ciężarówka lorry, truck
cichy still, quiet
ciocia auntie
cios blow
cisza stillness, silence
cło duty, customs; urząd celny customs
cmentarz (przykościelny) churchyard
cud miracle, prodigy
cudowny marvellous, wonderful; cudowne dziecko infant prodigy
cyfra figure
cytat; cytować quotation; quote

czarodziej magician
czarodziejski magic, fairy
czarujący adorable, charming
czeladnik apprentice
czereśnia cherry
czerwiec June
część; częściowo part; partly
człek bloke, fellow, chap
członek member
czubek tip
czujny, czuwający awake
czynność activity
czynsz rent
czystość cleanliness
czysty clean, pure

D

dać sobie radę manage, cope with, get on with
dalej, dalszy farther *lub* further
deklamować declaim
dekoracja teatr. decor
delegat delegate
demokracja democracy
deska board
długość length
do widzenia good-bye, bye-bye
do woli at discretion
dochód income
dodatkowy, dodatkowo extra, additional
dokładnie definitely, exactly
dokumentalny documentary
dolar dollar
dolina valley
dołek na twarzy dimple
domokrążca pedlar
dom towarowy department store
doniczka flower-pot
dookoła around, round
dopasować fit in, adjust

dostarczyć provide, supply
doświadczenie experience, experiment; robić doświadczenia experiment
doświadczać sustain, experience
dotychczas, do tej pory so far
dotyczyć affect, regard
dowcip joke, wit
dowiadywać się inquire, ask, find out
dowód evidence, testimony
dramatyczny dramatic
dręczyć jak plaga infest
drwić jeer
drzemka nap
duch spirit, genius
duchowy spiritual
dumny proud
dusza soul
duszny stuffy
dużo a lot of, lots of, plenty of
dwadzieścia score, twenty
dworzanin courtier
dwór court

dym smoke
dyskretny discreet
dziadek grandfather
działacz związkowy trade-unionist
działalność activity
dziecinny childish, infant
dzieciństwo childhood
dzierżawca tenant

dziesięciokrotny tenfold
dzięki (komuś, czemuś) due to, owing to, thanks to
dziwić puzzle
dziwo prodigy
dźwięk, dźwięczeć sound
dźwignia lever
dżokej jockey

E

egzamin test, exam, examination
ekonomiczny economic
eksperyment, eksperymentować experiment
eksport, eksportować export
ekstrawagancki extravagant

elektryczny electric, electrical
elżbietański Elizabethan
emblemat emblem
energia energy
entuzjastyczny enthusiastic
epitafium epitaph

F

fabryka factory, mill, works
fabuła plot
fajka pipe
fałda fold
fałszywy false
farba dye, paint
figura, figurować figure
filharmoniczny philharmonic
filolog philologist
finansowy financial
firma firm

fizyk physicist
fizyka physics
flaga banner, flag
flaszka flask, bottle
flecista piper
formularz form
fortyfikować fortify
fosa moat
frasunek concern
fryzjer hairdresser
futrzany furry

G

gaj grove
gajowy gamekeeper
galop, galopować gallop
gałąź branch
gapić się stare
garnizon garrison
garść handful
gatunek species, kind
gaz gas

gdyby if; but for (gdyby nie)
gdziekolwiek wherever
geniusz genius
geograficzny geographical
getto ghetto
giełda exchange
gimnazjum klasyczne grammar school
głęboki profound, deep

głosowanie tajne ballot
głośno aloud
główny chief, main
godło emblem
gol goal
gorączka fever
gospoda pub, public house
gospodarz (pan domu) host
gospodarz (lokalu, majątku) landlord
gospodarz wiejski farmer
gospodyni (pani domu) hostess
gosposia housekeeper
gotycki gothic

góra; góral mount, mountain; mountaineer
górnictwo mining
górnik miner
grać play; act (w teatrze)
grenadier grenadier
groza awe
grudzień December
grzebać fumble (szukać), bury (cho-
wać)
grzyb mushroom
gwara slang
Gwiazdka Christmas
gwóźdź nail

H

haczyk, haczykowaty hook, hooked
haftować embroider
hala montażowa assembly hall
hall hall, vestibule
hamulec brake
hańba disgrace
hełm helmet

herbaciarnia teashop
herbatnik biscuit
hipokryta hypocrite
honor honour
hrabstwo county
hukać hoot
huta metallurgical works
hymn anthem, hymn

I

idealizm idealism
identyczny identical
ignorancja ignorance
ignorant; ignorować ignorant; ignore
ilość quantity
ilustracja illustration
imaginacja imagination
imponujący impressive
import, importować import
impuls impulse
indyk turkey

informować inform
inspektor inspector
instrument instrument
instynktowny instinctive
inteligentny intelligent
inwalida disabled
inwazja invasion
inwentarz stock
Irlandia Ireland
istota being
izba chamber

J

jak gdyby as if
jakkolwiek however

jasny fair, light
jądrowy nuclear

jąkanie, jąkać się stutter
jeden z dwu either
jednakże, jakkolwiek however,
  though yet
jednomyślny unanimous
jedwab, jedwabny silk

jedzenie (pożywienie) food
jeździec rider
jeżeli nie unless
język tongue, language
językoznawca philologist
jodyna iodine

K

kakao cocoa
kaleka cripple, disabled (man)
kantyna canteen
kara punishment
kariera career
kasa biletowa booking-office
kasztanowaty auburn
katedra cathedral
kąt corner, angle
kiedykolwiek whenever
kierować direct, manage, run (nier.),
  lead (nier).
kierowca driver
kierownica (roweru, motocykla) handlebars
kieszeń, schować do kieszeni pocket
kiosk z książkami, gazetami bookstall
klakson horn; **dać sygnał klaksonem**
  hoot
klamka handle
kląć swear (nier.)
klejnot gem, jewel
klon maple
klucz key
klucz płaski spanner
kłaść lay (nier.)
kłopotać się trouble, be in trouble,
  be in a fix
kłótnia argument
knebel, kneblować gag
koc blanket, rug
kochanek, kochanka lover
kodeks code

kojarzyć associate
kolega chum, comrade
kolegium college
kolektywny collective
kolorowy coloured, colourful
koło circle, ring
komedia comedy
komentarz, komentować comment
kompletny complete
komunikacja transport
komunista, komunistyczny communist
koncesja concession (ustępstwo)
konduktor conductor (w autobusie),
  guard (na kolei)
konferencja conference
konflikt conflict
koniak brandy
koniczyna shamrock
konieczny, koniecznie necessary, necessarily
konkurs competition
konserwatysta, konserwatywny conservative
konsumpcja consumption
kontakt, kontaktować contact
konto account
kontrakt contract
kopać kick (nogą), dig (nier.) (ryć)
kopalnia soli salt-mine
kopalnictwo węglowe coal-mining
korona, koronować crown
korytarz corridor, passage
korzeń root

korzyść advantage
kos blackbird
kosmiczny statek; kosmiczna podróż space liner; space travel
kostium costume
kostium damski tailor-made (klasyczny), coat and skirt
kostka (u nogi) ankle
koszt cost
kosztowny expensive
koszula męska; nocna shirt; nightgown
kość bone
kowboj cowboy
kreda, kredka chalk
krew, krwawy blood, bloody
krok stride, step
królestwo kingdom

królowa queen
krytykować criticize
krzywda, krzywdzić harm
ksiądz priest
książę prince, duke
księżna duchess
księżyca światło moonshine
kształcić educate
ku towards
kucharz, kucharka cook
kultura culture
kulturalny cultural
kupiec merchant
kurcz cramp
kurczę chicken
kurtyna curtain
kurz dust
kwiecień April
kwik, kwiczeć squeak

L

laboratorium lab, laboratory
las forest, wood
laska cane, stick
latarnia lamp-post
lawenda lavender
legenda, legendarny legend, legendary
legumina pudding
lekarstwo medicine, drug
lekceważyć ignore
lilia lily
lina rope
linia lotnicza airline
linoleum linoleum

lipiec July
listopad November
literatura literature
litość mercy, pity
lodówka refrigerator
lok lock
lokalny local
lornetka opera-glasses, field-glasses
lotnisko, port lotniczy airport
lotniczy aeronautic
loża box
lód ice; ice-cream (lody)
luty February

Ł

łacina, łaciński Latin
łamistrajk blackleg
łaska favour (in, of), grace
łata patch
łączyć associate, join

łotr rogue
łowić ryby fish
łuk arch
łysy bald

M

magazyn store
maj May
mak poppy
magik, magiczny magician, magic
majster foreman
maniery manners
marka make (wyrób); stamp (znaczek pocztowy)
marmur marble
marnotrawny wasteful
marzyć dream (nier.)
maska (samochodu) bonnet
maszyna machine
maszynistka typist
marzec March
materac mattress
mądry wise, clever (sprytny)
mąż zaufania shop-steward
mechanizm mechanism
mechanizować mechanize
meduza jelly fish
medycyna medicine
melancholia, melancholijny melancholy
melodia melody, tune
metal metal
mewa seagull
miara measure, size, scale
miecz sword
mieć do czynienia; mieć na celu deal with; aim at
miejscowy local
miejski municipal

miesięczny, miesięcznie, miesięcznik monthly
mieszanina mixture
mieszkanie lodging, flat, home
międzynarodowy international
milicja militia
milion million
mina (na twarzy) face, air
minerał mineral
minimum, minimalny minimum
mistyk mystic
mleczarka milkmaid
młotek hammer
mniej less
mnożyć (się) multiply
model, modelka sitter (do obrazu), model
modny fashionable
montować mount
morderstwo, mordować murder
motyl butterfly
mowa speech
możliwość chance, opportunity
Mój Boże! Good gracious! Good heavens! Goodness!
mówca orator
mózg brain
mróz frost
mrugać wink, twinkle (migotać)
mucha fly
muszkiet musket
muzyk musician
myśliwy huntsman
mżawka drizzle

N

na upon, on
na bok, w bok aside
na przykład for instance
na ryby (iść) afishing
na szczęście fortunately

na zawsze for ever
nabawić się (choroby) contract
naczynie dish
nad above, over
nadejść come on

nadgodziny overtime
nadprzyrodzony supernatural
nadzieja hope
nadzorca robotników foreman
najdalej, najdalszy farthest, furthest
najem hire
nalegać insist
należny due (to)
namiętność passion
namiot tent
napad, napadać attack
napis inscription, notice
naprawić repair, mend
naprężony tense
naprzód forward; **prosto naprzód**
    straight on
narkotyk drug
narodowy national
narzekać grumble
narzędzie tool
narzucić impose on
nastawać persist
następnie afterwards
następstwo sequel
naszyjnik necklace
natknąć się na run across (nier.),
    come across (nier.)
natura nature
nawa aisle
nazwać name, call
nerw nerve
nerwowy nervous
neutralny neutral
nędzny beggarly

niańka przygodna baby sitter
niebezpieczeństwo, niebezpieczny
    danger, dangerous
niedawny, niedawno recent, recently
niedbały careless, casual
niedostrzegalny imperceptible
niemowlę infant
nieprzyjemny unpleasant
niespodziewany unexpected
niesprawiedliwy unfair
nieszczęście calamity
nieszczęśliwy unfortunate, unhappy
nieśmiały shy
niewątpliwy doubtless
niewiarygodny unbelievable, incredible
niewidoczny invisible
niezamącony unruffled
niezamężna, nieżonaty unmarried
niezaspokojony insatiable
nie zepsuty unspoiled
nieznaczny, nieznacznie slight, slightly
niezwykły, niezwykle unusual, unusually
nikt, nic none
nominacja appointment
norka (futro) mink
Normandczyk Norman
notatka, notować record, take notes
nowoczesny up-to-date, modern
nudziarz bore
nylon nylon

O

obcas heel
obchodzić (kogoś, coś) affect, concern
obcować associate
obecność, obecny presence, present
obejść się, obyć się do without

obelga insult
obiecywać promise
oblężenie siege
obniżyć (cenę) reduce
obowiązek duty
obóz, obozować camp

obręcz hoop
obrona, obronny defence, defensive
obrońca defender
obrót turn
obrzeżyć (wyłożyć brzegi) line
obrzucić (czymś) pelt
obrzydzenie disgust
obsada (w sztuce teatr.) cast
obserwacja observation
obserwować observe
obsługa service
obszerny spacious
oceniać to take stock (nier.), appraise
ocenić appraise
oczarować bewitch, enchant
oczekiwać expect
oczywisty, oczywiście obvious, obviously
od czasu since
odbudowa reconstruction
odbudować rebuild (nier.)
odcień hue
odcisnąć impress
oddać give back, hand back
oddalać dismiss
oddech breath
oddychać breathe
oddział troop
oddzielny, oddzielać separate
odejść go off (nier.), be off (nier.), leave (nier.)
odjechać depart
odkryć discover
odległość distance
odległy outlying
odnowić restore
odpoczynek, odpoczywać rest
odpowiedź, odpowiedzieć reply, answer
odprężyć (nerwy) relax
odróżnić od to tell from (nier.)
odruchowy instinctive

odrzutowy jet-propelled
odsunąć (się) move away
odszkodowanie damages
odwaga pluck
odwrotnie conversely
odzież clothing
odzwierciedlać reflect
ogłoszenie notice, ad, advertisement
ogłuszyć (ciosem) stun
ogórek cucumber
ograbić rob
ogrodniczy horticultural
ogrodzenie enclosure
okazja opportunity, occasion
okiennica shutter
okno w dachu, suficie skylight
okres term
okrzyk shout
omówić to talk over
omyłka slip, mistake
opanować master
opiekun guardian
opierać się, oprzeć resist, base (bazować), lean against (nier.)
opłata charge
opona tyre (lub tire)
opozycja opposition
optymista optimist
opuszczony lonely, derelict (bezpański)
opuścić depart, desert, leave (nier.); drop (w dół)
orać plough
organizacja organization
O.N.Z. Organizacja Narodów Zjednoczonych U.N.O. United Nations Organization
organizować organize
oryginalny original
orzeł eagle
oset thistle
ostatnio lately, recently
ostrzegać warn

ostrzeżenie warning
oszczędzić save, spare (kogoś)
oszołomiony giddy
ośmielić się dare (czasownik ułomny)

otoczenie surroundings
otoczyć surround
oznaczać stand for
oznajmiać inform

P

pachnący fragrant
palarnia (w teatrze) foyer
pamiątka remembrance
pamięć memory
panowanie, panować reign
państwo state
P.G.R. Państwowe Gospodarstwo Rolne State Owned Farm
parcela plot
parter (w teatrze) pit
partia party
Partia Komunistyczna Communist Party
pas belt
pasek strap, belt, stripe (deseń)
pasować fit, suit
pasterz shepherd
pasza fodder
paszport passport
paź page
październik October
pąk, pączkować bud
pąsowy crimson
pchła flea
pedał pedal
pełny (w komplecie) full up
pensja salary
personel personnel
pertraktacje negotiations
peruka wig
pewny, pewien certain
piegi freckles
piekarz baker
pień trunk
pierścień ring

pierwiosnek cowslip
pierwsza pomoc (dla chorego) first aid
pieszy foot passenger
pięta heel
pigułka pill
pikieta, stawiać pikiety picket
piknik picnic
piosenka song
pisk, piszczeć squeak
plaga plague
plakat poster
plan plan, design
plastykowy plastic
płaca wages
płótno canvas (żaglowe), linen
płuca lungs
pług plough
płyn (leczniczy, kosmetyczny) lotion
płyta panel, plate
płyta gramofonowa record
pobory salary
pochodzenie origin
pochód procession
pochylać (się) lean (nier.), stoop, bend (nier.)
początkowy, początkowo original, originally
początkujący beginner
poczta post
pod under, below
podawać serve
podaż supply
podbródek chin
podejrzany, podejrzewać suspect

podium dais
podjąć się take up
podlewać water
podniecać agitate
podniecenie excitement
podnosić lift, raise
podpisać sign
podręcznik manual, handbook
podróż trip; travel
podstawa basis, principle
podstawowy essential
poduszka pillow (do spania), cushion (kolorowa)
podwiązka garter, suspenders (l. mn.)
podwinąć turn up
podwozie chassis
podwórze court, yard
podziw admiration
poemat poem
poeta poet
poezja poetry
pogarda, pogardzać disdain
pogląd opinion
pojemnik container
pokarm food
pokolenie generation
pokój peace
pole field; battlefield (bitwy)
polegać na depend on, upon
policja police
policzek cheek
polityk politician
polowanie hunt, hunting
pomagać assist, help, aid
pompa pump
pomyślny successful
poniżej below, beneath, underneath
ponury gloomy, grim
popisywać się show off (nier.)
poprawić, poprawny correct
por (jarzyna) leek
poradzić sobie (z czymś) cope with, manage

portret portrait
portretować portray
postument pedestal
poszukiwać seek (nier.)
pośliznięcie się, pośliznąć się slip
pośmiewisko ridicule
potępiać damn
potoczny (język) conversational
potrzeba want, need
potwierdzić confirm
poważny serious, earnest
powieściopisarz novelist
powodować cause
powstać spring (nier.)
powstanie insurrection
powszechny universal, prevalent
powtórka revision
poza (dalej niż) beyond
pozbyć się czegoś (kogoś) get rid of (nier.)
poziom standard (życia), level
poziomka wild strawberry
poznać recognize, meet (nier.) (zawrzeć znajomość)
pozostać stay, remain
pozostałości remains
pozwolenie permission
pozycja position, item
pożytek advantage, use
pożywny substantial
półka (w wagonie, autobusie) rack
prababka great-grandmother
praca labour, work, job
prace domowe housework
pracownik employee
pragnąć desire, wish
praktyka practice
pralnia laundry
prawdopodobnie probably
prawdziwy genuine (autentyczny), real, true
prawnik lawyer
prąd current

pretekst pretext
prezent present
pręgierz pillory
problem problem
procent per cent
produkt, produkcja product, production
projektować, projekt design
promenada promenade
propozycja suggestion
prośba request
prowadzić carry on (dalej), run (nier). (wóz itp.) lead (nier.)
próba test
próg threshold
prywatny private
prząść spin (nier.)
przebicie dętki puncture
przebrać się change
przebywać stay, reside
przechodzień foot-passenger
przechowalnia bagażu cloakroom
przeciągać się stretch
przeciwnik opponent
przedłożyć tender, submit
przedstawiciel representative
przedstawić introduce, present
przedterminowo ahead of schedule
przedwczesny untimely
przejście podziemne subway
przeklinać damn
przekroczyć miarę exceed
przemycać smuggle
przemysłowy industrial
przenocować put up (nier.)
przepis rule, regulation
przeprowadzać się move
przerazić horrify
przerwać interrupt
przestępca offender, criminal
przestępstwo crime
przestraszyć terrify, startle
przestrzeń space, stretch

przeszyć stitch
prześcieradło sheet
przeważnie mostly
przewodniczący chairman
przewrócić upset (nier.)
przeznaczenie destination
przeźroczysty transparent
przeżyć (żyć dalej) survive
przychylny favourable
przyczepiać attach, stick (nier.)
przyczyna cause, reason
przynębiać depress
przygnębienie low spirits
przygnębiony down-hearted
przygotować prepare, get ready
przygotowanie preparation
przylepić stick (nier.)
przymusowy compulsory
przynieść fetch, bring (nier.)
przypadkowy casual
przypiąć pin
przypisywać (coś komuś) attribute
przypominać sobie recollect
przyprowadzić fetch
przyroda nature
przysięgać swear (nier.)
przysłowie, przysłowiowy proverb, proverbial
przysługa favour
przyspieszyć speed up
przystanek autobusowy bus stop
przytulić się nestle
przytwierdzić stick (nier.), fix
przywilej privilege
przyznać allow, admit, confess (się), grant (udzielić)
przyzwyczaić do reconcile, get used to (się)
pszczoła bee
publiczność audience
publiczność, publiczny public
publikować publish
puchnąć swell (nier.)

puls pulse
pułk regiment
pułkownik colonel
pusty empty, hollow (wydrążony)
pustynia desert

puszka tin
pył dust
pytać się o inquire (about), ask
pytanie question

R

rachunek account, bill
rada; radzić advice, board; advise
rada (zarząd) board, council
radioaktywność radioactivity
rama frame
ramię arm, shoulder (bark)
rata instalment
raz (kiedyś) once
razem altogether, together
reakcyjny reactionary
realizm realism
reflektor (w aucie) headlight
reprezentować present
reprodukcja reproduction
reszta rest
rewolucja revolution
rewolwer gun
rezultat result
rezydencja residence
rękopis script
robak (pluskwa) bug
robotnik workman, worker
robotnik rolny farmlabourer
roczny, rocznik annual
rodak countryman
rodzić bear (nier.)
rojenia moonshine
romantyczny romantic
rosół broth, clear soup
roślina plant
rowerzysta cyclist

rozbicie crush, smash
rozbić shatter, smash, break (nier.)
rozciągać się stretch
rozczarować disappoint
rozdawać distribute
rozkaz, rozkazywać order
rozpacz despair
rozpryskiwać spray
rozrywka diversion
rozstrzygnąć sprawę settle
roztrzaskać shatter
rozum brains
równowaga balance
równy equal, steady
różnić się differ
różny various, different
rudy auburn, red
rura pipe
rycerz knight
rygiel bolt
rys feature
rysunek drawing, design
ryzyko, ryzykować risk
ryzykowne przedsięwzięcie venture
rzadki (nieczęsty) rare
rządzić rule
rzemień strap
rzeźba sculpture
rzeźba, rzeźbienie w drzewie wood carving
rzut (oka) glimpse

S

saksoński Saxon
salon parlour
samochód car, motor car
samouk self-taught
sanki, saneczkować toboggan
satyryczny satirical
sąsiedztwo neighbourhood
scena (teatralna) stage, scene (część
sztuki)
schwytać snatch, catch (nier.)
ser śmietankowy cream cheese
serdeczny hearty
sękaty gnarled
siano hay
sierpień August
siła force, power
siodło, siodełko saddle
siostrzenica niece
skakać, skok skip, spring (nier.),
jump
skala scale
sklepienie łukowe arch
skład apteczny, drogeria drugstore
(amer.)
składać fold
składać się z consist of
składka contribution
skłonny inclined
skojarzenie association
skończyć się finish, be over
skóra (wyprawiona) leather
skromny modest
skrzydło wing
skrzypce violin
skrzypek, skrzypaczka violinist
skurcz cramp
skuter scooter
słowiański Slavonic
słuchacze audience
słuchać obey (być posłusznym), listen
to

słuchawka receiver
sługa, służący servant
słup post, pillar
smaczny tasty
smyk kid
socjalista, socjalistyczny socialist, socialistic
socjologia sociology
solidarność solidarity
sójka bluejay
sól salt
spacer, miejsce spaceru walk
spawalnia welding shop
specjalista specialist
specjalizować się specialize in
spodek saucer
spojrzenie gaze, glimpse
spokojny quiet, still, undisturbed
spokój peace, quiet
społeczeństwo society
społeczny social
sposobność occasion
sposób way, means
spostrzeżenie, spostrzec remark
spółdzielnia, spółdzielczy cooperative;
spółdzielnia produkcyjna (PGR)
collective farm
sprawa cause, case
sprawić niezadowolenie dissatisfy
sprawiedliwość justice
spryskiwać spray
sprzątać clear away
sprzeczka, sprzeczać się dispute
sprzedawca salesman, shop-assistant
sprzęgło clutch
srebro, srebrny silver
srebrzysty silvery
stać się turn out
stały constant
stan state
staranny careful

starożytny ancient
starter starter
starzeć się be getting older
stawiać set (nier.)
stewardesa stewardess, hostess
stopa (życiowa) standard
stopień (ocena) mark
stopniowo gradually
stowarzyszenie association
strajk, strajkować strike (nier.)
straszny terrible, awful
straż guard
stromy steep
strona aspect, side, page (w książce)
strumień current
strzała arrow
strzaskać smash
strzelba gun
studia studies; **ukończyć studia** graduate
stwierdzić state
styczeń January
stypendium scholarship
sublokator lodger
sugestia suggestion
suknia wizytowa gown, cocktail dress
suszarka plate rack (do naczyń), dryer (do bielizny)
symboliczny symbolical
szabla sword
szacować appraise
szansa chance
szatnia cloakroom
szczątki remains
szczegół, szczególny particular
szczep tribe
szczęście luck, happiness; **na szczęście** fortunately
szczypce pliers
szef boss, chief

szelki braces
szept, szeptać whisper
szeroki wide, broad
szerzyć (się) spread (nier.)
szewc shoemaker
szlachetny noble
sznur rope
sznurowadło shoelace
szpilka pin
sztachety (żelazne) railings
sztuczny artificial
sztuka art
sztuka teatralna play
szwagierka sister-in-law
szyba pane
szybkościomierz speedometer
szychta shift
szydzić, szydzenie jeer
szyfr code
ściąć głowę behead
ścieg stitch
ścierka cloth
ścigać sądownie sue
ślad trace
śledztwo investigation
ślepy blind
ślub, ślubować vow
śluza lock
śmiałość audacity
śmiały bold
śniady swarthy
śnić dream (nier.)
śpiewak, śpiewaczka singer
średniowieczny medieval
środek (sposób) means
świadectwo testimony, certificate. evidence
świecący sparkling, shining
świeży fresh, recent (niedawny)
święty holy, saint

T

tablica rozdzielcza dashboard
taca tray
tajemnica, tajemniczy secret
taksówka taxi
talent talent; utalentowany talented
talizman talisman
tani cheap
tapeta, tapetować wall-paper, paper
tarcza shield
targi fair
taternik, taternictwo mountaineer,
mountaineering
tekst script, text
temat subject, topic
teść father-in-law; teściowie — in-
-laws
tęsknić (za, do) long for
tło background
tłoczyć press
tłumacz (ustny) interpreter
tokarka lathe
tokarz turner
tor track

towarzyski sociable, social
towarzystwo society, party, company
towarzysz companion, comrade, fellow
tradycja, tradycyjny tradition, traditional
tragedia, tragiczny tragedy, tragic
traktor tractor
traktować treat
trans trance
transparent banner
transporter conveyor-belt
trasa thoroughfare
truskawka strawberry
trwać last
trzcina cane
trzepotać flutter
tuczyć fatten
twardy firm (niewzruszony), hard,
tough
tyczyć concern
tylko only, but
tytoń tobacco

U

ubywać dwindle
ucieczka, uciekać escape, flight
ucieleśniać embody
uczący się learner
uczeń pupil, schoolboy, learner
uczesanie hair-do, set
uczęszczać attend
uczony scientist
udany successful; udać się be successful
uderzać beat (nier.), strike (nier.)
bump
uderzenie beat, blow
udowodnić prove
uduchowiony spiritual

ugoda settlement
ukończyć studia graduate
ukrywać conceal, hide (nier.)
uległość submissiveness
ulotka pamphlet
ulubieniec pet
umiarkowany moderate
unowocześniać modernize
upaństwowić nationalize
upewnić się ensure
urodziny, urodzenie birth
uruchomić operate
urząd celny customs
urządzać (meblować) furnish
urzędnik clerk, official

usługiwać serve
ustawa act
ustępstwo concession
uszkodzenie damage
utrzymanie living, maintenance (obsługa); **utrzymanie domu** housekeeping
uwaga remark, attention; **Uwaga!** look out!

uważać take for granted (za rzecz oczywistą), consider
uwielbiać worship, adore
uwięzienie imprisonment
uwięzić imprison
uzdrowisko health resort
uznanie acknowledgement
użytek usage, use

W

wachlarz fan
waga weight
Walia Wales
walka struggle, fight
warsztat works
wartościowy valuable
wątpliwość, wątpić doubt
wcale nie not at all
wdzięczny (za coś) thankful, grateful for
wdzięk grace, charm
wejście entry, entrance
wełna wool
wentylator fan
wepchnąć insert
wesoły merry, gay
widelec fork
widz onlooker
wiec rally
wiele lots of, a lot of
Wielkanoc Easter
wiersz verse, line, poem
wieś, wioska village; **na wsi** in the country
wietrzyk breeze
wiewiórka squirrel
wieżyczka turret
więzień prisoner
wirować whirl
witamina vitamin
wiza visa
wizjoner visionary

włączać include (objąć), switch on (aparat, motor)
włożyć do put in (nier.)
wnuk, wnuczka grandchild
wobec tego (że) since
wokoło around
wola will
woleć prefer
wolny free
wódz chief
wóz cart, waggon
wózek dziecinny pram
wpaść na bump into
wpatrywać się gaze
wprowadzić introduce
wracać go back, return
wrażenie impression; **robić wrażenie** impress
wręczać hand
wróg enemy
wróżka fairy
wrzesień September
wskutek tego consequently
wspaniały grand, splendid
wspinaczka mountaineering, rock climbing
wspomnienie remembrance, reminiscence
współczesny contemporary
współczucie sympathy
wstecz backwards

wsteczny reverse
wstęp introduction
wstręt disgust
wstrząs concussion, shock
wściekłość, wściekać się rage
wściekły mad
wśród amid, among
wtrącanie się interference
wybierać pick out, choose (nier.)
wybór choice
wybrzeże coast
wychodzić come out (nier.), go out (nier.)
wychować bring up (nier.), educate
wycie, wyć howl
wyczerpać się run out (brakować)
wydać (utwór) issue, publish
wydajność productivity
wydarzyć się happen
wydatek expense
wydawca, wydawnictwo publishers (l. mn.)
wydrążony hollow
wyglądać na zadowolonego look pleased
wygłodniały ravenous
wyjaśnienie explanation
wyjść come out (nier.), get off (nier.)
wykształcenie education
wyłącznik switch

wyłączyć (światło) turn out, switch off
wymieniać mention (wspominać)
wymówka pretext
wymyślić invent
wynagrodzenie salary
wynająć hire
wynik result
wyobrazić sobie fancy, imagine
wyobraźnia fancy, imagination
wypełnić (formularz) fill in
wyposażenie equipment (ekwipunek)
wyposażyć equip
wypuścić let out
wyraźny distinct
wyrok judgement
wyrób product, make
wyrzucać turn out
wysadzać (ozdobami) stud
wysiadać alight, get off (nier.)
wysiłek effort
wysokość height
wystawa exhibition, show
wystawiać exhibit, expose
wystawić na zewnątrz put out (nier.)
wytrącić z równowagi upset (nier.)
wywołać (sprawić) cause
wyznać confess
wyzwanie, wyzwać challenge
wzmiankować mention

Z

z powodu on account of, because of
zabawa w chowanego hide and seek
zabawny amusing, funny
zabraniać prohibit, forbid (nier.)
zachowywać się behave
zachwycający entrancing
zachwycony delighted
zaciskać make tighter
zaczerwienić się redden
zadraśnięcie, zadrasnąć scratch

zagadnienie problem
zainteresowanie interest
zakochać się w to fall in love with (nier.)
zakończyć conclude, finish
zakupić; zakupy purchase; shopping
zależeć od depend on, upon
załamać się break down (nier.)
załatwić settle
załatwienie sprawy settlement

założyć (ufundować) found
zamarzać freeze (nier.)
zamawiać order
zamek (u drzwi) lock
zamiar design, aim
zamienić exchange, swop (slang)
zamiłowanie do bent for
zamożny rich, well-to-do
zaniedbywać neglect
zaopatrzyć provide, supply, equip
zapas stock
zapłata pay
zapobiec prevent
zaprzeczać deny
zapytać się inquire, enquire, ask
zarobić earn
zarodek embryo
zarządzać direct, manage
zarządzenie prawne measure
zasadniczy essential
zasiłek grant
zasługa merit
zasobny substantial
zatrzymać się (u kogoś) put up
  (nier.)
zaułek (zaniedbany) slum
zauważyć remark, notice
zawdzięczać owe; zawdzięczając owing to
zawierać contain
zawierać w sobie imply
zawieść fail (nie udać się)
zawody competition
zazdrosny jealous
zbierać collect, gather, pick up
zbierający, zbieracz collector
zbliżyć się approach
zbiornik tank
zbiór collection
zboża cereals
zbrodnia crime
zbrodniczy criminal
zbyteczny useless

zdawać sobie sprawę realize
zdarzyć się happen
zderzyć się bump
zdobyć gain, conquer
zdobywca conqueror
zdrowie health
zdruzgotać crush, smash
zdziwienie amazement
zejść get off (nier.)
zeskoczyć jump off
zgadywać guess
zgadzać się consent, agree
zgnieść crush, squeeze
zgodnie z according (to)
zgoła at all
zgromadzenie rally
zjednoczony united
złapać snatch, catch (nier.)
złoto gold; złocisty golden
zły, zło evil
zmęczony worn out, tired
zmiana, zmienić change; shift (zmiana robotników)
zmniejszyć reduce
zmora nightmare
zmusić force
zmyć wash away
znaczyć matter (mieć wagę), imply
  (sugerować), mean (nier.)
znak sign, mark
znamię mole
znieść (wytrzymać psychicznie) bear
  (nier.), stand (nier.)
zniżyć lower
zniżyć się stoop
znużony weary
zrobić wrażenie impress
związek union
Związek Zawodowy T. U. Trade
  Union; działacz związkowy trade-
  -unionist
zwichnąć sprain
zwiększyć increase

zwolnić release; dismiss (z posady itp.), slow (tempo)
zwrócić hand back, give back (nier.)

zwyczaj custom
zwykły ordinary, usual, common
zyskać gain

Ż

żaden none, neither, no
żargon slang
żart, żartować joke
żądać demand
żądanie request, demand
żebrać beg

żebrak beggar
żołądek stomach
życzyć sobie wish
żydowski Jewish
żywy vivid, lively